Maestros de la pintura

Patricia Fride R. Carrassat

LAROUSSE

La autora quiere expresar su agradecimiento a todas las personas que le han
prestado su apoyo y su ayuda en la realización de esta obra y, en especial,
a quienes han tenido la amabilidad de hacerle llegar sus observaciones
sobre las introducciones de cada período

Arnaud Brejon de Lavergnée, *director del museo de Bellas artes de Lille*
Nathalie Brumelle, *conferenciante del museo del Louvre*
Annie Castier, *directora del departamento pedagógico y cultural
del museo de Bellas artes de Lille*
Marie-Anne Dupuy-Vachet, *museo del Louvre*
Yves Gagneux, *director de la casa de Balzac (París)*
David Guillet, *administrador de las galerías nacionales del Grand Palais*
Jean-François Jaeger, *director de la galería Jeanne-Bucher (París)*
Geneviève Lacambre, *directora del museo de Orsay*
Stéphane Loire, *conservador del Patrimonio, departamento de pintura, museo del Louvre*
Geneviève Ponge, *documentación del departamento de pintura, museo del Louvre*
Marie-Catherine Sahut, *director del departamento de pintura, museo del Louvre*
Nicole Van Hoeke, *profesora destinada en el museo de Bellas artes de Lille*
Nathalie Volle, *director del departamento de bellas artes, Centro de investigación
y de restauración de los museos de Francia (C2RMF)*

La autora quiere hacer extensibles sus agradecimientos a Eddie y Bernard Fride,
a Catherine Moser, a su marido Thierry y a sus hijos Alexis y Louis por su paciencia infinita.

EDICIÓN ORIGINAL
Responsable de edición: Dominique Wahiche,
con la colaboración de Agnès Combe
Edición: Françoise Maitre y Didier Pemerle
Asistente de edición: Didier Pemerle
Concepción y diseño gráfico: Dominique Capon y Emma Drieu
Búsqueda iconográfica: Natalie Lasserre

EDICIÓN ESPAÑOLA
Dirección editorial: Núria Lucena Cayuela
Coordinación editorial: Jordi Induráin Pons
Edición: Laura del Barrio Estévez
Traducción: Francesc Reyes Camps
Cubierta: Estudi Colomer

© 1997 Larousse-Bordas
© 2004 ÉDITIONS LAROUSSE
© 2005 SPES EDITORIAL, S.L.
Aribau, 197-199, 3.ª planta. 08021 Barcelona
Tel. : 93 241 35 05   Fax : 93 241 35 07
larousse@larousse.es • www.larousse.es

ISBN: 84-8332-597-7
Depósito legal : B. 16.030-2005
Impresión y encuadernación: Egedsa
Impreso en España – Printed in Spain

INTRODUCCIÓN

Hace ya varios decenios que se ha convertido en algo habitual organizar de grandes exposiciones retrospectivas que suelen tener un gran éxito: las multitudes que acuden a visitarlas hacen que estas manifestaciones artísticas adquieran la dimensión de auténticos acontecimientos sociales. En ellas se presentan pintores reconocidos (de Botticelli a Matisse o Picasso), que ofrecen un placer renovado; se invita a (re)descubrir a otros artistas (Vermeer, Latour o Lotto) menos conocidos por el gran público; o se exploran los aspectos olvidados de una obra (Daumier, pintor y escultor). Y aunque, según Miguel Ángel, la arquitectura y la escultura son las artes superiores, la pintura es la estrella indiscutible estas manifestaciones.

Maestros o genios

La noción de «maestro» o de «genio» supone a un ser excepcional situado por encima del común de los mortales. La palabra «genio» abarca diferentes acepciones. Según Diderot, se acerca más a lo «sublime» que a lo bello, exalta la «facilidad» natural para aprender a inventar, demuestra un espíritu observador» y lleva a un «modelo ideal». Según Hume, revela «una facultad mágica del alma». Kant asocia un espíritu voluntario y el momento «propicio». Schopenhauer habla de «facultad contra natura», del «otro universo» del genio, surgido de la primacía del conocimiento intuitivo sobre el conocimiento discursivo. Freud ve en él el «desamparo de la inteligencia» acompañado de desórdenes emocionales y orgánicos. Leonardo da Vinci, Miguel Ángel o Durero son genios, lo mismo que el Caravaggio, Cézanne, Picasso o Ernst, formaran o no alumnos en su taller, o una escuela de arte, se rodearan o no de pintores confirmados como colaboradores o se impusieran como «maestros» por la única autoridad de su arte (el Caravaggio, Vermeer, Lotto, Chardin o Velázquez). Las invenciones del genio se imponen a la evidencia y modifican la visión del mundo.

Del artesano al artista

En la edad media, el pintor es un artesano, un pintor obrero que pertenece a una asociación llamada también «guilda», muy estructurada y jerarquizada. Desde la infancia, hacia los diez o doce años, a menudo de padre a hijo, a veces sin vocación, aprende su oficio en talleres que también son tiendas, bajo la dirección de su maestro. Una vez adulto, tras cuatro años de estudios, puede aspirar al título de maestro y enseñar a su vez.

Los talleres del renacimiento italiano *(botteghe)*, fieles al *museion* griego o al *museum* romano de la antigüedad (colegios de sabios o lugares consagrados al debate filosófico), reagrupan los saberes en una concepción unitaria de las artes. Son a la vez lugares de intercambios artísticos e intelectuales, pero también destinados a la conservación de obras y al mismo tiempo a la formación. Desde el siglo XV los pintores creadores empiezan a alejarse de la condición de obrero artesano: Masacio firma sus obras. Los artistas se inician también en la copia de obras antiguas; colaboran, a partir del siglo XVI, con los humanistas al servicio de las familias reinantes y de los grandes mecenas, y después empiezan a frecuentar las academias. Un movimiento parecido se produjo en Flandes, a pesar de un retraso de cerca de un siglo con respecto a la aparición de las academias.

En el siglo XVII, el pintor se forma sobre todo en las academias oficiales. Francia cuenta con setenta, entre ellas la Academia real de pintura y escultura, que forma, acoge y subvenciona a los artistas. Desde 1663, año de la creación del premio de Roma por Colbert, el artista estudia en Italia las obras del renacimiento y de la antigüedad. En 1667 se crea el Salón del Louvre: la exposición de una obra se somete a la autorización del jurado de la academia. En casos excepcionales, artistas rebeldes (el Caravaggio, Poussin) crean libremente, con independencia de las exigencias del mecenas.

En el siglo XVIII el modelo de la academia real parisina se difunde en Europa. De todos modos, la evolución del mercado del arte, la multiplicación de las escuelas, los intercambios y el desarrollo del comercio del arte modifican la relación entre el pintor y los lugares oficiales. Chardin, pintor del género llamado «menor», según la jerarquía de géneros promulgada por la academia real que favorece la pintura histórica, es admirado por su talento.

A partir del siglo XIX, el pintor escapa progresivamente a la dependencia académica. Aunque se sigue estudiando en la academia, sobre todo continúa su aprendizaje en un taller privado. Expone preferentemente en el salón del Louvre, pero también en salones privados o en galerías de arte. El artista reivindica así una libertad mayor y, desde la segunda mitad del siglo, encuentra lugares más en armonía con su inspiración, con su gusto por el aire libre, por el desplazamiento (Barbizon, Giverny, Provenza, Oriente, etc.).

En el siglo XX, la noción de maestro enseñante desaparece, salvo en la Bauhaus. El pintor sigue una formación en la escuela de bellas artes o en escuelas de arte privadas. La libertad de creación es total. De todos modos, para vivir, continúa dependiendo de los marchantes.

Los maestros y su arte

Giotto se adaptó a «lo moderno», escribe Cennini (*Tratado de pintura*, 1437). Poussin reconoce al maestro la capacidad de expresar «la idea de las cosas [...] parecida al natural». Delacroix mide al «verdadero artista» en el redoblamiento de «la fogosidad, del ardor, de la violencia», y contradice a David, para el que el artista «da una apariencia, una forma perfecta a su pensamiento». Manet quiere «arrancar de la vida actual su lado épico», mientras que para Degas «el artista no dibuja lo que ve, sino lo que quiere que vean los demás». A Turner, que «pinta con vapor coloreado» (según Constable), y a Monet, cuyo jardín es la «más bella obra maestra», les sucede Van Gogh que expresa «con el rojo y el verde las terribles pasiones humanas». Matisse, por fin, afirma que «la obra de arte es portadora de la significación absoluta y se impone al espectador antes de que haya podido identificar el tema».

En noviembre de 1852, Delacroix escribe en su diario: «Las opiniones se modifican necesariamente. No conocemos nunca lo suficiente a un maestro como para hablar de él de manera absoluta y definitiva.» Estas palabras confirman que las retrospectivas, las obras publicadas, el mercado del arte y las modas hacen que las maneras de considerar las obras y los maestros vayan cambiando.

El propósito de la obra

Este libro presenta a 73 maestros de la pintura occidental de la edad media al siglo XX, de Cimabue a Warhol, hayan encabezado movimientos (Carrache, Rubens, Delacroix, Monet, Picasso...) o sean «solitarios» (Bruegel, Lotto, La Tour, Velázquez, Vermeer, Rembrandt, Chardin, Manet, Cézanne, Van Gogh o Bacon, sobre todo). Elegir solamente a 73 en un período de siete siglos implica una selección. Aunque los pintores se hayan escogido en función de criterios precisos, puede prevalecer un sentimiento de injusticia por lo que respecta a los ausentes. Nuestros maestros son los que nuestra época reconoce. ¿Quizá algunos estén en el olvido dentro de una decena de años? ¿Saldrán otros de las sombras para reencontrar su dimensión histórica? En 1950, La Tour, Vermeer, el Caravaggio e il Pontormo no habrían encontrado lugar en este libro. La historia de las mentalidades no puede ser extraña a este palmarés: 23 maestros escogidos entre el siglo XIII y el XVI, 10 en el siglo XVII, 6 en el XVIII, 17 en el XIX y 17 grandes nombres para los 60 primeros años del siglo XX.

El método

La selección de los maestros ha exigido una clasificación según criterios apreciativos rigurosos. Entre éstos, la ruptura («reacción a») o, por el contrario, la continuidad estilística (profundización, aportación), el éxito del artista y su perennidad (pintor modelo), su descubrimiento o su redescubrimiento, las invenciones puntuales o duraderas, temáticas y plásticas (formato, soporte, composición, color, luz, técnica, filosofía y razonamiento relacionados con la plástica) se han considerado primordiales.

De manera inversa, se han descartado los precursores «tímidos», aquellos cuyos potenciales no se vieron desarrollados, los alumnos y los seguidores, incluso los más célebres (pues no son los creadores), los artistas de igual mérito con relación a los maestros escogidos pero menos precoces, y cuya influencia ha sido menos decisiva, y los que han querido forzar hasta el límite un arte o una técnica.

En cuanto al período contemporáneo, a partir de la década de 1960, la perspectiva nos ha parecido insuficiente: solamente Dubuffet, Pollock, Bacon y Warhol responden de manera segura a los criterios enunciados.

Una aproximación cronológica

Empezando con Cimabue, esta obra sigue su recorrido cronológico hasta el siglo xx, en el que se integran los Estados Unidos. Cuando las carreras de los artistas se cruzan, se descarta su clasificación por fecha de nacimiento: lo que constituye la fecha y determina la cronología es o bien el momento en que la aportación del artista ha sido determinante, o bien una filiación pictórica entre artistas determinada por la historia del arte.

Se han distinguido seis grandes períodos históricos y estilísticos: del siglo xiii al xvi (el renacimiento y sus desarrollos), el siglo xvii (clasicismo y barroco), el siglo xviii (rococó y neoclasicismo), la primera mitad del siglo xix (romanticismo), la segunda mitad del siglo xix (realismo, impresionismo, postimpresionismo, simbolismo) y el siglo xx antes de 1965 (expresionismo, cubismo, abstracción, surrealismo, etc., y primicias del arte contemporáneo, desde el expresionismo abstracto al *pop-art*).

Unos textos introductorios abren estas seis partes. Sitúan a los artistas y sus obras en la historia política, económica, social y cultural, en su medio de producción (papel de los mecenas públicos y privados, acogida de la crítica y del público). Permiten comparar lo que ocurría en un mismo momento, sobre todo en el plano estilístico, en los diferentes países de Europa (Leonardo da Vinci es contemporáneo de Durero y de Bosch, Grünewald habría nacido el mismo año que Miguel Ángel, Velázquez y Pierre de Cortone se llevaban tres años).

La presentación de los maestros

Cada uno de los maestros se presenta en 2, 4 o 6 páginas. Si bien «lo esencial» puede resumirse en 2 páginas para Cimabue, Masacio y Seurat, se dedican 4 a la mayoría de los pintores, y 6 a Goya, Cézanne, Matisse, Braque y Picasso.

Cada artículo tiene la misma estructura.

• Una breve síntesis introductoria resume en algunas líneas la personalidad del pintor, define su obra y las características estilísticas que hacen de él un maestro.

• Un «recorrido biográfico» presenta las grandes etapas, los momentos clave de la vida del pintor y sus principales obras.

• En «Influencias y características pictóricas» se recuerdan las técnicas, los temas, los formatos y lo soportes preferidos por el artista, sus principales mecenas, sus viajes y las influencias artísticas que atesora, así como la estilística y plástica de la obra y su evolución.

• En «Un gran maestro» se retoman los criterios que hacen que consideremos al artista escogido como un maestro: triunfo en vida del artista o redescubrimiento posterior; ruptura estilística o profundización y singularidad dentro de un estilo; invención o renovación de la temática, la composición, la plástica (color, luz, factura), la técnica, los temas dominantes.

• En «Obras características» se da cuenta del número de obras pintadas por el maestro (no se consideran ni los dibujos ni los grabados), las producciones importantes y sobre todo significativas de la evolución artística del maestro.

• Se reproducen de una a tres obras por artista, representativas de su evolución estilística a partir de la madurez (por ejemplo, las épocas azul y rosa de Picasso quedan eclipsadas por el cubismo), y no son forzosamente las más famosas, sino las más esclarecedoras desde el punto de vista plástico.

• Una bibliografía propone algunas obras de referencia: catálogos de exposición, catálogos razonados, monografías, escritos de pintores...

Esta selección, inevitablemente subjetiva a pesar de la atención que se ha puesto en la diversidad y en la representatividad de los artistas, no debería alterar el deseo de cada cual, dentro del mundo sensible del arte, de erigir, con total libertad, al pintor de su elección hasta el rango de maestro.

SUMARIO

Lista de abreviaturas utilizadas en la obra

Abreviaturas usuales
ac.: Accademia
a.: antes
d.: después
s.: siglo
h.: hacia
ibid.: ibidem
id.: idem
S.: San, Santo, Santa, Santi
Fond.: Fondation, Foundation
B. A.: museo de Bellas Artes
col.: colección
col. part.: colección particular
m.m.: museo municipal
m.n.: museo nacional
m.d.: museo departamental
loc. desc.: localización desconocida
Pinac., Pinak.: Pinacoteca, Pinakothek
RMN: Réunion des musées nationaux (edición)
G. o gal.: Galerie, Gallery, Galleria
A.G. o G.A.: Art Gallery o Gallery of Art
N.G.: National Gallery of Art
A.I. o I.A.: Art Institute o Institute of Art
A.M. o M.A.: Art Museum o Museum of Art; Museo d'Arte; Museo de Arte
G.N.: Galleria nazionale; Germanisches Nationalmuseum
M.C.: Museo Cívico
M.F.A.: Museum of Fine Art
M.N.: Museo Nacional, National Museum
G.A.M.: Galerie d'Art moderne
Km.: Kunstmuseum
K.: Kunsthalle

Abreviaturas de los museos
Amsterdam, Rm.: Rijksmuseum
Amsterdam, S.M.: Stedelijk Museum
Amsterdam, M.N.V. Gogh: Museo nacional Van Gogh
Amberes, M.M.B.: Museum Mayer Van der Bergh
Birmingham, B.I.: Barber Institute of Art
Boston, I.S.G.M.: Isabella Stewart Gardner Museum
Brunswick, S.H.A.U.M.: Staatliches Herzog Anton Ulrich Museum
Bruselas, B.-A.: Musées royaux des Beaux-Arts
Budapest, S.M.: Szépemüvészti Múzeum
Cambridge [G.-B.], F.M.: Fitzwilliam Museum
Cambridge [Mass.], F.A.M.: Massachusetts, Fogg Art Museum of Harvard University
Cardiff, N.M. of Wales: Cardiff, National Museum of Wales
Cassel, S.K., Gg: Staatliche Kunstsammlungen, Gemäldegalerie
Cincinnati [Ohio], T.M.: Taft Museum
Copenhague, S.M.F.K.: Statens Museum for Kunst
Copenhague, N.C.G.: Ny Carlsberg Glyptotek
Copenhague, O.S.: Ordrupgaard Sammlingen
Dresde, Gg.: Staatliche Kunstsammlungen, Gemäldegalerie
Düsseldorf, K.N.W.: Kunstsammlungen Nordrhein-Westfalen
Düsseldorf, Km.: Staatlische Kunstmuseum
Edimburgo, N.G.S.: National Gallery of Scotland
Essen, F.M.: Folkwang Museum
Estocolmo, Nm.: Nationalmuseum
Florencia, Uffizi: Galleria dei Uffizi
Florencia, Pitti: Palazzo Pitti
Frankfurt, S.K.: Städelsches Kunstinstitut
Glasgow, AG: City Art Gallery
Greenwich, N.M.M.: National Maritime Museum
Hartford, W.A.: Wadsworth Atheneum
Karlsruhe, S.K.: Staatliche Kunsthalle
La Haya, M.: Mauritshuis Museum
La Haya, Gm.: Gemeentmuseum
Leipzig, M.: Museum der bildenden Künste
Londres, B.M.: British Museum

Londres, B.P.: Buckingham Palace
Londres, C.I.: Courtauld Institute
Londres, D.C.: Dulwich College
Londres, K.H.: Kenwood House
Londres, R.A.: Royal Academy
Londres, S.M.: Soanes' Museum
Londres, T.G.: Tate Gallery
Londres, V.A.M.: Victoria and Albert Museum
Londres, W.M.: Wellington Museum
Londres, Wall. C.: Wallace Collection
Londres, H.H.T.: Home House Trustees
Los Ángeles, C.M.A.: County Museum of Art
Lugano, T.B.: collection Thyssen-Bornemisza
Madrid, Ac. S. Fernando: Real Academia de Bellas Artes de San Fernando
Madrid, El Escorial: Monasterio de San Lorenzo del Escorial
Madrid, Prado: Museo Nacional del Prado
Malibú, J. P. Getty M.: Jean Paul Getty Museum
Marlborough, I.F.A.: International Fine Art
Melbourne, N.G.V.: National Gallery of Victoria
Merion [Penn.], B.F.: Pennsylvania, Barnes Foundation
Milan, Brera: Pinacoteca di Brera
Munich, A.P.: Alte Pinakothek
Munich, N.P.: Neue Pinakothek
Munich, B. Sg.: Bayerische Stadtsgemäldesammlungen
Munich, S.G.: Städtische Galerie im Lenbachhaus
Munich, S.M.K.: Staatsgalerie Moderner Kunst
Nápoles, Capodimonte: Museo nazionale Capodimonte
New Haven, Y.C.: Yale Center of British Art
Nueva York, Brooklyn: Brooklyn Museum of Art
Nueva York , F.C.: Frick Collection
Nueva York, H.S.A.: The Hispanic Society of America
Nueva York, M.M.: Metropolitan Museum of Art
Nueva York, M.O.M.A.: Museum of Modern Art
Nueva York, Guggenheim: The Solomon R. Guggenheim Museum
Northampton, S.C.: Smith College
Otterloo, K.-M.: Kröller-Müller
París, Carnavalet: Musée Carnavalet
París, C.-J.: Musée Cognac-Jay
París, E.N.S.B.-A.: École nationale supérieure des beaux-arts
París, J.-A.: Musée Jacquemard-André
París, Louvre: Musée du Louvre
París, M.A.D.: Musée des Arts décoratifs
París, M.N.A.M.: Musée national d'Art moderne, Centre Georges-Pompidou
París, M.A.M.: Musée d'Art moderne de la Ville de Paris
París, Orsay: Musée d'Orsay
París, P.P.: Petit Palais
Potsdam-Sans-Souci, S.G.: Staatliche Schlösser und Gärten
Praga, N.G.: Národní Galerie
Roma, Colonna: Galleria Colonna
Roma, Farnese: palacio Farnese
Roma, Capitoline: Galleria Capitolina
Roma, Borghese: Galleria Borghese
Roma, Corsini: Galleria Corsini
Roma, Doria: Galleria Doria Pamphili
Roma, G.A.M.: Galleria internazionale d'arte moderna
Rotterdam, B.V.B.: Museum Boymans Van Beuningen
San Francisco, Y.M.M.: De Young Memorial Museum
Saint Louis, C.A.M.: City Art Museum
San Petersburgo, Ermitage: Museo del Ermitage
Sevilla, M. Provincial: Museo Provincial de Bellas Artes
Solothurn, M.S.: Museum der Stadt
Springfield, M.A.: Museum of Fine Art
Stuttgart, Sg.: Staatsgalerie
Tokio, B.M.A.: Bridgestone Museum of Art
Turín, Sabauda: Galleria Sabauda
Venecia, Ac.: Galleria dell'Accademia
Venecia, Dux: palacio de los dux
Venecia, G.A.M.: Galleria internazionale d'arte moderna di Ca' Pesaro
Versalles, m.: Musée national du château de Versailles
Viena, K.M., Gg.: Kunsthistorisches Museum, Gemäldegalerie
Viena, H.M. der S. W.: Historisches Museum der Stadt Wien
Viena, Ö. G.: Österreichische Galerie

Del siglo XIII al siglo XVI: el prerrenacimiento, el renacimiento y el manierismo

A partir de la segunda mitad del siglo XIII y ya en el siglo XIV, Europa, empezando por Italia, experimenta una profunda mutación marcada por nuevos modos de vida, de pensamiento y una revolución artística emprendida por el naturalismo de *Giotto, que anuncia, junto con *Masaccio casi un siglo más tarde, la llegada del renacimiento. Este renacimiento, que en sentido estricto tiene lugar entre los siglos XV y XVI, marca el paso de la edad media a los tiempos modernos. Los artistas, desde Masaccio al *Veronés, desde Giovanni *Bellini hasta *Leonardo da Vinci y *Durero, se interesan por todos los campos del conocimiento que se centren en el hombre, e inventan prácticas artísticas que serán la base de la estética occidental. El manierismo, fruto de convulsiones históricas, introducido por *Miguel Ángel y magnificado por il *Pontormo, rompe con el orden clásico del período renacentista.

EL FIN DE LA EDAD MEDIA Y LOS INICIOS DEL RENACIMIENTO

Diversos cambios políticos, religiosos y sociales, signos del prerrenacimiento, intervienen en la Italia medieval. Si bien el papado logra imponer su supremacía en el Sacro imperio romano germánico, el rey de Francia Felipe IV el Hermoso rechaza la ingerencia de Bonifacio VIII, lo arresta en 1302, hace elegir un papa francés, Clemente V, e instala a éste en Aviñón, mientras que Benedicto XI toma plaza en Roma.

La emergencia de nuevos poderes. En Italia, la aristocracia caballeresca y feudal pierde poder político en provecho de la burguesía comercial o financiera. Desde 1250, las ciudades-estado se enriquecen y rivalizan. Comercian con Flandes pasando por la Borgoña. Venecia mantiene vínculos privilegiados con Bizancio. Se acentúa el despertar «republicano», el derecho romano suplanta a la feudalidad triunfan las libertades municipales, lo que provoca la tímida emergencia de temas laicos: representación realista de lo cotidiano, amor profano cantado por los trovadores.

Un mundo propicio a los hombres y a los pintores. Este mundo en plena evolución cristaliza una renovación, la del «realismo popular», sentimental, ávido de narración y de naturaleza. El progreso de individualización y de abertura de la cristiandad a la naturaleza se expresa en la *Divina Comedia* (1306-1321) de Dante, las obras del teólogo y filósofo santo Tomás de Aquino o las enseñanzas de san Francisco de Asís. Los Pisani, escultores toscanos, inician un naturalismo digno, precursor de un nuevo espíritu, en el que profundizan la pintura de *Cimabue y la de sus alumnos y discípulos, Duccio y sobre todo Giotto.

Los encargos pictóricos aumentan: a los de las iglesias e instituciones religiosas (la pintura aparece en esta época como menos costosa que los mosaicos) vienen a añadirse necesidades laicas más numerosas: encargos municipales, como el que se le hizo a A. Lorenzetti para la ciudad de Siena, o decoración de baúles de boda y de otros enseres domésticos.

A finales de la edad media, ciertos pintores obreros artesanos, apreciados por los mecenas, empiezan a manifestar su personalidad artística.

El gótico internacional. El impulso del gótico internacional, o «estilo cortés», aristocrático y preciosista, se ve favorecido por el trastorno que supuso la instalación del papa en Aviñón. El sienés S. Martini trabaja allí en 1339, los pintores franceses e italianos decoran el palacio de los papas y la cartuja de Villeneuve-lès-Avignon. En Italia, el estilo internacional lleva la firma de Gentile da Fabriano, de Pisanello o de Sassetta. Tras desarrollarse en las cortes europeas entre 1390 y 1425, en Francia con el arte de Enguerrand Quarton, entre otros, pierde impulso en Italia hacia 1425, en el momento mismo en que, en Florencia, el pintor Masaccio inaugura la era del renacimiento.

EL SIGLO XV, EL ADVENIMIENTO DEL RENACIMIENTO

En 1414 se pone fin al gran cisma con el concilio de Constanza en el que se elige a un único papa, Martín V. Roma vuelve a ser la sede del papado y garantiza la unificación del cristianismo en occidente. Papa arqueólogo, Martín V favorece la producción artística. En Italia, el mundo medieval está en declive, las ciudades-estado se reagrupan, se amplían, dirigidas por familias poderosas. En 1453, la caída de Constantinopla anuncia el fin del imperio cristiano de oriente y concluye la guerra de los Cien años entre Francia e Inglaterra. España se unifica por la boda entre Fernando de Aragón e Isabel de Castilla, quienes finalizan la reconquista en 1492. Nacen las monarquías modernas.

Una nueva era económica. La economía europea de los «mercaderes» se desarrolla: comercio de especias y de telas sobre todo. El poder de los banqueros y de los señores italianos se impone: los Médicis en Florencia, los Sforza en Milán, los Montefeltro en Urbino, los Scrovegni en Padua, Isabel de Este en Ferrara, Federico II de Gonzaga en Mantua o los dux en Venecia. La economía gobierna la vida de las ciudades-estado y favorece un mecenazgo estimulado por ásperas rivalidades.

Una renovación tecnológica y científica. Para garantizar y aumentar los intercambios, la navegación se moderniza. El dominio de las técnicas textiles magnifica las telas, la metalurgia se desarrolla. En Alemania, la impresión mediante caracteres móviles favorece la difusión del saber. El aumento de conocimientos científicos en anatomía, geometría y, sobre todo, en astronomía provoca a veces tensiones con la Iglesia, que se aferra a sus dogmas.

El humanismo, una revolución del pensamiento. «El renacimiento es, antes que nada, un hecho cultural, una concepción de la vida y de la realidad (que escruta el corazón más allá de las apariencias) que impregna las artes, las letras, las ciencias, las costumbres», afirma E. Garin. Esta revolución cultural, que privilegia la apertura del saber, fue el único período de la historia del arte que tuvo tal conciencia de su realidad, de sus posibilidades y de la afirmación de la existencia del hombre. Esta visión antropomórfica y humanista del hombre «libre» tiende a la universalidad. El humanismo cristiano es el fruto de un pensamiento que se basa en el renacimiento, nuevo nacimiento de la antigüedad, del mundo grecorromano.

Los humanistas filósofos Marsilio Ficino y, después, Picco della Mirandola afirman que la religión cristiana se basa en la continuidad del platonismo de la antigüedad, oponiéndose a la escolástica de la edad media que no había llegado a conciliar la teología con la filosofía, la armonía perfecta del hombre con las esferas terrestres y celestes. La dignidad del hombre y el neoplatonismo encuentran un lugar privilegiado en Florencia bajo la pluma de esos filósofos que fundan, en 1462, la primera academia estructurada, la Accademia platónica.

El conocimiento científico, el saber literario, histórico y político se ven renovados por esta concepción que privilegia la razón, el método y el rigor. El estado centralizador busca una «modernidad» en la ideología política. Los intelectuales (Maquiavelo, Tomás More, Rabelais, Erasmo de Rotterdam, Copérnico, Petrarca), los arquitectos (Alberti y Brunelleschi), los escultores (Ghiberti y Donatello) piensan en ellos mismos del mismo modo que piensan al hombre en la naturaleza, en el centro del mundo.

El humanismo y el arte del Quattrocento. El primer renacimiento tiene lugar en Florencia con Masaccio, hacia 1425. El arte extrae su riqueza de todos los conocimientos, del repertorio antiguo y de la lección anatómica de la escultura, así como de la naturaleza, de la que emana la visión plástica y espacial del mundo moderno. Es un período de investigación, de análisis, de conquista y de libertad artística. Las teorías de los arquitectos y de los escultores repercuten en la pintura. La realidad de la forma y del volumen, a menudo a escala humana, se hace racional con la perspectiva. La anatomía encuentra su exactitud con la elaboración matemática del sistema de proporciones y con la técnica del escorzo. Masaccio coloca a sus personajes en un espacio real heredado de la perspectiva concebida por el arquitecto Brunelleschi, bañado por una luz natural. Uccello complica el arte de la perspectiva. *Piero della Francesca, el maestro de Arezzo y de Urbino, Mantegna y el pintor de la familia de Este en Mantua, Melozzo da Forli, citado en 1478 como *pittore papale* de Sixto IV, destacan en el arte de la perspectiva y del escorzo.

Se desarrolla un arte profano que proviene de la antigüedad. Los temas alegóricos, mitológicos, los desnudos, los retratos (reflejo del culto a lo humano), se destinan a la gloria de los príncipes y de las ciudades.

El entusiasmo de los mecenas públicos y privados favorece la formación de talleres florecientes y de numerosas obras en donde el maestro dirige a sus alumnos. Las colecciones se desarrollan en las galerías de curiosidades y de obras artísticas, como la de los Médicis en Florencia. Los artistas, aconsejados por Ficino, se impregnan del pensamiento humanista platónico que exalta la belleza formal, fruto del conocimiento intelectual, racional, sensual y divino.

En Roma, el papado insufla su deseo de monumentalidad y de gravedad, en recuerdo de los romanos del Imperio y de la República. Venecia resplandece de color y de luz en la misma tradición que Bizancio.

Los primeros artistas independientes. Masaccio, uno de los primeros pintores «libres», firma su obra. Los artistas, reconocidos como individuos y artistas, se ven cubiertos de elogios. Un contrato que une a Piero della Francesca a la cofradía de Santa Maria della Misericordia estipula que «ningún pintor sino el mismo Piero» pueda utilizar el pincel, con lo que se demuestra cuánto se estimaba al artista. Jan *Van Eyck firma el retrato de los esposos Arnolfini, como harán también Mantegna o Giovanni Bellini. Las relaciones de los artistas con sus mecenas (la Iglesia, las grandes familias de las ciudades-estado), que rivalizan en magnificencia y hacen de los artistas motivo de envidias, son a veces tensas: pueden surgir desacuerdos por el contenido iconográfico, por el estilo de ejecución o por la negociación pecuniaria. Los artistas se desplazan siguiendo las órdenes de sus mecenas: Leonardo parte a la corte de los Sforza, en Milán, Van Eyck viaja a Portugal para pintar el retrato de Isabel, futura esposa de Felipe el Bueno.

EUROPA DEL NORTE, LA PINTURA AL ÓLEO Y SU DIFUSIÓN

Si en Italia se domina la perspectiva, en Flandes se consolida la pintura al óleo, que sustituye al temple *(tempera)* o al fresco, que necesita una ejecución rápida inherente al secado. El óleo ofrece nuevas posibilidades plásticas: una ejecución delicada, colores brillantes, infinitos matices de tonos degradados, un realismo óptico inigualado, paisajes bañados en luz. Las veladuras (capas transparentes de pintura al óleo extendidas sobre capas opacas) crean la ilusión de profundidad. Los hermanos Hubert y Jan Van Eyck exploran toda su riqueza. No pertenecen al renacimiento en sentido estricto: escrutan la realidad en sus apariencias y no en sus principios, su estilo pertenece todavía al gótico tardío medieval. Analizan los efectos de la luz sobre los colores, pero no sobre las formas. La antigüedad no les concierne, lo real prima sobre la recreación de un mundo ideal basado en el dibujo. Lo mismo ocurre con *Van der Weyden, aunque su realismo es nuevo: pinta seres de carne y de sangre, humildes, patéticos y tiernos, que se inscriben en un universo rebosante de humanidad.

Sin embargo, estos pintores encuentran un lugar particular en el renacimiento gracias a su nueva visión del mundo sensible, que traducen mediante la técnica de la pintura al óleo y su dominio de la perspectiva. La pintura al óleo habría sido difundida hacia 1475 en Venecia por el pintor Antonello da Messina. Esta novedad técnica permite al veneciano Giovanni Bellini inventar la pintura tonal en 1482 y realizar, antes que Leonardo de Vinci, las primeras perspectivas atmosféricas.

EL SIGLO XVI: EL ALTO RENACIMIENTO Y EL MANIERISMO

Entre 1503 y 1534, Roma vive la hora de los poderosos papas de la familia Médicis, Julio II, León X y Clemente VII, quienes consolidan el poder religioso. Se imponen también monarquías fuertes: Francisco I en Francia, Carlos Quinto en España y Enrique VIII en Inglaterra.

El tiempo de los genios. El primer tercio de siglo confirma el apogeo del renacimiento, en arquitectura, escultura y pintura. En Florencia y Roma trabajan el arquitecto Bramante, los artistas Leonardo, Miguel Ángel y *Rafael. En Venecia, *Tiziano, el decorador Veronés e il *Tintoretto se imponen al lado de *Lotto, creador fuera de norma.

El pintor ha llegado a lo universal, al ideal de armonía y de equilibrio entre el espíritu pagano antiguo repensado y el espíritu religioso, entre el humanismo y el dogma, entre el mundo «heroico» y el mundo sensible. La búsqueda de la belleza formal absoluta y de la armonía va más allá de la observación de la naturaleza y tiende hacia el ideal de perfección insuflado por la estética del ideal humano grecorromano; geometría perfecta del cuerpo, expresión contenida, equilibrio dinámico de la postura ladeada.

Los artistas, polivalentes, gozan de la gloria. Se apropian del saber de los letrados, enciclopédico y humanista y ya no escolástico: Miguel Ángel lee a Dante, Durero frecuenta a Erasmo, Tiziano y Aretino son amigos. Leonardo y el *Greco enriquecen sus bibliotecas. Cuando Rafael representa la academia platónica en la *Escuela de Atenas*, pinta a Miguel Ángel como Heráclito y a Leonardo como filósofo, sin duda Platón. Aunque están protegidos y gozan del respeto de sus poderosos mecenas, protagonizan duros conflictos. Miguel Ángel se enfrenta a los papas, a quienes escandaliza por la audacia de sus desnudos en *El Juicio final*, «corregidos» por D. da Volterra, conocido como «il braghettone» por este motivo. También el Veronés tiene diferencias con la Inquisición: su tratamiento se juzga como demasiado laico y *La última cena* se convierte en *La comida en casa Levi*. Los artistas trabajan para las ciudades-estado y después para las cortes europeas: Leonardo acaba sus días junto a Francisco I, Carlos Quinto se inclina ante Tiziano, León X visita a Rafael...

Los genios fuera de Italia. El pintor humanista neerlandés *Bruegel el Viejo, superando el arte de Matsys o de Lucas de Leiden, narra con detalle la vida cotidiana de los campesinos. Es testimonio de una concepción universal de la condición humana y del paisaje. El flamenco J. *Bosch (el Bosco), de prolija imaginación, vive el «declive de la edad media»: su visión de los mundos sensible y espiritual une la didáctica con la moral. El alemán Durero domina la pintura y el grabado de su tiempo, junto a sus contemporáneos Cranach y Altdorfer. La conciencia de su talento, la forma de interrogarse sobre su rostro y el interés que manifiesta por la naturaleza son muestra del vínculo que establece entre el arte y la vida, igual que Leonardo.

Nacimiento de las academias oficiales. Vasari inaugura la historia del arte y el juicio estético con las *Vite* [...] de artistas (1550), y después funda en 1563 en Florencia l'Accademia del disegno, que rompe con la organización corporativista, poco antes del decreto de 1571 que hace oficial la independencia nueva del pintor. A partir de 1577, éste frecuenta l'Accademia di San Luca en Roma, prototipo de las academias oficiales que se extenderán desde ese momento.

Europa del norte, la crisis religiosa y sus repercusiones sobre el arte. Como prolongación de las tentativas de la Reforma, el protestantismo nace en 1517 con las *Noventa y cinco tesis* sobre «las virtudes de las indulgencias» del alemán Lutero. Seduce al humanista francés Calvino que, exiliado, redacta el estatuto de la Iglesia reformada de Ginebra en 1541 y después, de vuelta a Estrasburgo, dirige la Iglesia de los reformados de Francia. Al mismo tiempo, el humanista holandés Erasmo toma posición contra la doctrina de la predestinación preconizada por Lutero. Tomás More, hombre político y humanista católico inglés, amigo de Erasmo, preconiza una reforma de la Iglesia.

Estos acontecimientos tienen consecuencias artísticas. Si bien Lutero no manifiesta posición alguna sobre el arte, Calvino es iconoclasta y Erasmo desaprueba el culto a las estatuas. El alemán *Grünewald, expresionista audaz y salido del misticismo gótico tardío de la edad media, opuesto a las concepciones del renacimiento, seguirá a Lutero, será obligado a exiliarse y, posteriormente, dejará de pintar. A la inversa, el alemán *Holbein el Joven, artista asociado al renacimiento por la precisión de su observación y su estilo clásico renaciente, abandona la Alemania reformada y parte hacia Inglaterra, en donde entra al servicio de Enrique VIII a partir de 1536.

En los Países Bajos, cuya prosperidad se apoya en el comercio y la industria, esta crisis religiosa conduce a una escisión, en 1584-1585: Flandes, por su unión con la España católica, permanece fiel a la Iglesia romana, mientras que Holanda se convierte en calvinista y protestante. La pintura flamenca, dominada por Rubens en el siglo XVII, será barroca, mientras que la pintura holandesa de Rembrandt o de *Vermeer prolongará la tradición intimista.

La inestabilidad política en Italia, la crisis religiosa y el manierismo. Después de 1520, el renacimiento pasa por la prueba de la inestabilidad política, la muerte de León X en 1521, el saqueo de Roma por Carlos Quinto en 1527, el declive económico y el debilitamiento de la burguesía. La poderosa Reforma protestante inquieta: el concilio de Trento (1545-1563) emprende la revisión completa de la disciplina interna y la reafirmación de los dogmas de la Reforma católica. Estos desórdenes históricos repercuten en el arte. Los artistas se apartan del ideal clásico. En Roma, Giulio Romano profundiza y renueva la *maniera* («manera»), introducida a principios de siglo por Miguel Ángel y Rafael. La intensidad de las situaciones y de las expresiones dramáticas, la tensión de las musculaturas, la complejidad de las torsiones corporales *(forma serpentina)* y las búsquedas formales se ven apoyadas por un cromatismo ácido.

Los conflictos políticos y religiosos vividos en Florencia se leen en la exasperación de la línea de Botticelli (muerto en 1519) y en el arte de Andrea del Sarto. La construcción sin considerar la perspectiva, el desequilibrio de las actitudes *(contrapposto)*, los escorzos y los estiramientos atrevidos, los planos angulosos, el cromatismo estridente, los colores variados y la luz glacial caracterizan el apogeo del manierismo de il Pontormo, Rosso o del Parmigianino. Il *Correggio en Parma, y Tiziano en Venecia conocen un período manierista, mientras que el Veronés y todavía más evidentemente il Tintoretto dan muestras de un manierismo de la luz propio de los venecianos.

El manierismo se extiende a continuación por toda Europa, hasta 1620. En España, el Greco trabaja bajo el mecenazgo de Felipe II, hijo de Carlos Quinto. La espiritualidad, la dramatización y el alargamiento óptimo de los cuerpos lo asocian con el manierismo. El arte frío y distante del alemán Holbein, cercano al del florentino Bronzino, y al igual que el arte atormentado de su compatriota Grünewald, impresionado por la crisis espiritual y la «guerra de los Campesinos» (1524), también podrían llevar la impronta del manierismo. La exageración de este estilo conduce hacia 1580 a un «antimanierismo» encarnado por Annibale *Carracci y el *Caravaggio.

Cimabue

Cimabue representa la transición entre el arte bizantino y el arte gótico ya que efectúa un cambio de los registros iconográfico, técnico y formal. Su lenguaje figurativo manifiesta una nueva manera de pintar. La sensibilidad de los modelos, la transparencia del colorido, la elegancia de la línea, el realismo de las expresiones, todo confiere humanidad y naturalidad a las figuras sagradas, tratadas hasta ese momento con el hieratismo propio del estilo bizantino.

RECORRIDO BIOGRÁFICO

• Cenni de Pepo, llamado Cimabue (Florencia h. 1240-*id.* d. 1302) «fue de alguna manera la causa inicial de la renovación de la pintura», declara Giorgio Vasari en 1550. Dante lo elogia como el pintor más grande antes de *Giotto, pero su biografía, mal conocida, no deja de ser una conjetura.
• Hacia 1265-1268 crea un gran *Crucifijo* en Arezzo (iglesia S. Domenico). En 1272 pasa una temporada en Roma, pero no queda ningún rastro de su estancia. Poco después pinta *a tempera* (al temple) un *Crucifijo* (Florencia), cuya importancia innovadora se redescubre en el transcurso de su restauración, tras la inundación de Florencia en 1966. En Asís, en la iglesia superior de la basílica de S. Francesco, dirige, entre 1277 y 1279, la realización por artistas de Roma (Iacopo Torriti), de Siena (Duccio) y de Florencia (*Giotto) de frescos *(Evangelistas, Cristo, Vida de María y de los santos),* gravemente dañados por el terremoto de 1996. Cimabue se convierte en el pintor florentino más importante.
• Hacia finales del siglo XIII, Cimabue pinta varias *Maestà* (Bolonia, iglesia de los Servi; Florencia; Turín, Sabauda; París, Louvre); la *Maestà* («majestad») del Louvre, muy cercana al arte de Duccio, fue realizada en Pisa, para la iglesia del convento S. Francesco. Cimabue colaboró sin duda en la elaboración de los mosaicos para la cúpula de la catedral de Pisa (*San Juan Evangelista* junto al *Cristo en majestad*) en 1301-1302. Fue el iniciador del desarrollo de la gran pintura toscana: Giotto, Duccio y Simone Martini se vieron influenciados por él. Su intuición de una nueva concepción pictórica, de una «modernidad» fundamental, anuncia los tiempos modernos.

INFLUENCIAS Y CARACTERÍSTICAS PICTÓRICAS

Cimabue crea crucifijos, ciclos sobre la vida de los santos y de la Virgen, el Apocalipsis (inspirado en temas bizantinos) y la emblemática Virgen en majestad, obras sobre madera, *a fresco* y mosaicos. Recibe encargos de los dominicos y de los franciscanos, y de las ciudades güelfas (Arezzo y sobre todo Asís).
• En sus inicios, los crucifijos están todavía muy cercanos al arte bizantino por la rigidez de la actitud y de los rostros, y por los drapeados opacos subrayados en oro. Más tarde el artista despliega una nueva sensibilidad, de influencia toscana, con el modelado del cuerpo, en curvas y en volúmenes y con la ligereza y la transparencia de la tela que se convierte en una gasa de pliegues profundos y ligeros, en un cromatismo de azules, rosas, malvas y amarillo pálido, de efectos delicados, gracias a la técnica *a tempera* (*Crucifijo*, Florencia).
• Los mosaicos que concibió alían la gracia con la monumentalidad: la amplitud de los drapeados da a la figura una base fuerte; la delicadeza del rostro y de la cabellera le confieren una apariencia natural.
• La composición de los frescos de Cimabue se inspira en las iglesias bizantinas (S. Francesco De Asís: evangelistas, vida de María, de Cristo y de los santos). Su sentido del espacio aparece en la perspectiva oblicua de las arquitecturas; en la *Virgen en majestad* de este ciclo, hace que entren en relación el espacio simbólico y el de la perspectiva. Si bien el contorno de algunas figuras se ve confeccionado con sombreados, todavía al modo del arte bizantino, muchos de sus personajes presentan un modelado firme que subraya los volúmenes.
• En esta *Maestà* pintada al fresco y, aún más, en las que pinta después sobre madera, decora los tronos de la Virgen con incrustaciones de falsos esmaltes y con filigranas doradas, como en la orfebrería religiosa, con lo que crea la ilusión de la realidad. La solemne humanidad de la Virgen y, sobre todo, su monumentalidad se inspiran en la escultura de Nicola Pisano (hacia 1220-1283).
• Su estilo adquiere a continuación un acento gótico que se afirma mediante la unidad de las formas, la serenidad de los rostros, la elegancia de las líneas, los preciosos tonos, con la voluntad de dar la impresión de realidad.

Maestà di Santa Trinità
(Virgen en majestad)
Hacia 1280. Temple sobre madera,
3,85 × 2,23 m, Florencia,
Museo de los Uffizi

En el centro de la composición, la Virgen
rodeada de ángeles muestra su hijo
a los fieles. En su base, cuatro profetas
(de izquierda a derecha: Jeremías,
Abraham, David e Isaías) representados
en busto, discuten y muestran
su sorpresa ante la aparición de la Virgen
en majestad con su hijo. Esta obra
de madurez es ejemplar. Aunque toma
prestada del arte bizantino la presencia
del fondo dorado y cierto hieratismo de
las figuras, también se desmarca
sensiblemente por la composición
simétrica concebida alrededor de un eje
vertical, la impresión de profundidad
dada por el escalonamiento de los ángeles
a cada lado del trono y el volumen
del drapeado de la Virgen.
La concepción del espacio es
eminentemente simbólica: abajo,
a la altura del espectador, los profetas
revelan un carácter humano;
las miradas de Jeremías e Isaías
dirigidas hacia el cielo y la majestad
y la monumentalidad de la Virgen y
el Niño reflejan lo divino.
La expresión «realista» de los rostros
de los cuatro profetas se opone
a la dulzura solemne de la Virgen,
del Niño Jesús y de los ángeles.
Los delicados matices de color
del decorado y de los drapeados
contribuyen al equilibrio y la belleza
de esta obra.

Un gran maestro

◆ Maestro muy famoso en su tiempo, Cimabue cayó en el olvido hasta el siglo XX.
◆ Artista innovador, se desmarca del arte bizantino ortodoxo asimilando a éste las influencias
  góticas y el arte de la antigüedad tardía.
◆ Inventa un nuevo lenguaje figurativo, introduce elementos «realistas»: motivos de orfebrería,
  entre otros.
◆ Muestra una sensibilidad espacial nueva.
◆ Según parece sería el primero en utilizar el soporte de la madera con imprimación y pintada
  a tempera.

Obras características

En la actualidad, aparte de los frescos, solamente 7 obras de Cimabue se conservan
en los museos y 8 más constan registradas en ventas públicas (obras no datadas).

Crucifijo, Arezzo, S. Domenico
Crucifijo, Florencia, S. Croce
Vida de María, Evangelistas, Santos, Asís, basílica S. Francesco
Virgen en majestad, Florencia, Uffizi
Virgen en majestad, París, Louvre
San José y Cristo en majestad, Pisa, cúpula de la catedral

BIBLIOGRAFÍA

Sindona, Enio, *L'Opera completa di Cimabue*, Rizzoli, Milán, 1975; Baldini, Umberto, *El Crucifijo de Cimabue*, Olivetti, París, 1982; Chiellini, Monica, *Cimabue*, Scala Books, Nueva York, 1988; Bellosi, Luciano; Ragioneri, Giovanna, *Cimabue*, Actes Sud, Arlés; Motta, Milán, 1998.

Giotto

Giotto es el primer pintor latino «moderno» de la pintura occidental. Se libera de los lenguajes convencionales, del figurativismo bizantino (griego) o gótico occidental (latino) para tender a la «naturaleza», para devolver la pintura a la vida. Su intuición del espacio, la maestría en la composición, el vigor plástico, el sentido de la gradación de los colores y la importancia que concede a la luz natural también son signos de modernidad.

RECORRIDO BIOGRÁFICO

• Según la leyenda, Giotto di Bondone (Vespignano, cerca de Florencia, h. 1266-Florencia 1337), el «renovador» de la pintura occidental, fue «descubierto» por *Cimabue cuando dibujaba su bocetos. El maestro toscano que lo instruye a partir de entonces, cuando tenía diez años, es muy probablemente el mismo *Cimabue, ya famoso, pero ningún documento permite afirmarlo con rotundidad.

• Hacia 1280, vive en Asís, y después en Roma, en donde descubre el lenguaje figurativo de la antigüedad. Pinta las *Escenas del Antiguo y del Nuevo Testamento* en Asís. Se casa hacia 1287. Uno de sus hijos y también un nieto se convertirán en pintores. En Florencia, su *Crucifijo* (h. 1290) muestra una humanidad todavía inédita. A su vuelta a Asís, los numerosos colaboradores de su taller acaban con él los frescos del ciclo de la *Vida de san Francisco de Asís* (1295-1298), iniciados por Cimabue hacia 1277, y en la cúpula, *Los doctores de la Iglesia*. Paralelamente, Giotto viaja a Florencia: retablo de la *Madona d'Ognissanti* (h. 1300-1310, Florencia), ejemplo de cuadro sobre madera; el *Políptico de Badia* (*id.*, Florencia, Uffizi), y después a Roma, llamado por el papa Bonifacio VIII para preparar el jubileo del año 1300.

• Es el primer pintor toscano que trabaja en Italia del norte, en Rímini y Padua: el *Crucifijo* (h. 1300-1303, Rímini, templo Malatesta); escenas de la *Vida de la Virgen y de Cristo*, *Alegorías de los vicios y de las virtudes*, *El Juicio final* (1304-1306, Padua), una obra ejemplar, fundamental para la pintura europea. En Asís, ilustra la *Vida de María Magdalena* y *Las alegorías franciscana* (1314, basílica inferior). En Roma concibe el *Políptico Stefaneschi*, ejecutado para el altar principal de la basílica de San Pedro (Roma). En Florencia, en la iglesia S. Croce, pinta las *Historias de san Juan Bautista y de san Juan Evangelista* (h. 1317, capilla Peruzzi); los polípticos de *La coronación de la Virgen* (d. 1320) y de *La Virgen entre dos santos y arcángeles* (*id.*, Bolonia), y después la *Vida de san Francisco* (1325-1328, capilla Bardi). Se inscribe en la corporación de los *medici e speziali* («médicos y farmacéuticos») en 1327.

• El rey de Nápoles Roberto de Anjou lo invita de 1329 a 1333. De vuelta a Florencia en 1334, lo nombran maestro de obras de los trabajos de la cúpula de la catedral y trabaja en el *Juicio final* (capilla del Bargello).

Giotto llevó a cabo una carrera gloriosa por toda Italia. Como consecuencia de su éxito, hacia 1330 sus numerosos alumnos y colaboradores, entre los que se contaban Taddeo Gaddi y Maso di Banco, se encargaban de las realizaciones que él supervisaba.

INFLUENCIAS Y CARACTERÍSTICAS PICTÓRICAS

Giotto decoró las capillas y naves con pinturas al fresco, ciclos que ilustraban los temas del Antiguo y Nuevo Testamento (vida de la virgen, de Cristo, de María Magdalena...), la vida de san Francisco de Asís; realizó obras sobre madera, cuadros de altar y polípticos (crucifijo, crucifixión,

Madona, Virgen y Niño...) y también mosaicos, de todos los formatos, para mecenas privados y públicos como Roberto de Anjou en Nápoles, el clero en Roma y Asís, y las grandes familias de banqueros en Padua (Scrovegni) y en Florencia (Bardi, Peruzzi).

• Ya desde sus primeras obras, Giotto da una nueva majestad, una modernidad, una humanidad y una realidad carnal a Cristo.

• En el fresco, reinventa la concepción del espacio, le da una coherencia y una racionalidad alimentadas por un sentido de la perspectiva que puede resumirse en una caja cúbica abierta por delante, en donde la narración obedece a una progresión de ejecución rigurosa. También pone en escena, en un paisaje estructurado, a personajes de una humanidad poderosa; sus actitudes variadas, reflejo de una observación directa, se enriquecen con los primeros escorzos de la pintura italiana. Los objetos se representan con una precisión decorativa.

• Giotto restituye la actitud y el gesto «hablante», sobrios y dignos, y el sentimiento mediante la mímica. En sus obras religiosas, las figuras terrestres y pesadas no tienen nada de místico. La explicación de la vida de san Francisco es más animada, espontánea y prosaica que las que se inspiran en la Biblia. La perspectiva se afina, las maneras pictóricas se aligeran, el colorido se matiza, las vestiduras se hacen más ligeras y aterciopeladas. Además, propone una concepción novedosa del paisaje: segundos planos menos pedregosos y angulosos, arbolados, luz y sombras naturales.

• Los frescos de la madurez reúnen, en una de las primeras ocasiones del arte occidental, la síntesis, sobre el plano iconográfico, de los ciclos mariano y cristológico, en una unidad y una ilusión espaciales cada vez más elocuentes: escorzos, efectos de volúmenes y de masa de las figuras, arquitecturas efectistas con puntos de fuga complejos, evocaciones de un cielo atmosférico... Inventa nuevas fuentes de iluminación que inundan las escenas con una claridad natural. Ciertos perfiles consiguen un «naturalismo» perfecto. Sus retratos tienen vida.

• Su arte muestra inflexiones góticas a veces refinadas: gracilidad de las estructuras arquitectónicas, alargamiento de las figuras, equilibrio gestual gracioso, mirada y expresión más profundos, dulzura y patetismo de las figuras sagradas, personajes majestuosos (cercanos a las dimensiones reales), riqueza decorativa, suntuosidad del detalle y del realismo de los objetos, esplendor y preciosidad cromáticos, sombras intensas y refinadas, materia más densa y aterciopelada. Confiere a sus «cuadros» una existencia más completa.

Un gran maestro

◆ El valor artístico de Giotto le fue reconocido en vida.

◆ Giotto, el «renovador» de la pintura occidental, consuma la ruptura con el arte bizantino.

◆ El artista renueva el repertorio figurativo atribuyendo a sus figuras elementos «naturalistas»: sonrisa de niño, perfil personalizado, vestiduras contemporáneas o exóticas.

◆ El paisaje también es innovador por su aspecto «realista» y «humano»: fachada de catedral gótica, casas contemporáneas, efectos polícromos de mármol en *trompe-l'oeil*.

◆ Giotto es uno de los primeros en asociar el ciclo de Cristo y el de la Virgen.

◆ Aborda la representación espacial con la ayuda de lá perspectiva primitiva, intuitiva, y de la perspectiva paralela. Coloca la primera construcción descentrada, los personajes en fila y en profundidad, efectos de volumen de los drapeados y escorzos corporales. Introduce fuentes de iluminación naturales.

◆ Giotto renueva la concepción y la técnica del fresco: utiliza la arquitectura como cuadro natural y prepara superficies más pequeñas para pintarlas.

◆ Giotto es el primero en asumir el trabajo simultáneo en diferentes talleres de frescos.

Giotto

• La complejidad de composición y de perspectiva crece: Giotto imagina un punto de vista único, oblicuo o frontal, conforme con las exigencias de la perspectiva racional. Prolonga los espacios fuera de la composición y concibe espacios vacíos junto a espacios llenos.

• Las figuras se mueven libremente, ya no en bloque: es una prefiguración de los primeros retratos autónomos. Introduce el exotismo con sus figuras de negros, musulmanes y orientales. Sus últimos frescos son testimonio de una menor vivacidad, de intemporalidad: las escenas son más unitarias y simétricas.

OBRAS CARACTERÍSTICAS

La obra de Giotto comprende alrededor de 180 títulos en su catálogo.

El Antiguo y el Nuevo Testamento, h. 1280, Asís, basílica superior
Crucifijo, h. 1290, Florencia, S. Maria Novella
Vida de san Francisco de Asís, 1295-1298, Asís, basílica superior
Madona d'Ognissanti, h. 1300-1310, Florencia, Ufizi
Vida de la Virgen y de Cristo, 1304-1306, Padua, capilla de los Scrovegni, llamada de la Arena
Vida de María Magdalena, 1314, Asís, basílica inferior
Políptico Stefaneschi, Roma, Vaticano, Pinacoteca
Polípticos de *La coronación de la Virgen*, d. 1320, Florencia, S. Croce, capilla Baroncelli, y de *La Virgen entre dos santos y arcángeles*, d. 1320, Bolonia, Pinacoteca

BIBLIOGRAFÍA

Brandi, Cesare, *Giotto*, Carroggio, Barcelona, 1983; Bandera Bistolleti, Sandrina, *Giotto*, Akal, Madrid, 1992; Barasch, Moshe, *Giotto y el lenguaje del gesto*, Akal, Madrid, 1999; Bellosi, Luciano, *Giotto*, Edibesa, Madrid, 2002.

La presentación al Templo y *La huida a Egipto*
1304-1306. Frescos, Padua, capilla Scrovegni

El ciclo de los frescos de la capilla de los Scrovegni, considerado
como la obra maestra de Giotto, da muestras de la madurez
del maestro. Estas dos escenas afirman el sentido de la
percepción del espacio dominante tanto en la arquitectura
como en el paisaje y en los personajes. Giotto introduce
construcciones contemporáneas en el punto de fuga oblicuo,
un paisaje menos anguloso, más realista, y manifiesta su técnica
del escorzo (el ángel).
Las posiciones de perfil o de espaldas de sus personajes
sustituyen a la posición frontal habitual. El poder plástico
de las figuras se lee en la simplificación de los drapeados,
ligeros, y en la sobriedad de unos gestos llenos de humanidad.
Las expresiones y las miradas profundas, a veces patéticas,
siempre siguen siendo dignas.
Su sentido del detalle, su refinamiento en la ejecución
son casi un *trompe-l'œil*: falsos mármoles, cesto y cántaro
recubierto de mimbre. La preciosidad cromática de los
mármoles claros, de las rocas arenosas y la sutilidad
de la luz y de las sombras, de factura densa, ligera y
aterciopelada, confirman su gusto por la representación
de la «naturaleza» y de la vida, lejos del hieratismo del
estilo bizantino.

Masaccio

Masaccio, uno de los primeros artistas del renacimiento, opone la majestuosidad de su obra a la dulzura del gótico tardío. Preconiza un retorno a las fuentes, a la naturaleza y a la observación de la realidad que permite reflejar el espacio real gracias a la perspectiva, la plasticidad de la forma y las emociones, todo ello exaltado por una luz natural.

RECORRIDO BIOGRÁFICO

• Tommaso di Ser Giovanni, llamado Masaccio, el «fantasista» (San Giovanni Valdarno, cerca de Florencia, 1401-Roma 1428), se encuentra entre los grandes innovadores del renacimiento, tanto por temperamento como por formación y por su propio arte. De su vida se sabe poco: es conocido que a los dieciséis años parte a Florencia para formarse. La obra de *Giotto le impresiona profundamente. A los veintitrés años se inscribe en la academia de San Lucas. Para asegurarse un nuevo estatuto de artista, más independiente de la sociedad, huye de la enseñanza en un taller y empieza a trabajar solo. Sin embargo, acepta encargos compartidos.

• Hacia 1423-1424 pinta con Masolino el cuadro de *La Virgen con el Niño y santa Ana* (Florencia), en donde afirma su nuevo lenguaje lleno de fuerza, confirmado en los frescos de la capilla Brancacci dedicada a san Pedro (1424-1427), obra modelo para los pintores y los escultores. Antes, en 1422, recibe el encargo de *La Consagración* en la iglesia del Carmine, llamada *Sagra dei Carmine* (perdida), y del cuadro de *San Ivo* (perdido), que suscita, casi un siglo y medio más tarde, la admiración del pintor manierista Giorgio Vasari. Es uno de los artistas que Vasari inmortaliza en sus *Vite*, primer compendio biográfico de la historia de la pintura.

• En Roma, en 1425, para la iglesia de S. Maria Maggiore, Masaccio y Masolino realizan juntos un tríptico cuyo panel de *San Jerónimo y san Juan Bautista* es enteramente autógrafo de Masaccio (Londres, N.G.), así como los frescos de la capilla Branda, acabados tras su muerte (1425-1431, Roma, iglesia S. Clemente).

• El arquitecto F. Brunelleschi y el escultor Donatello, sus «maestros» y protectores, animan a pintar a este joven artista. Realiza solo *La Crucifixión* (Nápoles, Capodimonte), *La Virgen y el Niño*, (Londres, N.G.) y el políptico de la iglesia del Carmine en Pisa (1426). De vuelta a Florencia, alcanza la perfección absoluta de la perspectiva con el fresco de *La Trinidad* (1426-1427). Apenas llegado a Roma en 1428, el artista muere.

Los pintores del renacimiento que le sucedieron son una prueba de su aportación artística. *Leonardo da Vinci escribió: «Después de Giotto, el arte volvió a declinar [...], hasta el día en que [...] Masaccio mostró mediante la perfección de su obra cómo los que se inspiran en un modelo diferente a la naturaleza, maestra de maestros, sufren en vano».

INFLUENCIAS Y CARACTERÍSTICAS PICTÓRICAS

En Florencia y en Roma, Masaccio realiza principalmente frescos para las capillas privadas de sus mecenas, y trípticos para iglesias públicas, sobre los temas de la Madona, los santos, la Crucifixión, la Trinidad... Masaccio admira el arte «puro» y sin ornamentos de *Giotto, el espacio basado en la perspectiva racional del arquitecto Brunelleschi, la fuerza escultural y la conciencia nueva de la persona humana expresadas por el escultor Donatello.

• En un nuevo lenguaje, lacónico y seco, poderoso y a veces violento, Masaccio da a sus figuras una presencia física y moral, muy alejada de la dulzura característica de Masolino. Las formas pesadas se impo-

OBRAS CARACTERÍSTICAS

Se conoce un total de 30 obras pintadas por Masaccio.

La Virgen con el Niño y santa Ana, 1423-1424, Florencia, Uffizi
Capilla Brancacci, 1424-1427, Florencia, iglesia S. Maria del Carmine
Crucifixión, 1426, Pisa, iglesia del Carmine
La Trinidad, 1426-1427, Florencia, iglesia S. Maria Novella

El pago del tributo (detalle)
Capilla Brancacci, 1424-1427, fresco, Florencia, iglesia Santa Maria del Carmine

El fresco yuxtapone tres escenas del Evangelio según Mateo que se desarrollan en el tiempo: al reclamarle un recaudador de impuestos (el publicano) un tributo a san Pedro, éste toma una moneda tragada por un pez del lago Tiberíades y lo paga. La escena se desarrolla parcialmente en un espacio arquitectural, construido según las leyes matemáticas exactas y lógicas de la perspectiva; más renovador es el paisaje del lago y de las colinas que se despliega en profundidad en tonalidades suaves y que ayuda a destacar, por contraste, las figuras coloreadas de Cristo y de los apóstoles en el primer plano de la escena. Sus formas esculturales y plenas, representadas con sobriedad, sobresalen con una fuerza expresiva que realza la luminosidad de los rojos y del verde. Esta verdad del color y de la luz hace que aumente la monumentalidad de la obra.

nen, en su simplicidad escultural, destacándose sobre un fondo iluminado por un claroscuro y una luz naturales. La dignidad austera de la expresión permite que nos llegue la verdad de las emociones y un nuevo sentido de la realidad.
• Masaccio llega al punto culminante de su arte cuando, para dar más fuerza a lo simple y a lo verdadero, traduce las innovaciones de Brunelleschi y de Donatello a la pintura. Domina la perspectiva central, en *trompe-l'œil*, aplicada de manera lógica y medible, según las reglas recientes de la perspectiva matemática instauradas por Brunelleschi. Construye su perspectiva lineal dentro de una arquitectura simple y monumental, como en un paisaje de formas vastas, con la preocupación de la perspectiva aérea. Incluso las aureolas se presentan en perspectiva. Los personajes, con vestiduras de amplios pliegues, con formas claramente definidas en el espacio mediante una línea de contorno, imponen su vigor plástico, con escorzos a veces atrevidos. El retrato de los donantes, que él introduce, se plantea como una crónica histórica y un testimonio sobre la persona humana. De los rostros emana un realismo lleno de humanidad, dramático y patético, intenso y violento. Los colores, violentos también, expresan lo esencial de la acción, siempre en una economía absoluta. El claroscuro pone en contraste la verdad de la sombra y de la luz. Las sombras proyectadas crean el relieve y de la penumbra surgen figuras majestuosas.

UN GRAN MAESTRO

◆ Los artistas del renacimiento ya reconocen el valor artístico de Masaccio. Aunque su lenguaje, mal comprendido, se impone ulteriormente.
◆ El pintor renueva completamente el arte pictórico. Rompe definitivamente con el arte bizantino; es uno de los grandes renovadores del renacimiento.
◆ Masaccio es el primero en introducir el retrato de los donantes en sus realizaciones y también en tratar el tema de la consagración de una iglesia.
◆ Realiza la primera perspectiva lineal y centrada, la primera perspectiva racional, anuncia los inicios de la perspectiva aérea y destaca en el *trompe-l'œil*.
◆ Sus personajes, de aspecto escultural e innovador, se ven animados por expresiones reales inéditas y evolucionan en una luz natural que hasta entonces raramente se había representado.

BIBLIOGRAFÍA

Volpini, Paolo; Berti, Luciano, *La obra pictórica completa de Masaccio*, Noguer, Barcelona, 1977; Berti, Luciano; Rossella, Foggi, *Masaccio: catálogo completo de pinturas*, Akal, Madrid, 1992; Nieto Alcaide, Víctor, *Tommaso Masaccio*, Historia 16, Madrid, 1993; Baldini, Umberto, *Masaccio*, Electa, Milán, 2001.

Van Eyck

El renacimiento encuentra en Flandes una expresión particular que se encarna en la visión del mundo de Jan Van Eyck. Éste refleja una sensibilidad nueva de la realidad mediante el empleo de la pintura al óleo, de cuyo uso es un difusor, y por su maestría técnica de la perspectiva lineal. Su arte fascina por su minuciosidad, por la observación aguda de la naturaleza y de la luz, por el despliegue de espacios interiores y de paisajes en los que viven personajes realistas. El brillo, la variedad de los colores y la calidad de su materia pictórica maravillan.

RECORRIDO BIOGRÁFICO

• Los flamencos Jan Van Eyck (h. 1390-1400-Brujas 1441) y su hermano Hubert (¿?-1426) pintan juntos. Jan aparece como iluminador de talento de los duques de Baviera, condes de Holanda, antes de 1417 y, luego, entre 1422 y 1424. En 1425, con la muerte del duque Juan, entra al servicio de Felipe el Bueno, duque de Borgoña, como pintor y «ayuda de cámara». Concibe como iluminación *La Virgen en la Iglesia* (Berlín). Parece que entre 1426 y 1429 residió en Lille y, después, en Portugal preparará los retratos, el encuentro y la boda de Felipe el Bueno con Isabel de Portugal (retratos perdidos). En 1429 se supone que estuvo en Brujas. Hasta 1432 persisten las dudas biográficas.

• En 1432 acaba su obra maestra religiosa, el políptico de *El cordero místico* (Gante), obra de grandes dimensiones, innovadora por su estructura y su minuciosidad. Después firma sus obras de madurez, entre ellas tres retratos conservados en Londres (N.G.): *Tymotheos* (1432), *El hombre del turbante* (1433), y su obra maestra profana, el retrato *Arnolfini y su mujer* (1434). El mismo año, se casa y tiene un hijo. Los retratos siguientes impresionan por la intensidad de las miradas: *Balduino de Lannoy* (h. 1435, museos de Berlín), y *Jean De Leeuw* (1436, Viena, K.M.). Pinta numerosas madonas, a veces bajo palio, como la *Virgen y el Niño* (1433, Melbourne, N.G.V), o bien representando un paisaje a lo lejos. La figura del mecenas puede estar presente, como en la *Virgen del canciller Rolin* (h. 1435, París). *La Virgen del canónigo Van der Paele* (1437, Brujas) asocia espiritualidad y realismo. *La Virgen de la fuente* (h. 1439, Amberes) simboliza la dulzura, y el *Tríptico de Santa Catalina* (1437, Dresde, Gg.) de formato reducidísimo, transporta la pintura a un mundo en miniatura. Raramente representa a figuras femeninas: su esposa, *Margarita Van Eyck* (1439, Brujas, B.A.), una *Mujer peinándose* y un *Baño de mujeres* (obras perdidas). Su última tela, inacabada, *La Virgen de Nicolás Van Maelbecke* data de 1440-1441 (Gran Bretaña, col. part.).

Tras su muerte, le sucede su discípulo Petrus Christus. En Brujas, Hans Memling, Quinten Matsys y Joos Van Cleve se inspiran en su Conversaciones Santas y en sus Vírgenes con el donador, en sus escenas profanas que tienen lugar en los interiores de las casas. La notoriedad de sus obras se extiende igualmente entre los pintores y los amantes del arte italianos.

INFLUENCIAS Y CARACTERÍSTICAS PICTÓRICAS

El talento de Van Eyck se expresa en los retratos, las representaciones marianas (a veces con el donador), en algunas otras escenas religiosas y también en escasos desnudos y temas variados. Pinta sobre paneles de madera, a menudo en pequeños formatos, aparte del políptico de Gante. Sus mecenas son los grandes de su tiempo: Guillermo IV, Juan de Baviera y sobre todo Felipe el Bueno.

Presente en el valle del Mosa, en la diócesis de Lieja y después quizás en Lille, Van Eyck se habría establecido en Brujas a partir de 1429. Muestra interés por la miniatura franco-flamenca y por el gótico internacional francés.

• En sus inicios, sus iluminaciones tienen influencias del estilo gótico internacional: juego lineal elegante, refinado y complejo, multiplicación de los personajes y de detalles anecdóticos, colorido sutil... Pero el realismo de las composiciones y la delicadeza de los efectos de luz son nuevos. Sus primeros cuadros recuerdan estas estampas, aunque los interiores se ven acariciados por luces naturales, suaves e inmateriales.

• Desde 1432 reafirma su talento. Pueden leerse innovaciones en la maestría de la perspectiva lineal con punto de fuga único que construye rigurosamente la obra, repartiendo las arquitecturas y los personajes. La perspectiva atmosférica es generadora de espacios de los que se adueñan las figuras de gran formato, de formas amplias y poderosas, a veces esculturales y decorativas, o los desnudos monumentales. La materia pictórica se vuelve dorada y cálida, y se escogen los detalles puestos en evidencia, al tiempo que la luz, cuyos efectos Van Eyck analiza, se afina. Aunque el estilo de la edad media marque siempre sus composiciones, tanto sus progresos técnicos como los estilísticos, así como su análisis del mundo y de los seres, tienden definitivamente hacia el realismo. Un perfecto dominio de la pintura al óleo le permite representar el mundo cuyas apariencias escruta y describir la belleza de las materias. Su virtuosismo técnico da a los elementos una precisión casi tangible.

• Sus retratos son habitualmente efigies en busto, con el rostro vuelto a la izquierda y la mirada fija en el espectador; a veces se representan las manos. El análisis psicológico, respetuoso, humano y preciso, se practica con una gran economía de colores: una mancha roja, vestidura o turbante, hace que destaque el personaje, a menudo pintado sobre fondo negro. Una sobriedad absoluta lleva al abandono de los contrastes coloreados en provecho de matices marrones. Solamente el rostro emerge de la sombra y, con él, la mirada severa o dulce (J.-P. Couzin, 1999). En el retrato doble de los esposos Arnolfini se ven privilegiados el virtuosismo de los juegos de luz, los reflejos y la ejecución de las telas y pieles.

UN GRAN MAESTRO

◆ Famoso ya de joven como iluminador y después como pintor, conocido en toda la Europa del siglo xv, Van Eyck cae en el olvido hasta 1930.

◆ Artista flamenco por excelencia, Van Eyck renueva el arte de su país. Es el primero, en Flandes, en abandonar el estilo gótico internacional en provecho de un «realismo» del mundo sensible.

◆ Van Eyck crea los primeros desnudos monumentales de la pintura del norte de Europa (Adán y Eva en el políptico de *El cordero místico*). Fundador del retrato occidental, es el primero en representar personajes que miran directamente al espectador. También se le debe la primera escena de interior profana, que sirvió de modelo a los pintores del norte *(Arnolfini y su mujer)*.

◆ El dominio de la perspectiva lineal con la ayuda de un único punto de fuga y de la perspectiva atmosférica hacen de él una enseña de la pintura flamenca del siglo xv.

◆ Sus interiores se ven inundados por una luz dorada, filtrada por la ventana.

◆ El artista perfecciona la técnica de la pintura al óleo y difunde su uso, aunque no fue su inventor. Sobre un panel de madera bien preparado, extiende sucesivas capas transparentes de colores (veladuras) y obtiene fascinantes resultados en la representación de las materias.

Van Eyck

Políptico del cordero místico
Conjunto y detalles: el panel central, el busto de la Virgen. 1432. Óleo sobre madera, 3,50 × 4,61 m (abierto), Gante, catedral de San Bavón

El panel central es el que dirige toda la composición. En el centro brilla el cordero místico sobre el altar del sacrificio. Hacia él convergen en una alegría plácida los profetas, los patriarcas, los mártires y las vírgenes. Le rodean y adoran los ángeles y los apóstoles. Van Eyck ejerce el realismo en la disposición y el tamaño de las figuras: como ocurre entre los primitivos, la talla está en función de su importancia simbólica. Aún así, en este trabajo tan complejo, el dominio de las reglas de la perspectiva permite llevar suavemente la vista hacia las profundidades de la composición, en donde se despliegan las ciudades imaginarias, cuyas torres y campanarios apuntan a un cielo con un azul maravillosamente matizado. Una variedad de segundos planos y de planos en profundidad hacen que se alternen palmerales exóticos, árboles frondosos, toda una representación florida y encantadora del mundo sensible. La infinita variación de las tonalidades, verde de prados, azul, rojo de las vestiduras, se armoniza en la luz que difunde el cordero desde el corazón de la obra. La minuciosidad del trabajo confiere a todos los elementos, por mínimos que sean (piedras preciosas, florecillas) una realidad tan fuerte como la de las figuras monumentales que encuadran esta escena central. La figura de Adán encarna el desarrollo del hombre desposeído. Su cuerpo pálido, su cabellera hirsuta alrededor del rostro ansioso se destacan en la penumbra, en un movimiento hacia el cordero redentor que anuncia el pie apuntando hacia el exterior del cuadro. La Virgen impone su luz, su dulzura y dignidad, a pesar de la aparatosa vestimenta y la riqueza de una corona de rutilante precisión, especialidad de los Van Eyck.

Arnolfini y su mujer
llamado también *Retrato de los esposos Arnolfini*
1434. Óleo sobre madera, 82 × 59,5 cm,
Londres, National Gallery

Este doble retrato de cuerpo entero nos introduce en la intimidad de un matrimonio rico de la burguesía comerciante de Flandes. Cuadro realista, ciertamente, pero «toda realidad es misteriosa para Van Eyck [...], estudia el objeto como si quisiera, por medio de la paciencia poética, sustraerle la palabra de un enigma, «encantarlo» y dotar a su imagen de una segunda vida silenciosa» (Henri Focillon).

La construcción en perspectiva se apoya en la pared del fondo de la estancia, en un plano perfectamente paralelo a la superficie de la tela. Como el matrimonio, nos vemos encerrados en por una caja en la que la luz resalta el valor de cada detalle. Y cada detalle significa más que la realidad que nos ofrece a primera vista: el perro es la fidelidad, la última vela encendida en la araña simboliza el matrimonio. En el espejo existe un mundo más importante que el que refleja: de hecho, se perciben tres siluetas, las de los dos esposos y la de un observador, nosotros o el pintor, ese creador que nos introduce en otro universo, silencioso, concentrado, eterno. «Johannes de Eyck fuit hic» (Jan Van Eyck estuvo aquí); alrededor de esta firma en el muro y del espejo convexo gira dulcemente toda la composición, de tonos aterciopelados, de luz tamizada, que hace que las telas, los tejidos satinados, el cuero... sean más que reales.

OBRAS CARACTERÍSTICAS

Se conocen una cuarentena de obras de Van Eyck, sin contar las perdidas, de autor incierto o las que se le atribuyen.

La Virgen en la Iglesia, 1425, Museos de Berlín
Políptico de *El cordero místico*, Gante, catedral de San Bavón
El hombre del turbante rojo, 1433, Londres, N.G.
Arnolfini y su mujer, 1434, Londres, N.G.
La Virgen del canciller Rolin, h. 1435, París, Louvre
Balduino de Lannoy, h. 1435, Museos de Berlín
La Virgen del canónigo Van der Paele, 1437, Brujas, B.A.
La Virgen de la fuente, h. 1439, Amberes, B.A.

BIBLIOGRAFÍA

Brignetti, Raffaello; Faggin, Giorgio T., *La obra completa de los Van Eyck*, Noguer, Barcelona, 1969; Harbison, Craig, *Jan Van Eyck: the play of realism*, Reaktion Books, Londres, 1991; Perre, Harold van de, *Van Eyck: el Cordero místico: el misterio de la belleza*, Electa, Madrid, 1996; Bertrand, Pierre-Michel, *Le Portrait de Van Eyck*, Hermann, París, 1997.

Van der Weyden

Rogier Van der Weyden, pintor de los Países Bajos, uno de los más grandes del siglo XV con Van Eyck, conserva acentos góticos pero introduce un realismo nuevo. Funda su arte sobre la armonía entre la construcción rítmica de las líneas y la emoción expresiva, sagrada. Su realismo le inspira personajes de carne y hueso, humildes, patéticos y tiernos.

RECORRIDO BIOGRÁFICO

• Rogier de la Pasture, en flamenco R. Van der Weyden (Tournai h. 1400-Bruselas 1464), de quien ninguna obra está ni datada ni firmada, comenzó su carrera en 1427 como aprendiz de Jan *Van Eyck y de Robert Campin. Se convierte en maestro en 1432, en Tournai. Sus primeras obras, pintadas entre 1432 y 1434, reflejan la influencia de sus maestros: *San Lucas pintando a la Virgen* (Boston, M.F.A.), la pequeña *Virgen de pie* (Viena, K.M.) y *La Anunciación* (París, Louvre).

• En 1435 se instala en Bruselas y, en 1436, se convierte en pintor oficial de la villa con el nombre de Van der Weyden. Inaugura un taller y al año siguiente nace su hijo Pierre, que se convertirá en pintor. Realiza numerosas obras maestras: el *Descendimiento de la cruz* (1436, Madrid); el *Retablo de la Virgen* llamada «de Miraflores» (h. 1437, Granada, Capilla Real; Nueva York, M.M.); el *Tríptico del Calvario* (h. 1440, Viena); *Hombre leyendo una carta* o *San Ivo* (1440, Londres, N.G.). Nicolas Rolin, canciller de Felipe el Bueno, le encarga el célebre *Políptico del Juicio final* para el hospicio de Beaume (h. 1445-1449, *in situ*). Compone dípticos que como el de *Laurent Froimont* asocian una Virgen y el Niño (Caen) con el retrato de Froimont, el donador (Bruselas).

• Presente en Italia en 1450, en Roma y seguramente en Ferrara, realiza *La Virgen de los Médicis* (Frankfurt, Städel. Inst.) y *La deposición de la cruz* (Florencia). La influencia italiana se lee también en la simplicidad intencionada del *Tríptico Braque* (h. 1450-1452, París, Louvre), de manera opuesta al *Retablo Blandelin o de la Natividad* (h. 1452, M. de Berlín), más conforme a la tradición nórdica.

• Las obras siguientes revelan una verdadera complejidad de composición: el *Retablo de los siete Sacramentos* (1452-1454, M. de Amberes); el *Retablo de san Juan* (h. 1455, M. de Berlín); el *Retablo de santa Coloma*, encargado por una iglesia de Colonia (1450-1460, Munich) o el *Tríptico de la Natividad* (1450-1460, M. de Berlín). El pintor inmortaliza a *Jean le Gros* (¿?, Chicago A.I) y a *Isabel de Portugal* (¿?, Malibú, California.).

• En sus últimas realizaciones, la *Crucifixión* llamada «Gran Crucifixión» (d. 1456, Madrid, El Escorial), el *Díptico de la Crucifixión* (Filadelfia, M.A.), el *Díptico de Philippe de Croÿ* (San Marino, Huntington Library and A.G., y Museo de Amberes), el retrato de *Francesco d'Este* (Nueva York, M.M.) o *El hombre de la flecha* (Bruselas, B.A.), Van der Weyden se permite atrevidas innovaciones.

• En sus años postreros vuelve a un arte gótico y gráfico.

El arte de Van der Weyden inspira a numerosos artistas europeos: los italianos, sensibles a los detalles «naturalistas», y los de los Países Bajos, Hugo Van der Goes, Hans Memling, Petrus Christus, Dirk Bouts y Gerard David. A menudo fue imitado y copiado, hasta el siglo XVI.

INFLUENCIAS Y CARACTERÍSTICAS PICTÓRICAS

Roger Van der Weyden realiza escenas religiosas y retratos, pintados al óleo sobre madera, en panel único, en díptico o políptico, en pequeño o gran formato; los encargos provienen de cofradías (Lovaina...), de mecenas religiosos (el obispo de Tournai) o privados (el canciller Rolin, J. de Braque, P. Bladelin, Ferry de Clugny).

En Tournai se inicia en el estilo gótico. Sus maestros, R. Campin, quizás el maestro de Flémalle y J. Van Eyck, le forman en su arte. Se instala en Bruselas y después viaja a Italia, a Roma y a Ferrara, ciudades cuyo arte no ejerce ninguna influencia en su estilo.

• En sus inicios, Van der Weyden retoma del estilo gótico el hieratismo, los motivos sagrados, el fondo dorado, la construcción oblicua o simétrica como se encuentra en ciertos relieves esculturales de Tournai pertenecientes a esta época. Se hace eco del arte de sus maestros: de Campin asimila la comprensión del espacio, el encadenamiento de las formas y el vigor plástico; de Van Eyck retiene las maneras elegantes y refinadas, servidas por una factura preciosista. Vuelve a emplear la minuciosidad «naturalista» en los detalles de estos dos maestros.

• Más tarde se libera de su formación: el tema, simple o elaborado, nunca oculto como en Van Eyck, se inscribe en una composición equilibrada y compleja, de estilo monumental o intimista; las masas se reparten armoniosamente en tonos fríos o cálidos; la línea sinuosa y fluida de los cuerpos y de los drapeados se desarrolla en arabescos extraños a Campin y al gótico. Van der Weyden introduce en su arte un «realismo» no ilusionista, una solemnidad patética; la expresión de dolor de personajes de carne y de hueso, unidos por vínculos densos, afecta a la sensibilidad del espectador *(Descendimiento de la cruz)*.

• En su madurez, la intensidad espiritual de los personajes se acentúa pero según ejes opuestos: sus construcciones elaboradas y cadenciosas dan valor a los contornos, a la armonía de las líneas ligeras, tanto de los personajes co-

UN GRAN MAESTRO

◆ Artista de fama en toda Europa desde el siglo XV hasta mediados del XVI, Van der Weyden vuelve a ser descubierto en el siglo XX.
◆ Moderniza el estilo gótico e introduce la emoción y la expresividad de los personajes.
◆ Profundiza en el tema del retrato secular en busto sobre fondo de paisaje e introduce la Pietà en los Países Bajos meridionales. Inventa el tema del *Hombre leyendo una carta*, representado en busto.
◆ Da interpretaciones nuevas a las escenas de la Pasión, la carga de emoción, crea fórmulas gráficas como la Magdalena retorciéndose las manos de dolor o la Virgen llena de ternura hacia su Niño. Transgrede las convenciones del color (la Virgen y san Juan visten sayal blanco en la *Crucifixión* de El Escorial, en lugar de vestir en azul y rojo) y de la iconografía *(San Lucas pintando a la Virgen)*.
◆ Van der Weyden inventó o desarrolló una fórmula con futuro; el díptico asocia por un lado a la Virgen y el Niño y por el otro el retrato del donador, ambos en busto.
◆ Resucita e impone su noción formal de «estilo»: crispación de la forma, vigor del contorno, inseparables de la expresión dramática. El paisaje entra en resonancia con las emociones.
◆ El artista desarrolla una técnica de trabajo original: pinta los retratos sobre pergamino y después los aplica sobre paneles de madera *(Tríptico de los siete Sacramentos)*.

Van der Weyden

mo de los paisajes vastos y ondulados en segundo plano (*Tríptico del Calvario*); a la inversa, a veces suprime el espacio y escoge la desnudez de una aproximación estilística más arcaica (*Políptico del Juicio final*).

• Su tendencia italianizante, clásica (composición centrada alrededor de un eje de simetría) se confirma, a pesar del desplazamiento de las cabezas. Desarrolla una monumentalidad y una relación cadenciosa, íntima y dulce entre figuras de expresión triste. Paralelamente, pinta cuerpos alargados y sin volumen, ni movimiento, sobre paisajes lineales, de una gran complejidad formal, sin espacio.

• A veces regresa a la influencia gótica o realiza obras límpidas que recuerdan a los iconos (*Tríptico Braque*).

• Las obras tardías, como las de su madurez, muestran una dualidad de inspiración: tan pronto un arte grácil y «moderno» coloca en un espacio limitado, de decoración compleja y de matizada paleta, personajes ligeros y en movimiento; o bien su arte ascético y arcaico instala figuras góticas, en segundos planos elaborados con minucia, hacia los cuales se ve atraída la vista mediante perspectivas trabajadas (John L. Ward, 1968). Finalmente la composición se hace severa, la forma crispada y tensa, el trazo escultural, gráfico y abstracto; las figuras lineales de contornos enérgicos acentúan la expresión dramática de la ejecución.

• Los retratos de los dípticos, compuestos a medio cuerpo, vistos de tres cuartos, con la mirada oblicua, las manos en plegaria, dibujados con precisión sobre un fondo oscuro y neutro, sobrios y de porte digno, de formas y colores armoniosos, muestran la misma evolución estilística que el resto de sus obras.

Descendimiento de la cruz
Hacia 1436. Óleo sobre madera, 2,20 × 2,62 m, Madrid, Museo del Prado

Pintado para la cofradía de los arqueros de Lovaina, esta obra domina la pintura flamenca del siglo XV. Su composición axial vertical y horizontal, rigurosamente estructurada y equilibrada, se inscribe en un óvalo. La verticalidad se ve compensada por una diagonal que va de la cabeza del joven que ha liberado a Cristo de sus clavos, arriba de la escalera, hasta la Virgen y al pie derecho de san Juan, pasando por un anciano de barba blanca (Nicodemo) y por la cabeza de Cristo.
La alineación horizontal de los rostros se ve suavizada por la línea ondulante de ciertas actitudes. El dolor de María se inscribe en su cara y sobre todo en la curva de su cuerpo, idéntica a la de su hijo (Von Simson, 1935).
La ligereza equilibrada de las masas, la fluidez de los arabescos, dan cadencia al movimiento de los cuerpos, a la caída de los drapeados.
El patetismo de las expresiones une a los personajes y provoca la emoción del espectador. Según E. Panovsky (1953), Van der Weyden no describe ni la acción, ni el drama, sino que recalca la expresión de las pasiones humanas. Sobre un fondo de oro gótico, los colores fríos visten a los actores que reflejan mayor patetismo, las mujeres y el chico, mientras que los colores cálidos caracterizan a los demás personajes.

Obras características

Van der Weyden ejecutó un centenar de obras, 85 catalogadas en museos y alrededor de 15 en ventas públicas.

Descendimiento de la cruz, h. 1436, Madrid, Prado
Tríptico del Calvario, h. 1440, Viena, K.M.
Políptico del Juicio final, h. 1445-1449, Beaune, Hospicios
La deposición de la cruz, h. 1449 o 1450, Florencia, Uffizi
Retablo de santa Coloma, entre 1450 y 1460, Munich, A.P.
Crucifixión llamada «*Gran Crucifixión*», d. 1456, Madrid, Escorial
Laurent Froimont ¿?, Caen y Bruselas, B.A.
Isabel de Portugal, ¿? , Malibú [California], J. P. Getty Museum

BIBLIOGRAFÍA

Delenda, Odile, *Rogier Van der Weyden: Roger de la Pasture*, Éditions du Cerf, París, 1987; Châtelet, Albert, *Rogier Van der Weyden, Roger de la Pasture*, Gallimard, París, 1999; Vos, Dirk de, *Rogier Van der Weyden: l'œuvre complet*, Hazan, París, 1999; Nieto Alcaide, Víctor, *El Descendimiento de Van der Weyden*, T.F. Editores, Madrid, 2003.

Piero della Francesca

El arte poderoso, contemplativo y poético de Piero della Francesca se impone por la simplicidad monumental de la composición, la geometría y la ubicación en perspectiva matemática de formas desnudas y la relación entre color y luz. El conjunto suscita una sensación de silencio recogido. «Sofisticación matemática» y «elocuencia estética» (R. Lightbown, 1992) caracterizan su arte.

RECORRIDO BIOGRÁFICO

- Piero di Benedetto o P. dal San Sepolcro, llamado Piero della Francesa (Borgo San Sepolcro, aldea de Arezzo, h. 1416-*id.*1492) es el pintor italiano más grande de la perspectiva geométrica en la época del renacimiento.
- En 1439 trabaja en Florencia como ayudante del pintor Domenico Veneziano. Artista reconocido en su villa natal, realiza el *Políptico de la Misericordia* (1445-h. 1454-1460, Borgo) y la *Virgen del parto* (h. 1450?, Monterchi, capilla del cementerio).
- En Urbino, en 1445, trabaja para Federico II da Montefeltro, de quien realiza el *retrato* (h. 1451, París, Louvre). *La flagelación de Cristo* (h. 1447-1449, Urbino, G.N.) se desarrolla en un marco principalmente arquitectural, mientras que *San Jerónimo penitente* (1450, M. de Berlín) y *El bautizo de Cristo* (h.1452-1453, Londres) se sitúan en un vasto paisaje.
- Piero se desplaza entonces a Venecia y luego a Rímini, en donde la familia Malatesta le encarga *Segismundo Pandolfo Malatesta a los pies de su santo patrón* (1451, Rímini, templo de los Malatesta).
- En Ferrara, para Lionello d'Este, efectúa un fresco en el palacio Estense (1447-1452, perdido).
- De vuelta a Arezzo y a Borgo, pinta respectivamente para la familia Bacci *La leyenda de la cruz* (h. 1454-1458, Arezzo), obra maestra recientemente restaurada, y el *Políptico de Sant'Agostino* (h. 1460-1469), altar principal de la iglesia de S. Agostino), cuyos paneles se encuentran dispersos en Londres, Nueva York, Washington, Milán y Lisboa.
- En Roma, se encarga de la decoración de la habitación de Pío II en el Vaticano (1458-1459, perdida). La peste de 1468 hace que huya de Borgo hacia Bastia, en Córcega, después de pintar *La resurrección de Cristo* (1463-1465, Borgo, Pinac.).
- De regreso a Urbino en 1469, trabaja en el *Políptico de San Antonio* (h. 1469, Perusa, G.N.), cuya *Anunciación*, en la parte superior, sorprende por su perspectiva arquitectónica magistral. Representa a Federico II da Montefeltro y su mujer, Battista Sforza, en el *Díptico del duque de Urbino* (h. 1472-1473, Florencia, Uffizi) y el retablo de la *Madona con santos* (Retablo de Brera) (h. 1475, Milán). En 1478 se ha convertido en un notable administrativo y religioso de su pueblo. En la *Madona de Senigallia* (h. 1478-1480, Urbino), da muestras de su interés por el arte del pintor flamenco Justo de Gante, presente en Urbino entre 1473 y 1475. Realiza *La Natividad* (h. 1483-1484, Londres, N. G.). Muere, ciego, en 1492.

Apasionado por las matemáticas, legó un tratado geométrico sobre la manera de aplicar la perspectiva en pintura, así como escritos sobre estos temas. Piero tiene numerosos compañeros de arte y un discípulo, Fra Luca Pacioli, pero no sucesores. Su influencia es considerable en Ferrara, Florencia, Roma y Venecia, en artistas como Luca Signorelli, el Perugino,

*Rafael, Antonello da Messina, Giovanni *Bellini, y finalmente *Leonardo da Vinci.

INFLUENCIAS Y CARACTERÍSTICAS PICTÓRICAS

Piero realiza frescos murales, polípticos y cuadros sobre madera de todos los formatos. Pinta por encargo escenas de la vida cortés, retratos y temas religiosos para las grandes familias: Montefeltro d'Urbino, Este de Ferrara, Bacci D'Arezzo y Malatesta de Rímini; y temas religiosos para el clero en Borgo San Sepolcro, Arezzo y Roma (el papa Pío II).

Sus obras son ricas analogías plásticas, como en el caso de *Masaccio. La luminosidad espacial inspirada en Sassetta pone en evidencia a los seres y las cosas por la luz y el color, como lo hicieron Masolino, Fra Angelico y Domenico Veneziano. Llegó al refinamiento óptico de Justo de Gante y de los flamencos.

• Desde sus primeras obras, la geometría apunta a simplificar la forma, a despojarla y a reducirla a lo esencial: la figura se hace oval, el cuello cilindro, la vestimenta volumen regular de amplios pliegues, a menudo verticales. Ordena toda la composición en una simplicidad monumental, situando en el centro la figura principal, y las demás de manera simétrica y en paralelo (*Políptico de la Misericordia*).

• El dominio de la «perspectiva albertina», convertida en perspectiva clásica, conocida por Brunelleschi —en la que Piero profundizará una treintena de años más tarde—, y el empleo de la construcción bifocal (dos puntos laterales) que él asocia a una línea de horizonte colocada muy abajo, le permiten representar elementos de arquitectura clásica junto vastos y luminosos paisajes.

• Sus colores, poco numerosos, oponen los matices en una tonalidad fría y uniforme. El blanco, muy presente para delimitar las formas y los volúmenes, se tiñe en contacto con los colores vecinos. Forma un aura luminosa que transfigura esta geometría, modela los rostros, plisa las telas, detalla la arquitectura. Esta luz clara y fría, a menudo abstracta y arbitraria, de igual intensidad, sin sombras ni claroscuros, inmoviliza a las figuras en una expresión impasible y silenciosa (*La flagelación de Cristo*).

• En su madurez, desde 1455, Piero construye composiciones y perspectivas extraordinariamente complejas, en una lógica matemática perfecta, desplazando lateralmente el punto de fuga. Remarca la línea de horizonte, asocia cielo abierto e interior arquitectural, paisaje y construcciones. Las figuras «geometrizadas», silenciosas y dignas, desprovistas de emoción, se armonizan con la arquitectura (*La leyenda de la cruz*).

UN GRAN MAESTRO

◆ Su valor artístico, reconocido en su época, cae después en el olvido hasta el siglo XX. Lo redescubren R. Longhi (1927) y K. Clark (1951).

◆ Piero se impone como verdadero «revelador» de una visión nueva (R. Longhi), la de los inicios del renacimiento, fuera de Florencia.

◆ Seculariza los temas religiosos y pinta temas desacostumbrados en el arte italiano: La Virgen del parto, «que se dirige a la devoción de las mujeres, sobre todo de las que están encinta» (R. Lightbown). Según P. Rotondi, del Museo del Vaticano, realiza la primera pintura «al aire libre» *(El bautizo de Cristo)* en donde «la agilidad del pincel y la ausencia de retoques prueban que el cuadro se hizo de un solo trazo».

◆ Concibe la geometrización absoluta de las formas en una sobriedad integral de la que emana la expresión del silencio. El artista es el primero en aplicar a la pintura, con un rigor sistemático, la perspectiva geométrica, clásica.

◆ El color se convierte por primera vez en luz, y posee la intuición de las sombras. Anticipa el arte de Leonardo sobre los colores complementarios.

Piero della Francesca

• Después la expresión del silencio se hace más dulce. La luz se civiliza. Piero realiza una escena nocturna en la que una fuente luminosa visible produce sombras proyectadas, reflejos y contrastes (*El sueño de Constantino*, episodio de *La leyenda de la cruz*). La atmósfera de sus interiores se hace más cálida, la luz se ve filtrada por los vidrios, en referencia a la tradición flamenca *(Madona de Senigallia)*. Una preocupación minuciosa y sutil por los detalles concilia las visiones nórdica e italiana *(Retrato de Battista Sforza en el Díptico del duque de Urbino)*.

La flagelación de Cristo
Hacia 1447-1449, temple sobre madera de álamo,
58,4 × 81,5 cm, Urbino, Galleria nazionale delle Marche

Este pequeño retablo presenta dos escenas que se desarrollan en Jerusalén. A la izquierda, la flagelación se sitúa en el pretorio de Poncio Pilatos, gobernador romano de Judea, sentado.
A la derecha, en la escena al aire libre, conversan un dignatario bizantino y un noble vestido suntuosamente.
Según la interpretación de R. Lightbown (1992), ante un ángel guardián, guía de los hombres en su misión divina, se alza un enviado bizantino que pide ayuda a un noble cristiano, Francesco Sforza, para una cruzada contra los turcos.
La escena de la historia de Cristo se sitúa por detrás de una gran superficie embaldosada, en segundo plano, mientras que los hombres, del doble de tamaño, aparecen en primer plano. Tras los notables, las baldosas continúan; percibimos la casa blanca de Herodes y un horizonte arbolado.
Esta obra denota el perfecto conocimiento que tiene el pintor de la perspectiva de las arquitecturas antiguas, clásica y del renacimiento (la de Brunelleschi y de Alberti).
Este conocimiento se revela a través de una paleta de colores restringidos, con sutiles matices rojos y blancos y mediante una iluminación fría, salida de diversas fuentes, cuyas sombras proyectadas indican la complejidad.
Los personajes colosales, despojados de emoción, se mantienen inmóviles en una arquitectura imponente, «caja luminosa, sin fisuras, en la que la humanidad no puede errar» (A. Chastel, 1982).
Esta construcción magistral, silenciosa, no excluye la presencia de detalles de inspiración flamenca.

Obras características

La obra de Piero della Francesca cuenta con 40 títulos, de los que 16 se han perdido. Los formatos van de lo muy reducido a lo muy grandioso.

Políptico de la Misericordia, 1445-h. 1454-1460, Borgo, Pinac.
La flagelación de Cristo, h. 1447-1449, Urbino, G.N.
El bautismo de Cristo, h. 1452-1453, Londres, N.G.
La leyenda de la cruz, h. 1454-1458, Arezzo, iglesia S. Francesco
Díptico del duque de Urbino, h. 1472-1473, Florencia, Uffizi
Madona con santos (Retablo de Brera), h. 1475, Milán, Brera
Madona de Senigallia, h. 1478-1480, Urbino, G.N.

BIBLIOGRAFÍA

Bairati, Eleonora, *Piero della Francesca*, Anaya, Madrid, 1991; Clark, Kenneth, *Piero della Francesca*, Alianza, Madrid, 1995; Calvesi, Maurizio, *Piero della Francesca*, Fabbri, Milán, 1998. Laskowski, Birgit, *Piero della Francesca*, Konemann, Colonia, 2000.

Bellini

«Creador» de la pintura veneciana, Giovanni Bellini busca en su obra la armonía entre el hombre y la naturaleza. Destacable por la dulzura, la musicalidad y la poesía de su arte, por una parte, así como por el sentido del equilibrio, de la composición y de la armonía de los colores fundidos, tonales, por otra, es el primero de los grandes maestros clásicos venecianos.

RECORRIDO BIOGRÁFICO

• Giovanni Bellini (Venecia, h. 1425-1433-*id.* 1516) pertenece a una familia de pintores italianos (Jacopo, el padre, Gentile, su hermano, Mantegna, su cuñado) y evoluciona entre los grandes maestros de su época: Paolo Uccello, Filippo Lippi, Andrea del Castagno y Donatello. Empieza a pintar hacia 1449 y dirige su propio taller hacia 1460. Viaja poco, únicamente por Italia.

• En sus inicios, se siente próximo al maestro paduano Mantegna. La influencia de éste es sensible en *La transfiguración* y en *La crucifixión* (1455, Venecia). A partir de 1460, se libera progresivamente: *Cristo en el monte de los Olivos* (Londres, N.G.), la *Pietà* (Milán), la *Madona* (Houston, M.F.A.), el *Cristo bendiciente* (París, Louvre) y la obra maestra de 1464, el *Políptico de San Vincenzo Ferreri* (Venecia).

• Con ocasión de un viaje a Urbino, Bellini descubre el arte de *Piero della Francesca, en el que se inspira para el *Retablo de la coronación de la Virgen* (1473, Pesaro)

• En 1475, Antonello da Messine, que importa a Italia la técnica flamenca de la pintura al óleo, se encuentra en Venecia. Según la leyenda, Bellini habría descubierto entonces la importancia de esta técnica y la habría utilizado para uno de sus primeros retratos, *Retrato de un humanista* (1475-1480, Milán) y para la *Virgen con el Niño bendiciente* (1475-1480, Venecia, Ac.).

• A partir de entonces, hacia 1480, Bellini adquiere su verdadera madurez artística. Su obra se caracteriza por una especie de simbiosis entre las emociones que describe y los paisajes que representa. Es algo que se capta en la *Resurrección de Cristo* (h. 1480, M. de Berlín), *San Jerónimo* (*id.* Florencia, Pitti), *San Francisco en éxtasis* (h. 1480, Nueva York) o en la *Crucifixión* (Florencia, Corsini). El dominio del espacio asociado a la pintura tonal (o tonalismo: fusión armoniosa de los tonos respetando su exposición a la luz), que inventa, produce nuevas obras maestras: la *Transfiguración* (h. 1485, Nápoles), el *Retablo de S. Giobbe* (*id.*, Venecia, Ac.), el *Tríptico deo frari* (1488, Venecia), el *Retrato de J. Marcello* (¿?) [1485-1490, Washington, N.G.] y la *Virgen y el Niño* (1480-1490, Bérgamo, Ac. Carrara).

• A partir de 1490, todas sus obras anuncian el gusto por la naturaleza, el lirismo de los colores y la libertad de las figuras que se desarrollarán en el siglo XVI. Esta evolución marca sus madonas, como la *Madona en el prado* (1505, Londres, N.G.), así como otras realizaciones: la *Alegoría sagrada* (1490-1500, Florencia) o la *Pietà* (1505, *id.*); el *Bautismo de Cristo* (1500-1502, Vicenza); el *Retrato del dux Leonardo Loredan* (1501, Washington) y el *Retablo de San Zaccaria* (1505, Venecia). Las obras maestras tardías, que son numerosas, traducen la culminación de sus maneras venecianas: la *Virgen con el Niño bendiciendo en un paisaje* (1510, Milán); la *Asunción* (1513, Murano); el *Festín de los dioses* (1514, Washington); la *Mujer peinándose* (1515, Viena) y el *Noé ebrio* (1515, Bensaçon, B.A.), una de sus últimas telas. Su escuela produce artistas de talento como Catena, Cariani, Cima da Conegliano. Bellini anuncia el arte de Giorgione, de *Tiziano, de Sebastiano del Piombo...

INFLUENCIAS Y CARACTERÍSTICAS PICTÓRICAS

Bellini pinta cuadros, retablos y trípticos religiosos sobre una amplia serie de temas: muchas madonas, algunos retratos, escasos temas de la antigüedad. Su pintura al óleo, sobre madera o sobre tela, de todo tipo de formatos, está destinada a las congregaciones religiosas de Venecia, al dux de Venecia y a algunos mecenas privados.

La obra de Bellini toma prestados elementos de numerosos contemporáneos. De Mantegna admira las preocupaciones humanistas, arqueológicas y espaciales. Andrea del Castagno le enseña la luz. En Urbino, Rímini y Ferrara, descubre el arte de *Piero della Francesca y la arquitectura de los burgos medievales. Las aportaciones estilísticas y las técnicas de Antonello da Messina, presente en Venecia, son fundamentales en la creación de un estilo que le es propio pero que es común también al del arte de Giorgione y de *Tiziano.

• En sus inicios, el arte de Bellini está en simbiosis con el arte «violento» de Mantegna. Admira su construcción rigurosa del espacio, sus paisajes naturales o arquitecturales, cuyo vigor plástico responde al de los personajes. Las figuras de Bellini se caracterizan por un trazo insistente, un escorzo atrevido, unas expresiones dramáticas y unas musculaturas vigorosas, que coloca sobre un paisaje más suave. Adopta la arquitectura de su tiempo, la de la *terra ferma*: los pueblos y sus murallas, los castillos, los puentes y las iglesias. El paisaje arqueológico y geológico abre las entrañas terrestres y muestra caminos tortuosos de curvas muy acentuadas.

• Para sus madonas, propone diversos esquemas de composición: la virgen se instala directamente en el paisaje, frecuentemente ante un fondo de cielo, un muro o un palio que la separan de él, o también en el ábside de una iglesia, o a veces ubicada en plena naturaleza.

• El arte de Bellini evoluciona de la «decoración arqueológica al espacio natural» (H. Peretz, 1999). El pintor busca un equilibrio armonioso entre la figura y la naturaleza. Mezcla una ligereza mayor de las actitudes con paisajes más «redondos». Domina el espacio real y natural, inspirado sobre todo en Piero della Francesca. Una luz dorada, celeste, como la de Andrea del Castagno, recorta las formas e inunda los segundos planos de los paisajes idílicos. Los primeros planos siguen siendo arqueológicos y se ven iluminados por una luz fría; los volúmenes guardan su geometría, los drapeados se muestran algo rígidos, pero los rostros expresan calma.

• A partir de 1475, los juegos de luz, los planos amplios de paisajes y la técnica de la pintura al óleo, tan apreciados por Antonello da Messina, le permiten un trazo preciso, colores menos vivos, una iluminación sensible, refinada y vibrante. Bellini crea su propio estilo en un nuevo espacio en el que la luz se convierte en fundamental. Integra arquitecturas romanas, históricas y codificadas, y después representaciones de edificios contemporáneos en el paisaje natural y real. La luz crea y une los espacios, las formas y los colores. El pintor despliega toda la riqueza de los colores, en función de su exposición a la luz. Así, la pintura tonal admite los matices coloreados, los degradados progresivos, la «desestructuración» de los volúmenes y de las formas ligeras y la unificación de los elementos en un fundido de colores. El paisaje diáfano, con el cielo en aurora, con verdes profundos y marrones ricos, se revela en una luz suave.

• Posteriormente el pintor reduce la importancia de la pintura y pone toda su atención en la unidad del hombre y de la naturaleza, en la armonía completa de las emociones humanas y del paisaje, poético y sereno. Sus retratos y la naturaleza respiran al unísono, vibran en una luz natural que los arropa.

• Ciertos trabajos se hacen más narrativos, con lo que se confiere un nuevo ritmo a los personajes. Bellini se separa de la tradición al tratar de manera idéntica los temas profanos o religiosos.

Un gran maestro

◆ Conocido y reconocido desde siempre, Bellini marca la pintura veneciana, italiana y europea.

◆ El artista rompe definitivamente con el gótico. Se impone como el promotor de una «manera» cuya composición equilibrada pero libre anuncia la gran pintura veneciana del siglo XVI.

◆ De su desbordante imaginación surgen paisajes ordenados, madonas amantes. Bellini no establece ninguna diferencia entre mundo sagrado y mundo profano.

◆ Sus cuadros se organizan alrededor de las figuras, con una disposición espacial nueva. En lo que respecta a las madonas, propone diversos esquemas de composición, particularmente en la *Madona en el trono*: en esta obra la Virgen se encuentra sobreelevada, en el centro de la composición, mientras que los santos la rodean desde el suelo. El rigor geométrico de los suelos en damero está asociado al paisaje natural.

◆ Bellini prueba todas las posibilidades de la pintura al óleo.

◆ Inventa la pintura tonal en 1482, lo que le permite fundir formas, colores y luz.

Bellini

El bautismo de Cristo
1500-1502. Óleo sobre tela
400 × 263 cm, Vicenza, iglesia Santa Corona

Este gran cuadro es representativo del paso de Bellini a la madurez. Si bien son apreciables
las influencias de sus contemporáneos, emerge el estilo propio del pintor. La roca del primer
plano prueba su interés por la arqueología de Mantegna y la perspectiva asienta las figuras
y las construcciones en el paisaje. Pero los personajes, situados en alturas y en profundidades diversas,
dan pruebas de una nueva colocación en el espacio. La utilización de la pintura al óleo une
a los personajes y los elementos del paisaje, y aporta una infinita dulzura al cuadro, en una tonalidad
propia de Bellini. Los degradados, reavivados por un rojo caluroso, se funden en una luz crepuscular
y celeste.

BIBLIOGRAFÍA

Goffen, Rona, *Giovanni Bellini*, Yale University Press, New Haven, 1989; Paris, Jean, *L'atelier Bellini*, La La-
gune, París, 1995; Tempestini, Anchise, *Giovanni Bellini*, Electa, Milán, 2000; Olivari, Mariolina, *Giovanni Bellini*, Edibesa, Madrid, 2002.

Obras características

Bellini pintó alrededor de 220 obras.

La transfiguración, 1455, Venecia, M. Correr
Pietà, 1460, Milán, Brera
Políptico de San Vicenzo Ferreri, 1464, Venecia, basílica de S. Giovanni et Paolo
La coronación de la Virgen, retablo de Pesaro, 1473, Pesaro, M. Civici
La resurrección de Cristo, 1475-1479, Museos de Berlín
San Francisco en éxtasis, hacia 1480, Nueva York, F.C.
La transfiguración, hacia 1485, Nápoles, Capodimonte
Retrato de un humanista, 1475-1480, Milán, Civiche Raccolte d'Arte
Tríptico dei Frari, 1488, Venecia, iglesia dei Frari
Alegoría sagrada, 1490-1500, Florencia, Uffizi
El dux Leonardo Loredan, 1501, Washington, N.G.
El bautismo de Cristo, 1500-1502, Vicenza, iglesia S. Corona
Retablo de San Zaccaria, 1505, Venecia, *in situ*
La asunción, 1513, Murano, iglesia de San Pedro Mártir
El festín de los dioses, 1514, Washington, N.G.
Mujer peinándose, 1515, Viena, K. M.

El festín de los dioses
1514. Óleo sobre tela, 1,70 × 1,88 m, Washington, National Gallery of Art

Esta obra, una de las últimas de la larga vida del pintor, se inspira en la antigüedad.
Ilustra la culminación de su oficio, caracterizado por el equilibrio armonioso entre
el paisaje y las figuras. Los árboles frondosos se hacen eco del rico festín de lo dioses
que se deleitan en placeres terrestres. Los seres y las cosas, inscritos en un espacio perfecto,
están bañados en una luz tierna y delicada que hace aflorar tonos calurosos.
Las formas y los colores parecen fundirse, gracias al efecto tonal.
El artista anuncia aquí, más que las primicias de la gran pintura veneciana,
su soberanía sensual y poética. Se percibe ya el arte naciente de *Tiziano.

Botticelli

Botticelli, humanista florentino, pintor marginal, inquieto e intuitivo, cultiva un ideal poético, a la vez sabio y profano. Desarrolla la belleza de la línea, alargada y elegante, enérgica y nerviosa. Tras las predicaciones de Savonarola, tiende hacia un ascetismo intelectual y estético.

Recorrido biográfico

• Alessandro Filipepi, llamado Sandro Botticelli (Florencia 1445-*id.* 1510), pintor italiano, hace carrera en su villa natal, que está entonces en plena expansión artística y comercial bajo el impulso de los Médicis.

• Primero entra como aprendiz, a propuesta de su padre, en el taller de un orfebre. Esta experiencia será decisiva en su obra. Posteriormente ingresa en el taller de Filippo Lippi. La influencia del filósofo helenista y neoplatónico Marsilio Ficino domina en la corte de los Médicis, en el ambiente artístico y sobre todo en Botticelli. La filosofía de Marsilio responde a los interrogantes de la época sobre el lugar del hombre y el sentido de la religión, y apunta a regenerar el cristianismo y la Iglesia a la luz del platonismo de la antigüedad para llegar así a un ideal de pureza. La belleza es el camino casi místico que permite el paso de una criatura al creador, la armonía entre las esferas terrestres y celestes.

• Botticelli pinta madonas, a veces sobre el modelo del maestro Filippo Lippi, como la *Madona de los Guidi de Faenza* (h. 1465-1470, París, Louvre) o las de Londres, Nueva York, Washington, Florencia, Nápoles... Admira a los escultores Verrocchio y Pollaiolo, así como el arte de *Leonardo. Nombrado maestro en 1470, confirma la suavidad de su trazo en *La vuelta de Judith* (1470, Florencia, Uffici) y en el *Autorretrato* (¿?) *con una medalla* (*id.*).

• Hacia 1478 alcanza la madurez de su arte. *La primavera* (h. 1478, Florencia) y el *Nacimiento de Venus* (h. 1481-1482, *id.*), realizados para la villa de los Médicis, son muestras de sus vínculos privilegiados con esta familia, que él retrata en dos *Adoración de los magos* (1475-1480 y 1500, Florencia, Uffizi). En el rostro de *San Agustín* (1480, *id.*) se lee la concentración de un intelectual inquieto, más que la piedad; y *Julio de Médicis* (h. 1480, Bérgamo, Ac. Carrara) parece preocupado.

• Tras una estancia en Milán, en 1481-1482, a petición de Ludovico el Moro, duque de Milán, Botticelli crea otra *Adoración de los magos* (Washington), pero, sobre todo, se le llama a Roma par efectuar frescos en la Capilla Sixtina (*Las pruebas de Moisés, El castigo de los levitas*). La amplitud que necesita la narración no le conviene: ciertos detalles y retratos, muy conseguidos, se imponen a la lectura general de la composición.

• De vuelta a Florencia desde 1482, pinta los frescos alegóricos de la villa Memmi, entre otros *Venus y las gracias ofreciendo presentes a una joven* (París, Louvre). Entre 1483 y 1490 realiza una veintena de grandes madonas en *tondo*, entre ellas la *Madona del Magnificat* (h. 1483-1485, Florencia, Uffizi), y la *Madona de la granada* (h. 1487, *id.*). La alegoría erudita sobre los Médicis de *Minerva y el centauro* (h. 1488, *id.*), la «conversación sagrada» llamada *Retablo de S. Barnaba* (h. 1490, *id.*) y, sobre todo, *La Anunciación* (1489-1490, *id.*) muestran una agitación de los ritmos lineales que permite adivinar una grave crisis.

• A partir de 1492 Botticelli se ve afectado por la muerte de su mecenas Lorenzo de Médicis y por la expulsión de su hijo. Las predicaciones apocalípticas de Savonarola, que fustiga las «vanidades», introducen en él una duda profunda sobre la validez moral de su obra artística. Savonarola es condenado como herético en 1498 y ejecutado, pero el mal ya está hecho, y la crisis moral de este fin de siglo altera al artista. La agitación política y espiritual del mundo florentino encuentra un reflejo en *La calumnia* (h. 1495, Florencia), las *Pietà* (h. 1495, Munich; Milán, Poldi Pezzoli); las historias virtuosas de Lucrecia, de Virginia (h. 1499, Boston, Gardner M.; Bérgamo, Ac. Carrara); las escenas de la *Vida de san Zenobio* (1495-1500, Londres, N.G.; Nueva York y Dresde); la *Natividad mística* (1501, Londres) y la *Crucifixión* (1500-1505, Cambridge); todas estas pinturas transmiten un mensaje moralizante.

Al término de su carrera de dibujante y pintor, solamente su alumno Filippino Lippi, hijo de su antiguo maestro, comprende el estilo de Botticelli, el pintor florentino más grande del fin del siglo XV. El arte de este último, lejos del manierismo naciente en Florencia, no vuelve a encontrar eco hasta el siglo XIX. Volverá a constituir una referencia para los prerrafaelitas y los artistas del modernismo.

INFLUENCIAS Y CARACTERÍSTICAS PICTÓRICAS

Botticelli pinta retratos, grandes composiciones profanas, mitológicas, simbólicas y decorativas, inspiradas en las *Estancias para el torneo* de il Poliziano, temas neoplatónicos de Marsilio Ficino o extraídos de textos históricos y literarios para las villas de los Médicis. También trabaja los temas de devoción (santos, madonas) para las familias Lama, Vecchietti o Segni, para la corporación de orfebres, cuadros de altar encargados por la Iglesia y frescos para el papa Sixto IV. Pinta sobre tela, sobre madera o *a fresco*. Consagra una parte de su actividad a las artes menores.

En Florencia recibe la influencia del arte de Filippo Lippi, de *Leonardo y de los escultores Verocchio y Pollaiolo. Luego se desplaza a Roma.

• De su formación de orfebre, Botticelli conserva el gusto por los motivos tallados, el trazo incisivo y libre, de una precisión perfecta. Retiene también la línea enérgica y acentuada de Filippo Lippi (línea típicamente florentina característica también de Pollaiolo, en quien se habría inspirado), el contorno circunscrito, las carnes luminosas, los colores vivos y cálidos. Los temas bíblicos, con protagonistas a veces tan crueles, se convierten bajo su pincel en poéticos y melancólicos. Los colores claros y sutiles mezclados con tintes ricos añaden una intensidad lírica. Los drapeados ondulantes subrayan las actitudes preciosas de las siluetas y el ritmo casi danzante de los personajes, a la manera de Verrocchio. La tradicional linealidad del arte florentino deriva en el preciosismo del dibujo de Botticelli, de línea elegante y expresiva, muy personal. La invención poética predomina sobre la realidad y el dibujo, sobre la pintura.

• A partir de 1478, en su madurez, en el corazón del renacimiento florentino, Botticelli pinta composiciones de ritmo musical, cincela el contorno lineal de los elementos, trabaja su relieve y su modelado. Las masas de cabellos rubios y ondulantes que se enredan, el aire que hincha las vestiduras, los personajes que se encuentran siempre en un equilibrio inestable, reflejo de su fragilidad, de paso por un paisaje sereno: tales son las características de su arte. De cualquier modo, en el mundo que crea, la melancolía y la angustia están latentes (decoración de la villa Médicis).

• A la maestría de ciertas composiciones leonardianas (ordenamiento de la composición, convergencia de gestos y miradas) se añade la nostalgia de un mundo soñado y frágil que simbolizan los monumentos antiguos. Su perfecta observación denota una preocupación por el realismo que lleva también a la individualización de ciertos personajes *(La adoración de los magos)*. La linealidad se acentúa en composiciones circulares que obedecen a la «ley del cuadro» *(Virgen de la granada)* y desprenden un sentimiento elegíaco. Volvemos a encontrar la finura extrema del detalle, característica de su obra en el retrato de laicos o de religiosos, inquietos y expresivos *(San Agustín)*.

• Tras 1490, la línea se hace más aguda y se acentúan los gestos de los personajes. El amontonamiento de ritmos lineales, casi coléricos, convulsivos, responde a una inspiración espiritual y artística más atormentada. El canon de las figuras se alarga, no hay miradas *(La calumnia)*.

UN GRAN MAESTRO

◆ Célebre en vida en los círculos eruditos, Botticelli cae rápidamente en el olvido. Para su redescubrimiento habrá que esperar hasta el siglo XIX.

◆ Florentino en su gusto por la línea, Botticelli le imprime una prolongación, una ligereza, una energía graciosa, un estilo que rompe de este modo con la búsqueda humanista y artística del renacimiento.

◆ Traduce los temas bíblicos para convertirlos en temas profanos y mitológicos, inspirados en el ideal neoplatónico. Concibe grandes *tondi* de madonas, de belleza lánguida, curvadas, en una armonía de formas circulares a veces «redundante». Su grafismo alcanza una elegancia suprema; su línea, pura, es única.

Botticelli

- A partir de 1500 el desasosiego espiritual invade a Botticelli, engendra el rompimiento de la línea, la violencia del color, el tumulto, la oscuridad. La inspiración se exalta, los personajes se vuelven torturados y hieráticos, transgrede las leyes de la perspectiva. Botticelli cincela su trazo hasta llegar al grafismo puro, favorece los mensajes morales y virtuosos, en una narración frenética (*Natividad mística*). Desarrolla composiciones alegóricas, de una tonalidad apocalíptica.
- Sus últimas obras, más pacíficas, permiten creer en una esperanza reencontrada (*Natividad mística*).

El nacimiento de Venus
Hacia 1481-1482. Temple sobre tela, 1,72 × 2,78 m,
Florencia, galería de los Uffizi

Esta tela decoraba, con *La primavera*, la villa dei Castello
de la familia Médicis. El tema mitológico muestra a Venus,
diosa de la belleza, cobrando vida con el soplo de Céfiro
y abandonando, con cierta melancolía, su inmovilidad
estatuaria, o simplemente empujada hacia la costa por las
alegorías del viento. Una ninfa se apresura a cubrirla con
un manto. En el plano simbólico o alegórico, se trata de la
afirmación de la belleza que nace de la fusión del espíritu
y la materia, de la Idea y de la Naturaleza. La obra podría
también ilustrar el tema antiguo de Afrodita Anadiomene,
la diosa surgida de la espuma del mar, una pintura de
Apeles descrita por Plinio cuyo tema recuperó il Poliziano.
La elección de este tema, que se relaciona con el ideal
humanista del renacimiento, lleva implícito un refinamiento
extremo de la forma. Botticelli llega aquí al límite de las
posibilidades expresivas y lineales aceptables para el
renacimiento. La cincelada cabellera rubia aventada
y dispersa, las vestiduras henchidas por el viento,
la espuma abstracta sobre la que revolotean las flores y
el equilibrio inestable de Venus animan esta obra, habitada
por las incertidumbres y la fragilidad. Todo parece irreal
y elegíaco: la costa ondulante, el dorado de los troncos
de los árboles, la superposición erudita de la alegoría del
viento, la elegancia desnuda de Venus, la suntuosidad
de los drapeados, el ritmo de danza... La línea es soberana,
musical, de una ligereza aérea, las modulaciones
de color son claras y transparentes.

Madona del Magnificat
Hacia 1483-1485
Temple sobre madera, 1,8 m de diámetro, Florencia, galería de los Uffizi

El título de este cuadro hace referencia a la primera palabra del salmo que la Virgen inscribe en el libro
que le muestran. La composición se enmarca perfectamente en el formato del *tondo*, gracias al ritmo de
la línea, que se desarrolla en volutas y arabescos, curvas y contracurvas. Todo es circular: el ordenamiento
de los brazos, de las manos, el ojo de buey, la luz divina, las cabelleras ondulantes y rizadas, el río sinuoso,
la voluta del trono de la Virgen, la redondez de la granada. Los colores, cálidos y francos, luminosos
y transparentes de esta composición, crean una atmósfera de espiritualidad ideal y lírica.

OBRAS CARACTERÍSTICAS
Botticelli realizó entre 150 y 180 obras.

Autorretrato con una medalla, 1470, Florencia, Uffizi
La primavera, h. 1478, Florencia, Uffizi
El nacimiento de Venus, h. 1480-1485, Florencia, Uffizi
La adoración de los magos, 1481-1482, Washington, N.G.
Madona del Magnificat, 1483-1485, Florencia, Uffizi
La calumnia, h. 1495, Florencia, Uffizi
Pietà, h. 1495, Munich, A.P.
Natividad mística, 1501, Londres, N.G.
Crucifixión, 1500-1505, Cambridge [Mass.], F.A.M.

BIBLIOGRAFÍA
De Angelis, Rita, *Todas las pinturas de Botticelli*, Noguer, Barcelona, 1981; Lightbown, Ronald, Sandro Botticelli, Fabbri, Milán, 1989; Testi Cristiani, Maria Laura, *Botticelli*, Anaya, Madrid, 1992; Gromling, Alexan-
dra; Lingesleben, Tilman, *Botticelli: 1444/45-1510*, Könemann, Colonia, 1998.

Leonardo da Vinci

Leonardo da Vinci, genio humanista del renacimiento, experimenta en todos los campos del saber y del arte. El artista pintor elabora una teoría del arte-ciencia fundada sobre la observación y el rigor. Su búsqueda metódica, compleja y permanente del ideal pictórico renueva la pintura, mediante la composición, la perspectiva, el *sfumato* y la sonrisa enigmática de sus personajes.

RECORRIDO BIOGRÁFICO

- Leonardo di Ser Piero da Vinci (Vinci, cerca de Florencia, 1452-Amboise 1519) es hijo natural de un notario y de una campesina.
- Durante su formación florentina, de 1469 a 1479, Leonardo acude al taller de Verrocchio junto a *Botticelli, Domenico Ghirlandaio, Filippino Lippi, el Perugino... El artista se impregna de la gran cultura florentina junto a Lorenzo el Magnífico y Marsilio Ficino. Participa en los trabajos para el *Bautismo de Cristo* de Verrocchio, confeccionando el ángel de la izquierda, de expresión suave y visto de perfil (h. 1472, Florencia, Uffici). En cuanto a *La Anunciación* (*id.*), a pesar de algunas vacilaciones, los historiadores del arte conceden a Leonardo la paternidad de la obra. El *Retrato de Ginebra Benci* (1474, Washington, N.G.), *La Anunciación* (h. 1478, París, Louvre), la *Madona del clavel* (h. 1478, Munich, A.P.) y la *Madona Benois* (h. 1480, San Petersburgo, Ermitage) son obras que también se le atribuyen. Paralelamente a la pintura, sus *Codex* son prueba del interés que tiene por la literatura y la filosofía, la técnica y las ciencias, la geología y la anatomía.
- Su curiosidad científica y técnica hacen de él un modelo del *ingeniere* al servicio de los monarcas y de los príncipes. Rápidamente su vida se desarrolla alternando entre Florencia y Milán. Ludovico el Moro, duque de Milán, lo toma a su servicio en 1482. Con motivo de su partida, su obra de madurez, *La adoración de los magos* (1481-1482) quedó inacabada. En una atmósfera artística favorable, Leonardo puede encauzar su trayectoria pictórica. Su reflexión teórica sobre la pintura como instrumento de conocimiento se refuerza con experimentaciones prácticas, en particular sobre la materia pictórica y los pigmentos. Estas técnicas experimentales resultan funestas para la conservación de obras como *La última cena* (h. 1495-1497, Milán), fresco que hoy en día se encuentra muy dañado. *La Virgen de las rocas* (h. 1488, París) ilustra admirablemente sus investigaciones del momento sobre el claroscuro. La ambiciosa escultura del *Monumento ecuestre a Francesco Sforza*, padre del duque, conocida por los dibujos (h. 1490, Windsor Castle) no se llevaría nunca a cabo: en 1499, Luis XII conquista el ducado de Milán y el modelo a tamaño natural de la estatua es destruido.
- De 1500 a 1506, Leonardo tiene como base Florencia. Pasa por Mantua y dibuja *Isabelle d'Este* (1500, París, Louvre), se demora en Venecia, en donde no obtiene ningún encargo, y finalmente se desplaza a Ferrara, donde trabaja durante un año, en 1502, como arquitecto militar de César Borgia, gobernador del ducado de Milán, y después dibuja el cartón de *La batalla de Anghiari* (1503-1505, destruido), mientras *Miguel Ángel realiza *La batalla de Cascina* (1504), en donde rivaliza con el maestro. La *Leda* (1503-1505, desaparecida) y la célebre *Gioconda* (*id.*, París) datan de su período florentino.
- Durante su segunda estancia en Milán, de 1506 a 1513, Leonardo se pone al servicio del gobernador del ducado, nombrado por Luis XII, y trabaja sin du-

da en la segunda versión de *La Virgen de las rocas* (1495-1508, Londres, N.G.). Realiza los dibujos del proyecto del *Monumento ecuestre a G. G. Trivulzio* (1508-1513, Londres, Wall. C.) y *La Virgen, el Niño Jesús y santa Ana*, obra inacabada (h. 1510, París).

• Entre 1513 y 1516, reside solamente durante seis meses en Florencia. Se instala en Roma tres años, protegido por Giulano de Médicis, hermano del papa León X, para consagrarse al estudio de las ciencias y técnicas.

• A la muerte de su protector, en 1516, acepta la invitación de Francisco I para desplazarse a Francia. Leonardo viaja con tres telas: *La Gioconda*, *La Virgen, el Niño Jesús y santa Ana* y su última obra maestra, *San Juan Bautista* (h. 1515, París). Su vida acaba cerca de Amboise, en el Loira.

Vinci deja telas mundialmente admiradas desde su misma creación, así como *Tratados* y reflexiones sobre sus teorías. Forma a algunos alumnos, entre los que se cuentan A. Salaino y F. Melzi, su amigo fiel. Sus discípulos (A. Solario, Giovanni Antonio Boltraffio, Ambrogio De Predis, Sodoma y, el más famoso, B. Luini) se muestran más como imitadores que como herederos de su arte. Su influencia es considerable en Andrea del Sarto, Fra Bratolomeo, *Rafael...

INFLUENCIAS Y CARACTERÍSTICAS PICTÓRICAS

Leonardo realiza pocas telas y, a menudo, las deja inacabadas, ya se trate de cuadros de altar, de cuadro de devoción, de composiciones monumentales, de temas religiosos y mitológicos o de retratos. Esencialmente pintó al óleo sobre madera y *a fresco*. Un número impresionante de dibujos y cartones confirman la precisión de su trabajo y el rigor de su construcción.

Los principales encargos para dibujos y pinturas provienen del clero (*Adoración de los magos* y *La última cena*), Isabel d'Este, Luis XII y su último protector, Francisco I.

Su carrera se desarrolla principalmente en Florencia, Milán y Roma.

• En Florencia, Leonardo se forma en la línea florentina del Quattrocento, que remarca los contornos; pero pronto supera el arte de sus contemporáneos florentinos, lo mismo que su tradición gráfica y plástica.

• Con ocasión de su primer viaje a Milán, Leonardo elabora su arte en la atmósfera pictórica lombarda, fiel a un universo poético «natural», alimentado por una sensibilidad particular al color y a la luz. Renueva el oficio de los pintores: los temas, la composición, la atmósfera, el color, la materia (las veladuras), la dulzura sonriente de los rostros... Todo es fruto de incesantes investigaciones.

• Elabora una ciencia de lo «visible» privilegiando la pintura. Su ojo experto efectúa una exploración científica del ser y de la naturaleza, construye una progresión metódica antes de efectuar la representación. «Expande» las disciplinas: el estudio del espacio a partir de la óptica le lleva al estudio de la

UN GRAN MAESTRO

◆ Leonardo es «el» genio mítico, admirado siempre, por todos.
◆ Humanista del renacimiento, heredero de la tradición florentina, artista-ingeniero, Leonardo investiga la perfección clásica que revoluciona la concepción de la pintura del siglo XVI y la de los siglos futuros. Marca el paso del Quattrocento representado por Botticelli, Pollaiolo, etc., al Cinquecento, ilustrado por Rafael, Fra Bartolomeo, etc.
◆ El pintor renueva la iconografía de la *Virgen y el Niño* y la de *La última cena*.
◆ Sus investigaciones sobre la materia pictórica llevan a la creación de nuevas veladuras.
◆ De su reflexión sobre la composición nace el grupo piramidal.
◆ Leonardo da un vuelco a la estética con su *sfumato*, su claroscuro, la perspectiva atmosférica, el tratamiento de la luz y la sonrisa indefinible de sus retratos.

perspectiva y de la teoría de la luz. Define un método, que aplica a continuación a su pintura, con lo que da lugar al *sfumato*, resultado del afinamiento y de la disolución de los contornos en el aire vaporoso.

• Hacia 1500 transforma el arte de pintar, que a partir de entonces parecerá seco, duro, frente a la suavidad y la sutileza de su estilo. Estructura sus personajes en una composición geométrica, clásica y elegante, llamada «piramidal». Integra estrechamente las figuras en el paisaje natural, ondulado, montañoso o mineral (gruta). El espacio y la lejanía se ven bañados en un velo azulado y lunar, inédito. Gracias a la técnica naciente del claroscuro, modula la luz sobre un fondo de sombra, suaviza los colores, degrada los valores y contrastes que sugieren el relieve y la profundidad.

• Su invención de la perspectiva atmosférica le permite atenuar los contrastes y difuminar las formas de los objetos alejados en una atmósfera brumosa.

• En las telas religiosas, Leonardo renueva sutilmente el sentido dado por la tradición al tema: en la imagen de devoción de *La Virgen y el Niño* se subvierte un sentimiento dramático latente de dulzura y de miedo; *La adoración de los magos* se convierte en una escena de admiración; *La última cena*, representación simbólica, se transforma en acontecimiento vivo de la palabra de Cristo. Construye con cohesión *La batalla de Anghiari*, aunque necesita ensamblar escenas dispersas y numerosos personajes.

• De la figura, motivo central de toda composición, emana la belleza, una gracia absoluta e imposible de expresar. Los «movimientos que traducen la emoción del alma» (Leonardo) se sugieren en toda su variedad y con la preocupación de lo «verdadero». Leonardo llega a este resultado creando nuevas veladuras y preparando la obra pintada mediante dibujos anatómicos, «matemáticos» que detallan los músculos faciales, fuente de la expresión del horror o de la famosa sonrisa leonardiana.

La Virgen, el Niño Jesús y Santa Ana
Hacia 1510. Óleo sobre tela, 1,68 × 1,30 m, París, Louvre

Tras el grupo, muy recogido, del primer plano, se despliega a lo lejos un paisaje cuyos picos montañosos parecen evaporarse en una atmósfera azulada que inunda todos los tonos. Esta gracia a la vez aérea y equilibrada se apoya sin embargo en la colocación precisa de todos los planos, mediante una técnica de veladuras sucesivas que crean un efecto evanescente. A los elementos en prisma de las colinas responde el grupo triangular de las tres figuras divinas sobre el que reina la cara infinitamente amorosa de María. La posición suavemente curvada de santa Ana, del Niño y del cordero se ve equilibrada por la verticalidad de la Virgen, eje de la composición. La construcción piramidal de las figuras sitúa el tema principal en el paisaje que, por su dulzura, se hace eco de las sonrisas de la Virgen y de santa Ana. Leonardo sustituye la forma plástica y el modelado lineal florentino por una gracia armoniosa, por el misterio y la emoción. Estas caras sonrientes dan una impresión de vida en un paisaje de lejanías azuladas y difusas, inmateriales, como resultado del *sfumato*, de la perspectiva aérea asociada a los tonos suaves y vaporosos, bañados por una luz tenue. La obra es una cumbre del arte, en la que la técnica de construcción y la ciencia de las materias pictóricas quedan borradas tras la poesía.

Obras características

Leonardo dejo alrededor de 15 obras seguras y 5 cuya atribución no está clara. 6 obras han desaparecido.

La adoración de los magos, 1481-1482, Florencia, Uffizi
La última cena, 1495-1497, Milán, S. Maria delle Grazie
La batalla de Anghiari, 1503-1505,destruido
La Gioconda, 1503-1505, París, Louvre
La Virgen de la roca, h. 1488, París, Louvre
La Virgen de la roca, 1495-1508, Londres, N.G.
La Virgen, el Niño Jesús y santa Ana, h. 1510, París, Louvre
San Juan Bautista, h. 1515, París, Louvre.

BIBLIOGRAFÍA

Ottino della Chiesa, Angela; Pomilo, Mario, *La Obra pictórica completa de Leonardo*, Noguer, Barcelona, 1969; Valéry, Paul, *Escritos sobre Leonardo da Vinci*, Visor, Madrid, 1987; Brion, Marcel, *Leonardo da Vinci: la encarnación de un genio*, Ediciones B, Barcelona, 2002; Zöllner, Frank, *Leonardo da Vinci:1452-1519: obra pictórica completa y obra gráfica*, Taschen, Colonia, 2003.

El Bosco

Artista atípico del fin del siglo xv, contemporáneo de Leonardo, El Bosco hace que se encabalguen en su obra los mundos sensible y espiritual. Pone en escena la locura de los hombres, atormentados por el pecado. Los símbolos enigmáticos y las criaturas diabólicas se mezclan con figuras realistas, con ciudades y paisajes, como en un espectáculo con fines didácticos y moralizantes. Utiliza colores francos y suavizados, en una escritura viva y minuciosa.

RECORRIDO BIOGRÁFICO

• El artista neerlandés Hieronimus Van Aeken, llamado Jerónimo Bosch, el Bosco ('s-Hertogenbosch [Bois-le-Duc] 1453–*id.* 1516), se forma sin duda al lado de su padre y de su abuelo, ambos pintores, y contemplando a los primitivos flamencos, *Van Eyck, los pintores neerlandeses como Geertgen Tot Sin Jans, los renanos, etc. En 1481, el Bosco se casa con la hija de un burgués, con lo que se convierte en notable. Hostil a la corrupción de la iglesia y de las órdenes monásticas, a la herejía de las sectas, se adhiere en 1486 a la cofradía religiosa de Nuestra Señora, en donde Erasmo estudió de joven. Allí encuenta un clima espiritual y un sentido de la virtud cotidiana cercanos a la senda de san Buenaventura (siglo xiii). El Bosco vive en una atmósfera impregnada de *devotio moderna.* Entre las voluptuosidades terrenas y una espiritualidad descarnada, introduce un escarnio de los vicios humanos, una angustia y una intensa compasión por los hombres, a quienes representa desnudos y frágiles en un universo hostil.
• Con *El prestidigitador y el ratero* (Saint-Germain-en-Laye, M.m.), en donde el Bosco aborda la escena de género, que en su caso se mezcla con la fe, comienza la carrera de un pintor del que ningún cuadro está fechado. De todos modos, sus obras de juventud se sitúan antes de 1503. *Los siete pecados capitales* (Madrid) se representan con originalidad, sobre un soporte circular y mediante un realismo impecable. *La extracción de la piedra de la locura* (*id.*) muestra la locura y la credulidad humanas. Por el contrario, la *Crucifixión* (Bruselas, B.A.) es un cuadro convencional. *Cristo con la cruz a cuestas* (Madrid, Palacio Real y Viena, K.M.) es un testimonio de la brutalidad de las multitudes. *La nave de los locos* (París) describe la locura de la humanidad pecadora que conduce a la muerte.
• En su período de madurez, entre 1503 y 1512, el Bosco realiza grandes trípticos, *El carro de heno* (Madrid) muestra el infierno de los vicios, denuncia el gusto por las riquezas terrenas tan efimeras, lo que anuncia las vanidades de los siglos siguientes. La *Leyenda áurea* le inspiró para *Las tentaciones de san Antonio* (Lisboa), que desarrolla el tema del bien y del mal. *El jardín de las delicias* (Madrid) está repleto de desnudeces, de extrañas bestias, de motivos sexuales y vegetales, en un paisaje fantástico. Aunque *El juicio final* de Viena permanece dentro de la tradición, el de Munich (A.P.) constituye el apogeo de su visión demoníaca, y se ve poblado por diablos deformes o «insectiformes». Frente a los vicios terrenales solamente se resisten los santos o los eremitas: *San Jerónimo penitente* (Gante, B.A.), *San Cristóbal* (Rotterdam, B.V.B.), el *Retablo de los eremitas* (Venecia).
• Las obras maestras tardías, datadas ente 1510 y 1516, como *Cristo con la cruz a cuestas* (Gante) o *La coronación de espinas* (Madrid, Escorial), ponen en escena a multitudes y verdugos cada vez más crueles frente a la humanidad de Cristo. En la *Adoración de los Reyes* (Madrid), el Bosco asocia lo divino a lo fantástico de una manera más serena. Los paisajes se hacen más serenos.

La obra del Bosco suscita muchas preguntas e interpretaciones. Sus realizaciones se copian y se imitan en grandes cantidades durante un siglo y anuncian a los *Bruegel y a los Teniers. Posteriormente, sus «diablerías» se convierten en objeto de repulsión.

INFLUENCIAS Y CARACTERÍSTICAS PICTÓRICAS

El Bosco pinta incansablemente la cotidianidad y los vicios humanos diabólicos: la locura, el mal, la envidia, la violencia, la calumnia, los celos, la agresión, la lujuria. A continuación mezcla la temática religiosa y humanista. Pinta cuadros y trípticos, quizás para los altares del clero, ciertamente para las bibliotecas y los oratorios de los dux de Venecia y de Felipe II de España, gran amante de su obra.

El pintor lleva a cabo toda su carrera en Bois-le-Duc, en donde quizás trabajara con Memling. Vio los trabajos de los flamencos Dirk Bouts, Van Eyck y *Van der Weyden, de los que pudo aprender el dominio de la pintura al óleo y el sentido del detalle. Conoció la obra de los pintores holandeses como Geertgen o el Maestro de la Virgen, quienes quizá le inspiraran para las escenas de género y para una aproximación diferente a lo religioso. De los renanos y de Schongauer retoma el trazo y el grafismo germánicos. En una época ya inclinada históricamente a la representación de lo demoníaco, nutre su imaginación con el *ars moriendi* (grabados sobre la muerte), con las *Visiones de Tungdal* (poema irlandés del siglo XIII sobre el infierno), con el tarot, con tratados de alquimia...

• Aunque no existe ninguna cronología precisa, la obra del Bosco es de cualquier modo testimonio de una evolución espiritual y artística.

• Ilustra su senda espiritual poniendo en imágenes las tres etapas que hay que superar para acceder a la plenitud: despojar el alma de las tentaciones y de los vicios, acceder a la iluminación meditando sobre la humanidad de Cristo y sobre su Pasión, alcanzar la vida interior y espiritual asimilando los pensamientos y los sentimientos de Jesús. Así, según san Buenaventura (muerto en 1274) el alma puede unirse a Dios.

• En los inicios de su carrera, el pintor aborda las escenas de género con temas populares con un sarcasmo patético, un sentido caricaturesco y cáustico nuevo, sobre temas como la incredulidad, la falta de luces o el salvajismo de los hombres. Pero su mirada sobre el mundo, nunca puramente profana, introduce la meditación religiosa y el misticismo. Su lenguaje moralizador e irónico suscita una nueva iconografía abordando temas como los celos o la avidez. Tanto la composición como la técnica son todavía vacilantes (*El prestidigitador y el ratero*).

• En plena posesión de su arte, el Bosco elabora nuevos modelos religiosos y profanos para aportar luz a su visión humanista de lo sagrado y de lo blasfemo, de lo cotidiano y de la locura de los hombres influenciados por la tentación, el vicio y el pecado. Junto a pequeñas criaturas diabólicas e híbridas, simbólicas y alegóricas, que se repiten de manera enigmática y colorista (huevos, árboles huecos, etc.), coloca figuras realistas, humanas. «Bajo las formas de la pintura religiosa existe una obra religiosa que los lectores de Moro, Erasmo o Maquiavelo pueden apreciar» (C.-H. Roquet, 1968).

• Al final de su vida, pinta grandes trípticos sobre la vida de Cristo y de los santos, opuestos a la locura humana, que a menudo se desarrollan en tres tiempos: la creación del Edén, el mundo de los pecadores, el infierno o el purgatorio. Su mirada de hombre de fe se vincula a la historia del mundo, a la vida de Cristo y a su Pasión. Los santos en meditación son los únicos que no se ven afectados por el pecado. El Bosco dirige de este modo su mirada sobre el «espacio interior humano», puesto a prueba por las tentaciones y después ganado por su rechazo.

• Todas sus obras son óleos sobre panel. Solamente se han conservado algunos dibujos. Su técnica, brillante, deja ver en transparencia, bajo delgadas capas de pintura, un dibujo incisivo. Las pinceladas visibles o los ligeros empastes certifican una escritura viva y minuciosa. Los colores más francos, los naranjas y los rojos queman en los paisajes, al lado de tonos más suaves y matizados, en una gama que va del rosa al violeta y a los azules, dispuestos en veladuras, sobre una materia pictórica fluida.

UN GRAN MAESTRO

◆ Si bien conoció la fama en Europa en vida, el Bosco cae en el olvido hasta el siglo XX.

◆ Pintor de los vicios humanos y de una espiritualidad inquieta, el Bosco rompe con la filosofía y el sentimiento religioso tradicionales, asociando realidad cotidiana con fantasmas y con lo sagrado, sustituyendo la devoción por una obra moral y didáctica. La inteligencia de su pintura triunfa sobre lo «pintoresco».

◆ El Bosco pinta temas de la vida cotidiana, escenas de género. Elabora nuevos modelos iconográficos sobre la vida espiritual y sobre la vida corriente de los humanos.

◆ Sus composiciones son a veces audaces, lo mismo que su sentido del color y su escritura virtuosa. Es el maestro de los incendios infernales y del paisaje fantástico, pero también de la naturaleza sensible; en su bestiario imaginario, en las escenas de la Pasión fuera de la norma, se despliega toda la extensión de las expresiones humanas, del odio a la dulzura, pasando por el patetismo.

El Bosco

• El Bosco inventa sus propias reglas de composición y crea encuadramientos originales: dentro de una estructura gótica, dispone en el primer plano figuras y bajorrelieves, cabezas exageradas, una masa hormigueante de personajes y de demonios (*La coronación de espinas*); nunca elabora perspectivas a la italiana. Los planos posteriores, construidos como los de Memling, representan paisajes o se preocupan de los hombres. Éstos se muestran indiferentes a lo que pasa a su alrededor, tanto en el primer como en el segundo plano. La firmeza de la composición permite ordenar y clarificar la abundancia de episodios.

• Sus obras tardías presentan un equilibrio formal, armonioso, y reflejan una tranquilidad interior. Las ciudades y los paisajes ondulantes o circulares son serenos, silenciosos, verdes, bañados en una luz dorada y suave. Los símbolos diabólicos, en cambio, se multiplican, y la brutalidad humana, más realista todavía, alcanza su paroxismo en las mímicas exacerbadas, los rostros puntiagudos y descarnados, las miradas de odio.

BIBLIOGRAFÍA

Cinotti, Mia; Buzzati, Dino, *La Obra pictórica completa de El Bosco*, Noguer, Barcelona, 1968; Marjinissen, Robert H., *El Bosco*, Electa, Madrid, 1996; Yarza Luaces, Joaquín, *El Jardín de las delicias de El Bosco*, TF-editores, Madrid, 1998; Koldeweij, Jos; Vandenbroeck, Paul; Vermet, Bernard, *Hieronymus Bosch: catalogo completo* (catálogo de exposición), Rizzoli, Milán, 2001.

Cristo con la cruz a cuestas
Entre 1510 y 1516. Pintura sobre madera, 76,7 × 73,5 cm, Gante, Museo de Bellas Artes

En esta escena de la Pasión de Cristo, «las figuras se proyectan sobre un primer plano único, y toda preocupación por la perspectiva queda más o menos abolida [...], son sólo cabezas que, vistas en un plano general, crean una composición cadenciosa de masas y volúmenes» (G. Dorflès, 1953). Esta técnica de encuadramiento subraya la crudeza, la rabia y el odio de los hombres. Esto se lee en los gestos, pero todavía más en las mímicas. El color de la carne se hace lívido, o rojo, la rabia carcome los rostros hasta la propia piel. Los malos sentimientos llevan a los hombres a la locura. El Bosco muestra a los espectadores lo que son o lo que pueden llegar a ser, física o moralmente, si reniegan de lo divino y de la humanidad que hay en cada uno.

El carro de heno
Entre 1503 y 1512. Panel central de un tríptico, 135 × 100 cm, Madrid, Museo del Prado

Este panel se ubica entre otros dos. El primero ilustra la creación de Eva, el jardín del Edén y el pecado original. Tranquilo y sereno, se opone al ala del Infierno, ahogado en llamas e invadido por diablillos que torturan a los pecadores. El panel central relaciona las dos escenas y muestra lo que ocurre ente ambos momentos. Representa un enorme carro de heno que los demonios llevan hacia el infierno y sobre el que se arroja una multitud para asaltarlo, para poseer estos bienes terrenales e ilusorios. Un proverbio flamenco dice: «El mundo es un montón de heno, cada uno toma lo que puede», mientras que, según la Biblia, «el heno se seca, la flor cae». La riqueza y el placer promueven la avaricia y la locura de los hombres. Los personajes pervertidos y los diablillos que aquí y allá simbolizan los vicios, están inmersos en una luz amarilla atravesada por las manchas rojas, sangrantes, de las vestiduras. En el cielo, Cristo muestra sus estigmas, símbolo de su sacrificio para salvar a los pecadores.

OBRAS CARACTERÍSTICAS

La obra del Bosco cuenta con 146 títulos sin datar.

Los siete pecados capitales, Madrid, Prado
Cristo con la cruz a cuestas, Madrid, Palacio Real y Viena, K.M.
El carro de heno, Madrid, Prado
La nave de los locos, París, Louvre
La tentación de san Antonio, Lisboa, M.N.
El juicio final, Viena, K.M.
El retablo de los eremitas, Venecia, Dux.
El jardín de las delicias, Madrid, Prado
Cristo con la cruz a cuestas, Gante, B.A.
Adoración de los Reyes, Madrid, Prado
Las tentaciones de san Antonio, Madrid, Prado

Durero

Durero, abierto a las ideas humanistas del renacimiento, es un artista particularmente consciente de su talento. Su pintura, «compleja y contradictoria» (P. Vaisse, 1999), presenta la síntesis de las influencias germánicas y neerlandesas góticas, y de la modernidad italiana. Al virtuosismo en la reproducción minuciosa se le asocia un arte objetivo y erudito que preconiza una representación exacta del mundo. Su obra, como la de Leonardo, es testimonio del vínculo absoluto entre el arte y la vida.

RECORRIDO BIOGRÁFICO

• Albrecht Dürer (Nuremberg 1471-*id.* 1528), artista alemán de genio precoz, se forma desde los trece años junto a su padre, orfebre. Posteriormente estudia de 1486 a 1490 en el taller del pintor-grabador M. Wolgemut. Ya como artesano efectúa de 1490 a 1494 el acostumbrado desplazamiento que lo lleva a los Países Bajos y a Colmar. En 1492, en Basilea, frecuenta a humanistas como el matemático y astrónomo de Enrique VIII, Nicolas Kratzer. Su producción es entonces esencialmente gráfica, aparte de algunas primeras pinturas: un retrato de su padre (1490, Florencia, Uffizi) y un *Autorretrato* (1493, París).
• En 1494 se casa y parte hacia Venecia, en donde descubre a los grandes maestros. Se interesa por la naturaleza: el estilo espontáneo de sus paisajes en acuarela se opone al de sus estudios académicos de animales, de una gran precisión.
• Vuelve a Nuremberg en 1495, con su arte ya madurado. Federico el Sabio se convierte en su mecenas. Durero firma series de grabados, la obra maestra del *Apocalipsis* (1498, Louvre, Fondo Rothschild; Londres, B.M.) en el que el dibujo nudoso, en efervescencia, es todavía de espíritu medieval pero ya revela su personalidad. En ciertas pinturas, como el *Retablo de Wittenberg* (1496-1497, Dresde, Gg.) o *La Virgen adorando al Niño* (*id.*), se inspira todavía en el arte flamenco y el arte italiano. Después se suceden obras más personales: el *Retrato de F. el Sabio* (1496, M. de Berlín), obra «psicológica» y sobria; la *Madona Haller* (1498, Washington, N.G.), de inspiración belliniana; el *Retrato de Oswolt Krel* (1499, Munich, A.P.), de gran profundidad y riqueza formal. Realiza su segundo *Autorretrato* (1498, Madrid) y, luego, un tercero (1500, Munich), en el que da de sí mismo una imagen cristológica. *La lamentación de Cristo* (h. 1500, *id.*) cierra este período. Frecuenta la sociedad humanista de Nuremberg. Sus grabados sobre cobre muestran su preocupación por el desnudo, a imitación de los italianos.
• A partir de 1500, Durero alimenta su arte con sus viajes. Pinta el célebre *Retablo Paumgartner* (1502-1504, Munich), la *Adoración de los Magos* (1504, Florencia). Realiza acuarelas de plantas y animales tan minuciosas como láminas de historia natural.
• En 1505 huye de la peste y vuelve a Venecia, ciudad de los coloristas en donde su talento ya es reconocido y envidiado, salvo por Giovanni *Bellini, que lo admira. Recibe de sus compatriotas el encargo de la *Fiesta del Rosario* (1506, Praga), realiza la *Virgen del canario* (1506, Berlín), *Jesús entre los doctores* (1506, Lugano, T.B.), de musculaturas leonardianas, y el *Retrato de joven veneciana* (1505, Viena). Su experiencia veneciana concluye con la síntesis de la belleza ideal clásica a la que le conduce su búsqueda, con *Adán y Eva* (1507, Madrid), pintado en Nuremberg.
• En Nuremberg, Durero lleva a cabo también *El martirio de los diez mil cristianos* (1508, Viena, K.M.) y la *Adoración de la Trinidad* (1511, *id.*). Fuera de Venecia el pintor se hace más grafista que colorista, y se consagra al grabado desde 1510. Crea obras maestras, como *El caballero, la Muerte y el Diablo* y *La melancolía* (1513-1514, Estrasburgo, Gabinete de estampas y dibujos; Colmar, M. de Unterlinden), en las que la perfección técnica y plástica se convierten en vehículo de un pensamiento que se traduce en alegorías.
• El emperador Maximiliano de Augsburgo lo toma a su servicio en 1512 en la ciudad que se convertirá en la capital del arte alemán del renacimiento, Viena. Durero esboza con maestría el retrato de su mecenas (1519, Viena) y pinta *Santa Ana, la Virgen y el Niño* (1519, Nueva York), obra maestra premanierista.
• Tras la muerte de su mecenas se vuelve en 1520 hacia Carlos Quinto y pasa un año en los Países Bajos, sobre todo en Amberes, en donde conoce a los pintores Joachim Patinir, Lucas de Lei-

den, Quinten Matsys, y contempla los cuadros de los maestros flamencos *Van Eyck, Hugo Van der Goes y *Van der Weyden. Pero el contexto político y religioso se hace difícil tras la muerte de Maximiliano y con el crecimiento de la Reforma y la guerra de los Campesinos. Cansado, Durero produce poco y febrilmente. *El diluvio* (acuarela de 1525, Viena, Albertina); *Los cuatro apóstoles* (1526, Munich), los retratos de *Jerónimo Holzschuher* y de *Jacob Muffel* (1526, Berlín). En el curso de sus últimos años en Nuremberg, Durero trabaja sobre todo en obras teóricas, como el *Tratado de las proporciones del cuerpo humano*, publicado en 1528, seis meses después de su muerte. Durero, pintor, grabador, dibujante y teórico, tanto de las matemáticas y de las fortificaciones como de la plástica, artista humanista, es el más ilustre de los pintores alemanes. Su arte influye a sus contemporáneos germánicos, sobre todo a Hans Baldung, Lucas Cranach, A. Altdorfer, los pintores europeos manieristas del siglo XVI y los románticos alemanes del siglo XIX.

INFLUENCIAS Y CARACTERÍSTICAS PICTÓRICAS

Durero pinta sobre todo escenas bíblicas y retratos, por encargos religiosos y privados, al óleo sobre madera, pero también acuarelas y aguadas de paisajes y animales, grabados y dibujos. Los cuadros y polípticos, las obras de devoción y los retablos son de pequeñas o medianas dimensiones. En Nuremberg, Durero se inicia en la cultura renana y eyckiana de M. Wolgemut. En los Países Bajos estudia sobre todo las obras de J. *Van Eyck y de *Van der Weyden, y después de L. de Leiden, Patinir, Q. Matsys y los neerlandeses, en particular Van der Goes. En Colmar se siente atraído hacia la obra de Martin Schongauer. En Basilea frecuenta a los humanistas. En Venecia admira el arte de Mantegna y de G. *Bellini. También conoce el de Leonardo.

• Al comienzo de su carrera, Durero realiza grabados y asimila la pintura europea: de Wolgemut toma prestado el aspecto decorativo, el estilo monumental y austero, todavía gótico; la obra de Van Eyck le enseña el sentido del detalle y la de Van der Weyden, un realismo nuevo y sensible; de Schongauer, el último místico medieval renano, retiene el manierismo gótico, lineal y decorativo. Los grandes maestros venecianos le enseñan los fundamentos de la teoría del arte y una lección de realismo. Pinta paisajes o animales del natural. En sus primeros retratos, la agudeza de la mirada se inspira directamente en Van Eyck. Durero aplica sus descubrimientos pictóricos y humanistas a autorretratos introspectivos, imágenes de un hombre dueño de sus pensamientos. Aun así, el manierismo gótico y la multiplicidad de estilos marcan este período.

• Alcanza la maestría en su arte integrando la lección italiana, la tradición gótica y germánica y el arte neerlandés. Sus escenas de Virgen con el Niño (natividades, madonas, adoración de los magos) acaparan las composiciones piramidales, de inspiración flamenca o italiana. Durero aplica perfectamente las leyes de la proporción y de la perspectiva que hace más complejas al situar el punto de fuga en diagonal. Los planos posteriores arquitecturales o paisajísticos, naturales o ideales, «respiran». El diseño no es rígido, los drapeados de sus figuras se hacen amplios, aunque a veces todavía resultan arcaicos. Capta a los personajes en sus relaciones humanas y no sociales.

UN GRAN MAESTRO

◆ Durero conoce la gloria y la fama en vida, sobre todo en lo que concierne a su obra gráfica. Su éxito no conoce interrupciones.

◆ Rompe con la herencia germánica y gótica para afirmar su modernismo tanto iconográfico como en lo que se refiere al plano de la composición y de la plástica. Es el primer artista moderno del norte de los Alpes. Se sitúa en la continuidad estilística del clasicismo italiano.

◆ Se distingue como el único artista alemán que pasa del estatus de artesano de la edad media al de pintor humanista y clásico del renacimiento.

◆ Durero muestra una facilidad sorprendente por asimilar el arte europeo y una increíble capacidad de reinterpretarlo. Crea composiciones nuevas asociando los esquemas neerlandeses e italianos.

◆ Aborda temas «germánicos», construidos en una composición prebarroca *(El martirio de los diez mil cristianos)*. Crea sin duda el primer autorretrato introspectivo y «autónomo» de la pintura occidental. Renueva la iconografía.

◆ Su maestría técnica y sus innovaciones se sitúan sobre todo en el arte del grabado.

◆ Parte desde la búsqueda del ideal formal clásico del cuerpo humano *(Adán y Eva)*.

◆ Apunta a un realismo exacto en la representación de animales.

◆ El pintor descubre el color «absoluto», diferente al color-luz veneciano.

Durero

Las madonas desprenden una dulzura belliniana. Intenta ofrecer al mundo una representación exacta y racional mediante una concepción objetiva de la pintura, con un trabajo suntuoso. Los retratos de madurez revelan su realismo, su sentido de la psicología y su talento para captar la esencia del ser (*Autorretrato* de 1500).

• El apogeo de su carrera se desarrolla en Venecia. Abandona el color-luz por una coloración dorada y elaborada sobre un color franco, no tonal. Por el mismo procedimiento que los maestros italianos del renacimiento, crea un desnudo clásico ideal (*Adán y Eva*). El dibujo y el modelado son ligeros, las actitudes naturales, la expresión tranquila y el movimiento discreto.

• En Nuremberg, la multiplicación de los personajes y la minuciosidad con la que representa al detalle las violencias corporales recuerdan al arte europeo del norte a finales de la edad media. La multitud se organiza por primera vez en masas espirales, anunciadoras de Altdorfer, de *Bruegel, de il *Tintoretto y del barroco. Los últimos retratos ganan en objetividad y en gravedad.

• Al final de su vida, Durero produce pocos cuadros, primero en un estilo premanierista, más tarde inspirados por el espíritu austero de la reforma. Sintetiza su recorrido artístico: «Cuando era joven, grababa obras variadas y nuevas. Ahora [...] empiezo a considerar la naturaleza en su pureza original y a comprender que la expresión suprema del arte es la simplicidad».

Autorretrato
1493. Óleo sobre tela encolada, 56,5 × 44,5 cm, París, Museo del Louvre

Durero firma su autorretrato e inscribe una anotación que puede traducirse como «Todo me va como está ordenado desde allá arriba» o como «Mi destino progresará según el Orden Supremo». Entre las manos sostiene un cardo, símbolo del sufrimiento de Cristo (L. Grote) o de la fidelidad conyugal. Esta obra es el primer autorretrato «autónomo», sobre caballete, de la pintura alemana. Como en sus autorretratos de 1498 y de 1500, el artista ofrece un testimonio de gran lucidez sobre sí mismo, en tanto que hombre dueño de sus pensamientos, por la capacidad introspectiva propia del espíritu del humanismo. Es el retrato de un artista nórdico: la expresión se ve retenida como en el gótico alemán y el estilo pictórico es preciso, como en Van Eyck, pero la voluntad de ponerse como ejemplo de hombre independiente, de elegancia aristocrática, le acerca al espíritu italiano más que al arte flamenco.

BIBLIOGRAFÍA

Ottino della Chiesa, Angela; Zampa, Giorgio, *La Obra pictórica de Durero*, Planeta, Barcelona, 1988; Panofsky, Erwin, *Vida y arte de Alberto Durero*, Alianza, Madrid, 1995; Berger, John, *Durero*, Taschen, Colonia, 2003.

OBRAS CARACTERÍSTICAS

Durero pintó alrededor de 190 obras, aparte de los grabados, muy importantes en su carrera.

Autorretrato, 1493, París, Louvre
Madona Haller, 1498, Washington, N.G.
Autorretrato, 1498, Madrid, Prado
Autorretrato «cristológico», 1500, Munich, A.P.
Retablo Paumgartner, 1502-1504, Munich, A.P
La adoración de los magos, 1504, Florencia, Uffizi
Retrato de una joven veneciana, 1505, Viena, K.M.
Fiesta del Rosario, 1506, Praga, Národni Galerie
Virgen del canario, 1506, Museos de Berlín
Adán y Eva, 1507, Madrid, Prado
Adoración de la Trinidad, 1511, Viena., K.M.
Maximiliano I, 1519, Viena, K.M.
Santa Ana, la Virgen y el Niño, 1519, Nueva York, M.M.
Cuatro apóstoles, 1526, Munich, A.P.
Retratos de Jerónimo Holzschuher, 1526, Museos de Berlín.

Adoración de los Magos
1504. Óleo sobre madera, 100 × 114 cm, Florencia, galería de los Uffizi

Este cuadro de madurez (inicialmente, panel central de un retablo) es enteramente autógrafo. Pintado tras su primer viaje a Venecia, revela fuertes influencias italianas. Durero construye su composición según una perspectiva compleja, atrevida, a partir de un punto de fuga orientado en diagonal. Inserta en un entorno en el que se entremezclan naturaleza y construcciones humanas, figuras monumentales pero de expresión simple. El grupo principal impone su presencia, aunque parezca relegado al lado izquierdo del cuadro. En el paisaje se perciben ecos flamencos, en la minuciosidad de los detalles y de las materias. El ojo del espectador se siente atraído de una parte a otra: insectos en el primer plano, pedrerías del suntuoso vestido del mago (al que Durero presta su rostro), siluetas de castillos en el plano posterior. Estos detalles hacen que nos recreemos sin privar de fuerza al tema principal, el de la adoración al Niño Dios. Aunque el cromatismo vivo es un rasgo personal de Durero, la luz es muy veneciana.

Grünewald

Grünewald asocia al carácter desgarrador de sus obras y a sus audacias pictóricas tan modernas un vocabulario formal surgido del pensamiento y del misticismo del gótico tardío. Elabora una pintura rica de visiones alucinadas, «fruto único e incomunicable de una coherencia casi feroz que invade no solamente el estilo, sino también la misma personalidad del artista» (P. Bianconi, 1972).

RECORRIDO BIOGRÁFICO

• La identidad de Matthias Grünewald, que sería la misma persona que Mathis Gothart Nithart (Würzburg, Baviera, h. 1475-1480-Halle, Sajonia-Anhalt, 1528), llamado también Mathis Gothart o Mathis Nithart o Neithardtreste, sigue siendo un conjetura. Su obra es incierta, aparte de su obra maestra, el *Retablo de Issenheim*, firmado con el monograma M.G.

• El pintor, nacido en una familia modesta, habría recibido su formación en Würzburg. Se habría inspirado en el arte de H. Holbein el Viejo en Augsburgo. En Frankfurt del Main, hacia 1500, acaba de adquirir su destreza como pintor junto a H. Fyell. ¿Fue discípulo de *Durero (J. von Sandrart, 1675)? Habría conocido el arte italiano en Italia o a través del pintor Jacopo de' Barbari, presente en Nuremberg.

• Su obra más antigua sería un panel representando *La última cena*, *Santa Dorotea* y *Santa Inés* (h. 1500, Alemania). A continuación pinta las alas de un retablo, realizado para la iglesia parroquial de Lindenhart, cerca de Bayreuth, conocido como *El Cristo de los ultrajes* (acabado en 1504, Munich).

• Los archivos de la villa de Aschanffenburg mencionan la presencia de Grünewald, maestro Mahis, en 1505 como pintor. Una *Crucifixión* reencontrada pertenecería a un retablo (h. 1507, Basilea). En 1509, el *Retablo Heller*, encargado por el mercader Heller, de interiores pintados por Durero, es donado a los dominicos de Frankfurt del Main: solamente han llegado hasta nosotros los dos paneles exteriores, realizados por Grünewald hacia 1510: *Santa Isabel de Turingia* y *Santa Lucía* (Karlsruhe), *San Lorenzo* y *San Ciríaco* (Frankfurt). Después de 1509, realiza la *Pequeña Crucifixión* (Washington). En 1510, aparece como ingeniero hidráulico que dirige los trabajos de ampliación y restauración del castillo de Aschaffenburg, residencia del arzobispo de Maguncia, Uriel von Gemmingen. En 1511 se convierte en consejero artístico de este último y pintor de cámara.

• Su obra maestra, *El retablo de Issenheim*, se lo encarga el preceptor de los antoninos, Guido Guersi, hacia 1512-1516, para su convento en Issenheim (Alto Rin). Entre los temas tratados en los nueve paneles pintados están: *La Crucifixión*, *La Resurrección* y *Las tentaciones de san Antonio* (Colmar). Guersi muere en 1516 y Grünewald vuelve a Aschaffenburg, al servicio del arzobispo Albrecht de Brandenburgo. De 1514 a 1516 se encuentra en Frankfurt del Main, pero se le cita en el testamento del canónigo Reitzmann como realizador de un tríptico para la colegiata de Aschaffenburg. Se conservan dos paneles: *La Virgen y el Niño* (1517 y 1519, Stuppach) y *El milagro de la nieve* (id., Friburgo de Brisgovia). Grünewald volverá a ser pintor de cámara en Maguncia hasta alrededor de 1526.

• A partir de 1520 pinta numerosos retablos, de los que no quedan más que algunos escasos paneles: tres para la catedral de Maguncia, uno para la colegiata de Halle, del que el único panel restante es *San Erasmo y san Mauricio* (h. 1520.1525, Munich), en el que figura san Erasmo bajo los rasgos del mecenas, el arzobispo de Maguncia; el retablo de Tauberbischofsheim (h. 1525, Karlsruhe), con un panel que representa a *Jesús cargando con la cruz* y, en el reverso, *La Crucifixión*; y un retablo perdido, con las armas de los Brandenburgo, del que la parte inferior, *La lamentación de Cristo*, todavía se encuentra en la iglesia de Aschaffenburg.

• Grünewald se establece tras 1526 en Maguncia y después en Frankfurt y en Halle, en donde retorna a sus actividades de ingeniero hidráulico y se ocupa de la fabricación de jabón. Muere en esta ciudad en 1528.

El arte de Grünewald, pintor y dibujante, se extingue con él: no habría tenido ni taller, ni discípulos, salvo quizás en Aschaffenburg. No se le conoce ningún discípulo, ni sucesor, ni siquiera imitador, pero su arte tendrá repercusiones en el expresionismo y en el arte moderno.

INFLUENCIAS Y CARACTERÍSTICAS PICTÓRICAS

A diferencia de Durero, que aborda temas profanos, Grünewald no pinta más que temas sagrados, con lo que da prueba del ardor pasional de su fe. Toma numerosas referencias de las *Revelaciones* de santa Brígida (mística canonizada en 1391) editadas en 1492, y su tema más recurrente es el del sufrimiento redentor de Cristo. Se conocen sobre todo sus trípticos, pero también algunas telas, probablemente siempre obras de encargo.

Grünewald viaja por Alemania, sobre todo por Baviera y Sajonia, y conoce muy bien a sus contemporáneos alemanes: Durero, Holbein el Viejo, Cranach el Viejo y Baldung. Su cultura engloba a los artistas de Flandes: Van Eyck, el maestro de Flémalle, el Bosco, Memling; y los de Italia: Mantegna, *Leonardo da Vinci, il *Pontormo, Rosso Florentino.

• Las pocas obras que nos han llegado no permiten analizar la evolución de los veinticinco años de trabajo de Grünewald. Pero desde 1504 el artista manifiesta la expresión de un misticismo violento, caracterizado por una tensión dramática que marcará su obra hasta el final. Tres paneles sobre el tema de la Crucifixión, realizados sucesivamente hacia 1507, 1512-1516 y después 1523-1525, permiten establecer comparaciones: la dramatización de la agonía de Cristo y del sufrimiento de su madre va aumentando. La Virgen del primer panel, que reza junto a san Juan Evangelista y que constituye una imagen de resignación, se convierte en una imagen de dolor, cercana a la pérdida de conocimiento, y después se vuelve incapaz de soportar la visión de su hijo en las dos obras ulteriores. La agonía de Cristo alcanza el paroxismo, con los dedos vueltos convulsivamente hacia el cielo y el cuerpo torturado. En las tres obras, el fondo negro y la luz lívida participan de esta tragedia. Estamos lejos de las representaciones contemporáneas en las que la belleza ideal de Cristo garantiza su divinidad. Las crucifixiones de Grünewald no relatan el suceso histórico «sino que son más bien contemplaciones trágicas fuera de la historia» (P. Bianconi).

• Si bien Grünewald toma siempre caminos personales, algunos elementos, como la composición, el color y las menciones formales, así como la inspiración, le acercan por tanto a otros pintores. De este modo su visión fantasmagórica de *Las tentaciones de san Antonio*, poblada de figuras diabólicas, gesticulantes, es cercana a la de el *Bosco. El colorido transparente, velado y cambiante, sus formas largas y atormentadas le colocan en la filiación de Holbein el Viejo. Las formas poderosas del escultor borgoñés Claus Sluter encuentran un eco en el movimiento de los drapeados de sus personajes. Grünewald y Durero quizás se influenciaran mutuamente a partir de 1508, habida cuenta de que ambos participaron en la realización del *Retablo Heller* y de que el *Retablo de Issenheim* ha sido atribuido en ocasiones a Durero.

• Lejanas a las búsquedas humanistas del renacimiento italiano, la soltura y la amplitud de las crucifixiones de Grünewald lo sitúan sin embargo en su órbita. Su rigor de composición «piramidal» recuerda a la de Leonardo, pero su perspectiva realista está menos construida que la de Van Eyck, es menos racional que la de los italianos. Las figuras, a veces muy plásticas, no acceden a los volúmenes y densidades de un Mantegna: parece más bien que floten en el espacio como las de il *Pontormo.

UN GRAN MAESTRO

◆ El nombre de Grünewald lo cita por primera vez en 1675 por Sandrart *(Teutsche Akademie)*. Numerosas zonas de sombra subsisten sobre su vida y sobre su obra.

◆ Aunque de esencia germánica y gótica, su obra se inscribe al margen de cualquier tradición pictórica.

◆ Los temas religiosos de Grünewald son tratados de una manera personal tanto en la composición como en la plástica. Representa tanto la atrocidad como el dolor tranquilo, pasa de la utilización superabundante de símbolos a la sobriedad, de un fondo paisajístico incandescente a un negro, de una escritura enérgica a la finura de un modelado.

◆ Sus crucifixiones son a su manera un testimonio de la brutalidad de su tiempo. «Ningún pintor ha ido tan lejos en el horror, ninguno ha aportado tanta pasión, tal vehemencia en la descripción del cadáver en descomposición de un ajusticiado» (P. Vaisse).

◆ Su técnica, tan pronto densa como traslúcida, le permite alcanzar un realismo al que se adhiere el espectador.

Grünewald

• Tanto los paisajes como los personajes conciernen más a la fantasmagoría y al misticismo que a la observación de la naturaleza. Sin embargo, están marcados por un naturalismo místico. «Cada elemento está individualizado en la manifestación muy exagerada de una de sus cualidades visibles, ya sea ésta de naturaleza luminosa (como la degradación fosforescente de los colores en *La Resurrección*) o de naturaleza mecánica (como la ondulación frenética de las arrugas de las vestiduras de María Magdalena en *La Crucifixión* de Issenheim)» (P. Bianconi). A la inversa, y por contraste, los fondos son oscuros e inertes. La luz irreal, lívida o incandescente, inmoviliza el color. En escenas cargadas de angustia, hace que se acreciente la violencia de la emoción, del mismo modo que materializa la ternura y la dulzura de las caras de las Vírgenes cuyos rostros acaricia.

OBRAS CARACTERÍSTICAS

Grünewald no deja más que un retablo (18 paneles), 7 cuadros y alrededor de 40 dibujos.

La última cena, santa Dorotea y santa Inés, h. 1500, Alemania, col. part.
Cristo ultrajado (*El escarnio de Cristo*), 1504, munich, A.P.
La Crucifixión, h. 1507, Basilea, Km.
Retablo Heller, 1509 y 1510, Karlsruhe, S.K. y Frankfurt, S.K.
Pequeña Crucifixión, h. 1509, Washington, N.G.
Retablo de Issenheim, h. 1512-1516, Colmar, Museo de Unterlinden
Tríptico de Aschaffenburg, 1517-1519, Stuppach, iglesia parroquial y Museo de Friburgo de Brisgovia
San Erasmo y san Mauricio, h. 1520-1525, Munich, A.P.
Retablo de Tauberbischofsheim, h. 1525, Karlsruhe, S.K.
La lamentación de Cristo, h. 1525, iglesia de Aschaffenburg

Retablo de Issenheim
La Crucifixión, el concierto de los ángeles y la Virgen y el Niño
Hacia 1512-1516. Temple y óleo sobre panel de madera de tilo, políptico abierto: alrededor de 7,70 × 5,90 m, Colmar, Museo de Unterlinden

Este retablo es un encargo del «preceptor» del convento de los antoninos de Issenheim, el siciliano G. Guersi. La obra se compone de nueve paneles pintados, de dos esculpidos que se desvelan o se ocultan siguiendo tres niveles de representación: retablo cerrado, intermedio o abierto. En el retablo cerrado, el panel central está esculpido por Nicolás de Haguenau y los paneles laterales presentan *La visita de san Antonio a san Pablo* y *Las tentaciones de san Antonio*. En posición intermedia, el retablo muestra *El concierto de los ángeles, la Virgen y el Niño* y, lateralmente, *La Anunciación* y *La Resurrección*, con *El Santo Entierro* pintado en la parte inferior del cuadro. Cuando los paneles se abren, las esculturas de Cristo y de los apóstoles forman el zócalo del panel central esculpido.
Este retablo ilustra las tendencias artísticas de Grünewald: el expresionismo y el realismo de la carne lastimada, la angustia de la Virgen de la Crucifixión, que descubre el cuerpo de Cristo en la cruz, ligeramente descentrado, cubierto de heridas purulentas: con María Magdalena implora a Cristo, mientras que san Juan Bautista apunta con el dedo el cuerpo lívido e inanimado; la dulzura de la Virgen con el Niño, el brillo incandescente y caluroso de *La Anunciación*, la visión apocalíptica y demoníaca relacionada con la tentación, que recuerda al arte de el *Bosco. El artista une en un mismo políptico la sobriedad de la composición y del fondo negro con la complejidad y la sobrecarga de la puesta en escena, sumergida en un paisaje colorido, una luz tan pronto solar como pálida, un color denso o traslúcido.

BIBLIOGRAFÍA

Bianconi, Piero; Testori, Giovanni, *La Obra pictórica completa de Grünewald*, Noguer, Barcelona, 1974; Vogt, Adolf Max; Dietrich Arenas, Antón [trad.], *El Retablo de Isenheim de Grünewald*, Alianza, Madrid; Cero Ocho, Cuenca, 1982; Beguerie, Pantxika; Bischoff, Georges, *Grünewald. Le maître d'Issenheim*, Casterman, Tournai, 1996.

Miguel Ángel

Miguel Ángel representa, con Leonardo da Vinci, el genio por excelencia del renacimiento. Se desmarca de su tiempo por su espíritu rebelde y su ardor artístico. Expresa una potencia plástica extraordinaria y desarrolla una energía tumultuosa que invocará más tarde el barroco. Como pintor, su gran riqueza inventiva, formal y cromática se abre plenamente en una nueva concepción del espacio.

RECORRIDO BIOGRÁFICO

• Michelangelo Buonarroti, llamado en español Miguel Ángel (Caprese, cerca de Arezzo, 1475-Roma 1564), artista italiano, nacido en una familia de intelectuales, se dedicó, a lo largo de su larga carrera (setenta y cinco años) a la escultura, la pintura, la arquitectura y el diseño. En Florencia, pasa en 1488 por el taller de Domenico Ghirlandaio y conoce el arte de Filippo Lippi y de *Botticelli. Rápidamente, se diferencia del arte del Quattrocento (siglo XV). Estudia las estatuas antiguas de la colección de Lorenzo de Médicis, de quien es huésped desde 1489 a 1492. Prefiere la escultura y los estudios anatómicos a la pintura, se interesa por las palabras de il Poliziano, poeta y humanista italiano que preconiza un arte innovador, audaz y fogoso. Sin embargo copia a los maestros antiguos, tanto *Masaccio como *Giotto y, naturalmente, *Leonardo da Vinci.

• A la muerte de Lorenzo el Magnífico, en 1492, y como consecuencia de los disturbios en la ciudad toscana, parte hacia Bolonia pasando por Venecia, y luego vuelve a la república florentina, bajo el yugo teocrático del predicador dominico Savonarola, quien ataca el arte y la cultura. Parte entonces hacia Roma, en 1496, para una primera estancia de cinco años y pinta *San Francisco recibiendo los estigmas* (desaparecido).

• El artista vuelve a Florencia en 1501. Allí Leonardo de Vinci se afirma como primer pintor de la ciudad. En 1504 recibe el encargo de *La batalla de Cascina* (proyecto para el Palazzo Vecchio, cartón destruido), obra conocida por dibujos inacabados que relata un episodio de la guerra contra Pisa (1364). Su mensaje patriótico, concebido por Maquiavelo, entonces secretario de la República, debe incitar a los ciudadanos de Florencia a asegurar su seguridad desde el interior en lugar de llamar a un *condottiere*, jefe de tropas mercenarias. Esta realización compleja, vista en la época como un modelo, también tiene la ambición de rivalizar con *La batalla de Anghiari* (1503-1505) de Leonardo. *La Sagrada Familia*, llamada *Tondo Doni* (1504-1505, Florencia) es el único panel de madera pintado por el artista.

• A comienzos de 1505, el papa Julio II (Médicis) llama a Miguel Ángel a Roma para que se haga cargo de su tumba. Tras varios proyectos, y por culpa de los desacuerdos entre el Papa y su familia, el artista huye a Florencia sin haber cumplido el contrato, con lo que se ve obligado a aceptar un encargo sustitutivo. A petición de Sixto IV, empieza en Roma, en 1508, el colosal trabajo de decoración de la bóveda de la capilla Sixtina, pintando al fresco las escenas del Génesis, que acaba en 1512. En 1513 obtiene un nuevo contrato con Sixto IV, quien también desea que proyecte su tumba.

• Pero el nuevo papa, León X, un Médicis, lo llama a Florencia para proyectos arquitectónicos, esculturales y de fortificaciones. Las menciones a dibujos y pinturas de Miguel Ángel se hacen muy raras en este período. En Roma, tras las tensiones con Clemente VII, otro Médicis, el nuevo papa, Pablo III (Farnesio), le solicita para que pinte el muro que domina el altar de la capilla Sixtina sobre el tema del juicio final. La obra (1536-1541), por su impulso pre-manierista, echa por tierra las estructuras equilibradas propias del renacimiento. Siempre en el Vaticano, decora la capilla Paulina (de Pablo III) con escenas como *La conversión de san Pablo* y *El martirio de san Pedro* (1542-1550).

• Tras 1546, Miguel Ángel se consagra esencialmente a la arquitectura (cúpula de San Pedro de Roma) y al dibujo.

Su obra solitaria y obstinada suscita la admiración de los pintores, de los expertos y de la Academia florentina. Establece relaciones estrechas con ciertos contemporáneos suyos, como Sebastiano del Piombo y Daniele da Volterra.

INFLUENCIAS Y CARACTERÍSTICAS PICTÓRICAS

Miguel Ángel realiza en Florencia algunas pinturas religiosas, encargadas por ricos comerciantes (Agnolo Doni y Taddeo Taddei), y en Roma tres decoraciones religiosas monumentales, pintadas al fresco, a demanda de los papas. El artista admira el arte de Masaccio en Roma, de Giotto en Asís y Padua, y observa el de Leonardo en Florencia.

• De los viejos maestros, Miguel Ángel toma partido por el volumen, por la forma escultural y maciza de los cuerpos y de las vestiduras (Giotto), por el dominio del espacio y del arte poderoso y sobrio (Masaccio). A pesar de su gusto por la escultura, se inspira en las figuras entrelazadas de Leonardo: expresa la belleza del cuerpo masculino mediante «academias» en movimiento, en «actitudes extravagantes» y «escorzos difíciles» (Vasari, 1550). Construye vínculos complejos entre los personajes, mediante el juego de los cuerpos y de las miradas *(La Sagrada Familia)*. Rechaza los contrastes muy apoyados en la sombra y la luz, pero no el claroscuro *stricto sensu*, que permite sobre todo la obtención de corporeidad. Pone en escena colores vivos, francos, ácidos, claros y metálicos, que anuncian los desarrollos manieristas.

• En Roma, sus invenciones estilísticas y plásticas remueven las bases del arte renacentista y anuncian el manierismo y el barroco. En la capilla Sixtina crea una composición revolucionaria, muy articulada, de compleja malla. Sobre el innovador tema del Génesis, ofrece la ilusión de dos espacios simbólicos distintos y sin embargo unidos, los espacios celeste y terrestre. La superficie curva del techo genera dificultades para poner en perspectiva a las figuras, a lo que él pone remedio yuxtaponiendo escalas diferentes. Los desnudos colosales y atléticos, de una gran fuerza plástica, concebidos como esculturas pintadas y constituidos por masa, invaden la bóveda. Miguel Ángel consigue la integración magistral de una decoración pictórica en una arquitectura real, completándola con motivos arquitectónicos pintados. Los cuer-

UN GRAN MAESTRO

◆ Miguel Ángel es un pintor reconocido en su tiempo por la élite y los mecenas.
◆ Sus realizaciones monumentales se impusieron después, a través de los siglos.
◆ Humanista, Miguel Ángel sienta las bases revolucionarias del manierismo y, consecuentemente, del barroco.
◆ La pintura renueva la iconografía cristiana tradicional *(La Sagrada Familia, El juicio final)*.
◆ Crea una nueva gama cromática y efectúa acercamientos de tonos audaces, numerosos *cangianti* («pasos» de un color a otro con transición y matices). Imagina la *quadratura* (arquitectura fingida, en perspectiva ilusionista), yuxtapone figuras de escalas diferentes e inventa la *figura serpentina*.
◆ Mediante su virtuosismo y su maestría del espacio, pone en escena composiciones en las que se alternan los espacios vacíos con otros llenos de multitud de figuras.

pos sorprenden por su belleza, por el virtuosismo de sus posturas, la *figura serpentina* (nacida del *contrapposto*, desequilibrio al que se añade un movimiento de torsión en espiral), y la precisión del modelado. También por el respecto a los cánones de belleza, los cuerpos alargados, las musculaturas finas o poderosas y la actitud en movimiento que se conjuga con colores estridentes y claros, que van del rosa al malva, del amarillo al naranja.

• Su tempestuoso *El juicio final*, pintado treinta años después del techo, rompe con la tradición iconográfica y con la organización del espacio. Se desmarca de toda obra pintada que le haya precedido o que le seguirá. Miguel Ángel opone al Dios reinante en el cielo de los justos un Dios juez y vengador. Las figuras no se ordenan de arriba abajo, de los condenados a los elegidos, siguiendo la clara estructura espacial del Quattrocento, sino que evolucionan en un movimiento giratorio y turbulento de una violencia extrema. Grupos de robustos desnudos alternan con vacíos de la composición. La forma, las actitudes y las expresiones son dramáticas. Los colores de la pared, más suaves que los de la bóveda, crean la unidad del conjunto.

• En estos últimos frescos, el arte de Miguel Ángel, todavía más audaz y libre, se descubre: los desnudos imponen su expresión dramática, en volúmenes simplificados, los colores se aclaran y se suavizan.

Escenas del Génesis
1508-1512
Detalle: el profeta Daniel, 1511
Fresco, 3,95 × 3,80 m, Roma, Vaticano, bóveda de la capilla Sixtina

En esta bóveda colosal y única, Miguel Ángel da luz a su idea fundamental del humanismo. Para él la organización del espacio material da un sentido al mundo y eleva a los hombres hasta Dios. Mientras que los muros de la capilla Sixtina relatan episodios del Antiguo y del Nuevo Testamento, el techo los domina psíquicamente y simbólicamente, atrayendo la atención hacia la misma creación del mundo. Este fresco monumental se organiza en compartimentos, artesonados, tragaluces, triángulos y molduras que separan las escenas de la creación, las figuras de las sibilas y las de los profetas. Estos últimos anuncian la palabra divina, culminación compleja de una ascensión espacial y moral que va de lo cotidiano a lo divino. El simbolismo se ve acentuado por las arquitecturas pintadas en las que se inscribe.
La figura de Daniel sintetiza el estilo y las invenciones de Miguel Ángel: interpretación personal del tema, pintura escultural en la que prevalecen sus conocimientos anatómicos, desnudo atlético y joven que sostiene el libro en una actitud y un escorzo audaz; armonía entre arquitectura pintada y arquitectura real, entre pintura y escultura en *trompe l'œil*. La nueva concepción del espacio pone en equilibrio las masas plenas y los vacíos, los tintes claros y metálicos, ricos en *cangiati* (pasos del amarillo al verde, del violeta al malva) que prefiguran el manierismo.

BIBLIOGRAFÍA

Quasimodo, Salvatore; Camesasca, Ettore, *La obra pictórica completa de Miguel Ángel*, Noguer, Barcelona, 1981; Chastel, André; Pietrangeli, Carlo, *La Capilla Sixtina*, Plaza & Janés, Barcelona, 1986; Tolnay, Charles de, *Miguel Ángel: escultor, pintor y arquitecto*, Alianza, Madrid, 1999; Giardi, Monica, *Miguel Ángel*, Electa, Madrid, 2000; Joannides, Paul, *Michelangelo* (catálogo de exposición), Musée du Louvre, París; 5 continents, Milán, 2003; Brion, Marcel, *Miguel Ángel o la creación*, Ediciones B, Barcelona, 2004.

OBRAS CARACTERÍSTICAS

Miguel Ángel sólo pinta algunas obras, pero de una ambición y de un alcance excepcionales.

La batalla de Cascina, 1504, cartón destruido.
La Sagrada familia, llamada *Tondo Doni*, 1504-1505, Florencia, Uffizi
El Génesis, 1508-1512, Roma, Vaticano, capilla Sixtina
El juicio final, 1537-1541, Roma, Vaticano, capilla Sixtina
La conversión de san Pablo y *El martirio de san Pedro*, 1542-1550, Roma, Vaticano, capilla Paulina

Rafael

La capacidad de Rafael para asimilar el arte de sus predecesores y sobre todo de sus contemporáneos del renacimiento,
lo mismo que su inventiva pictórica, hacen de él el maestro del clasicismo renaciente. El sentido de la medida,
el equilibrio armonioso de la composición, la gracia
sensual de las actitudes, dan a sus obras una discreción elegante, única en la historia.

RECORRIDO BIOGRÁFICO

• Rafael, nacido como Rafaello Santi o Sanzio (Urbino 1483-Roma 1520), hu-
manista italiano del renacimiento, se formó sin duda en el taller de su padre,
Giovanni Santi, y en el del Perugino (hacia 1499-1500), con quien colaboró.
Primero pinta retablos para las iglesias de Città di Castello (1500-1504), *La
coronación de la Virgen* (1502-1503, Roma) y el *Retablo Ansidei* (h. 1505,
Londres, N.G.), inspirados en su maestro.

• Entre 1504 y 1508, Rafael vive en Florencia y se hace famoso con *Los desposorios de la Virgen* (1504, Milán) donde demuestra un clasicismo ya perfecto. Renueva la estética de la Virgen: según sus contemporáneos, su capacidad
de reproducir la belleza femenina iguala a la de *Leonardo da Vinci: la *Madona del gran duque* (1504, Florencia); la *Madona Connestabile* (1504, San Petersburgo, Ermitage); la *Madona Caniagni* (1507, Munich, A.P.); la *Madona del
jilguero* (h. 1506, Florencia, Uffizi) y *La bella jardinera* (1508, París). En Perusa realiza el fresco de *La gloria de la Trinidad* (1505-1508, iglesia de S. Severo) y retablos como *El Santo Entierro* (1507, Roma) inspirado en *Miguel
Ángel. Sus retratos recuerdan a los de Leonardo: *Agnolo* y *Maddalena Doni*
(h. 1505, Florencia), la *Dama del unicornio* (1505-1506, Roma, Borghese),
La muda (1507, Urbino, G.N.).

• Desde 1508 hasta 1520 Rafael trabaja en el Vaticano, para el papa Julio II,
y después para León X. La primera fase es la de la decoración de las estancias (*Stanze*). Los frescos, pintados con la ayuda de Giulio Romano y de Giovanni Francesco Penni, dejan ver una evolución en su estilo, desde el
equilibrio hasta una cierta tensión: desde el ciclo de la Estancia de la Signatura con *La disputa del Santo sacramento*, *La escuela de Atenas* y *El parnaso*
(1508-1511), seguido del ciclo de la Estancia de Heliodor, con *Heliodor expulsado del templo* (1511-1514), y hasta la Estancia del Incendio, con *El incendio del Borgo* (1511-1512). Paralelamente, en Roma, Rafael pinta otros
frescos: *El triunfo de Galatea* (1511, villa de la Farnesine). Concibe el techo
de la *loggia* de Psiqué (1517, *id.*) y el de la capilla funeraria de S. Maria del
Popolo. El artista realiza también retablos de una composición circular perfecta, como demuestran la *Madona de Foligno* (1511-1512, Roma), la *Madona de san Sixto* (1513-1514, Dresde, GG.) y la *Virgen del pez* (h. 1514, Madrid,
Prado).

• Crea cartones de tapicerías para la capilla Sixtina, como *Los hechos de los
Apóstoles* (1515, Londres, V.A.M). Pinta obras devotas, de líneas complejas:
la *Virgen de la diadema azul* (1510-1511, París, Louvre); el célebre *tondo* de la
Virgen de la silla (1514, Florencia); *Santa Cecilia* (1514, Bolonia, Pinac.). Destaca en el arte del retrato simple o doble: *Un cardenal* (h. 1510, Madrid, Prado); *Baldassare Castiglione* (h. 1515, París); *Rafael y su maestro de armas*
(h. 1518, *id.*) y la *Donna velata* (h. 1516, Florencia, Pitti).

• El éxito fulminante que obtiene le lleva a dejar en manos de sus alumnos y
colaboradores, desde 1515, la confección de numerosas obras, como la deco-

ración de las *loggias* del Vaticano (1517-1519), que serían en su totalidad obra de su taller. Rafael es nombrado arquitecto, sucesor de Bramante, para los trabajos de San Pedro de Roma.

• Sus últimas obras, como *Jesucristo cargando con la cruz* (1517, Madrid, Prado), *La Sagrada Familia* (1518, París) y los retratos como el del papa *León X y dos cardenales* (1518-1519, Florencia) son más complejos. A los treinta y siete años, Rafael firma su última obra, la célebre *Transfiguración* (1519-1520, Roma).

Pintor y dibujante, arquitecto, escultor y arqueólogo, Rafael muere precozmente, en plena gloria. En su taller han trabajado G. da Udine, G. Romano, Penni, Perino del Vaga y M. Raimondi, su sucesor. Los grandes pintores florentinos (Fra Bartolomeo, Andrea del Sarto) prolongan su obra. Su dibujo se impone como modelo e inspira el ideal francés de *Poussin y luego de *David, lo mismo que de *Ingres y los académicos. Los prerrafaelitas ingleses, los nabis e incluso *Picasso se refieren a él.

INFLUENCIAS Y CARACTERÍSTICAS PICTÓRICAS

Célebre pintor de madonas, realiza retablos, frescos (profanos y religiosos), cuadros devotos y retratos, obras de formatos variados, sobre madera o sobre tela, para atender encargos privados (Agnolo Doni, Agostino Chigi) y religiosos (el Papa).

En Urbino, descubre el arte de *Piero della Francesca. En Florencia se impregna del arte de sus contemporáneos como el Perugino (su maestro durante un año), *Leonardo, *Miguel Ángel, Fra Bartolomeo, y se cree que conoció obras venecianas.

• Rafael es sensible a la amplitud y a la facilidad de las composiciones de Piero della Francesca. Del Perugino retiene su dibujo tan puro, la luz límpida, la suavidad de los rostros, una gracia y una dulzura muy particulares, y su estilización de los árboles diseminados y de fino follaje. Divide a menudo sus retablos religiosos en dos partes, una celeste y otra terrestre.

• En Florencia, el estudio de Miguel Ángel le inspira una composición compleja, y adopta su capacidad de dar fuerza y vida a las figuras, a los rostros en tensión. De Leonardo asimila el azulado de los paisajes vaporosos conferido por un *sfumato* discreto, el misterio de la expresión de los personajes y también la composición piramidal, que refuerza la homogeneidad de los grupos de figuras (*Madona del gran duque*). De Fra Bartolomeo retoma sobre todo la organización simétrica en semicírculo de las figuras celestes y los grandes personajes laterales, y la solemnidad de los temas religiosos.

• Sus obras romanas son testimonio de una evolución hacia el equilibrio clásico más puro, que se manifiesta en la geometría rigurosa y perfecta de la composición, la arquitectura clásica, la gracia bucólica y un estilo miguelangelesco, terso y animado, marcado por sus investigaciones formales que introducen el movimiento, así como la multiplicación de los desnudos académicos y esculturales de actitudes complejas sostenidos por un cromatismo

UN GRAN MAESTRO

◆ Genio del renacimiento, Rafael obtiene una gloria universal, sobre todo en lo que respecta a los pintores vinculados al dibujo, e incluso a veces respecto a los coloristas.

◆ Rafael asimila, prolonga y renueva el arte clásico de sus contemporáneos.

◆ Renueva y demuestra la imaginación en su creación, sobre todo por su tema predilecto, las madonas y los retratos dobles que desarrolla.

◆ Alcanza la perfección en el equilibrio de la composición, armoniosa y medida.

◆ Rafael crea, al igual que Leonardo da Vinci, un tipo de belleza en sus rostros femeninos.

◆ Ciertos críticos del siglo XX subrayan los numerosos préstamos de sus contemporáneos, de los que su arte se beneficia notablemente.

particular. El conjunto de todos estos elementos genera la dramatización de las escenas.

• Su colorido se acerca al de los venecianos Sebastiano del Piombo y *Lotto. Posteriormente sustituye con una atmósfera cálida y vibrante los tonos claros, y con la habilidad ilusionista y el *trompe-l'œil* prebarrocos los preceptos clásicos. Las madonas siempre graciosas ganan en nobleza y las curvas, en amplitud. Los retratos alcanzan una fuerza renovada. En sus últimas obras religiosas, más complejas, crea composiciones más atormentadas y animadas.

La Virgen y el Niño con el pequeño san Juan Bautista, llamado *La bella jardinera* 1507. Óleo sobre madera, 122 × 80 cm París, Museo del Louvre

Esta madona sintetiza las fuentes principales de inspiración de Rafael: la composición piramidal, el *sfumato* suavizado y el paisaje leonardiano, el *contrapposto* miguelangelesco del Niño Jesús, el arbusto frágil del Perugino... El pintor consigue una expresión perfecta de la belleza femenina (óvalo puro del rostro, refinamiento y simplicidad del peinado), de la emoción silenciosa de las miradas, y la integración ideal de las figuras en el paisaje.

Su genio aúna la intensidad y la gracia, lo que le valió la admiración de los humanistas de su tiempo, como el Ariosto, y un reconocimiento único, por la duración de su éxito, en la historia del arte:

«El pintor más apreciado por los profesores gracias a su sabia composición (su sentido del dibujo y de la línea), y a su bella armonía, y también el más popular porque las almas simples encuentran en sus madonas la expresión embellecida de sus propios sentimientos» (A. M. Brizio, 1966).

OBRAS CARACTERÍSTICAS

Rafael realiza alrededor de 185 obras pintadas, telas y frescos.

La coronación de la Virgen, 1502-1503, Roma, Vaticano
Los desposorios de la Virgen, 1504, Milán, Brera
Madona del gran duque, 1504, Florencia, Pitti
La bella jardinera, 1507, París, Louvre
El Santo Entierro, 1507, Roma, Borghese
Agnolo Doni, h. 1505, Florencia, Pitti
Ciclo de la Estancia de la Signatura, 1508-1511, Roma, Vaticano
Madona de Foligno, 1511-1512, Roma, Vaticano
Ciclo de la Estancia del Incendio, 1514-1517, Roma, Vaticano
Virgen de la silla, 1514, Florencia, Pitti
Baldassare Castiglione, h. 1515, París, Louvre
La sagrada familia, conocida como *La gran sagrada familia de Francisco I*, 1518, París, Louvre
El papa León X y dos cardenales, 1518-1519, Florencia, Uffizi
La Transfiguración, 1519-1520, Roma, Vaticano

La escuela de Atenas
1509-1510. Fresco, base 7,70 m, Roma, palacio del Vaticano, estancia de la Signatura

La escena se sitúa en Atenas, punto de referencia de la filosofía y de la cultura humanista, en un escenario interior en donde la arquitectura clásica, majestuosa, recuerda el proyecto de la basílica de San Pedro de Bramante: arcos perfectos bajo una bóveda artesonada, muros con nichos excavados destinados a albergar las esculturas antiguas, cúpula central en la que se abren ventanas... Las figuras alegóricas de la filosofía y de las artes liberales (gramática, retórica, dialéctica, música, aritmética, geometría y astronomía), reagrupadas en esta academia platónica en la que se discute animada pero amigablemente, son personificadas por contemporáneos de Rafael. El pintor les dio vida y semblante.
En el centro, en pie, de izquierda a derecha, Platón y Aristóteles, con sus obras en la mano, el *Timeo* y la *Ética*, se dirigen hacia nosotros. La expresividad de su actitud caracteriza su filosofía. Tolomeo y Zoroastro también están presentes. Un filósofo, que podría haber tomado los rasgos de Leonardo, está sentado sobre los escalones. En un primer plano, a la izquierda, Heráclito aparece bajo un Miguel Ángel que traza con el compás una figura sobre una pizarra. En cuanto a Perugino y Rafael, figuran tocados con un sombrero redondo, blanco para el Perugino y azul para Rafael. Esta asamblea de filósofos y artistas simboliza la emulación humanista y el espíritu del tiempo.
Sobre el plano plástico, Rafael consigue en esta ocasión un grado máximo de seguridad y de libertad. La perfección de la composición escénica, la repartición de los grupos en el espacio, el equilibrio del cuadro, la alternancia de personajes inmóviles y en movimiento crean una atmósfera de armonía plácida, de amistad, de plenitud. Corresponde a la fase más clásica de la evolución de Rafael, que se acerca aquí al arte de Leonardo da Vinci.

BIBLIOGRAFÍA
Oberhuber, Konrad, *Rafael*, Carroggio, Barcelona, 1986; Antal, Frederick, *Rafael entre el clasicismo y el manierismo*, Visor Distribuciones, Madrid, 1988; Vecchi, Pierluigi de; Prisco, Michele, *Rafael*, Planeta, Barcelona, 1988; Ferino Pagden, Sylvia, *Rafael: catálogo completo de pinturas*, Akal, Madrid, 1992; Mochi Onori, Lorenza (cord.), *La Fornarina di Raffaello* (catálogo de exposición), Skira, Milán, 2002.

Tiziano

Tiziano, artista de temperamento fogoso y de producción abundante, domina la pintura veneciana del siglo XVI. Su trayectoria va de la figuración «naturalista» a una exaltación interior, pasando por el clasicismo y después por el manierismo. Su nombre quedará inscrito como el de un pintor de la belleza, de la alegría y del drama. Elabora un arte del color resplandeciente, servido mediante una técnica segura y sencilla.

RECORRIDO BIOGRÁFICO

• Tiziano Vecellio, al que en español se conoce también como Ticiano (Pieve di Cadore h. 1488-Venecia 1576), pintor italiano de una rara longevidad, hijo de notario, comienza su vida de artista en el taller de Sebastiano Zuccato y después en el de Gentile Bellini, antes de convertirse en alumno de Giovanni *Bellini.

• En 1508, pinta al fresco, con Giorgione, a quien admira, el Fondaco dei Tedeschi (Venecia). Ciertas obras plantean entonces un problema de atribución entre Giorgione (muerto en 1510) y Tiziano, en particular *El concierto campestre* (h. 1508-1510, París, Louvre) y la *Venus dormida* (*id.* Dresde, Gg.).

• Entre 1508 y 1511, se desmarca de su «maestro» y del Quattrocento para desarrollar un naturalismo, una espacialidad y un cromatismo que son rasgos característicos del siglo XVI veneciano: *Jacopo Pesaro presentado a san Pedro por el papa Alejandro VI* (h. 1508, Amberes, B.A.). *San Marcos con san Cosme y san Damián, san Roque y san Sebastián* (1510, Venecia), *Retrato de un hombre* (1510, Londres, N.G.) o el fresco del *Milagro del recién nacido* (1510-1511, Padua) revelan esta evolución.

• Tras 1512, la obra de Tiziano traduce el ideal clásico de la belleza del renacimiento: *El bautismo de Cristo* (h. 1512, Roma, Doria); *Amor sagrado y amor profano* (h. 1515, Roma); *Mujer ante el espejo* (1516, París, Louvre). Su clasicismo se difumina en provecho de la impetuosidad en la obra maestra *La Asunción* (1518, Venecia). Paralelamente, Tiziano pinta temas mitológicos para el duque de Ferrara, Alfonso d'Este: *Ofrenda de Venus, Bacanal* (1518-1519, Madrid, Prado). Realiza obras religiosas: la *Tabla Gozzi* (1520-1522, Acona, M.C.); el *Tríptico Averoldi* (1520-1522, Brescia, iglesia S. Nazaro e Celso) y *El Santo Entierro* (h. 1523, París, Louvre). Se casa en 1525 y tiene dos hijos que se convertirán en pintores.

• La *Tabla Pesaro* (1526, Venecia) marca una nueva etapa en la complejidad de la composición, con un inteligente desequilibrio. Hacia 1530 su arte se tranquiliza: la *Virgen del conejo* (1530, París, Louvre); la *Virgen y el Niño con san Juan Bautista y santa Catalina* (h. 1530, Londres); *Mujer joven con pieles* (1535-1537, Viena, K.M.).

• En ese tiempo compone también retratos sobrios, cuyo propósito es ofrecer la verdad psicológica del modelo: *Joven con guante* (1523, París), *Pietro Aretino* (d. 1527, Florencia, Pitti). Este último, célebre poeta y escritor italiano, panfletario y epicuriano, respetado y temido por los más grandes, es el amigo e *impresario* del pintor, junto con el cual seguirá el desarrollo del manierismo; *Retrato de Federico de Gonzaga* (h. 1528, Madrid, Prado).

• A partir de 1533, el arte de Tiziano se despliega en todas las cortes de Europa. Compone los retratos fastuosos de los príncipes en Ferrara, Roma (1545-1546), Bolonia (1530 y 1533) y después en España, en Augsburgo (1548), etc.: *El emperador Carlos Quinto con su perro* (h. 1532, Madrid, Prado); *Eleanora Gonzaga* y *Francesco Maria della Rovere* (1536, Florencia, Uffizi); *Francisco I* (1538, París, Louvre). Afirma el carácter concreto de la realidad en *La presentación de la Virgen en el templo* (1534-1538, Venecia, Ac.) y la *Venus de Urbino* (1538, Florencia).

• A partir de 1540, el manierismo reina en el ambiente y le tienta: *La coronación de espinas* (h. 1543, París, Louvre) o los techos pintados para la iglesia de S. Spirito (1542, Venecia, La Salute); *El dux Gritti* (1540, Washington, N.G.) y *Ranuccio Farnese* (1541-1542, *id.*), *Pablo III y sus sobrinos Alejandro y Octavio Farnese* (1546, Nápoles) y los retratos de *Carlos Quinto* (como el de 1548, Madrid).

• En 1551, Tiziano se instala en Venecia. Allí esboza autorretratos (d. 1560, Museos de Berlín y 1570, Madrid, Prado), decora iglesias (S. Spirito y de los jesuitas) y trabaja para Felipe II de España.

Los colores vivos incendian la *Venus vendando al Amor* (1560-1562, Roma, Borghese); *La Anunciación* (1566, Venecia). La materia pictórica espesa y ejecutada con brío cubre la tela en *El martirio de san Lorenzo* (d. 1557, Venecia); *Cristo con la cruz a cuestas* (h. 1568, Madrid, Prado); *Judith* (h. 1570, Detroit, L.A.) o *Tarquino y Lucrecia* (d. 1570, Viena, Gg.). La luz fría subraya el sufrimiento de *San Sebastián* (1570, San Petersburgo, Ermitage) y de Marsias en el *Suplicio de Marsias* (h. 1575, castillo arzobispal, Komeriz, República Checa). Su obra concluye con la *Pietà* (1576, Venecia), tela que su muerte, a consecuencia de la peste, deja inacabada. Su discípulo Palma el Joven la concluirá.

Si bien Palma el Viejo bebe de Tiziano, y Palma el Joven y el nórdico L. Sustris, sus colaboradores, prolongan su arte, el maestro no dejó ningún sucesor real que se hiciera famoso. Sin embargo su arte del color encuentra un poderoso eco en la obra del *Veronés y, después, del siglo XVII al siglo XIX, de *Rubens y *Velázquez hasta *Delacroix. Ciertos efectos lumínicos de *Rembrandt encuentran la fuente en este gran maestro.

INFLUENCIAS Y CARACTERÍSTICAS PICTÓRICAS

Tiziano ejecuta frescos, telas y tablas, pintados en diferentes formatos. Los temas religiosos son encargos del clero de Venecia, Padua, Parma, Mantua y Ancona sobre todo, mientras que las obras mitológicas y los retratos lo son de príncipes italianos en Mantua, Ferrara, Urbino y Roma. Los dux de Venecia, los grandes de Europa (Carlos Quinto, Felipe II de España, Francisco I) y, después, los papas y cardenales romanos (Pablo III, el cardenal Farnese) son sus mecenas.

Admira a Giovanni Bellini y a Giorgione en Venecia, a *Giotto en Padua. Se inspira en *Miguel Ángel en Roma, en el manierismo veneciano de G. Vasari y en el de G. Romano que había contemplado en Mantua, y luego aborda nuevas formas personales de expresión.

• Sus obras de juventud son muestras de un ardor impetuoso y de una propensión al drama, puesto en escena con un naturalismo que todavía pertenece al siglo XV. Los elementos formales son ampliamente cadenciosos, en armonía con una vívida naturaleza. Tiziano es innovador por su concepción espacial y cromática: coloca con seguridad figuras en atrevidos escorzos, estructura las formas gracias al color intenso y contrastado con un oficio riguroso. Sus retratos psicológicos se articulan en planos simples.

• Inspirado en los primeros tiempos por el arte de Giorgione, Tiziano construye un clasicismo propio, majestuoso, tensado hacia el equilibrio superior de la composición por un ritmo formal, amplio y solemne. El ser humano (belleza femenina y mítica ideal o personajes equilibrados y serenos) entra en armonía íntima y lírica con el paisaje tranquilo que le rodea. El color tierno y luminoso de Giorgione se enriquece con la pureza de Giovanni Bellini.

• Posteriormente el artista evoluciona hacia un naturalismo ilusionista vivo e impetuoso. El nuevo clasicismo cromático de colores vivos, de oficio libre y audaz, encuentra sobre todo su origen

UN GRAN MAESTRO

◆ Tiziano conoce en vida un éxito que se extiende desde los ducados italianos a todas las cortes europeas.

◆ Artista del renacimiento y «realizador» del clasicismo veneciano, Tiziano asienta el reino del color y de los grandes coloristas.

◆ Renueva la concepción de la belleza ideal al crear la *Venus de Urbino*, que ha permanecido como el modelo de desnudo de toda la historia de la pintura. Concibe uno de los primeros desnudos expresivos *(San Sebastián)*. La belleza femenina, hasta entonces idealizada, se hace humana y familiar. Tiziano renueva los temas mitológicos, la iconografía tradicional (su última *Anunciación*) y la representación de los temas de la antigüedad.

◆ Sus modelos posan en actitudes nuevas, no conformistas, a veces descaradas *(Pietro Aretino)*.

◆ Aporta a la técnica del color una complejidad inigualada hasta él, y la hará evolucionar hacia una mayor sobriedad a medida que vaya dominando la textura, la materia y sobre todo los pigmentos.

◆ La desestructuración de la forma por el color genera una sensación física, de calor, casi palpable.

Tiziano

en *Miguel Ángel. En los temas de la antigüedad, Tiziano da prioridad a la alegría dionisíaca a expensas de la aproximación apolínea. Enriquece las composiciones religiosas, que se hacen grandiosas y tumultuosas, acrecienta el carácter dramático y mortal de la condición humana. Exalta la belleza femenina, intimista y «familiar». Su ideal de belleza se convierte en realidad humana. Sin embargo, sus retratos pueden acentuar los elementos fastuosos y de majestad.

• De 1515 a 1542, trabaja sobre todo la técnica del color: sobrepone numerosas capas, finas o espesas, recubiertas al final por un barniz coloreado de verde, azul o rojo. Triturando a conciencia los pigmentos, obtiene una nueva gama cromática cuya transparencia explota; el color de las capas profundas difiere de la que ve el ojo en la superficie de la tela. Tiziano evoluciona hacia una técnica más sobria a partir de 1542: utiliza menos pigmentos, pero multiplica el número de capas (hasta quince en los rosas raros). La última capa suele aplicarla con el dedo más que con el pincel.

• Tras su estancia en Roma, la inquietud manierista, el gusto por los colores violentos y por las formas alargadas tientan al maestro. En sus obras de madurez, sustituye la mitología feliz y la sensualidad femenina por los temas dramáticos y mórbidos, y los valores profundos del ser por las pasiones. La tensión plástica y el contraste de los colores se expresan en un estilo atormentado y violento. Como una ola que rompe, el color deconstruye el cuadro. Las oleadas de materias luminosas, doradas, rojizas o blancuzcas, agitan las figuras. Reserva los tonos cálidos para la pasión y los tonos fríos, para el sufrimiento. Sus retratos fijan la verdad del carácter en su crudeza.

La Asunción de la Virgen
1518. Óleo sobre madera, 6,90 × 3,60 m
Venecia, Santa Maria dei Frari

Este retablo monumental proclama el arte nuevo de Tiziano. Así lo acogieron los Frari, quienes lo habían encargado, y los letrados y pintores, como una obra revolucionaria que suscitó reticencia y admiración. Es un testimonio de la ruptura con la dulzura y el tonalismo de Giorgione, de la comprensión del clasicismo de Miguel Ángel, de quien Tiziano retoma la figura de Dios padre, y del *Rafael, quien le inspira la composición piramidal. Se aparta de la perfección clásica de la unidad de perspectiva, pero une los tres planos superpuestos por medio de un efecto de luz insólito.
La Virgen en movimiento se eleva hacia Dios con sus vestiduras en azul y rojo. A los apóstoles, tratados con naturalismo, opone los ángeles y los amorcillos, modelados en una coloración luminosa y deslumbrante de una potencia dramática singular. Las formas de los personajes, vistas de frente, de espaldas o de tres cuartos, vivas, en movimiento y fogosas, con una gracia y una ligereza nuevas, en perfectos escorzos, evolucionan en una armonía cromática, repartida entre el mundo terrenal y el mundo celeste.

Joven con guante
1523. Óleo sobre tela, 100 × 89 cm, París, Museo del Louvre

Esta obra de juventud anuncia lo que constituirá la fama de los retratos «informales» de Tiziano. El pintor dispone al modelo de medio cuerpo y al bies, con el brazo apoyado libremente en un soporte de mármol. De aspecto sencillo pero noble, ocupa ampliamente el espacio de la tela, próximo al espectador pero sin embargo discreto. El fondo, sumido en la oscuridad, y el vestuario negro permiten al pintor poner en evidencia, por contraste, las particularidades físicas de este joven: la transparencia de la piel del rostro, el bigote y la barba nacientes, las manos «de dermis levantada por los tendones y recorridas por las líneas azules de las venas» (L. Hourticq, 1919).

El cuello de la camisa irradia luz al rostro, lo mismo que los puños de dicha camisa iluminan las manos; es un procedimiento puesto a punto por el artista para poner en evidencia la psicología y la actitud de los personajes. Algunos elementos coloreados, como el medallón de zafiro y perla, el anillo con armas y los guantes de piel fina (signos de una elegancia muy humanista) atenúan la austeridad ostentosa de este joven aristócrata. Si bien el rostro parece todavía soñador, a la manera de Giorgione, las manos, colocadas en primer plano, a la manera florentina de Leonardo, son expresivas: una apunta hacia el cuadro que le sería simétrico, el de una prometida o el de una esposa, mientras que la otra cae con despreocupación. Los retratos prerrománticos de finales del siglo XVIII encontrarán inspiración en esta obra.

OBRAS CARACTERÍSTICAS

Tiziano pintó varios centenares de telas, tablas y numerosos frescos.

San Marcos con san Cosme y san Damián, san Roque y san Sebastián, 1510, Venecia, La Salute
El milagro del recién nacido, 1510-1511, Padua, frescos de la Scuola del Santo
Retrato de gentilhombre, 1511, Londres, N.G.
Amor sagrado y amor profano, h. 1515, Roma, Borghese
La Asunción de la Virgen, 1518, Venecia, S. Maria dei Frari.
Joven con guante, 1523, París, Louvre
Tabla Pesaro, 1526, Venecia, iglesia de S. Maria dei Frari
La Virgen y el Niño con san Juan Bautista y santa Catalina, h. 1530, Londres, N.G.
Venus de Urbino, 1538, Florencia, Uffizi
Pablo III y sus sobrinos Alejandro y Octavio Farnese, 1546, Nápoles, Capodimonte
Retrato de Carlos Quinto, 1548, Madrid, Prado
El martirio de san Lorenzo, d. 1557, Venecia, iglesia de los Jesuitas
La Anunciación, 1566, Venecia, iglesia de S. Salvador
San Sebastián, 1570, San Petersburgo, Ermitage
Autorretrato, 1510, Madrid, Prado
Pietà, 1576, Venecia, Ac.

BIBLIOGRAFÍA

Gentili, Augusto, *Da Tiziano a Tiziano : mito e allegoria nella cultura veneziana del cinquecento*, Feltrinelli, Milán, 1980; Gagli, Corrado; Valcanover, Francesco, *La Obra pictórica de Tiziano*, Planeta, Barcelona, 1988; *Le Siècle de Titien: l'âge d'or de la peinture à Venice* (catálogo de exposición), Réunion des Musées Nationaux, París, 1993; Hope, Charles [et al.], *Titian* (catálogo de exposición), National Gallery Company, Londres, 2003; Panofsky, Erwin, *Tiziano : problemas de iconografía*, Akal, Madrid, 2003.

Lotto

Lotto, pintor veneciano místico, es un hombre inquieto y solitario. «Provinciano nómada», pobre e independiente, este narrador singular e inventivo concibe cada cuadro como una obra original. Su arte se desmarca del clasicismo veneciano reinante, sensual y sereno. Lotto inaugura en Venecia "la pintura del temperamento" (G. Bazin, 1968), una pintura que se distancia del arte de Tiziano que se toma como modelo.

RECORRIDO BIOGRÁFICO

• Lorenzo Lotto (Venecia h. 1480-Loreto 1556-1557), contemporáneo de *Tiziano, sufre el dominio de éste sobre el arte veneciano. En especial cuando, para pintar, Lotto vive sobre todo en Venecia, en Las Marcas y en Bérgamo. Su formación, desconocida, quizá haya tenido lugar junto a Giovanni *Bellini o Alvise Vivarini. Sus préstamos estilísticos son numerosos: nórdicos, venecianos, florentinos, romanos...

• Entre 1498 y 1508 se instala en Treviso, pinta obras realistas: *La Virgen y el Niño y san Pedro mártir* (1503, Nápoles, Capodimonte), *Retrato del obispo B. de' Rossi* (1505, íd.), *Joven con lámpara* (1506-1508, Viena, K. M.) o *La alegoría del vicio y de la virtud* (1505, Londres, N. G.). Lleva a cabo sus primeros cuadros monumentales de altares, de concepción original: *Virgen y niño con santos* (1505, Treviso, catedral de Asolo) y su primer *San Jerónimo* (1506, París).

• Presente en Las Marcas y después en Roma en 1508 (frescos vaticanos perdidos), se orienta hacia un mensaje muy personal que se expresa en *La Virgen con el Niño y santos* (1508, Roma, Borghese).

• Su talento se revela en Bérgamo entre 1513 y 1526 en una gama de tratamientos muy diversos: *La Transfiguración* (1510-1512, Recanati, pinac.); *La deposición de la cruz* (1512, Jesi, Pinac.); *El Santo Entierro* (1516, Bérgamo, Ac. Carrara), de un patetismo nórdico opuesto a la suavidad rafaelesca de su *Madona* (1518, Dresde, Gg.). Lotto se encuentra entonces en un período sereno y poético que le inspira *Susana y los ancianos* (1517, Florencia, Uffici); sus cuadros de altar más bellos, como *La Virgen y el Niño con santos* (1521, iglesia S. Bernardino in Pignolo) y *La Virgen y el Niño con san Jerónimo y san Nicolás de Tolentino* (1523-1524, Boston, M. F. A); *Santa Catalina de Alejandría* (1522, Washington, N. G.), *Los desposorios místicos de santa Catalina* (1523, Bérgamo). Sus retratos son entonces realistas y sensibles: *Retrato de los Dalla Torre* (1515, Londres, N. G.); *Retrato de Mecier Marsilio y de su esposa* (1523, Madrid). Este período concluye con los frescos de la capilla Suardi (1523-1525, Trescore).

• De vuelta a Venecia hacia 1526, ejecuta obras para las iglesias de Las Marcas: los dibujos de las marqueterías de la iglesia S. Maria Maggiore (1524-1532, Bérgamo); y cuadros para las iglesias de Ponteranica y de Celana, *Cristo llevando su cruz* (1526, París, Louvre). Muestra su profunda originalidad en *San Nicolás en gloria* (1529, Venecia).

• Hacia 1530, el artista reside en Las Marcas. Multiplica su inventiva en *La Crucifixión* (1531, Ferno, iglesia de Monte S. Giusto); *Santa Lucía ante sus jueces* (1532, Jesi, Pinac.); *La adoración de los pastores* (1534, Recanati, Pinac.); *La Anunciación* (1534-1535, Recanati); *La Sagrada Familia* (1536-1537, París). Como retratista, revela su agudeza psicológica, su sentido de la estética, su aptitud para la simbología y la alegoría mediante la presencia de objetos que personalizan o definen a sus modelos: *Retrato de Andrea Odoni* (1527, Londres); *Retrato de un hombre joven* (1530, Venecia, Ac.); *Retrato de Lucrecia Valier* (1533, Londres); *Retrato de hombre* (1535, Roma, Borghese).

• Durante los últimos veinte años de su vida la tensión de su arte refleja sus preocupaciones debidas a la inestabilidad financiera, a los riesgos de los encargos artísticos, a su vida errante: *La Madona del Rosario* (Venecia, iglesia S. Domenico), *La distribución de limosnas de san Francisco* (1542, Venecia, iglesia S. Giovanni e Paolo). En Treviso de 1542 a 1545 y después en Venecia de 1545 a 1549, despliega y acepta la lección de Tiziano que su juventud le hacía rechazar hasta entonces: *El hombre del guante* (1542-1543, Milán, Brera); retratos de *Febo da Brescia* (1543-1544, íd.) y de *Laura da Pola* (íd.); *Retrato de fray Gregorio Belo* (1547, Nueva York); *Madona y santos* (¿?, Venecia, S. Maria della Piazza).

• Fatigado, Lotto se instala en 1549 en Loreto, su ciudad natal, y se hace oblato: ingresa en la comunidad religiosa de la Sacra Casa, observando la regla sin pronunciar los votos, y le dona sus bienes y cuadros. Produce numerosas obras, como *La presentación al Templo* (1552-1556, Loreto), su última realización.

Lotto muere olvidado por todos, sin sucesor, y no ejercerá ninguna influencia manifiesta.

INFLUENCIAS Y CARACTERÍSTICAS PICTÓRICAS

Pintor de obras religiosas, de retablos, de cuadros devotos, de frescos y de retratos, Lotto apenas trata los temas mitológicos. Da preferencia a los temas de la Virgen y los santos, al matrimonio místico de santa Catalina, san Jerónimo. Realiza trabajos al óleo, sobre madera y sobre tela, o al fresco, en formatos variados. Recibe los encargos de las iglesias y de los aficionados privados.

Lotto saca provecho de influencias múltiples: la huella expresiva, enérgica y aguda de *Durero, el *Bosco y del retratista *Holbein el Joven; el color, la luz y el clasicismo veneciano de Giovanni Bellini y de Antonello da Messina, y de Palma el Viejo; la línea florentina de *Botticelli, la serenidad clásica de *Rafael y Fra Bartolomeo; el estilo romano, clásico, manierista, formal, de *Miguel Ángel y del *Rafael de las *Stanze*; la dulzura y el barroco emilianos de il *Correggio.

• Sus obras de juventud demuestran una concepción personal vigorosa (*La Virgen con el Niño y santos*, 1505), y dan fe de diversas aportaciones: del estilo germánico y neerlandés por el arcaísmo voluntario, formal y estilístico; de los grandes venecianos del siglo XV por un colorido que rechaza el arte empañado, tonal; de Giorgione o de Tiziano. Sus primeros retratos establecen un vínculo entre el físico y el carácter de sus modelos; reflejan un realismo psicológico natural y sincero, precaravaggista y una delicadeza belliniana (*Retrato del obispo Bernardo de' Rossi*).

• En Roma, su arte se enriquece en contacto con la obra de Rafael y, con ocasión de su estancia en Bérgamo, con las obras de los lombardos, V. Foppa, Borgogne y *Leonardo, y de los giorgionescos, Palma el Viejo y Cariana. Sus realizaciones, simbólicas, a veces hasta el hermetismo, seductoras e inventivas, difunden una serenidad y una poesía personales, fuera de toda referencia a la antigüedad. El cuadro de altar, de composición a partir de ese momento más amplia, con arabescos intrincados y vivos, se vuelve narrativo, cargado de humor y de un "naturalismo" anunciador

UN GRAN MAESTRO

◆ Artista incomprendido en vida, Lotto obtuvo de todos modos un éxito limitado ante un círculo de amantes del arte iluminados. Quedó en el olvido hasta 1895, cuando el historiador del arte B. Berenson lo redescubre. El reconocimiento verdadero le llegó en 1998, con la exposición de su obra en el Grand Palais de París.

◆ Hombre del renacimiento, complejo e inclasificable, pintor veneciano al margen del clasicismo, no es ni verdaderamente manierista ni realmente barroco: su arte es singular. Aunque sea italiano, muestra profundas afinidades con el arte alemán.

◆ Lotto da muestras de su talento de narrador inventivo en cada cuadro. Interpreta la iconografía religiosa con audacia, "hasta la irreverencia" (G. Bazin): presencia pesadamente simbólica del gato enfurecido en *La Anunciación*, narración moderna en *La Sagrada Familia con tres ángeles*, laconismo patético y amargura en el *Retrato de fray Gregorio Belo*, con la Crucifixión vista en segundo plano.

◆ Enriquece el arte del retrato, trabajándolo en su verdad psicológica y física. Desarrolla un arte del trazo humorístico, de alusión oculta: en el *Doble retrato*, la fidelidad tras la muerte se ve evocada por la ardilla, símbolo del olvido, opuesta al perrito, símbolo de la fidelidad; el nombre de los modelos se desvela solamente a los iniciados: así ocurre con Lucina Brembate (armas de la familia en el anillo y "ci" sobre una luna creciente para Lucina).

◆ Con él aparece el paisaje veneciano, no domesticado, "romántico".

◆ Su técnica es variada: pintura al óleo pulida y refinada, guache y pintura al fresco rápidamente extendidas, con una sensibilidad "preimpresionista". Lotto mezcla colores frescos con una paleta manierista y veneciana.

◆ Sus formatos a menudo inéditos y no convencionales (cuadrados o apaisados) presentan composiciones complejas e innovadoras: diagonal inestable, dosel izado por encima de la Virgen, cúpula abierta hacia los cielos... que asocian la estética manierista, la dinámica barroca y el clasicismo renaciente.

Lotto

de *Caravaggio (*La mujer adúltera*). Lotto puede llegar a un dinamismo prebarroco en el juego de los gestos y de las miradas (*La transfiguración*). Su cromatismo es sonoro, luminoso y suntuoso, su técnica es suave, sus atmósferas íntimas y dulces, como las de il Correggio (*Virgen con el Niño y santos*, 1521).

• Instalado en Venecia, confirma su singularidad artística: fuerza expresiva, composiciones atípicas, iconografía audaz, colorido tan pronto manierista, ácido y atonal, como dulce y refinado (tapices, joyas, drapeado), luz delicada que anima paisajes salvajes.

• Sobresale en los retratos, de una finura psicológica sin igual y de un equilibrio estilístico perfecto. Lotto se acerca a Holbein el Joven, al veneciano G. B. Moroni (*Retrato de un hombre joven*). Después sus modelos se animan enarbolando sus herramientas (compás y plano, esfera, libro, grabado), o se inscriben en una composición inestable de formato inusitado (*Retrato de Lucrezia Valier*) que anuncia el siglo XVII. Lotto encuentra su estilo personal, ni verdaderamente tizianesco, ni manierista.

• De vuelta a Las Marcas, crea obras de un cromatismo frío y preciosista, ricas en efectos luminosos (*La Anunciación*). La obra de su último período, muy piadosa, ilustra su angustia: retablos y retratos melancólicos, con colorido fundido en tonos sutiles, de factura suntuosa (*Retrato de Febo de Brescia*). Su última tela religiosa, de composisición clásica, de cromatismo reducido y apagado, de factura "manchista" y borrosa, revela un nuevo estilo moderno y siempre anticonformista (*La presentación en el templo*).

Los desposorios místicos de santa Catalina
1523. Óleo sobre tela, 1,89 × 1,34 m, Bérgamo, Accademia Carrara

Lotto retoma varias veces el tema de santa Catalina. Este cuadro lo pinta por encargo de Niccolo Bonghi, en Bérgamo. Caracteriza su estilo singular, aunque veneciano, su inclinación a acercar lo religioso con lo cotidiano. La escena se desarrolla sobre un fondo oscuro y neutro. Tras la Virgen, sentada sobre una silla gótica en una extraña posición, se sitúa Niccolo Bonghi. Su rostro realista y seco, próximo a las maneras de Holbein el Joven, se opone a la belleza de los demás rostros, místicos y suaves, evocación rafaelesca y umbría. La sutileza de los tonos, el realismo refinado de los detalles, la suntuosidad de los tejidos y de las joyas defienden lo contrario del manierismo. La rigidez arcaica del mecenas contrasta con la dinámica barroca de la gestualidad, de las miradas, del movimiento de los drapeados.

Retrato de Lucrezia Valier
1533. Óleo sobre tela, 9,59 × 1,10 m, Londres, National Gallery

Este retrato correspondería a Lucrezia Valier con ocasión de su boda. Se presenta en posición inestable, en diagonal, en un formato apaisado, desconocido hasta entonces en Venecia. La tela incorpora tres elementos: el dibujo de la heroína romana Lucrecia, que se suicida (episodio explicado por Tito Livio), la hoja en que podemos leer: "Ninguna mujer impúdica vivirá, a ejemplo de Lucrecia" y la ramita de alhelí, símbolo de fidelidad. Aunque parezcan inconvenientes en una escena de boda, estos elementos moralizantes e historicistas realzan el valor de la joven esposa.
Lucrezia interpela al espectador con un gesto tímido, y su mirada viva, sincera y melancólica parece solicitar su opinión sobre el tema. La magnificencia de las vestiduras de muaré, de un cromatismo espléndido, opuesto al sobrio y oscuro que utilizan los hombres, sus joyas resplandecientes, su velo transparente, aéreo y sensual, pertenecen al arte veneciano del color. La gravedad del motivo, la simplicidad de la mirada y su expresión verdadera marcan una oposición con la sensualidad y la elegancia de esta mujer, virtuosa y fiel.

OBRAS CARACTERÍSTICAS

Lotto pintó un centenar de obras.

Retrato del obispo B. de' Rossi, 1505, Nápoles, Capodimonte
San Jerónimo, 1506, París, Louvre
G. Agostino y N. della Torre, 1515, Londres, N. G.
Virgen y Niño con santos, 1521, Bérgamo, iglesia S. Bernardino in Pignolo
Los desposorios místicos de santa Catalina, 1523, Bérgamo, Ac. Carrara
Micer Marsilio y su esposa, 1523, Madrid, Prado
Retrato de Andrea Odoni, 1527, Londres, Hampton Court
San Nicolás en gloria, 1529, Venecia, iglesia dei Carmini
La Anunciación, 1534-1535, Recanati, Pinac.
La Sagrada Familia, 1536-1537, París, Louvre
Retrato de Lucrezia Velier, 1533, Londres, N. G.
Retrato de fray Gregorio Belo, 1547, Nueva York, M. M.
La presentación en el Templo, 1552-1556, Loreto, Palacio apostólico

BIBLIOGRAFÍA

Bonnet, Jacques, *Lorenzo Lotto*, Adam Biro, París, 1996; Humfrey, Peter, *Lorenzo Lotto*, Yale University Press, New Haven, 1997; *Lorenzo Lotto 1480-1557* (catálogo de exposición), Réunion des Musées Nationaux, París, 1998.

Il Correggio

Precursor del barroco un siglo antes de su eclosión, il Correggio, pintor «provinciano» y solitario, evoluciona desde un clasicismo renaciente a un prebarroco que él reivindica, por su virtuosismo espacial, sentido de la composición disimétrica y perspectiva de abajo arriba, motivos y formas, color y luz.

RECORRIDO BIOGRÁFICO

• De Il Correggio, nacido como Antonio Allegri (Correggio, cerca de Parma, 1489?-*id.* 1534), artista italiano de Emilia, se sabe poco. Empieza a pintar en su villa natal y en Mantua, en donde recibe numerosas influencias. Gracias a él, Parma se convertirá en una ciudad del renacimiento y luego del prebarroco. Al principio pinta a los evangelistas (1507, Mantua, iglesia de S. Andrea) y *Los desposorios místicos de santa Catalina* (1509, Washington, N.G.), obras inspiradas en Mantegna.

• Posteriormente sus cuadros, como *La Virgen y el Niño con dos ángeles y querubines* (1508-1510, Florencia, Uffizi) se suavizan. Aborda las ambientaciones nocturnas, manieristas, como la *Natividad* (1512, Milán, Brera), y después telas más amplias y tiernas, inspiradas en D. Dossi, presente en Mantua en 1512, en L. Costa y E. de' Roberti como la *Madona de san Francisco* (1514, Dresde). Se revela como «clásico» en la llamada *Madona «Campori»* (1517-1518, Módena) y en *El descanso durante la huida a Egipto* (¿?, Florencia, Uffizi); de sensibilidad leonardiana en *La Virgen con san Juan niño* (h. 1517, Milán), pero también manierista, como prueban telas más agitadas pero de colores vivos, próximas al sienés Beccafumi: *La adoración de los magos* (1516-1518, Milán); *Noli me tangere* («No me toques», palabras de Cristo resucitado a María Magdalena, 1518, Madrid, Prado) y las sagradas familias, como la de Orleans (1517, B.A.).

• Marcado por su estancia en Roma hacia 1517-1519, adopta el estilo de *Rafael y de *Miguel Ángel en las obras encargadas en Parma por la abadesa Giovanna da Piacenza, los frescos alegóricos del refectorio en el convento benedictino de S. Paolo (1519, Parma). Se reparten en compartimentos ovalados, adornados con angelotes, en los tragaluces (figuras en grisalla) y sobre la cúpula (*Diana en su carro*). En la iglesia S. Giovanni Evangelista, el fresco (1520-1523) de la cúpula ilustra la visión de san Juan Evangelista en Patmos. Esta cúpula octogonal y sus pechinas anuncian el estilo barroco, que volvemos a encontrar en ciertos cuadros, como *El Santo Entierro* y *El martirio de dos santos* (1524-1526, Parma). Il Correggio lleva a cabo seguidamente otras obras maestras, algunas de esencia clásica: *La Virgen adorando al Niño* (1524-1526, Florencia, Uffizi); la *Madona de la cesta* (1525-1526, Londres, N.G.); *La educación del amor* (1528, *id.*); la *Madona y san Sebastián* (1525-1526, Dresde, Gg.); *Los desposorios místicos de santa Catalina* (1526-1527, París) y *Júpiter y Antíope* (1528, *id.*).

• Su tercera decoración de cúpula confirma el fermento de la reforma católica y del barroco que introduce en imagen en *La Asunción de la Virgen y Los cuatro santos* (1526-1529, catedral de Parma). Siguiendo el mismo tratamiento estético, pinta la *Madona de la escudilla* (1530, Parma), *El día* (1527-1528, *id.*), *La adoración de los pastores*, llamada *La noche* (1529-1530, Dresde, Gg.) y la *Madona y san Jorge* (1531-1532, *id.*)

• Hacia 1530, il Correggio está al servicio de Federico de Gonzaga. Sus obras son alegóricas y mitológicas, como *La alegoría de los vicios* y *La alegoría de las virtudes* (h. 1529-1530, París, Louvre). Ciertas telas traducen una voluntad de aniquilar la materia: *Danae* (h. 1530, Roma, Borghese) y, más aun, *Júpiter e Ío* (h. 1531, Viena), en donde Júpiter, nube en forma de humana evanescencia, abraza a Ío, real, voluptuosa y sensual.

Il Correggio es admirado por su clasicismo y su estilo personal por los manieristas, su discípulo el Parmigianino y Primaticcio; debido a sus similitudes barrocas por los futuros grandes decoradores barrocos, como G. Lanfranco, A. Pozzo, *Pietro da Cortona, Baciccio, L. Giordano... Además influye a los florentinos de principios del siglo XVI, Fra Bartolomeo y Andrea del Sarto, en los que también se había inspirado él, y más tarde su arte encuentra un eco entre los grandes coloristas de los siglos siguientes.

INFLUENCIAS Y CARACTERÍSTICAS PICTÓRICAS

Il Correggio realiza óleos sobre madera y sobre tela, frescos (para las cúpulas) y obras *a tempera*. Pinta temas religiosos, alegóricos, mitológicos y retratos para el clero, los príncipes, entre ellos Carlos Quinto, las familias d'Este y Gonzaga de Mantua.

• Sus obras de juventud beben del arte del lombardo de Mantua (Mantegna), por la perspectiva, la ligereza del dibujo, el ritmo equilibrado. El Correggio conoce a los manieristas italianos: los paisajes fantásticos y amplios del ferrarés D. Dossi; la fantasía de estilo firme y sutil y de una finura de ejecución casi flamenca de E. de' Roberti, también ferrarés; el luminismo refinado y vibrante del sienés Beccafumi; la suavidad clásica, original e inquieta de L. Costa y de A. Aspertini, presentes en Bolonia.

• Realiza composiciones dinámicas de colores vibrantes y numerosas madonas inspiradas en Rafael, Andrea del Sarto y Fra Bartolomeo. Retoma el *sfumato* de *Leonardo, que se hace más difuso, anula los contornos y da a las figuras una dulzura, una suavidad que le es completamente personal. Adopta el colorido tonal de los venecianos, sobre todo la textura pictórica de *Tiziano.

• En su madurez, adquiere el estilo noble y naturalista de Rafael y *Leonardo, su mismo equilibrio en la composición, las sombras transparentes y la fluidez del diseño. De Miguel Ángel retiene la aportación en el terreno escultórico, tanto en la forma del dibujo como en los *trompe-l'œil*, las grisallas y las perspectivas virtuosas. Conoce muy bien la antigüedad y la mitología. Su primera cúpula es clásica en cuanto al tema, la composición es muy estructurada y simétricamente ordenada por los tintes tonales y por los monocromos.

UN GRAN MAESTRO

◆ Muy apreciado en vida tanto en Italia como en toda Europa, en el curso de los siglos siguientes se conoce poco a il Correggio.

◆ Es un maestro en el clasicismo del renacimiento y luego lo intenta con el manierismo. Pero como es un gran innovador, trastoca las reglas y abre la era del barroco con un siglo de antelación.

◆ Establece una iconografía erudita sobre los temas antiguos y mitológicos.

◆ En la realización de sus frescos abandona el método del estarcido para poner el dibujo sobre cuadrícula, efectúa los plumeados *a tempera* sobre la capa de fresco y, al final, repasa sobre la pintura seca para armonizar los tonos.

◆ Il Correggio compone en disimetría y efectúa, en 1521, la primera composición de abajo arriba, llamada *da sotto in sù*.

◆ Propone un *sfumato* muy personal y un cromatismo original que opone los tonos cálidos a los tonos fríos. Además, efectúa salpicaduras de luz fría sobre los personajes.

Il Correggio

• La cúpula siguiente pierde esta organización arquitectural rigurosa en provecho de una libertad espacial. Il Correggio manifiesta su conocimiento profundo del cuerpo humano y de la perspectiva creando una composición vista en
contrapicado (*da sotto in sù*), prebarroca.

• La tercera cúpula ilustra la culminación de sus investigaciones y anuncia la
estética barroca gracias a la sabia concentración de cuerpos inmateriales, vistos en escorzo y proyectados hacia un espacio infinito, circular, vertiginoso y
desestructurado, como presos por un movimiento concéntrico y ascensional.

• Algunos cuadros responden como en eco al espíritu barroco de sus frescos.
Su composición se descentra, oblicua o circularmente, animada por figuras en
movimiento de línea ondulante, de colores vivos y contrastados y con manchas de luz vibrante. Los sentimientos aparecen a veces como exacerbados y
patéticos.

La Virgen y el Niño con el pequeño san Juan
Hacia 1516. Óleo sobre madera transpuesto sobre tela, 48 × 37 cm, Madrid, Prado

El cuadro es clásico en su temática, la composición piramidal y la integración
de las figuras al paisaje, en la tradición de las madonas de Leonardo, de Rafael
y de sus discípulos. Las formas fluidas, los contornos vaporosos, el cromatismo
refinado y tonal entran en armonía con el paisaje ligero, aéreo y azulado,
inspirado en D. Dossi y en Leonardo. La Virgen muestra una tierna suavidad
que emana de su sonrisa apenas esbozada y de su rostro delicadamente envuelto
en un *sfumato* leonardiano renovado por el artista.

La Asunción de la Virgen
1526-1529. Frescos, diámetro de unos 11 m, cúpula de la catedral de Parma

Esta obra magistral es una prueba del genio prebarroco de il Correggio, que construye su propio estilo desde 1520. Crea una obra ilusionista, enteramente abierta hacia el cielo, de una espacialidad vertiginosa y sin límite que simula un espacio vacío, de una altura infinita. La perspectiva en contrapicado y la composición descentrada, «desestructurada», en oposición al clasicismo, que supone un eje central, dan lugar a una elevación barroca. El torbellino coloreado de los ángeles en movimiento, post-miguelangeliano, como abstracto, de una ligereza alegre e inmaterial, gira alrededor de la Virgen en varios círculos concéntricos, en un ritmo ascensional. Las figuras inmersas en las nubes y el color se ven atrapadas en una luz ideal, simbólica. Dan la sensación de «atravesar» el espacio material y de ser «aspiradas» por el espacio divino.

OBRAS CARACTERÍSTICAS
El catálogo de il Correggio comprende un centenar de títulos.

Madona de san Francisco, 1514, Dresde. Gg.
Madona llamada «*Campori*», 1517-1518, Módena, G. Estense
Virgen con san Juan niño, 1517, Milán, Castello Sforzesco
La adoración de los magos, 1516.1518, Milán, Brera
San Juan Evangelista, 1520-1523, Parma, iglesia S. Giovanni Evangelista
El Santo Entierro, 1524-1526, Parma, G.N.
Los desposorios místicos de santa Catalina, 1526-1527, París, Louvre
Asunción de la Virgen, 1526-1529, catedral de Parma
Madona de la escudilla, 1530, Parma, G.N.
La adoración de los pastores llamada «*La noche*», 1529-1530, Dresde, Gg.
Júpiter e Ío, 1531, Viena, K.M.

BIBLIOGRAFÍA
Bevilacqua, Alberto; Quintavalle, Arturo Carlo, *La Obra pictórica completa de Correggio*, Noguer, Barcelona, 1977; Ekserdjian, David, *Correggio*, Yale University Press, New Haven, 1997; Smyth, Carolyn, *Correggio's frescoes in Parma cathedral*, Princeton University Press, Princeton, 1997.

Il Pontormo

Il Pontormo, el más grande de los pintores manieristas florentinos, propone un arte anticlásico, tenso y extraño, en el que se
cristalizan las representaciones de una humanidad inquieta,
confrontada al drama. Es innovador por la libertad del dibujo
y por la composición errante en un espacio irreal, inexistente.
Coloca figuras de una gran fuerza plástica que contrastan con
detalles estilizados, preciosistas. La tensión dramática se lee en
las actitudes y los rostros de miradas alucinadas, y se ve acre-
centada por los colores ácidos y fríos, por la iluminación arbitraria y glacial.

Recorrido biográfico

• La carrera de Iacopo Carucci, llamado il Pontormo (Pontormo 1495-Flo-
rencia 1556), pintor italiano, se desarrolla enteramente en Florencia. Pasa
por los talleres de *Leonardo da Vinci, de Piero di Cosimo, de Albertinelli y
sobre todo de Andrea del Sarto, entre 1512 y 1514. Participa desde muy joven en realizaciones colectivas para el papa León X y se convierte en pintor de los Médicis, en Florencia.

• Sus primeros frescos y telas florentinas están cerca del arte de su maestro Andrea del Sarto, del clasicismo de Fra Bartolomeo y del *tondo* de
*Miguel Ángel, tal como prueban *La visitación*, llamada también *Santa
Conversación* (1514-1516, iglesia S. Annunziata), y *Santa Verónica* (1515,
iglesia de S. Maria Novella). Empieza a encontrar su estilo personal en *José en Egipto* (1515, Londres) y en los frescos que ilustran *Vertumno y
Pomona* (1519-1520, Poggio a Caiano), su única realización manierista
animada por la fantasía y el buen humor. El retrato solemne de *Cosme el
Viejo*, abuelo de Lorenzo el Magnífico (1519, Florencia, Uffizi), expresa la
inquietud a través de la mirada.

• Hacia 1520, tras la muerte de *Rafael y el traslado de Miguel Ángel a Roma, Pontormo se convierte en uno de los artistas más importantes de Florencia. En 1521, León X muere, se abre la vía de la reforma católica y el
arte del pintor pierde su serenidad: prueba de ello son los frescos sobre la
Pasión de Cristo (1523, Galluzzo), inspirados en *Durero y *La comida de
Emaús* (1525, Florencia). Los personajes, el ritmo, el cromatismo y la composición se metamorfosean. El clasicismo cede el lugar a un manierismo
original y tenso que llega a su apogeo con *El descendimiento de la cruz*,
cuadro de altar (1526, iglesia S. Felicità) y *La visitación* (1528-1529, iglesia de Carmignano).

• Como retratista, adopta también la línea manierista florentina en el *Retrato de un hombre joven*, quizás Alejandro de Médicis (h. 1525-1527, Luc-
ques), el *Retrato de un alabardero* (h. 1527-1528, Los Ángeles, P.G.M) o el
de *La dama con el perrito* (¿?, Frankfurt, S.K.).

• El artista conoce ya los dibujos de Miguel Ángel antes de partir a Roma,
hacia 1539. Descubre la capilla Sixtina, cuya fuerza dramática impregna-
rá su arte en el curso de los últimos quince años de vida: sus cuadros, sus
cartones para tapicerías (1545-1549, Roma, Quirinal) y los frescos de
S. Lorenzo, desaparecidos pero conocidos por los dibujos, que centraron
su energía desde 1546, durante sus últimos diez años de vida. Su diario,
que escribió entre 1555 y 1556, describe la carrera y la vida de este solitario marginal, su febril patetismo y su hipersensibilidad intuitiva.

Pintor y dibujante muy productivo, Pontormo realiza esbozos pero también, y esto es nuevo, lleva a cabo dibujos por ellos mismos, reflejos de su libertad y de su placer gráfico. Algunos imitadores y sobre todo su discípulo, el retratista il Bronzino, prolongan la «manera florentina».

INFLUENCIAS Y CARACTERÍSTICAS PICTÓRICAS

Pontormo produce principalmente obras religiosas de encargo, grandes formatos y retratos: sólo se le conoce una obra de temática mitológica. Pinta frescos decorativos para las villas de Octavio de Médicis, del papa León X, de Alejandro de Médicis, del duque Cosme de Médicis, etc.; las telas y cuadros de altar sobre madera son encargos de los cartujos de Galluzzo, el clero... Los retratos representan sobre todo a la familia Médicis. Pontormo, establecido en Florencia, se inspira en sus grandes antecesores del renacimiento, para luego separarse de ellos. Retiene el sentido de la belleza y el valor expresivo de la línea florentina, de los grabados de Durero, la herencia de *Leonardo da Vinci, de Rafael y el manierismo romano de Miguel Ángel.

• En sus inicios, imita el estilo narrativo de Andrea del Sarto y sus ritmos bien ordenados, así como el color, pero suprime lo medios tonos. Se inspira en Fra Bartolomeo, en la armonía clásica triangular, pero desplaza el eje de simetría, rompiendo así el ideal de equilibrio pero conservando la unidad circular de las figuras y de la luz.

• Algunos años más tarde, rompe la composición clásica tradicional y toma prestadas de Miguel Ángel las expresiones tensas y dramáticas de sus rostros. Paralelamente, propone escenas serenas, idílicas, con personajes realistas, de carácter monumental, de belleza y línea decorativa florentinas, sin profundidad ni espacio, tratados en tonos claros y en colores extraños *(Vertumno y Pomona)*. Los retratos de este período recuerdan el estilo anguloso y la sensibilidad psicológica de los artistas del norte, sobre todo de Durero *(Cosme el Viejo)*.

• El año 1523 marca una verdadera ruptura estilística: Pontormo se libera del clasicismo. Sus composiciones (cartuja de Galluzzo), densas y refinadas, pobladas de numerosas figuras crispadas, de línea alargada, exacerbada y serpentina, pasan a flotar sin movimiento en un espacio inexistente. El color crudo, claro y ligero juega con los contrastes: el rosa se colorea con un sombreado verde, el rojo con un reflejo blanco o violeta. Su manierismo crece: los temas tradicionales religiosos se reinventan para profundizar la expresión. Rompe el cuadro convenido de la *sacra conversazione*. Al tema edificante le sucede una evocación sugestiva (en *El descendimiento de la cruz* ya no aparece la cruz), dramática, que emociona y perturba al espectador. Sobre los ritmos opuestos de la composición giratoria, en un espacio irreal, se liberan la corporeidad y la fuerza plástica de las figuras, inestables, agitadas y dolientes. Los rostros poco expre-

UN GRAN MAESTRO

◆ El valor artístico de Pontormo no se le reconoce en vida. Tanto en el siglo XVII como en el XVIII se percibe mal su arte y se rechaza su originalidad. El artista permanece olvidado hasta los inicios del siglo XX.

◆ Pontormo, el más grande manierista florentino, rompe totalmente con el clasicismo del renacimiento. Aun así, su escritura tan dibujada se inscribe en la tradición florentina.

◆ Se replantea algunos temas religiosos, como el descendimiento de la cruz, de una manera original.

◆ El artista está en el origen de una interpretación plástica nueva de la iconografía religiosa: dramatización gestual, *cangianti*, colores claros y disonantes, iluminación glacial y arbitraria.

sivos traducen una tensión dramática en la mirada alucinada, sombría y melancólica. Las carnes y los tejidos se prestan a un juego sutil de pasos —*cangianti*— entre los colores variados y cambiantes, lívidos, ácidos y estridentes (el malva se sitúa junto al naranja y al verde mar), atenuados por una luz fría que recorta duramente las formas. La preciosista estilización de los detalles, rizos rubios, barbas cuidadas, se inscribe en un trabajo ilusionista, liso y como esmaltado.

• Esta evocación psicológica de las figuras religiosas se reencuentra en retratos solemnes en los que dominan la elegancia de la forma, la prestancia altiva y la fuerza de la línea florentina *(La dama con el perrito)*.

• Su arte religioso cada vez más irreal encuentra una conclusión extrema y desesperada en dibujos extraños, llenos de racimos de cuerpos contorsionados, aglutinados y entrelazados en una escritura febril.

El descendimiento de la cruz
1526. Óleo sobre madera, 3,13 × 1,92 m, Florencia, iglesia Santa Felicità

Este cuadro de altar integra las influencias nórdicas, florentinas y romanas: la expresividad obtenida por la exasperación de la línea de Durero, la corporeidad miguelangelesca de los cuerpos e incluso una referencia al *Baco* del escultor, en el ángel de la derecha. La escena no es identificable ni por su situación sobre el Gólgota, ni por la cruz, ni por ninguna indicación de puesta en contexto. Solamente el lenguaje de los cuerpos y el patetismo de las expresiones designan sin ambigüedades un descendimiento de Cristo. El brazo extendido de la Virgen toma el lugar de un brazo de la cruz para equilibrar la composición. El artista decide llenar todo el espacio pictórico, en una composición reagrupada y compacta en donde los personajes flotan en una pesadumbre irreal, elevándose en espiral alrededor de un eje vertical. La gestualidad de las manos y de estos cuerpos contorsionados es más elocuente que la expresión de los rostros alucinados, presos de una tensión dramática. La elegancia de la línea lánguida de Cristo o del joven que lo sostiene en primer plano, el refinamiento de los detalles cincelados, de los rizos rubios o de la barba de Cristo, se mezclan con sutiles y brutales rupturas de colores discordantes, el rosa y el amarillo, el anaranjado y el verde mar. Pontormo se sirve de su paleta para tratar las carnes y los tejidos, ajustados o amplios, de pliegues discontinuos. La luz, fría como la de un fluorescente, proviniente de una fuente desconocida, inmoviliza la escena, deslumbra a las figuras y aclara los colores.

OBRAS CARACTERÍSTICAS

Solamente se conocen alrededor de 45 obras de Pontormo, cerca de 35 conservadas en los museos y 10 registradas en ventas públicas.

La Santa Conversación (o *La visitación*), 1514-1516, Florencia, iglesia S. Annunziata
José en Egipto, 1515, Londres, N.G.
Vertumno y Pomona, 1519-1520, Poggio a Caiano, villa Médicis
La comida en Emaús, 1525, Florencia, Uffizi
Ecce Homo, 1522-1525, Galluzzzo, cerca de Florencia, frescos de la cartuja
El descendimiento de la cruz, 1526, Florencia, iglesia S. Felicità
Retrato de un hombre joven, 1525-1527, Lucca, Pinac.
Frescos de S. Lorenzo, 1546-1556, desaparecidos.

BIBLIOGRAFÍA

Costamagna, Philippe, *Pontormo : [l'opera completa]*, Electa, Milán, 1994; Forlani Tempesta, Anna; Giovannetti, *Pontormo*, Octavo, Florencia, 1994; Borras Guali, Gonzalo, *Jacopo Pontormo*, Verbum, Madrid, 2000.

Holbein

Holbein el Joven ancla su arte en una observación rigurosa y justa. Su pintura, calculada y fría, más laica que religiosa, revela un verismo implacable en donde la forma predomina a veces sobre el ser. Pintor tan pronto humanista por su estilo clásico como manierista, Holbein demuestra una técnica brillante como decorador, retratista y adornista.

RECORRIDO BIOGRÁFICO

• Hans Holbein el Joven (Augsburgo 1497 o 1498-Londres 1543), artista alemán, nacido en una gran familia de pintores, se forma junto a su padre Hans Holbein el Viejo, en Augsburgo. A los diecisiete años trabaja en el taller de H. Herbst en Basilea. Gracias a su talento precoz, se independiza con rapidez y se forma junto al humanista Erasmo. Al relacionarse con la alta burguesía comerciante, pinta el *Díptico de los esposos Meyer* (1516, Basilea, Km.). En 1519 es admitido en la guilda de los pintores de Basilea, se hace cargo del taller de su difunto hermano y se casa.

• En diez años, realiza decoraciones murales, perdidas, y casi todas sus obras religiosas: el impresionante *Cristo muerto* del *Retablo Oberried* (1521, Basilea) cuya factura oscila entre arcaísmo y modernidad; la *Madona de Solothurn* (1522, Solothurn, M.S.), italiana y germánica; el *Retablo de la Pasión* (1524, Basilea), de una luminosidad sorprendente, y el *Retablo Meyer* (1526, Darmstadt, col. Hess). Las figuras de la Virgen del retablo Meyer, de la Venus de *Venus y el amor* y de *Lais* (1526, Basilea, Km.), de la *Virgen* y de los *Santos* en grisalla de la decoración del órgano de la catedral de Basilea (h. 1526, Basilea, Km.) manifiestan la influencia de *Leonardo. Sus Vírgenes mantegnescas y leonardianas hacen suponer que efectuó un viaje a Italia o que vio la obra de Leonardo en el curso de su viaje a Francia, entre 1523 y 1526, quizás con la intención de buscar el mecenazgo de Francisco I. Pinta a su amigo Erasmo (1523, París, Louvre). Aunque pertenezca a la tradición pictórica alemana, se abre a las concepciones del renacimiento.

• En 1526, Holbein huye de la Reforma y se instala en Londres, en donde Erasmo lo recomienda a Tomás Moro, hombre político y humanista, autor de la *Utopía* (1516). Asegura su fama gracias a su retratos: *Sir Henry Guilford* (1527, Londres); *Sir Tomás Moro* (1527, Nueva York, F.C); *El arzobispo Warham* (1527, París, Louvre) y *Nicolas Kratzer* (1528, *id.*); *T. Godslave y su hijo John* (1528, Dresde, Gg.).

• Presente en Basilea entre 1528 y 1531, pinta decoraciones de fachadas y murales como la (perdida) de la sala del consejo del Ayuntamiento y retratos, entre ellos *La familia del artista* (1528-1529, Basilea, Km.), de una humanidad y de un realismo emocionantes.

• Instalado definitivamente en la capital de Inglaterra, Londres, Holbein pinta,en 1532, nnumerables retratos de comerciantes: *Georg Gisze* (1532, Berlín), *Derich Born* (1533, Londres, Wall. C.). Sus decoraciones se conocen por sus dibujos y grabados. En esta época trabaja principalmente para Enrique VIII, a cuyo servicio entra en 1536. Desde entonces realiza decoraciones, miniaturas, estudios para joyas, numerosos retratos de la aristocracia y de la corte, bustos en su mayoría: los embajadores (1533, Londres), representados a tamaño natural; *Robert Cheseman* (1533, La Haya, M.); *Charles de Solier* (1534-1535, Dresde); *Richard Southwell* (1536, Florencia, Uffizi). En 1538, enviado a Borgoña en misión diplomática, se instala en Lyon.

• Vuelve a Londres, sin duda en 1541, en donde prosigue su carrera de retratista: *Ana de Cleves* (1539, París); *Thomas Howard* (1539-1540, Londres, Wall. C.); *Margaret Wyatt* (1540, Nueva York, M.M.A); *Enrique VIII* (1540, Roma); *John Chambers* (1541-1543, Londres). En 1543, en Londres, muere a consecuencia de la gran peste cuando está en el apogeo de su gloria.

Las decoraciones de fachadas lo hacen famoso, lo mismo que su talento de retratista. Holbein se impone como un gran pintor y un dibujante y e ilustrador brillante. Tras su muerte, los artistas flamencos suplantan su influencia artística. En el siglo XIX su verismo impacta a románticos como *Géricault.

INFLUENCIAS Y CARACTERÍSTICAS PICTÓRICAS

Holbein realiza decoraciones monumentales de fachadas, *a fresco*, para la ciudad de Basilea y sus aristócratas. Las escenas religiosas (cuadros únicos y polípticos sobre madera) se las encargan el clero y la burguesía comerciante. Sus innumerables retratos sobre madera, encuadrados a medio cuerpo, a tres cuartos o en pie, representan a su familia, los amigos, los nobles, y los personajes de la corte y los ricos comerciantes.

La carrera de Holbein se desarrolla principalmente en Basilea y en Londres. Holbein enriquece su cultura germánica de Augsburgo con las aportaciones de sus compatriotas Hans Baldung y Albrecht Altdorfer, influencias del renacimiento de Italia del norte y sobre todo de Leonardo da Vinci, a quien habría conocido en Francia. Se ve tentado por el manierismo del florentino Bronzino y del lombardo Moretto, del alemán Lucas Cranach, pero también por la escuela de Fontainebleau y por el francés François Clouet. Asimila las influencias flamencas de *Van Eyck y de Memling.

• Sus primeras obras religiosas se desarrollan en una atmósfera nocturna y fantástica. Se orquestan en una decoración teatral y ornamental poco clásica pero italianizante, en donde se sitúan en el seno de una naturaleza de estética gráfica y germánica. Las composiciones están inmersas en una iluminación teatral y fría que evoca a Baldung. En las perspectivas oblicuas, crea una tensión y una agitación que recuerdan a Altdorfer.

• Del arte de sus contemporáneos adopta un realismo a veces glacial, una discreción de sentimientos que le acerca al gótico tardío alemán. La mundanidad profana le inspira más que los temas religiosos místicos.

• Sus grandes decoraciones de efectos ilusionistas derivan de los frescos de la Roma antigua. Las composiciones, a veces sobrecargadas, se ven animadas por personajes ligeramente estirados o curvados en actitudes acentuadas. Las posiciones flexibles y danzantes proceden del manierismo.

• Por el contrario, sus composiciones clásicas, claras, simétricas, piramidales y equilibradas, su sentido del espacio, su dominio de la anatomía, re-

UN GRAN MAESTRO

◆ Holbein, que es uno de los más grandes retratistas de todos los tiempos, es famoso en vida, igual que *Rafael o *Tiziano, en Alemania, en Suiza y en Inglaterra.

◆ Moderno y original por su capacidad de sintetizar el arte europeo de diferentes períodos, prolonga el clasicismo del renacimiento, se inscribe en un el arte del manierismo naciente y se forja un estilo personal.

◆ Holbein recrea los temas más conocidos mediante sus innovaciones en el momento de escoger el formato, la composición, las actitudes, la expresión. Transforma en «laicos» algunos temas religiosos. Es maestro en el arte del retrato.

◆ El pintor asimila con facilidad los principios italianos, asociados a veces a la estética germánica: traduce con modernidad y facilidad las formas clásicas y manieristas. Continúa siendo el único pintor que puede realizar obras «a la manera de» Leonardo, sin caer en el pastiche. El artista se impone como el maestro del detalle y del verismo.

◆ La frialdad objetiva de sus retratos mantiene al espectador a distancia. Esta especialidad no favorece el reconocimiento del pintor en la época contemporánea.

producida en torsiones y escorzos, la dulzura de los rostros, el claroscuro y la sonrisa leonardiana, aunque sin *sfumato*, son reflejo del renacimiento italiano del siglo XVI.

• Sus retratos evolucionan desde el clasicismo humanista al manierismo. Prefiere la fisonomía individualizada, clara y fría, el realismo objetivo distante e imparcial, producto de una rigurosa observación, a la belleza ideal. Busca la significación profunda del rostro tras las apariencias. La materialidad flamenca de sus naturalezas muertas y de los objetos que reproduce con exactitud, mediante al *trompe l'œil*, da a sus evocaciones un aspecto más real que la propia naturaleza.

• Al final de su vida, Holbein se consagra al retrato. Privilegia la línea, la superficie y posteriormente la sencillez en detrimento del modelado, de la profundidad y del juego de colores en la luz. Presenta los rostros de cara o casi, bajo una iluminación neutra o blanca que acentúa el aire aristocrático del modelo, creando frialdad y distanciamiento entre la obra y el espectador. Sus retratos se inspiran en el manierismo italiano, alemán y francés, recompuestos en una vena personal.

Nicolas Kratzer
1528. Óleo sobre madera, 83 × 67 cm, París, Museo del Louvre

Astrónomo, amigo del humanista Tomás Moro, Holbein representa a N. Kratzer posando con sus instrumentos de astrónomo. Este retrato se acerca al ideal clásico por su atmósfera más que por los préstamos formales italianos. Kratzer mantiene una gran sobriedad en su actitud, en la modestia de sus ropas, calidad acentuada por el cromatismo restringido. El rostro y la expresión se borran. La naturaleza muerta que componen sus instrumentos, de inspiración típicamente flamenca, explican el oficio de Kratzer más que su estatus social o sus sentimientos.

Ana de Clèves
1539. Pergamino encolado sobre tela, 65 × 48 cm, París, Museo del Louvre

La esposa de Enrique VIII, Ana de Cleves, posa de frente. Holbein privilegia la línea y la superficie en detrimento del modelado. El «parecer» de la princesa distante domina sobre la profundidad de su «ser». Sus manos cruzadas simbolizan su resignación. La iluminación, neutra y frontal, la coloca frente a un muro que también es de color neutro y que pone de relieve los oros sobre el terciopelo rojo, marca de su rango. Este retrato alcanza un equilibrio superior entre el rostro, el vestido y el cuadro. Holbein realiza aquí la síntesis recompuesta del manierismo europeo.

OBRAS CARACTERÍSTICAS

Unas 170 obras son creaciones de Holbein el Joven

Retablo Oberried, que contiene *El Cristo muerto,* 1521, Basilea, Km.
Retablo de la Pasión, 1524, Basilea, Km.
Venus y el amor, 1526, Basilea, Km.
Sir Henry Guilford, 1527, Londres, Wallace Collection
Nicolas Kratzer, 1528, París, Louvre
Georg Gisze, 1532, Museos de Berlín
Los embajadores, 1533, Londres, N.G.
Carlos de Solothurn, 1534-1535, Dresde, Gg.
Ana de Cleves, 1539, París, Louvre
Enrique VIII, 1540, Roma, Borghese
John Chambers, 1541-1543, Londres, N.G.

BIBLIOGRAFÍA

North, John, *The Ambassadors' secret. Holbein and the world of Renaissance*, Hambeldon, Nueva York, 2002; Wolf, Norbert, *Hans Holbein el Joven: 1497/98-1543. El Rafael alemán*, Taschen, Colonia, 2004.

Il Tintoretto

Il Tintoretto, pintor veneciano del siglo xv, inquieto y anticonformista, colorista, elabora un lenguaje pictórico lleno de fuerza formal y con una expresión dramática intensa, resultado del juego de formas, los colores personales, los efectos lumínicos y una ejecución hábil, rápida, de enorme técnica. Los artificios manieristas ofrecen en su caso un fuerte sentido expresivo. Un gran poder sugestivo y un colorido particular caracterizan su obra.

RECORRIDO BIOGRÁFICO

• Jacopo Robusti, llamado il Tintoretto (Venecia 1518-*id.* 1594), hijo de un tintorero *(tintore)*, pintor italiano del renacimiento, pasa por el taller de *Tiziano, en donde nace su rivalidad. En 1539, se cualifica como «pintor independiente». Reside en Venecia y viaja poco, pero conoce las nuevas corrientes estilísticas, importadas por el humanista Aretino en 1527, por los artistas Francesco Sansovino y Salviati, y por los grabados que circulan en ese tiempo.

• Sensible al manierismo del ambiente, habría pintado escenas mitológicas para artesonados del techo en el palacio veneciano de los Pisani (1541, Módena; Viena, K.M.). Desde 1545 confirma su talento como retratista al servicio de la burguesía y de la nobleza venecianas: *Retrato de un gentilhombre* (h. 1545, París, Louvre).

• El Tintoretto conoce la obra de *Miguel Ángel, como prueba el *San Marco liberando al esclavo* (1548, Venecia), obra maestra innovadora que asienta su estilo. *San Roque curando a los apestados* (1549, Venecia, iglesia de S. Rocco) marca su evolución hacia el luminismo. La *Historia del Génesis* (pintado para la Scuola della Trinità, 1550-1552, Venecia, Ac.) testimonia un nuevo sentido del paisaje y la influencia de Tiziano, más clara todavía durante los años siguientes: *Susana y los ancianos* (h. 1555-1556, Viena). Después se inspira en el *Veronés para las *Seis escenas del Antiguo Testamento* (h. 1555, Madrid, Prado) o para *La curación del paralítico* (1559, Venecia, S. Rocco). Se casa en 1550: tres de sus ocho hijos se convertirán en pintores.

• Su arte se desarrolla y pinta con pasión. La fecundidad de su producción y su rapidez de ejecución son prodigiosas. Entre 1562 y 1566 entrega, en Venecia, los «Milagros de san Marcos» para la Scuola Grande di S. Marco: *Traslado del cuerpo de san Marcos* (Milán, Brera), *La invención del cuerpo de san Marco* y *San Marcos salvando a un sarraceno de un naufragio* (Venecia), de una escenografía teatral, arquitectural y luminista muy elaborada. Pinta también *La adoración del becerro de oro, el juicio final* (1562-1564, Venecia, iglesia de la Madonna dell'Orto).

• En 1564, empieza la inmensa decoración de la Scuola di San Rocco: en el techo de la Sala dell'Albergo, *La gloria de san Roque*; sobre los muros las *Escenas de la vida de Cristo* (1564-1567); en el techo de la Sala Grande, las *Escenas del Antiguo Testamento* y en las paredes la *Escenas de la vida de Cristo* (1576-1588).

• Multiplica los retratos, sobre todo de ancianos, de un realismo sin concesiones.: *Alvise Cornaro* (h. 1564, Florencia, Pitti), *Viejo con un niño* (1565?, Viena, K.M.)

• En el crepúsculo de su carrera, se convierte en un hombre sombrío y muy piadoso. Ejecuta enteramente las cuatro *Alegorías* para el palacio ducal de Venecia (1577, *in situ*). A partir de 1580, teniendo en cuenta el número de encargos y la decoración en curso en la Scuola di San Rocco, su taller colabora en la confección de las grandes realizaciones: *Los fastos de los Gonzaga* en Mantua (1580, Munich, A.P.); las «Escenas de la vida de Hércules», pintadas entre 1581 y 1584 en el palacio de los dux, entre ellas *El origen de la Vía Láctea* (1582, Londres, N.G.); *El paraíso* (1588-1592, Venecia, *modello* en el Louvre); las pinturas para la Sala Inferior de la Scuola di San Rocco (1583-1587) y *La última cena* (1592-1594, Venecia), última visión grandiosa y poética del artista.

Sus retratos son de una gran agudeza psicológica, con una verdad implacable: *El procurador M. Grimani* (h. 1580, Madrid, Prado) o *Vincenzo Morosini* (h. 1581-1582, Londres).

El arte de il Tintoretto suscita los elogios de los eruditos y los reproches de los religiosos conservadores que lo denuncian como provocador. Su vocabulario plástico se ve reducido a esquemas figurativos por las generaciones de artistas que le suceden.

INFLUENCIAS Y CARACTERÍSTICAS PICTÓRICAS

Il Tintoretto realiza obras de formatos variados y las más gigantescas composiciones religiosas, al fresco y sobre lienzos, por encargo de cofradías religiosas. Las escenas galantes, mitológicas y los retratos de gentileshombres, de damas, de dux, de prelados, se ejecutan para mecenas privados. Pinta algunos supuestos autorretratos.

Su arte revela un gusto multicultural, del clasicismo y del manierismo toscano, romano y emiliano a la cultura veneciana. Sin duda presente en Roma hacia 1547, admira la plasticidad de los cuerpos pintados por *Miguel Ángel y el manierismo de Salviati. En Mantua, en 1580, descubre los frescos manieristas de Giulio Romano, de un estilo narrativo violento, ricos formalmente. Se se inspira en el arte de los venecianos, el manierismo inquieto de Pordenone, el irreal y nervioso de Schiavone, el clasicismo luminoso y coloreado de Tiziano o decorativo, poético y refinado del *Veronés.

• Hasta 1542, il Tintoretto se muestra apegado a la tradición clásica veneciana. Más tarde da muestras de un rigor plástico y de una luminosidad especial (poderosos efectos de luz). Su arte se abastece de préstamos romanos y emilianos manieristas: la composición descentrada y oblicua de Giulio Romano, la plasticidad de las formas y la firmeza del trazo, las musculaturas prominentes de Miguel Ángel, los escorzos de las figuras en movimiento, tomadas «al vuelo», y los efectos de perspectiva organizados en un espacio coloreado y luminoso tizianesco, los contrastes coloreados... El lenguaje de il Tintoretto se caracteriza entonces por una construcción plástica potente, animada por figuras movedizas, inmersas en una luz cruda.

• Después eclosiona su propio estilo. Coloca, como en el teatro, a personajes del pueblo descritos con realismo, en actitudes variadas, con gestos contenidos. Desarrolla un sentido dramático, exaltado por una luz «divina» y un efecto vertiginoso espectacular en una espacialidad múltiple y fantástica. Unifica su obra por la fuerza de la luz que se abate sobre los colores muy contrastados en una alternancia violenta de sombras y de claridad.

• Hacia 1550, se vuelve otra vez hacia los venecianos. Admira a *Tiziano por su colorido centelleante, por su paisajes lujuriosos y profundos que capturan la luz dentro del color, por el equilibrio entre color, línea y luz. Se inspira en el Veronés, en sus desnudos sensuales y poéticos, en su decoración, en su manera de relacionar las figuras, en la riqueza de sus escorzos, en las vastas escenas pobladas de multitudes.

• En el último período da pruebas de su misticismo y de su inclinación poética, dramática y vital, que se dirige a la emoción. La composición dinámica, en un cuadro arquitectónico o paisajístico, hace que los personajes giren en un torbellino, bajo «proyectores», pálidos o dorados, que decoloran y multiplican los tonos extendidos con vivacidad. «El artista hace que el espacio, la estructura plástica, exploten, y recurre sobre todo a la luz par traducir sus visiones dramáticas» (A. Pallucchini, 1968).

• Finalmente, la rapidez de la técnica pictórica crea el movimiento, sumergiendo las figuras en espacios vertiginosos que vibran en una luz casi sobrenatural. Ciertas creaciones tardías, realizadas con la ayuda de sus discípulos, muestran una sistematización de su arte.

• Sus retratos siguen la misma evolución plástica. Una abundante galería de ancianos, en tonos marrones sobre fondos claros, o sobre fondos oscuros, evoluciona hacia una gama purpúrea. Il Tintoretto pinta lo esencial sin concesión: la fuerza psicológica, la lucidez de los modelos y su fragilidad física, fundidas en la pasta coloreada.

UN GRAN MAESTRO

◆ Admirado y criticado en vida, mal copiado, mal comprendido en el curso de los siglos siguientes, il Tintoretto reencontró su lugar de gran maestro a principios del siglo xx.

◆ Encarna la «crisis manierista» de un artista independiente.

◆ Elabora una iconografía insólita: *La muerte de Abel, La piscina probática,* el ciclo de *San Marcos, El origen de la Vía Láctea*...

◆ Antes de pintar, el artista realiza maquetas con pequeños maniquíes de cera que pone en escena. Pinta el mayor cuadro del mundo (*El paraíso:* 7 × 22 m). Parece encontrarse a gusto pintando tanto un fresco como una tela. Su rapidez de ejecución supera con creces a la de los demás pintores.

◆ En su obra se difumina una luz particular. El artista sugiere la forma, niega la pose tradicional de los retratos, muestra su gusto por una pasta que absorbe las figuras y las aureolas que iluminan rostros a menudo vistos a contraluz.

Il Tintoretto

San Marcos liberando al esclavo
1548. Óleo sobre tela, 4,15 × 5,41 m, Venecia, Galleria dell'Accademia

Este episodio, extraído de la Leyenda dorada de Jacques de Voragine, pintado para la Scuola Grande di San Marco, relata la historia de un sirviente sometido a suplicio y milagrosamente salvado por san Marcos cuando iba a ser castigado por ir, desobedeciendo a su amo, a venerar las reliquias del santo. El suceso se desarrolla en un cuadro arquitectónico en el que los personajes se sitúan como en la escena de un teatro.

Il Tintoretto pinta la aparición de san Marcos en el momento crucial en que el verdugo se dispone a dar tormento al esclavo, que yace entre los objetos de su suplicio: trozos de madera, martillos… El sorprendente escorzo de san Marcos responde al del esclavo en el suelo, en sentido contrario. La unidad de tiempo, de lugar y de espacio queda preservada. El momento, escogido con precisión, insiste en la presencia del pueblo, mientras que las principales figuras de la composición se ven unidas por el óvalo de un espacio cerrado.

Esta tela de nuevo y conseguido estilo consagra al maestro. El Tintoretto muestra su capacidad de componer una nueva y espléndida obra a partir de elementos artísticos que toma prestados: los escorzos miguelangelescos, la narración y los elementos formales manieristas, la claridad veneciana. Su talento se basa en el dominio del color, en los efectos de la iluminación, en el calor tizianesco de la pasta y en la pasión rabiosa de la pintura.

BIBLIOGRAFÍA

Bernari, Carlo; Vecchi, Pierluigi de, *La Obra pictórica completa de Tintoretto*, Noguer, barcelona, 1974; Rossi, Paola, *Tintoretto: i ritratti*, Electa, Milán, 1990; Nieto Alcaide, Víctor, *Tintoretto*, Historia 16, Madrid, 1993; Krischel, Roland, *Tintoretto: masters of italian art*, Könemann, Colonia, 2000.

La última cena
1592-1594. Fresco, 3,65 × 5,68 m, Venecia, iglesia San Giorgio Maggiore

Esta última obra de il Tintoreto, sobre uno de los temas predilectos del artista, es una muestra de su originalidad por la perspectiva oblicua y por las formas sumergidas en colores que se convierten en luz. El trabajo, rápido, es de un virtuosismo sorprendente, y la pasta, calurosa. Su luminosidad es revolucionaria: las figuras de los santos, colocados a contraluz, emergen de la penumbra gracias a la luz de las aureolas. «Dos fuegos luminosos laceran la sala enorme y desnuda en donde Cristo da la comunión a los apóstoles: una luz real proyectada por la lámpara alcanza a los personajes por la espalda, mientras que una claridad fantástica resplandece alrededor de la cabeza de Cristo, y los ángeles que se precipitan desde el cielo parecen hechos de esa misma sustancia luminosa. La realidad cotidiana, marcada por un sabor casi popular, queda transfigurada por esta doble luz de una manera que podríamos calificar como expresionista» (P. de Vecchi, 1971).

OBRAS CARACTERÍSTICAS

En el curso de su larga vida, il Tintoretto pintó más de 300 obras.

Escenas mitológicas, 1541, Módena, G. Estense, artesonados del techo
San Marcos liberando al esclavo, 1548, Venecia, Ac.
Susana y los ancianos, 1555-1556, Viena, K.M.
La invención del cuerpo de san Marcos, Venecia, Ac.
Frescos, 1564-1587, Venecia, Scuola di San Rocco
Alegorías, 1577, Venecia, palacio de los dux
Retrato de Vicenzo Morosini, h. 1581-1582, Londres, N.G.
El paraíso, 1588-1592, Venecia, palacio de los dux («*modello*» en el Louvre)
La última cena, 1592-1594, Venecia, S. Giorgio Maggiore

El Veronés

El Veronés, gran pintor y decorador italiano, colorista de las fiestas y de los fastos de Venecia, representa con poesía la felicidad y la belleza. Exalta la suntuosidad de las indumentarias o de los manjares. Su lenguaje es rico en audacias, en vertiginosas perspectivas, en tonos claros y luminosos.

RECORRIDO BIOGRÁFICO

• Paolo Caliari, llamado el Veronés (Verona 1528-Venecia 1588), artista italiano, iguala el genio colorista de sus contemporáneos *Tiziano y el *Tintoretto. En Verona, villa de efervescencia artística, cerca de Parma y de Mantua, empieza a los diez años su aprendizaje de pintor junto a A. Badile y también junto a su padre, escultor, y se inspira en los pintores de Brescia o en los manieristas, tras las huellas del Parmigianino y de Tiziano. De este modo pinta la *Virgen en el trono entre santos y donadores* (1548, Verona, Castelvecchio), así como frescos alegóricos (1551, villa Soranzo de Treville).

• En 1553, el Veronés llega a Venecia para decorar el palacio de los dux, en colaboración con los manieristas Ponchino y Zelotti: *Juno vertiendo sus dones sobre la ciudad de Venecia* (1553-1554, *in situ*). Demuestra su talento como decorador. Después profundiza en el aspecto formal con *La coronación de la Virgen* (1555, iglesia S. Sebastiano) y su conocimiento de los colores realizando las *Escenas de la vida de Esther* (1556, *id.*); *La Virgen en gloria y san Sebastián* (1559-1561, *id.*); *Los peregrinos de Emaús* (1559-1560, París, Louvre). Su sentido de la luz estalla en una obra maestra como *Comida en casa de Simón el fariseo* (1560, Turín). Destaca en el arte del retrato, preciosista y luminoso: *La bella Nani* (h. 1556, París).

• Los frescos de la villa Barbaro, construida por Palladio en Maser, Venecia, imponentes pero de una absoluta frescura, respiran felicidad. Paralelamente, el Veronés desarrolla su sentido poético en cuadros como *Descanso durante la huida a Egipto* (1560-1570, Ottawa, N.G.).

• Su estilo evoluciona hacia el «luminismo» de Bassano: *El martirio de san Sebastián* (1565, iglesia S. Sebastiano); *La familia de Darío a los pies de Alejandro* (1565-1567, Londres). Sus obras gigantescas con iconografía «indirecta», católica bajo apariencias profanas, a veces son condenadas por la Inquisición: *Las bodas de Caná* (1562-1563, París); *La familia Cuccina presentada a la Virgen* (1571, Dresde, Gg.). Ésta le reprocha sobre todo que los soldados vayan con vestiduras alemanas, o que un apóstol se limpie los dientes. La Inquisición se contenta a veces con un simple cambio de título: *La última cena* se convierte en *La comida en casa Levi* (1573, Venecia, Ac.).

• El arte del Veronés, pintor oficial, se hace más sobrio, íntimo y lírico, se enriquece de paisajes: *La alegoría de Venecia y de las Virtudes* (1575-1577, Venecia, palacio de los dux); *El rapto de Europa* (1580, *id.*); *Moisés salvado de las aguas* y *Venus y Adonis* (1580, Madrid). Sus últimas obras las dedica a la evocación de sentimientos gloriosos, como en el techo del palacio de los dux, *El triunfo de Venecia* (1583, Venecia), o de un gran patetismo: *Lucrecia* (h. 1583, Viena, K.M.); *Milagro de san Pantaleón* (1587, Venecia). Pinta numerosos retratos, como el *Retrato de un escultor* (h. 1587, Nueva York, M.M.).

Los ayudantes del taller del Veronés no pueden asegurar el relevo. Su arte fue una fuente de inspiración universal, desde el barroco italiano hasta el neoimpresionismo de *Seurat, pasando sobre todo por *Rubens, *Velázquez, *Tiepolo, *Delacroix, *Monet.

INFLUENCIAS Y CARACTERÍSTICAS PICTÓRICAS

El Veronés crea decoraciones y cuadros gigantescos, aborda temas religiosos o profanos (alegóricos, mitológicos y contemporáneos), para el palacio de los dux lo mismo que para las residencias privadas de las grandes familias (Barbaro, Cuccina...) y para las iglesias. Deja algunos retratos a tamaño natural. En Verona, armoniza sus decoraciones con la arquitectura de las villas concebida por Sanmicheli y Palladio. En Venecia observa la obra de Tiziano, del Tintoretto y de Bassano, pero no reniega del manierismo de los florentinos, Salviati y Giorgio Vasari. Parma le revela el arte del Parmigianino y de il Correggio, Brescia el de Savoldo, el de Moretto... En Mantua admira el arte del Primatice y los frescos de Giulio Romano y, en Roma, los de *Miguel Ángel y de *Rafael. El Veronés asocia su gusto por la arquitectura a su vasto conocimiento de la pintura.

En el curso de su evolución estilística, el pintor asimila, interpreta y supera las proposiciones manierista, clásica y luminista de sus predecesores italianos: los valores rítmicos del Parmigianino, las elevaciones formales, la elegancia y los matices de il Correggio, los efectos plateados y fríos de Savoldo; los motivos arquitectónicos y la coloración tornasolada de las nobles y serenas figuras de Moretto; la decoración cargada de composiciones tumultuosas, las perspectivas insólitas y los colores saturados de Giulio Romano; los tonos fríos y disonantes de Primaticcio, la plástica monumental de Miguel Ángel y el clasicismo de Rafael; la construcción mediante el color del tono, el drama o el real ideal de Tiziano; la luminosidad crepuscular, fría, de Bassano y de il Tintoretto.

• Al inicio de su carrera, la concepción del Veronés es de un manierismo, plácido y depurado, sobre un fondo de arquitectura clásica palladiana o manierista, en un universo en el que el color es todavía tonal.

• En Venecia, a partir de 1560, la envoltura tonal desaparece, la gama de colores se hace más clara. El Veronés afirma su estilo decorativo y lleno de alegría, melodioso y poético. Pone sus temas al servicio del color. Sus composiciones en bajorrelieve, con puntos de vista rebajados, celebran la belleza y la felicidad. Los tonos claros y luminosos, matizados con gris perla, se emparejan con sombras transparentes y coloreadas, en un rechazo del claroscuro. Los colores contenidos en formas de contornos precisos, tan pronto próximos como complementarios, se emplean en un acercamiento intuitivo, que *Seurat reemprenderá sobre bases científicas. De este modo, el Veronés supera la pintura tonal tizianesca, la luminosidad veneciana de Bassano y descubre el efecto máximo de luminosidad y de intensidad, característica de la pureza singular de su arte.

• Sus decorados son ilusionistas, bañados en una luz difusa, y favorecen siempre la representación arquitectural y las perspectivas sobrias, pobladas de figuras monumentales de sabios escorzos y de elevaciones miguelangelescas. Las multitudes animan los primeros planos, de colores vivos y ricos, mientras que las grandilocuentes arquitecturas falsas componen un

UN GRAN MAESTRO

◆ El Veronés es admirado en vida, y después, en el transcurso de los siglos siguientes, pintores de toda Europa estudian su obra.

◆ Gran decorador, el Veronés se inscribe en la tradición colorista veneciana.

◆ Demuestra su predilección por el tema de las comidas bíblicas, del que revoluciona la iconografía haciéndolas profanas. Pinta motivos arquitecturales, que a veces toma prestados del edificio que decora. Construye perspectivas múltiples y rebajadas.

◆ El artista practica el arte del fresco con tanta facilidad como la pintura al óleo. Se muestra precursor en el uso de los colores complementarios. Su color ofrece un efecto de máxima luminosidad.

fondo de tonalidad fría: la verosimilitud académica de las poses y de los detalles de construcción no parece prioritaria.

• En la década de 1570, el Veronés hace que triunfen los fastos de Venecia en obras monumentales, melodiosas y alegres, en donde la forma y la claridad se muestran en su máxima expresión. La libertad del color contribuye a hacer laicos los temas, a expensas de lo sagrado. El Veronés coloca a bufones en el entorno de Jesús, e introduce retratos de amigos suyos pintores en una escena de *concertino* «alojada» en *Las bodas de Caná*. Frente al tribunal de la Inquisición declara que él reivindica para los pintores «las mismas licencias que para los poetas y los locos».

• Sus últimas obras, menos complejas, melancólicas e íntimas, de colores más tenues, con una iluminación crepuscular y difusa, en la que el paisaje se destaca sobre la arquitectura, resultan más cercanas al arte naturalista de Bassano. Sin embargo, «el lenguaje figurativo conserva sus características formales en la limpieza del juego del color, que es el juego de un artista libre y precursor» (T. Pignatti, 1999).

Las bodas de Caná
1562-1563. Óleo sobre tela, 6,66 × 9,90 m, París, Museo del Louvre

Ejecutada para el refectorio del convento San Giorgio Maggiore, esta tela, condenada por la Inquisición, ofrece una traducción profana de la comida bíblica y pone en escena los fastos venecianos. Es magistral tanto por el formato como por la composición, sobrecargada en la parte inferior, despejada en la superior y cerrada por los lados mediante columnas de la antigüedad.
Los puntos de perspectiva, fieles al manierismo, se multiplican.
Entre los 132 personajes hay muchos que son reconocibles: en primer plano, entre el grupo de los músicos, Tiziano con el contrabajo, y Bassano, il Tintoretto y él mismo con las violas. Con la ayuda de colaboradores y en particular de Fra Benedetto para la parte arquitectural y para algunos personajes, el Veronés expresa aquí un talento de colorista y de decorador, una imaginación prodigiosa.
Las figuras, en poses a veces audaces lucen tejidos de muaré y nacarados, la mesa rebosa de manjares abundantes y refinados. Sus tinturas vivas y cálidas, opuestas a las claras, frías y blancas de la arquitectura paladiana, demuestran su rechazo al claroscuro y al color tonal en provecho de un cromatismo luminoso, de sombras coloreadas, que triunfan en un estilo alegre y personal.

Obras características

El Veronés pinta alrededor de 300 cuadros y frescos.

Frescos alegóricos, 1553-1554, Venecia, palacio de los dux
La coronación de la Virgen, 1555, Venecia, iglesia S. Sebastiano
La comida en casa de Simón el fariseo, 1560, Turín, G.S.
La bella Nani, h. 1556 París, Louvre
Frescos de la villa Barbaro, 1562, Maser, *in situ*
El martirio de san Sebastián, 1565, Venecia, iglesia S. Sebastiano
La familia de Darío a los pies de Alejandro, 1565-1567, Londres, N.G.
Las bodas de Caná, 1562-1563, París, Louvre
Venus y Adonis, 1580, Madrid, Prado
El milagro de san Pantaleón, 1587, Venecia, iglesia S. Pantaleone

Venus y Adonis
1580. Óleo sobre tela, 2,12 × 1,91 m, Madrid, Museo del Prado

Adonis dormita sobre las rodillas de Venus, cansado tras la caza del jabalí,
bajo la mirada de Cupido, que acaricia a un galgo. Este tema mitológico
se pone al servicio del talento decorativo del Veronés, en una composición
sobria, poblada por pocos personajes. La arquitectura desaparece en este caso
en provecho de un paisaje vivo y vaporoso. El cromatismo lo constituye
principalmente el azul, el verde y el amarillo. El tono del cielo amenazador,
que anuncia la muerte de Adonis, armoniza con la tela de la diosa del amor,
algo melancólica. Los colores y sus complementarios se responden entre ellos.

BIBLIOGRAFÍA

Piovene, Guido; Marini, Remigio, *La Obra pictórica completa de Veronés*, Noguer, Barcelona, 1976; Pallucchini, Rodolfo, *Veronés*, Carroggio, Barcelona, 1984; Pignatti, Terisio; Pedrocco, Filippo, *Veronés: catálogo completo*, Akal, Madrid, 1993; Priever, Andreas, *Veronese*, Könemann, Londres, 2001.

Bruegel el Viejo

Bruegel es un observador minucioso. Humanista, narrador epicúreo de la realidad campesina cotidiana, muestra una concepción universal de la condición humana. Su arte concilia a veces los contrarios en una misma obra: influencias de diferentes épocas, temas religiosos y laicos, composición clásica y «barroca», estilo italianizante y neerlandés, técnicas variadas. Sus personajes están vestidos con colores francos, mientras que en los paisajes se imponen los difuminados de tonos marrones, verdes y azules.

RECORRIDO BIOGRÁFICO

• Pieter Bruegel, o Brueghel, o Breughel , llamado el Viejo (Breughel, Brabante, h. 1525/1530-Bruselas 1569) nació en una familia de pintores flamencos. Se convierte en alumno de P. Coecke Van Aelst, y después, en 1551, en maestro de la guilda de Amberes. Dibujante y grabador de paisajes por cuenta del editor y comerciante de estampas Hieronymus Cock entre 1552 y 1555, viaja a los Alpes italianos.

• Sus primeros cuadros representan paisajes: *Paisaje con Cristo apareciéndose a los apóstoles* (1553, Bélgica, col. part.) y *La caída de Ícaro* (1558, Bruselas, B.A.). En Flandes vuelve a decantarse por la forma tradicional y divierte al espectador con escenas de la vida laboriosa o festiva de los campesinos, ilustrando a menudo proverbios populares: *Bodas rústicas* o *Danza nupcial en interior* (1556, Filadelfia), *Doce proverbios flamencos* (1558, Amberes, M.M.B.), los *Proverbios* (1559, Berlín). Cierta morbidez y un sentimiento trágico están presentes en su obra: *El combate entre don Carnal y doña Cuaresma* (1559, Viena); *El triunfo de la muerte* (1562-1563); *La caída de los ángeles rebeldes* (1562, Bruselas, B.A.). Se inspira en el *Bosco para *El suicidio de Saúl* (1562, Viena) y para *Dulle Griet* (1563, Amberes, M.M.B.). Su sentido de la observación y de la narración se percibe también en *Juego de niños* (1559-1560, Viena). Bruegel destaca en la representación de interiores y de paisajes, pero también en la arquitectónica, como en *La torre de Babel* (1563, Viena y Rotterdam).

• En 1563 se casa con la hija de su maestro y se instala en Bruselas. Al año siguiente nace Pieter B. el Joven, que se convertirá en pintor. Bruegel elabora obras religiosas: *La adoración de los Magos* (1564, Londres), respondiendo a los criterios de composición clásica italiana, pero cuyos detalles son neerlandeses; la *Subida al Calvario*, en donde Cristo queda inmerso entre la multitud y el paisaje; *El empadronamiento de Belén* (1566, Bruselas); *La matanza de los inocentes* (1565-1566, Viena, K.M.). En la serie de los «Meses» (1565) pone en escena la vida cotidiana de los campesinos en un paisaje natural, infinitamente vasto: *Los cazadores en la nieve* (Viena), *La tempestad* (*id.*), *La cosecha* (Praga), *La siega del heno* (Nueva York) y *La vuelta de los rebaños* (Viena). El pintor integra el ciclo de las estaciones incluso en temas religiosos como *La conversión de san Pablo* (1567, *id.*) o *La adoración de los Magos en invierno* (1567, Winterthur, col. part.).

• En los últimos años retoma las fiestas populares: *La danza de la casada* (1566, Detroit, I.A.); *La danza de los campesinos* y *El banquete nupcial* (h. 1568, Viena). A estas escenas de alegría opone la miseria humana y física de los *Mendigos* tullidos (1568, París, Louvre) y de los ciegos en carne o en espíritu, como en la *Parábola de los ciegos* (1568, Nápoles) o en el *Misántropo* (*id.*). En todos los casos, el tratamiento del paisaje sigue indiferente a la condición humana, como subraya el *Proverbio del buscador de nidos* (1568, Viena) y *La urraca sobre el cadalso* (*id.*, Darmstadt, Landesmuseum).

Un año antes de su muerte, nace su segundo hijo, Jan I, llamado Bruegel de Terciopelo, que se convertirá en un famoso pintor. Su primer hijo multiplica las copias de la obra de su padre, pero el benjamín seguirá siendo el más dotado. Sus descendientes también se convertirán en pintores.

INFLUENCIAS Y CARACTERÍSTICAS PICTÓRICAS

Bruegel el Viejo pinta al óleo sobre madera o al temple sobre tela, en formatos medios, tanto cuadros únicos como series. La temática pertenece al género llamado «menor». Pinta paisajes panorámicos, con mucha composición, articulados alrededor de las escenas bíblicas, así como ilustraciones astrológicas y de travesuras, escenas proverbiales y populares de la vida campesina. El ciclo de las estaciones está muy presente. No realiza ni cuadros devotos ni escenas heroicas; pretexto para ejecutar grandes desnudos.

Bruegel se ve influenciado por el arte descriptivo de finales de la edad media y de los artistas del norte, de Joachim Patinir, del *Bosco y de *Van Eyck. Viaja a Italia, a Roma, Nápoles y Sicilia. Adopta los grandes fundamentos del arte italiano renacentista.

• En un principio, Bruegel se interesa por las vistas panorámicas de los Alpes y de Nápoles en los horizontes azulados que retoma de Patinir. La precisión del detalle y la profundidad de los panoramas continuarán siendo una constante del artista.

• En 1556, con sus primeras escenas costumbristas, el paisaje juega un papel importante y Bruegel reproduce la composición de las ilustraciones de la edad media: abundancia de motivos, a menudo decorativos, líneas rigurosamente construidas, opuestas a la espontaneidad de las figuras en multitud. En estas escenas campesinas, se empeña en representar la realidad a la vez que inserta otros niveles de lectura, gracias a pequeños detalles (los cuatro sombreros de los *Juegos de niños* que componen un rostro). Una multitud de pequeños personajes invaden sus lienzos y constituyen un pretexto para numerosas escenas que evocan la vida cotidiana. Bruegel prefiere un hombre de carne y hueso, que trabaja, vive, come y se divierte, a la concepción del hombre en sí.

• Desde aproximadamente 1562, el artista empieza a integrar más los personajes en el paisaje, en la naturaleza poderosa y dominante, esbozo de una alianza entre el hombre y la tierra. En el ciclo de los «Meses», el paisaje se compone de planos paralelos, de masas coloreadas, y se anima con elementos vivos, vegetales y humanos, que se funden en el espacio. Junto al realismo descriptivo (propio de los flamencos desde Van Eyck), pintoresco y decorativo, las obras tienden a imponer una concepción poética de las estaciones, más aún, la idea de la estación, cósmica y universal: esta visión nueva de Bruegel sería la de un «ciclo eterno» (C. de Tolnay) que engloba al hombre y a la naturaleza y que acerca a Bruegel a concepciones barrocas.

• Las escenas mitológicas o bíblicas ponen de relieve una interpretación original si se las compara con las representaciones humanistas tradicionales: los episodios sagrados están inmersos en un mundo profano, pero lo eterno se impone sobre la inmediatez cotidiana. A veces un detalle puede dar la clave de una gran composición. En *La caída de Ícaro*, el tema principal parece relegado a la categoría de episodio secundario, hasta tal punto se inscribe en la permanencia de la naturaleza en que el campesino, en primer plano, trabaja incansablemente la tierra. En la *Subida al calvario*, el drama pertenece a la vida y se desarrolla bajo la mirada de los curiosos, de los temerosos y sobre todo de los indiferentes. *La caída de los ángeles rebeldes* o *El triunfo de la muerte* se inspiran en la iconografía demoníaca y sobrenatural del Bosco, interpretada con fantasía. En *La torre de Babel*, la cual, aunque se consagre a la eternidad del hombre, está destinada a la destrucción, aparece un cierto sentido trágico de la existencia.

• La composición de las obras de Bruegel, clara, cadenciosa y unificada, a pesar de la abundancia de detalles, está determinada por grandes líneas de estructura trazadas en negro, a diferencia de los primitivos flamencos, que elaboraban sus obras sobre todo a partir de detalles.

UN GRAN MAESTRO

◆ Conocido sobre todo como pintor de la vida campesina, Bruegel se impone en vida primero en Flandes y luego en Europa. Su éxito perdura.

◆ Artista del renacimiento por su clasicismo y su humanismo, Bruegel mezcla las lecciones del arte italiano con una inspiración resuelta y típicamente flamenca. En ciertos aspectos podría decirse que anuncia el barroco.

◆ Bruegel es el primer artista del norte de Europa que engloba al hombre y la naturaleza en una visión humanista y respetuosa con el realismo descriptivo flamenco. Ve Italia como un vasto paisaje y no copia a los grandes maestros. Prefiere la visión de personajes anclados en la realidad a la conceptualización italiana del hombre. Permanece en la búsqueda de «una conciencia nueva que todavía no es la conciencia histórica» (C.-H. Rocquet, 1968).

◆ Bruegel, a quien también se conoció como «el gracioso» o «el campesino», eleva el género menor de la pintura de costumbres al nivel de gran arte.

◆ Ciertas telas las pinta al temple sobre un fondo sin pulir ni preparar que con el tiempo absorbe una parte de la capa pictórica, por lo que ésta se vuelve mate. En los óleos, en cambio, una preparación marrón o beige ayuda a fijar los colores, unificando la tonalidad general.

Bruegel el Viejo

• La factura, cuidada y preciosista, permite la aparición de pequeñas pinceladas en una textura a veces fluida y tenue. Al mismo tiempo, también se encuentra un trabajo de grandes pinceladas con una pasta espesa, grasa y untuosa que genera el movimiento: las formas están entonces poco modeladas y los contornos poco definidos. Las manchas de color de las siluetas, la luz difusa y los tonos armoniosos contribuyen a la unidad del cuadro. Subsiste una oposición entre un universo superior luminoso y una escena terrestre patética *(La parábola de los ciegos)*.

• Hacia el final de su carrera, Bruegel simplifica sus intenciones. Realiza paisajes habitados por grandes personajes, poco numerosos. La composición concentrada y equilibrada, la monumentalidad de la figuras, la concepción del espacio, incluso si el punto de vista es poco aéreo, y el hombre siempre integrado en la naturaleza son elementos que le acercan al arte del renacimiento.

• Bruegel se afirma por tanto como talentoso conciliador de los contrarios: se inspira en el final de la edad media y en el renacimiento, y anuncia los inicios del barroco, en un estilo a la vez lineal y plástico. Asocia lo colosal y la miniatura, lo festivo y lo trágico, la eternidad y la inmediatez, el mito y la realidad, la inmovilidad y el movimiento, la vida y la muerte, la risa y el drama, el humor y la seriedad.

El combate entre don carnaval y doña cuaresma
1559. Óleo sobre madera, 1,18 × 1,64 m, Viena, Kunsthistorisches Museum

Esta escena de costumbres campesinas simboliza el paso de los días de carnaval a los de la cuaresma. Opone en un combate paródico a los que festejan el carnaval y los que siguen la cuaresma. Los primeros, a la izquierda, están dirigidos por la personificación del carnaval, un hombre gordo sentado a horcajadas sobre un barril, con un pastel por sombrero y un espetón en ristre. Sus acólitos, también ridículamente ataviados de comida, le siguen al ritmo de la música. A la derecha, una mujer escuálida encarna a doña Cuaresma. Sentada sobre un reclinatorio y tirada por un monje y una monja, lleva sobre la cabeza una colmena que evoca la miel de los días de ayuno y porta una pala con dos arenques en el extremo. La olla con mejillones, las galletas saladas y los bretzels en forma de ocho, alimentos típicos de la cuaresma, serán pronto devorados por el cortejo que la sigue.
El pintor se ha inspirado en las tradiciones de los Países Bajos. Esta cualidad de observación de las costumbres populares, reveladora del arte de Bruegel, hace que aparezca una comprensión de una humanidad en carne y hueso, con sus imperfecciones. La fiesta se convierte aquí en uno de los medios para representar la comedia humana. Cada figura, en su precisión coloreada que recuerda al arte de la miniatura, tiene su lugar ajustado en una composición que parece seguir mucho más allá de los límites de la tela, más allá de lo que ve el ojo, en el mundo imaginario que Bruegel nos ofrece.

Los cazadores en la nieve (*El invierno*, de la serie de los «Meses»)
1565. Óleo sobre madera, 1,17 × 1,62 m, Viena, Kunsthistorisches Museum

Bruegel nos invita a entrar en el invierno siguiendo a los cazadores del primer plano y dejando que nuestra mirada siga la diagonal de los árboles hasta los estanques helados de las profundidades del cuadro para descubrir allí el invierno o, más precisamente, la esencia del invierno. Una segunda diagonal delimita el primer plano (decoración poblada del villorrio) y el paisaje, más abajo y a lo lejos. Sobre el blanco deslumbrante del cuadro nevado, tamizado de gris acero para el hielo y el cielo, tanto los personajes como lo que queda de naturaleza viviente (árboles, pájaros) aparecen como en una sombra chinesca sobre el fondo. Incluso los cazadores del primer plano aparecen de espaldas, y son siluetas más que seres humanos. Estas sombras que se agitan sobre la inmensidad del paisaje helado están sin embargo muy presentes por la diversidad de sus actividades: escenas de la vida cotidiana del pueblo, juegos de invierno sobre el hielo.

OBRAS CARACTERÍSTICAS

Se estima que las obras auténticas de Bruegel son 45 cuadros y 135 dibujos.
La mayor parte de sus pinturas están datadas y firmadas en el período 1553-1568.

Bodas rústicas o *Danza nupcial en interior*, 1556, Filadelfia, col. John G. Johnson
Los proverbios, 1559, Museos de Berlín
El combate entre don Carnal y doña Cuaresma, 1559, Viena, K.M.
Los juegos de niños, 1559-1560, Viena, K.M.
El triunfo de la muerte, 1562-1563, Madrid, Prado
La caída de los ángeles rebeldes, 1562, Bruselas, B.A.
El suicidio de Saúl, 1562, Viena, K.M.
La torre de Babel, 1563, Viena, K.M. y Rotterdam B.V.B.
La adoración de los Magos, 1564, Londres, N.G.
Subida al Calvario, 1564, Viena, K.M.
El empadronamiento de Belén, 1566, Bruselas, B.A.
Series de los «Meses», 1565, Viena, K.M.; Praga, Narodni Galerie; Nueva York, M.M.
La danza de los campesinos, h. 1568, Viena, K.M.
La parábola de los ciegos, 1568, Nápoles, Capodimonte
El proverbio del buscador de nidos, 1568, Viena, K.M.

BIBLIOGRAFÍA

Arpino, Giovanni; Bianconi, Piero, *La obra pictórica de Brueghel*, Planeta, Barcelona, 1988; Stechow, Wolfgang, *Pieter Bruegel the Elder*, Abrams, Nueva York, 1990; Dobbels, Daniel, *Brueghel*, Galerie Adrien Maeght, París, 1994; Seipel, Wilfried (ed.), *Pieter Bruegel the Elder: at the Kunsthistorisches Museum in Vienna*, Skira, Milán, 1998; *Peter Bruegel, the Elder: the graphic oeuvre*, Museum Boijmans van Beuningen, Rotterdam, 2001; Hagen, Rose-Marie y Rainer, *Pieter Bruegel el Viejo: hacia 1525-1569: labriegos, demonios y locos*, Taschen, Colonia, 2003.

El Greco

Gran colorista, solitario y original, ardiente pintor religioso y retratista «humanista», el Greco extrae su estilo de sus orígenes griegos, del arte italiano y del español. De sus lienzos emana espiritualidad y dramatización. Lleva el manierismo al límite, en un alargamiento vertiginoso de los cuerpos y mediante la tonalidad fría y acidulada de sus obras.

RECORRIDO BIOGRÁFICO

• Doménikos Theotokópoulos, llamado el Greco (Candía, Creta, posesión veneciana, 1541-Toledo 1614), pintor español, nace en una familia de la pequeña burguesía católica. De sus inicios se sabe poco. Es posible que el maestro Gripiotis le enseñara el arte de los iconos y el del renacimiento veneciano. Sus influencias son notables respectivamente en la *Muerte de la Virgen* (Siros, iglesia de la Dormición) y en el *Altar portátil* (Módena, G. Estense) o en *Los estigmas de san Francisco* (Ginebra, col. particular). El Greco se convierte en maestro pintor a la edad de veinticinco años.

• Decide partir hacia Italia. Se instala en Venecia (h. 1568-1570), en donde se impregna del arte de los maestros del color y de la luz: la *Curación del nacido ciego* (h. 1570-1572, Parma, G.N.), en donde la disposición de los personajes es una herencia de il *Tintoretto, y *La expulsión de los mercaderes del templo* (h. 1570-1572, Washington). Habría frecuentado el taller de *Tiziano.

• Presente en Roma de 1570 a 1577, satisface su deseo de conocer el arte de la antigüedad, del renacimiento y del manierismo. Pinta retratos en gran cantidad, muy venecianos: el gobernador de Malta *Vincentio Anastagi* (h. 1575, Nueva York, F.C.) y el miniaturista croata *Giulio Clovio* (1570-1575, Nápoles), quien lo presenta al cardenal Farnesio. Éste lo introduce a su vez en el círculo de eruditos de su entorno, dominado por su bibliotecario Fulvio Orsini. Figura en los registros de la academia de San Lucas en 1572. Ciertas obras se inspiran en el arte de *Miguel Ángel, como la *Pietà* (1570-1572, Nueva York, Hispanic Society) y más tarde *San Sebastián* (h. 1577, catedral de Palencia). Sin embargo, se mantiene fiel a los maestros venecianos: *El soplón* (h. 1570-1575, Nápoles, Capodimonte); la *Anunciación* (h. 1575, Madrid, Prado).

• Como en Roma obtiene pocos encargos, regresa hacia el mecenazgo real de Felipe II de España, que está realizando la decoración de El Escorial, y hacia su amigo Luis de Castilla, cuyo padre era deán de la catedral de Toledo. En 1577, llega a esta ciudad, en donde se le conoce como «el Greco». Allí permanece hasta su muerte, se casa, tiene un hijo y lleva una vida de señor cultivado. Realiza tres retablos para la iglesia de S. Domingo el Antiguo de Toledo, representando *La Asunción, La adoración de los pastores* y *La Trinidad* (1577-1579, Chicago, A.I. y Madrid, Prado), en los que se encuentran referencias al estilo escultural de Miguel Ángel. *El expolio*, Cristo despojado de su túnica (1577-1579, Toledo), es criticado por quienes le habían encargado la obra, lo mismo que *El martirio de san Mauricio* (1580-1582, Madrid). La *Adoración del nombre de Jesús*, conocida también como *Alegoría de la Liga Santa* o *Sueño de Felipe II* (id.), también es mal recibida por su alejamiento de las reglas de la Contrarreforma.

• Desde ese momento, los encargos religiosos, reales, madrileños ceden su lugar a los cuadros de devoción encargados por toledanos privados: *Los estigmas de san Francisco* (1585-1590, Madrid, col. part.), *La Crucifixión con dos donadores* (h. 1590, París, Louvre) y *La Piedad* (¿1580-1595?, París, col. Stavros Niarchos), lienzos de una gran fuerza dramática. Inmortaliza a nobles castellanos, como *El caballero de la mano al pecho* (h. 1577-1583, Madrid, Prado) y las personalidades presentes en *El entierro del conde de Orgaz* (1586, Toledo), obra maestra que pone en escena un fastuoso ceremonial funerario y una «galería» de retratos naturalistas.

• A partir de 1580-1585, el Greco sigue los temas de concilio de Trento: Santos, Pasión de Cristo, Sagrada Familia: *San Jerónimo* (principios del siglo XVII, Madrid, col. part.), *San Juan Evangelista y san Francisco* (h. 1590-1595, id.); *Las lágrimas de san Pedro* y *La Sagrada familia* (1603-1607, Toledo, hospital Tavera).

• Hacia 1595, los cuerpos se alargan y se vuelven irreales en los lienzos del colegio de Sta. María de Aragón, en Madrid (*El bautismo de Cristo*, 1596-1600, Madrid, Prado). Esta estilización llega a su paroxismo en las telas de la capilla de San José en Toledo (*La coronación de la Virgen*, 1599, *in situ*) y los cinco lienzos del hospital de la Caridad en Illescas, cerca de Toledo (*Virgen de caridad*, 1603-1605). El mundo de los santos y de los apóstoles se llena de seres descarnados y atormentados. *La Crucifixión* (1605-1610, Madrid, Prado) y *La adoración de los pastores* (1612-1614, *id.*); la *Visión del Apocalipsis* (h. 1608-1614, Nueva York, M.M.) y el *Laocoonte* (1610-1614, Washington, N.G.) caracterizan su estilo «visionario» en contradicción con el realismo psicológico de sus retratos: *Antonio de Covarrubias*, el humanista helenista, amigo del pintor (h. 1600, París, Louvre); *El cardenal Fernando Niño de Guevara* (h. 1610, Nueva York) y *Fray Hortensio Félix Paravicino* (1609, Boston, M.F.A.). Las dos *Vista de Toledo* (1605, Nueva York, M.M.; 1610-1614, Toledo, Museo del Greco) son producto de dos aproximaciones diferentes: más «romántica» en el primer caso, más «topográfica» en el segundo.

Admirado por su mejor «discípulo», Luis Tristán, y más tarde por su compatriota *Velázquez, quien como él destaca por la intensidad verídica de los retratos, su arte permanece aislado, sin un auténtico sucesor.

INFLUENCIAS Y CARACTERÍSTICAS PICTÓRICAS

El Greco pinta retablos y cuadros devotos de grandes formatos para la corte, para religiosos y para nobles civiles. Esboza retratos, dos paisajes de Toledo y un solo tema mitológico, esencialmente obras sobre tela pero a veces también sobre madera o cuero.

El Greco conoce probablemente por mediación de su maestro Gripiotis el arte bizantino y el arte italiano contemporáneo. En Venecia se inspira en *Tiziano, il Tintoretto y en Bassano. En Roma se nutre de la antigüedad, del arte de Miguel Ángel y del manierismo romano. En España, en Madrid y Toledo es particularmente sensible al misticismo religioso.

• De Creta retiene los colores vivos, las composiciones frontales propias de los iconos, y de su formación el naturalismo y la perspectiva heredados del renacimiento italiano.

• En Venecia pone en escena temas religiosos en un decorado arquitectónico, a veces en ruinas, en donde la iluminación crea el espacio, exalta los coloridos tornasolados dispuestos en pequeñas pinceladas.

La riqueza cromática veneciana, cambiante y luminosa, lo mismo que su escritura rápida, se inspiran en Tiziano, «el mejor conocedor e imitador de la naturaleza», según él. Las iluminaciones nocturnas y violentas recuerdan a las de Bassano, las preocupaciones formales, el movimiento y la puesta en escena son propios de il Tintoretto. El Greco imita la composición y la atmósfera de estos grandes maestros, tanto para las escenas religiosas (*Cristo expulsando a lo mercaderes del templo*) como para sus retratos. En Roma se inspira en el arte de Miguel Ángel, escultural y poderoso, del manierismo de audacias formales, de tintes fríos y ácidos (*Pietà*).

• En España encuentra su expresión propia. Pinta cuadros religiosos muy dramáticos en donde el color construye la forma, en un torbellino de luz singular. La pincelada es larga, espesa. La composición se enriquece, el tratamiento sutil del tema y del colorido manieristas no responden a los estereotipos aplicados sobre los temas religiosos (*El martirio de san Mauricio*). Su misticismo no deja de recordar al de santa Teresa de Ávila o al de san Juan de la Cruz. Los pliegues de las vestiduras, expresivos, se retuercen alrededor del cuerpo de los santos. Una multitud de personajes con ritmos sobrenaturales se animan en lejanías irreales y fantásticas. Los cuerpos se representan en escorzo, en colores cálidos que a veces ya se mudan en tonos fríos y ácidos.

UN GRAN MAESTRO

◆ Criticado o loado, el Greco tiene éxito en vida. Pero su arte a menudo incomprendido cae en el olvido. Es redescubierto en Francia a comienzos del siglo xx.

◆ El Greco es un gran colorista italianizante, único por su originalidad plástica sostenida por una dimensión visionaria.

◆ De acuerdo con la iconografía religiosa preconizada por el concilio de Trento, realiza múltiples versiones de los mismos temas: pinta a san Francisco más de veinte veces. Desarrolla su expresión de la vida espiritual y enriquece el arte del retrato.

◆ Su manierismo original puesto al servicio de una visión mística alcanza una dramatización todavía desconocida en la pintura, una anticipación del expresionismo, mediante una armonía original de tonos fríos y un virtuosismo de la escritura.

• En las pinturas profanas, ofrece una representación más realista de sus contemporáneos humanistas: personalidad afirmada, elegancia de las actitudes y de las vestiduras, suntuosidad del colorido o del blanco y negro (*El entierro del conde de Orgaz*).

Sus santos, a menudo penitentes, y sus escenas de la Pasión de Cristo muestran violencia o están en meditación, con una armonía de tonos rojos u ocres.

• Hacia 1595, el manierismo, la espiritualidad exaltada y la dramatización se llevan a su paroxismo. El alargamiento de los cuerpos descarnados, inmateriales y sinuosos hasta lo irreal, se convierte en fantástico, las anatomías se aglutinan en tumulto, los haces de luz y los colores raros, ácidos y glaciales se despliegan en un ritmo piramidal o en espiral.

• El estudio psicológico de sus modelos, dispuestos en una composición sobria, alcanza una expresión intensa y verdadera. La pincelada libre exalta el color. El estilo se hace más expresivo y violento. En las obras religiosas, la atmósfera atormentada se libera de los esquemas formales habituales. Su plástica tiende a un cierto expresionismo. El retorno a los mismos temas religiosos, a lo largo de su carrera, se explica por sus reflexiones teóricas, como las que lleva al margen su ejemplar de las *Vite* de Giorgio Vasari: su búsqueda esencial es la de traducir un ideal de belleza, fundado sobre el modelo de la naturaleza. Como todos los pintores manieristas, centra su arte en la luz y en el color, y luego alcanza una abstracción de las formas y del espacio, aumentando la intensidad, pero manteniéndose siempre fiel a los venecianos.

OBRAS CARACTERÍSTICAS

El Greco realizó alrededor de 170 obras.

La expulsión de los mercaderes del templo, h. 1570-1572, Washington, N.G.

Giulio Clovio, 1570-1575, Nápoles, Capodimonte

Pietà, 1570-1572, Nueva York, Hispanic Society

El expolio, 1577-1579, catedral de Toledo

El martirio de san Mauricio, 1580-1582, Madrid, Escorial

El entierro del conde de Orgaz, 1586, Toledo, iglesia de Santo Tomé

San Jerónimo, principios del siglo XVII, Madrid, Prado

El cardenal Fernando Niño de Guevara, h. 1610, Nueva York, M.M.

Visión del Apocalipsis, h. 1608-1614, Nueva York, M.M.

La adoración de los pastores, 1612-1614, Madrid, Prado

BIBLIOGRAFÍA

Brown, Jonathan [et al.], *El Greco de Toledo* (catálogo de exposición), Alianza, Madrid, 1982; Brown, Jonathan [et al.], *Visiones del pensamiento: El Greco como intérprete de la historia, la tradición y las ideas*, Alianza, Madrid, 1984; Marías, Fernando, *El Greco: biografía de un pintor extravagante*, Nerea, Madrid, 1997; Álvarez Lopera, José, *El Greco: identidad y transformación* (catálogo de exposición), Skira, Ginebra, 1999.

La adoración de los pastores
1612-1614. Óleo sobre tela, 3,19 × 1,8 m, Madrid, Museo del Prado

El Greco pinta este retablo para una cripta del convento de las hermanas
dominicas de Toledo, Santo Domingo el Antiguo. A cambio, éstas debían
acoger la sepultura del pintor y de su hijo. Pero a la muerte del pintor, en 1614,
su cuerpo va a parar a la fosa común al no poder pagar su hijo los derechos.
El formato vertical de la tela se ve acentuado por el alargamiento irreal de los
personajes que forman dos grupos circulares, bañados en un colorido frío y de
efectos fosforescentes asombrosos. El tono azulado dominante se ve reanimado
por manchas rojas y naranjas, amarillas, verde jade, moradas... Al fondo del
cuadro, una galería delimitada por arcos, en forma de retablo, da profundidad.
En primer plano, según Luis Tristán, su alumno, el pastor arrodillado sería
la efigie del Greco. En el centro de la composición, el Niño ilumina la escena
con su luz divina. Las anatomías deformadas, el alargamiento extremo de los
cuerpos, los drapeados turbulentos, más allá del manierismo, son la firma
infalible de las últimas obras del Greco. Esta expresión gestual, estos rostros
atormentados, exaltan la emoción religiosa. La escritura es larga y rápida,
pero cuidada.

El siglo XVII: la «realidad», el clasicismo y el barroco

En el siglo XVII se crean nuevas relaciones entre el arte, las academias, el público y los mecenas. A finales del siglo XVI, en Italia, Annibale *Carracci y el *Caravaggio, deseosos de veracidad, manifiestan su «antimanierismo»: el primero, tras unos inicios naturalistas, adopta un «clasicismo ecléctico», mientras que el segundo se apunta a un «realismo» revolucionario. En Roma, la obra de los Carracci estimula el clasicismo de *Poussin, admirado por Le Brun en París. Hacia 1630, la estética barroca de *Pietro da Cortona se imponen en Roma, y la de *Rubens en Flandes. Un arte autónomo surge en Holanda con *Hals, *Rembrandt y *Vermeer, y en España con la obra de *Velázquez, y en Francia con *La Tour.

LA EUROPA DEL SIGLO XVII

La instauración de la Contrarreforma. Tras el concilio de Trento, la Iglesia católica quiere reconquistar el fervor popular bajo la autoridad de los papas Sixto V, Clemente VIII y Pablo V. La orden de los jesuitas, creada en 1540 por Ignacio de Loyola, toma una parte activa en la reconstrucción religiosa (*Ejercicios espirituales*, 1548). Felipe Neri, representante del bajo clero reconocido por la iglesia en 1575, se vuelve hacia la vida de los pobres. El arzobispo de Milán, Carlos Borromeo, hace que se apliquen las nuevas orientaciones religiosas (*Catecismo romano*, 1566). Francisco de Sales funda la orden de la Visitación (*Introducción a la vida devota*, 1608).

El paisaje político fuera de Italia. En 1579, con la Unión de Utrecht, las siete provincias calvinistas de los Países Bajos septentrionales (Holanda, Utrecht...) se revelan contra la dominación de España. Se proclama su independencia y constituyen la república de las provincias unidas. Su comercio es próspero gracias a las industrias textiles y los metales preciosos. La banca de Amsterdam es floreciente.

La unión evangélica se forma en 1608 entre las villas y los príncipes protestantes alemanes. Los católicos responden en 1609 con la creación de la coalición católica de la Santa liga alemana. La guerra de los Treinta años (1618-1648) es el resultado de este conflicto: al oponer a protestantes y católicos, abre la vía a la ruina del Sacro imperio romano germánico. En Francia, bajo los reinados de Luis XIII y Luis XIV, las guerras engrandecen y consolidan las fronteras del país.

El impulso de las ciencias. A Galileo le juzga el Santo Oficio (1633) por sus trabajos en los que confirma las hipótesis de Copérnico sobre el movimiento de la Tierra. Cassini, creador del Observatorio de París, (1672), descubre las leyes de rotación de la luna. Newton, Kepler, Huygens, descubren las leyes de la gravitación, Torricelli inventa el barómetro. Las ciencias progresan. Pascal, Descartes (*Discurso del método*), Leibniz... asocian investigación científica con filosofía.

El hombre, el pintor y el mecenas. Los mecenas ya no juegan un papel tan esencial en la elección de los temas. El Caravaggio pinta al pueblo llano: en sus lienzos, las adivinas, los campesinos, los hombres y mujeres que pueden encontrarse por la calle se codean con los santos o la Virgen. Su estética, poética o violenta, a imagen de su vida disoluta, le vale, después de realizar numerosos cuadros sin destinatario preciso, la admiración o el rechazo de sus mecenas: se le persigue por un asesinato y Poussin lo ve como «nacido para destruir la pintura».

Nace la «conciencia moderna del artista». Carracci se atreve a rechazar el trabajo de decoración del palacio del cardenal Odoardo Farnesio por considerarlo mal pagado y Rembrandt expresa su plenitud artística incluso cuando su vida se ve oscurecida por dramas familiares y por dificultades pecuniarias.

Por el contrario, el barroco de Pietro da Cortona responde a las demandas de Urbano VIII, quien establece así su renombre, su poder y su riqueza. Velázquez, artista de la corte y retratista de los grandes del mundo, da pruebas de una ambición satisfecha por Felipe IV. La discreción de Vermeer es la imagen del mundo aterciopelado de las mujeres que él pinta. Eficaz, utiliza como otros pintores los conocimientos científicos de su época, sobre todo la *camera obscura*, para construir sus perspectivas.

Las estéticas pictóricas

La «realidad» de Carracci y del Caravaggio. La Italia del norte se opone al manierismo: respectivamente boloñés y lombardo, Annibale Carracci, hacia 1580-1590, y después el Caravaggio, hacia 1590-1600, proponen un arte «dominado por una vuelta a una visión sensual de la naturaleza [...], un deseo enteramente nuevo de comunicar con el público» (L. Salerno, 1991). Carracci es el primero en llevar a cabo algunos «retratos de género» naturalistas. Caravaggio se vuelve hacia los humildes: los santos no son ni ricos ni bellos, sino humanos, y la Virgen es simplemente una mujer del pueblo.

Los caravaggistas son numerosos en Italia: Gentileschi, Mafredi, Giordano, o el español tenebrista afincado en Roma Ribera. Velázquez es caravaggista en sus inicios, lo mismo que el flamenco Rubens y los franceses La Tour, Vouet o el más fiel de todos, Valentin de Boulogne. Los holandeses, como Ter Brugghen, proponen un caravaggismo claro de rostros expresivos.

El clasicismo de los Carracci y de Poussin en Roma. Carracci opta por un clasicismo «ecléctico» que añade al modelo del renacimiento la expresión serena de los tormentos humanos y la observación de la naturaleza. Cofundador de la academia de los Incamminati («encaminados»), forma a Reni, a Albani, al Domenichino... El francés Poussin respeta las proporciones antiguas y la expresión mesurada de las pasiones.

El clasicismo francés. Poussin tiene admiradores en París: el jansenista Champaigne, el rafaelista Le Sueur, Le Brun, primer pintor del rey y Mignard su sucesor, que encarnan el clasicismo del *grand goût* («gran gusto») del Rey Sol. Este estilo preconiza el saber, el orden y la razón.

El arte barroco en Italia, respuesta de la Contrarreforma. Hacia 1630, en Roma se extingue el caravaggismo, el clasicismo de Poussin se extiende, y el barroco está en su apogeo. El término «barroco», que en portugués quiere decir «perla irregular», se refiere a su rareza y empieza sirviendo para referirse a la arquitectura de Bernini y de Borromini, y después a la pintura. Los jesuitas romanos favorecen un arte católico triunfal, con una multiplicación y revalorización de las imágenes religiosas. La pintura tiene que enseñar, persuadir, seducir y emocionar a los fieles. Los papas Urbano VIII, Inocencio X y Alejandro VII, así como otros mecenas, se sirven de las representaciones para exhibir su apología personal. Los pintores despliegan los fastos escenográficos sobre frescos en las techumbres que proclaman los nuevos temas de la Contrarreforma: martirio, visión, éxtasis y gloria de los mecenas. El barroco se define por la abundancia, la dinámica en torbellino, el efecto ilusionista, el espacio infinito y deslumbrante. Dominado por Piero da Cortona, el genovés il Baciccia y el padre jesuita Pozzo, este estilo tiene sus inicios en Parma con il *Correggio y Lanfranco.

El barroco en el resto de Europa. La España de Felipe IV y después la de Carlos II vive el momento de la Contrarreforma. El Siglo de Oro español empieza con las últimas obras místicas del *Greco. En Sevilla, el «barroco sentimental» de Murillo interpreta la palabra de los jesuitas y Zurbarán se convierte en «el pintor de los monjes». En Inglaterra se expresa con Van Dyck, Rubens y el decorador Thornhill; en Austria con Rottmayr; en Bohemia, concretamente en Praga, con Skreta. En los Países Bajos del sur, españoles y católicos (Flandes), la renovación católica triunfa y fomenta la pintura de Rubens, Jordaens, Snyders...

En las Provincias Unidas. La pintura conserva un carácter tradicional. Los encargos religiosos, a causa del calvinismo, se interrumpen. La burguesía mercantil aprecia una pintura que puede contemplar, con lo que se ven favorecidos los retratos, las escenas de la vida bíblica y familiares, las naturalezas muertas y los paisajes. En Haarlem, Hals crea el retrato colectivo. Amsterdam «la burguesa» permanece fiel al retrato objetivo. Rembrandt obtiene un éxito considerable. Una corriente romana se expresa en Holanda con Lastman y Elsheimer, la escuela de Utrecht y sus caravaggistas. En Delft se reagrupan los intimistas: Vermeer, Fabritius, fiel a Rembrandt.

Estas corrientes, principalmente el barroco y el intimismo del norte, encontrarán un eco en el arte del siglo XVIII, con los artistas rococó *Tiepolo y *Watteau, y con el pintor poeta *Chardin.

Carracci

Annibale Carracci es, para empezar, un reconciliador del lenguaje pictórico con la realidad. Además, con su hermano Agostino y su primo Ludovico, funda en Bolonia una academia de pintura muy activa. Annibale se replantea el clasicismo, con el que mezcla un inicio de barroco, gracias a su conocimiento superior de las artes decorativas, creando de este modo un arte nuevo y vivo, ecléctico pero personal.

RECORRIDO BIOGRÁFICO

• Annibale Carracci (Bolonia 1560-Roma 1609), el más brillante de los tres Carracci pintores, se forma al lado del manierista P. Fontana. Tras la realización de su *Cristo muerto* (1582, Stuttgart, Sg.), emprende la ejecución de obras naturalistas: *Retrato de una anciana* (1582, Bolonia, col. part.), *La carnicería* (h. 1582-1583, Oxford), *El comedor de habas* (h. 1583-1584, Roma, Colonna), *Autorretrato con otras figuras* (h.1585, Milán, Brera). Entretanto, elabora su primer cuadro de altar, *Crucifixión y santos* (1583, Bolonia).

• Hacia 1582-1585, los Carracci crean en Bolonia la academia de pintura de los Desiderosi (los «deseosos» de aprender y triunfar), que en 1590 pasó a llamarse de los Incamminati (los «encaminados» en la vía pictórica). Definen los principios pictóricos ideales, fundados en la imitación de la naturaleza, el clasicismo del renacimiento y el arte antiguo. En colaboración con Ludovico y Agostino, Annibale efectúa un ciclo de frescos sobre la *Historia de Jasón*, la de *Europa* y la de *Eneas* (h. 1583-1596, Bolonia).

• Más tarde Aníbal se interesa por el arte de Italia del norte. A comienzos de 1585, se desplaza a Parma, descubre a il *Correggio y después, hacia 1588, al veneciano Veronés. Traduce estos choques estéticos en los cuadros de altar del *Bautismo de Cristo* (1585, Bolonia), de la *Pietà* (*id.*, Parma), de la *Asunción de la Virgen* (1592, Bolonia), de la *Madona y santos* (*id.*, París, Louvre) y de la *Resurrección de Cristo* (1593, *id.*). En sus frescos se demuestra, además de la influencia del movimiento espacial de il Correggio, la del cromatismo luminoso del *Veronés: *Historia de Rómulo* (1588-1592, Bolonia). Destaca la realización del *Retrato de Claudio Merulo* [¿?] (1587, Nápoles, Capodimonte) y de escenas mitológicas: *Venus, sátiro y dos amores* (1588, Florencia), *Venus y Adonis* (1588-1589, Madrid, Prado). Sus paisajes traducen la realidad de la naturaleza: la *Fiesta campestre* (1584, Marsella, B.A.), *La pesca* y *La caza* (1587-1588, París), *Paisaje* 1589-1590, Washington, N.G.) o ese otro *Paisaje* (1593, M. de Berlín).

• En 1595, el cardenal Farnesio lo llama a Roma. Allí pinta la *Caridad de san Roque* (1594-1596, Dresde), los frescos de la *Historia de Hércules y Ulises* (1595, Roma, palacio Farnesio, Camerino). De 1597 a 1604, decora al fresco su obra mayor, un techo de la galería del palacio Farnesio sobre el tema mitológico de los «amores de los dioses»: el *Triunfo de Baco y Ariadna* rodeado por *Pan y Diana* y por *Mercurio y Paris*. Para la realización de esta obra colosal necesita la ayuda de su hermano y de sus discípulos, el Domenichino, Albani...

• Annibale atiende también otros encargos: el *Cristo en gloria y santos* (1597-1598, Florencia, Pitti), *El nacimiento de la Virgen* (1598-1599, París, Louvre), la *Pietà* (1599-1600, Nápoles, Capodimonte), la *Asunción* (1600-1601, Roma, iglesia S. Maria del Popolo), *El tocador de Venus* (1594-1595, Washington, N.G.). Decora la capilla Herrera y, después, la del palacio Aldobrandini: seis «lunetos» describen la *Vida de la Virgen* sobre un fondo de paisaje, de los que sólo *La huida a Egipto* y *El Santo Entierro* son exclusivamente obra suya (1602-1603, Roma, Doria Pamphili). Confecciona unas *Pietà con san Francisco y santa María Magdalena* (1602-1607, París, Louvre; 1603, Viena, K.M.; 1606, Londres, N.G.), la *Aparición de Cristo a san Pedro* (1602, Londres, N.G.), la *Lapidación de san Esteban* (1603-1604, París, Louvre).

A partir de 1605, enfermo, el artista no puede pintar más, pero continúa dirigiendo su taller. Sus numerosos discípulos prosiguen su obra, cada uno según su sensibilidad. G. Reni suaviza e idealiza las enseñanzas del maestro. Inspira a los pintores clásicos del siglo XVII, C. de Lorena y *Poussin, sobre todo en el acercamiento del paisaje.

INFLUENCIAS Y CARACTERÍSTICAS PICTÓRICAS

Annibale Carracci aborda todos los temas: religiosos, mitológicos, escenas de género, retrato, paisaje. Todos los formatos le convienen: desde el cuadro de altar, de caballete, pintado al óleo sobre tela, hasta el fresco gigantesco, mural, de techo o en cúpulas de palacios y capillas. Sus realizaciones responden a encargos privados de las familias Herrera y Fava y a las de los cardenales Farnesio y Aldobrandini.

Formado en Bolonia junto al maestro manierista P. Fontana, Annibale completa su conocimiento contemplando el arte del norte de Italia. En Parma le subyuga il Correggio, en Venecia, el Veronés y, en Roma, queda cautivado por el arte antiguo, por *Miguel Ángel y por *Rafael.

• Sus dos primeros lienzos religiosos, innovadores por la simplicidad de su composición, por la audacia del escorzo que recuerda a Mantegna, por las formas macizas y el naturalismo naciente que traducen los amplios trazos del pincel y los empastes, son criticados y rechazados. Realiza entonces retratos y escenas de género naturalistas. Las enseñanzas de F. Barocci, de B. Passerotti o de A. Campi le sugiere el sentido de lo natural, de la realidad simple, presente también ente los flamencos P. Aertsen y J. Beuckelaer. Pero Annibale rompe con la caricatura y lo burlesco de los nórdicos y otorga cartas de nobleza a los temas naturalistas. Para conferirles una realidad objetiva, representa las figuras de pie, a tamaño natural, y se ocupa con gran cuidado de los colores y de las técnicas.

• Tras esta ruptura con el manierismo, el arte de il Correggio le sugiere otro acercamiento: invita al espectador a entrar en el espacio del cuadro

UN GRAN MAESTRO

◆ Annibale Carracci es muy admirado en vida, hasta que los neoclásicos lo acusan de eclecticismo. No fue rehabilitado hasta la exposición de Bolonia en 1956.

◆ El arte naturalista, realista y moderno de Carracci se opone al manierismo. Su arte revolucionario introduce el clasicismo del siglo XVII, pero comprende también las elevaciones barrocas.

◆ El pintor resucita la natura (la naturaleza y lo natural), insufla la renovación en estos temas, religiosos o de paisaje.

◆ Aporta una visión nueva en un espíritu moderno: el artista propone los primeros cuadros realistas de la pintura italiana, una expresión directa y viva del paisaje, más intelectual, en su forma tardía.

◆ Presenta la escena de género naturalista, de tamaño natural, vista de cuerpo entero.

◆ Introduce un diálogo entre el espectador y la obra, que se hace posible gracias al ilusionismo de su arte (*Resurrección de Cristo* o *Aparición de Cristo a san Pedro*).

◆ Sus composiciones se organizan según los principios clásicos o siguiendo un ritmo circulatorio barroco.

◆ Para sus lienzos naturalistas, Annibale utiliza la «brocha» y habría «puesto en seco» el color, mientras que las telas clásicas dejan aparecer una capa fluida. Domina la técnica a fresco.

para participar mejor en el mensaje. Desde entonces, «lo esencial reside en la captación del movimiento espacial, del dinamismo de la forma desarrollado en el espacio, de la dilatación de la forma, pero sin pesadez, y del ritmo fluido de las composiciones narrativas». Además, «sus realizaciones sorprenden [...] por la búsqueda de la gracia, de la ilusión llena de vida, [...] por el contorno indefinido, pero expresivo, por la captación de lo natural [...]» (A. Brejon de Lavergnée, 1979). El arte del Veronés hace que se muestre particularmente sensible a las composiciones claras y equilibradas, a la amplitud de las formas y al cromatismo luminoso. La academia de los Incamminati enseña las fórmulas clásicas, asociadas a la reproducción de la realidad. Annibale da más importancia a las composiciones vivas y animadas, a la calidad anatómica: el modelado refinado y aporcelanado de los cuerpos mitológicos femeninos, y el modelado escultural de los hombres desnudos y de los drapeados, vistos en escorzo, que sobresalen del espacio del cuadro. La factura es lisa o comporta ligeros empastes.

• En Roma, da rienda suelta a su gusto por la monumentalidad y por el espacio estructurado. Compone escenas eruditas, apoyado por sabios, asimila el arte antiguo, se refiere al renacimiento (capilla Sixtina de Miguel Ángel, *Stanze* [estancias] de Rafael) en términos «alusivos» y no «retrospectivos» (R. Longhi). La decoración de la galería Farnesio resulta de este proceso estético, variado y rico. Pone en escena, sin duda a propuesta de Fulvio Orsini, bibliotecario del palacio Farnesio y protector del *Greco, una iconografía y una composición rebuscadas, constituidas por cuadros, por arquitecturas fingidas y por figuras esculturales colosales que abrazan todas las inspiraciones, del clasicismo al prebarroco. Sus cuadros religiosos, en cambio, sobre todo las *Pietà*, son clásicos, realistas y patéticos.

• «Su obra de paisajista comprende en un principio lienzos a la vez realistas y novelescos que deben mucho a la tradición veneciana *(La caza)*, y luego una serie de paisajes idealizados, en donde las formas naturales y los elementos arquitectónicos concurren en la construcción del cuadro *(Paisaje, Berlín)*. El primer tipo de paisaje, en donde predomina el detalle, es realista y humano [...], mientras que la forma final es más intelectual *(Paisaje con la huida a Egipto)*» (A. Schnapper, 1966).

OBRAS CARACTERÍSTICAS

La obra de Annibale Carracci cuenta con 145 números en su catálogo, desde la obra más pequeña (30 × 22,5 cm) hasta la decoración monumental (galería Farnesio, 20 × 6,59 × 9,80 m).

Crucifixión y santos, 1583, Bolonia, iglesia de S. Maria della Carità
La carnicería, h. 1582-1583, Oxford, Christ Church
Historias de Jasón, de Europa y *de Eneas*, 1583-1584, Bolonia, palacio Fava
El bautismo de Cristo, 1585, Bolonia, iglesia de S. Gregorio
Pietà, 1595, Parma, G.N.
La pesca y *La caza*, 1587-1588, París, Louvre
Venus, sátiro y dos amores, 1588, Florencia, Uffizi
Historia de Rómulo, 1588-1592, Bolonia, palacio Magnani
La Asunción de la Virgen, 1592, Bolonia, Pinac.
La Resurrección de Cristo, 1593, París, Louvre
La caridad de san Roque, 1594-1596, Dresde, Gg.
Cúpula de la galería Farnesio, 1597-1604, Roma, palacio Farnesio
La huida a Egipto, 1602-1603, Roma, Doria Pamphili
Pietà con san Francisco y santa María Magdalena, 1602-1607, París, Louvre

BIBLIOGRAFÍA

Pérez Sánchez, Alfonso E., *Annibale Carracci*, Historia 16, Madrid, 1993; Dempsey, Charles, *Annibale Carracci: the Farnese Gallery, Rome*, Georges Braziller, Nueva York, 1995; Negro, Emilio; Pirondini, Massimo, *La Scuola dei Carracci: i seguaci di Annibale e Agostino*, Artioli, Modena, 1995; Dempsey, Charles, *Annibale Carracci and the beginnings of baroque style*, Cadmo, Fiesole, 2000.

Pietà
1585. Óleo sobre tela, 3,74 × 2,38 m, Parma, Galleria nazionale

Esta obra ilustra la técnica de Annibale Carracci tanto como su fresco de la galería Farnesio, diez años posterior. El ilusionismo está al servicio del tema, haciéndolo sincero, expresivo, convincente y ya no exclusivamente decorativo, como ocurre entre los manieristas. Hace tangible el espacio pictórico que delimita. Al espectador se le invita a entrar en la obra, a participar simbólicamente en la escena y en la emoción que emana: así se lo solicitan los gestos, las miradas de los personajes. Annibale se revela como moderno en «esta obstinación por quedarse en el mundo terrestre y por conservar para los seres tocados por el misterio religioso la plenitud de las formas y de los aspectos humanos cotidianos, por esta alianza entre lo cotidiano y lo maravilloso, presentida por il *Correggio; este naturalismo que restablece la expresión viva en la "epidermis tierna" y que a la vez descarta el ideal de la abstracción mediante la sugestión de un ideal realizable y mediante la ayuda barroca del artificio y de lo teatral» (A. Brejon de Lavergnée, 1979).

El Caravaggio

El Caravaggio, artista revolucionario, aventurero y violento pero «humanista cristiano», muestra una conciencia innovadora: introduce lo cotidiano en lo sagrado. Presenta una percepción religiosa nueva mediante la representación de la verdad de los seres y de las cosas. Sus personajes imponen su peso en carne y hueso. Su obra se caracteriza por la revolución estilística en el empleo del claroscuro.

RECORRIDO BIOGRÁFICO

• Michelangelo Merisi, llamado el Caravaggio (Caravaggio, Lombardía, h. 1573-Porto Ercole 1610), pintor italiano, se colocó en 1584 en el taller de S. Peterzano en Milán. Pero su único «maestro» fue la naturaleza.

• De 1591-1592 a 1606 trabaja en Roma. Su vida turbulenta lo lleva a la cárcel. Desde los veinte años, su lenguaje pictórico se elabora e inspira en la gente del pueblo que frecuenta. Se opone al manierismo romano. Su talento innovador conquista a célebres mecenas, como el cardenal Del Monte, que contrata sus servicios cuando el pintor abandona el taller del caballero de Arpino, pintor manierista.

• Sus primeras obras conocidas datan de alrededor de 1591. En éstas pone en escena una iconografía y un naturalismo nuevos: *El pequeño Baco enfermo* (Roma, Borghese), el *Concierto de jóvenes* (Nueva York, M.M.). Son anuncios de una obra maestra, *Baco* (h. 1592-1593, Florencia), autorretrato transfigurado al servicio de una revolución temática, pretexto para poner en escena una plétora de productos cotidianos, fruta y vino, tratados como tales. Por estas mismas fechas concibe el *Chico con cesta* (h. 1592-1593, Roma) y *El niño mordido por un lagarto* (Florencia, col. Longhi).

• Tanto los personajes de las escenas profanas como los de las religiosas o mitológicas son elevados al mismo rango, tratados en el instante presente, con la misma verdad, ya se trate de la mujer de *La buenaventura* (1594, París), de *El tañedor de laúd* (1594, Moscú, Ermitage), del *Reposo durante la huida a Egipto* (1594-1596, Roma), el único paisaje del artista, del *Sacrificio de Isaac* (1594-1596, Florencia, Uffizi) o de *Judith* (1595-1596, Roma, col. Coppi). El poético *Narciso* (1594-1596, Roma, G.N.), *Santa Catalina* (1595-1596, Lugano,T.B.), la emocionante *Magdalena* (1595-1596, Roma, Doria Pamphili), *San Juan Bautista* (1597-1598, *id.*) o la suntuosa *Cesta de frutas* (1596, Milán) están en esa misma línea. Su conocimiento del clasicismo no ofrece ninguna duda en la *Cena de Emaús* (1596-1598, Londres, N.G.). Pinta *Cabeza de Medusa* (1596-1598, Florencia, Uffizi) y *Amor vencedor* (1598-1599, M. de Berlín).

• El ciclo de los tres cuadros sobre la *Vida de san Mateo* marca un giro en la obra del Caravaggio. *La vocación de san Mateo*, el *Martirio* y, después, *San Mateo y el Ángel* (1598-1602, Roma) revolucionan el papel de la luz en la pintura, captan el acontecimiento en el instante clave y dan a los personajes una nueva plasticidad. *La crucifixión de san Pedro* y *La conversión de san Pablo* (1600-1601, Roma) traducen también la inmediatez de la acción. El Caravaggio se muestra tan pronto más clásico (*Santo Entierro*, 1602-1604, Roma), como más naturalista (*Madona de los peregrinos*, 1603-1605, Roma; *Madona de la serpiente*, llamada «de los palafreneros», 1605, Roma, Borghese). Mientras *San Jerónimo* y *David* (1605-1606, *id.*) son bien acogidos, *La muerte de la Virgen* (*id.*, París) choca por el realismo de un cadáver que ha perdido su dignidad.

• En 1606, tras un homicidio, el Caravaggio tiene que huir a Nápoles. Pinta la monumental *Virgen del Rosario* (1607, Viena, K.M.) y *Las siete obras de misericordia* (*id.*, Nápoles, iglesia de la Misericordia).

• A finales de 1607 se encuentra en Malta, en donde pinta el *Retrato del gran maestre de la Orden de Malta Alof de Wignacourt* (París, Louvre). *La flagelación* (h. 1607, Nápoles, S. Domenico Maggiore) y *La degollación de san Juan Bautista* (1608, La Valetta), austeras y trágicas, anuncian la sobriedad de sus últimos lienzos. Presente en Sicilia durante 1608 (Siracusa, Messina, Palermo) y siempre con la intención de escapar a sus jueces, el Caravaggio pinta apresuradamente. La sobriedad de la composición y de los tonos aumenta: *El entierro de santa Lucía* (1608, Siracusa, iglesia de S. Lucia), *La resurrección de Lázaro* y *La adoración de los pastores* (1609, Messina, Museo Nacional), la *Natividad* (1609, Palermo, iglesia S. Lorenzo) así lo demuestran. En 1610 muere de malaria. Descubren su cadáver en una playa de Porto Ercole.

La revolución artística del Caravaggio, contemporáneo de Annibale *Carracci, seduce tras su muerte a pintores de toda Europa. A menudo interpretan mal la lección del maestro y no retienen más que el claroscuro a costa de la modernidad de su arte. El caravaggismo, el clasicismo y el barroco se desarrollan simultáneamente.

INFLUENCIAS Y CARACTERÍSTICAS PICTÓRICAS

El Caravaggio sobre todo pinta en sus inicios cuadros de caballete de pequeño formato sobre la vida cotidiana: músicos, escenas de taberna, niños con frutas y flores, pitonisas, para encargos privados, principalmente del cardenal Del Monte y del marqués Giustiniani.

A continuación realiza grandes cuadros para las iglesias, en los que muestra a ancianos piadosos, soldados, bohemios, cortesanos y jóvenes granujas, presentados a tamaño natural, de medio cuerpo o de cuerpo entero.

El Caravaggio ha visto sin duda las obras del bresciano G. G. Savoldo, quien opone zonas de sombras y masas luminosas, de A. Campi (Cremona), que preconiza la realidad y lo natural, de il *Correggio y de sus iluminaciones nocturnas, del genovés L. Cambiaso y del sienés Beccafumi con su luminosidad original. También conoce al veneciano *Lotto y su croma-

UN GRAN MAESTRO

◆ Muy conocido y poco apreciado por sus contemporáneos, tanto por su vida disoluta como por sus obras, salvo por algunos entendidos, el Caravaggio crea una nueva estética que conoce un enorme éxito: su arte es copiado e interpretado por varias decenas de artistas durante más de treinta años. El caravaggismo se extingue con el caravaggista francés Valentin de Boulogne (muerto en 1632). Sin embargo, artistas más tardíos también pasarán un período caravaggista (L. Giordano). Tras el olvido, su obra es redescubierta en la década de 1930 por R. Longhi, quien le dedica una obra en 1952.

◆ El Caravaggio rompe brutalmente con el manierismo. Crea un arte revolucionario dominado por el realismo popular y por un claroscuro personal.

◆ El pintor crea un nuevo repertorio temático y formal. En su período de juventud, interpreta libremente los esquemas iconográficos tradicionales *(Baco)*, pinta la primera naturaleza muerta de la historia tratada como tal *(La cesta de frutas)* y representa a los santos como gentes del pueblo. En su período de madurez, pinta los temas religiosos como escenas de género *(La vocación de san Mateo)*, sin preocuparse de las convenciones de la época: ni Dios, ni cielo, ni movimiento. Se atreve a mostrar a la Virgen muerta, con el cuerpo inflado y las piernas descubiertas *(La muerte de la Virgen)*.

◆ No realiza ningún dibujo preparatorio, sino que aplica directamente el color sobre la tela. Al final de su vida utilizará la capa de preparación como elemento plástico.

◆ El Caravaggio revoluciona el claroscuro como medio de expresión plástico cuyo alcance es emocional. Así se libera de la dicotomía dibujo-color.

tismo frío y claro, Giorgione y su célebre *Tempestad*, il *Tintoretto, pintor de sombras inmensas, J. Bassano y sus «nocturnos». Su realismo se inspiraría en escenas de mercado del holandés P. Aertsen, presente en Italia, y en el idealismo rústico de Bassano. En Roma, el arte de *Carracci y la monumentalidad de los personajes de *Masaccio encuentran un eco en los grandes lienzos del Caravaggio.

• En las primeras obras del Caravaggio se adivina su gusto por el naturalismo poético, sacado de la vida cotidiana: ve a *Baco* como un joven romano y no como un dios de la mitología. El artista adopta encuadres de medio cuerpo: los personajes se ven en primer plano para acercar el tema al espectador. Una iluminación lateral destaca a los individuos. Sutiles efectos de luz recortan las superficies oscuras sobre un fondo claro (*Reposo durante la huida a Egipto*). Su primer trabajo es liso, con un claroscuro contrastado, con una realidad y una naturaleza innovadoras, con los colores claros y tonales, como muestra su *Cesta de frutas*, que exalta la extrema madurez de las frutas y las hojas que empiezan a secarse.

• Las obras de Roma (ciclo de la *Vida de san Mateo*) revolucionan el marco tradicional de la pintura de la época por la concepción realista de los temas sagrados, apoyada en la plástica de un claroscuro persuasivo y penetrante que revela formas sobrias. La luz, primordial, fija los gestos y la acción dramática en un rayo que fulmina la oscuridad. Ésta subraya todos los detalles en una verdad pictórica implacable, restituye a los colores sobrios y tonales su intensidad en un trabajo liso. Las figuras se ven presas física y espiritualmente en un silencio intemporal, interiorizando el instante histórico. *La conversión de san Pablo* muestra hasta qué punto el Caravaggio es «un gran creador de formas simples» (R. Longhi, 1952), de composiciones sólidas y claras en donde «recoge la verdad del instante y la inmoviliza» (G. C. Argan, 1974).

• Asocia el realismo a un arte estilizado como demuestran la gracia y la belleza de la Virgen en la *Madona de los peregrinos*, opuestas a la pobreza y rusticidad de los campesinos de rostro cansado y arrugado, la simplificación de las manos y de los pies de los campesinos, y el simbolismo del bastón mudado en «bastón de luz». En una obra como *La muerte de la Virgen*, se atreve a presentar a ésta como a una simple mujer del pueblo, atrapada por la muerte, sin que eso altere su dimensión espiritual.

• Los últimos lienzos monumentales, trágicos, sobrios y austeros, revelan espacios desnudos y sin decoración, sin drapeado rojo. Se ven inmersos en una monocromía de marrones o en semitonos terrosos marrón-rojo, «como fundidos en bronce» (R. Longhi). El Caravaggio se sirve de la preparación marrón, de la alternancia de las partes claras y oscuras, como elementos de luz y de oscuridad. La luz se hace tenebrosa y filtrada. La técnica se vuelve más suelta, más rápida, y muestra una gran economía de medios.

OBRAS CARACTERÍSTICAS

Se conocen alrededor de 90 obras pintadas por el Caravaggio.

Baco, h. 1592-1593, Florencia, Uffizi

Muchacho con fruta, h. 1592-1593, Roma, Borghese

La buenaventura, 1594, París, Louvre

Reposo durante la huida a Egipto, 1594-1596, Roma, Doria Pamphili

La cesta de frutas, 1596, Milán, pinac. Ambrosiana

Ciclo de la *Vida de san Mateo*, 1598 a 1602, Roma, iglesia San Luis de los Franceses

La crucifixión de san Pedro y *La conversión de san Pablo*, 1600-1601, Roma, iglesia S. Maria del Popolo

El Santo Entierro, 1602-1604, Roma, pinac. Vaticana

Madona de los peregrinos o *Madona de Loreto*, 1603-1605, Roma, iglesia S. Agostino

La muerte de la Virgen, 1605-1606, París, Louvre

La degollación de san Juan Bautista, 1608, La Valetta, catedral de San Juan

La resurrección de Lázaro, 1609, Messina, Museo Nacional

La vocación de san Mateo (del ciclo de la *Vida de san Mateo*)
1599-1600. Óleo sobre tela, 3,22 × 3,40 m, Roma, capilla Contarelli,
iglesia de San Luis de los Franceses.

El Caravaggio no pinta en este caso ni una escena religiosa tradicional, ni una
representación anecdótica, sino una narración «humana» con una gestualidad
inmovilizada. La escena, muda, con una gran carga de miradas significativas, se
desarrolla en un lugar contemporáneo, como una taberna, poblada de personajes
cotidianos. El recaudador de impuestos Levi (futuro san Mateo) cuenta la
recaudación con sus compañeros cuando Jesús, como un hombre del pueblo
del que solo la aureola nos sugiere su divinidad, acompañado por Pedro, entra
en la estancia y le señala. El gesto de la mano de Jesús, que recuerda a Mantegna
o a *Miguel Ángel, inundado de luz divina, se ve tímidamente imitado por el
apóstol Pedro.
Levi, hombre sencillo elegido repentinamente, no acaba de entender esta
designación: el tiempo parece suspendido por esta entrada inesperada de Jesús,
furtivo, pues sus pies muestran que ya vuelve a salir. El alcance del suceso, inscrito
en la inmediatez, se ve reforzado, captado y fijado por la violencia del claroscuro
que lo destaca. El color, lejos de los tonos fríos, claros y cambiantes del
manierismo, reencuentra su intensidad.

BIBLIOGRAFÍA

Guttuso, Renato; Ottino della Chiesa, Angela, *La Obra pictórica completa de Caravaggio*, Noguer, Barcelona, 1972 (re-ed.); Friedlaender, Walter, *Estudios sobre Caravaggio*, Alianza, Madrid, 1982; König, Eberhard, *Michelangelo Merisi da Caravaggio: 1571-1610*, Könemann, Colonia, 2000; Langdon, Helen, *Caravaggio*, Barcelona, Edhasa, 2002.

Rubens

Rubens, diplomático y coleccionista, es sobre todo un genio de la pintura barroca: efectúa la síntesis de la cultura flamenca y de los ideales del renacimiento. La fecundidad de su obra, viva e innovadora, se impone por el dinamismo de las formas y la exaltación del color. Su lenguaje pictórico es narrativo y decorativo pero de una perfecta legibilidad, con una fuerza, ligereza y espíritu nuevos.

RECORRIDO BIOGRÁFICO

- Petrus Paulus Rubens (Siegen, Westfalia, 1577-Amberes 1640), pintor flamenco, huérfano a los diez años, de padre jurista, se instala en Amberes en 1589. Se forma junto al paisajista T. Verhaecht y a pintores de género histórico de dicha ciudad, como los hermanos Francken y Pourbus o A. Van Noort, y sobre todo junto a O. Venius, pintor de un romanismo clasicista. Se convierte en maestro independiente en 1598, en la guilda de San Lucas.
- Rubens parte hacia Italia. Con ocasión de dicha estancia, entre 1600 y 1608, se impregna del arte de los maestros italianos, de la antigüedad y del renacimiento hasta el Caravaggio. En 1603 se encuentra en Valladolid con motivo de una misión diplomática en el entorno del duque de Lerma, del que ejecuta varios retratos, y posteriormente se desplaza a Génova en 1607. Pinta telas religiosas, como el *Bautismo de Cristo* (Amberes, B.A.), *La Virgen y el Niño adorados por ángeles* (Grenoble, B.A.), la *Circuncisión* (h. 1607, Génova) o la *Adoración de los pastores* (Fermo, Pinac.), tela de estilo caravaggista.
- Parte de Italia para reencontrarse en Amberes con su madre enferma. En el curso de los años 1609-1615 se fragua el estilo «rubeniano», que armoniza el arte italiano con las inquietudes propias del pintor. En 1609, el artista se casa con Isabelle Brant, suceso que conmemora en *El artista y su mujer, I. Brant* (Munich, A.P.): ésta le dará tres hijos. Durante el mismo año el archiduque Alberto le nombra pintor de su corte. Ejecuta grandes encargos: la *Adoración de los Reyes* (Madrid, Prado); los dos trípticos de la *Erección de la cruz* (1610) y *El descendimiento de la cruz* (1610 y h. 1612, Amberes). Paralelamente, Rubens multiplica los temas profanos, humanistas y alegóricos: *La coronación del héroe virtuoso* (Munich, A. P.), *Júpiter y Calixto* (1613, Cassel, S.K.) o *Sansón y Dalila* (h. 1609, Londres, N.G.), cuadros ricos en audacias plásticas.
- Jefe de filas de la escuela de Amberes y presionado por los encargos, crea su propio taller. A. Van Dyck, J. Jordaens y F. Snyders son sus principales ayudantes. Éstos, pintores confirmados y especializados, ejecutan para él las flores, los animales, las naturalezas muertas o los paisajes. Para él se reserva la «noble» figura. También pinta solo grandes composiciones: *El lamento de Cristo* (1614, Viena), *El Santo Entierro* (1615, Cambrai, iglesia de Saint-Géry, *La caza del hipopótamo* (h. 1616, Munich), *El rapto de las hijas de Leucipo* (id.), *Golpe de lanza* (1618, Amberes, B.A.).
- En su madurez, entre 1620 y 1628, elabora grandes series decorativas: los cartones de la tapicería de la *Historia de Decius Mus* (h. 1617, Vaduz, col. de Liechtenstein), la *Vida de san Carlos Borromeo* (1620, Amberes, iglesia de los jesuitas, quemada en 1718). María de Médicis le confía en París la decoración de una galería del palacio de Luxemburgo y él realiza el ciclo de la *Vida de María de Médicis* (1621-1625, París). Efectúa también otros cartones, sobre todo para Luis XIII. Pinta diferentes obras maestras muy coloridas: la *Adoración de los Reyes* (Amberes, B.A.), *Tomyris y Ciro* y después *La huida de Lot* (1625, París, Louvre), *La boda de santa Catalina* (h. 1625, Amberes, iglesia de los Agustinos) o la *Adoración de los Reyes* (1626-1629, París).
- Por otra parte se solicitan sus servicios como retratista: *Retrato de María de Médicis* (h. 1623, Madrid), *El duque de Buckingham* (1625, Osterley Park). Pinta a su propia familia: *Isabel Brandt* (1620, Florencia, Uffizi), *Susana Fourment con sombrero de plumas*, conocido como *El sombrero de paja* (su futura cuñada, 1625, Londres). Isabel Brandt muere en 1626. Abatido, Rubens acepta en 1628, a petición de la infanta Isabel, realizar misiones diplomáticas. Ejecuta entonces numerosos retratos del rey de España Felipe IV, copia los *Tiziano de las colecciones reales y establece amistad con *Velázquez. Deja Madrid en 1629 para ir a Londres, en donde pinta la *Glorificación de Jacobo I* (1629-1634, Londres, techo de Whitehall).

• En Amberes, en 1630, se casa con la joven Elena Fourment (*El artista y Elena en el jardín de Amberes*, h. 1631, Munich, A.P.), con la que tendrá cinco hijos. Su estilo evoluciona todavía y se hace lírico, como demuestra la decoración de Whitehall, *Historia de Aquiles* (1630-1632, Rotterdam, B.V.B.) sus telas religiosas: *El martirio de san Ildefonso* (h. 1631, Viena), *El martirio de san Livinio* (1635, Bruselas, B.A.) y *El camino del Calvario* (1636, *id.*) o el *Cristo en la cruz* (1635, Toulouse, Agustinos) y las composiciones mitológicas en las que pone en escena a su joven esposa: *El juicio de Paris* (1632, Londres, N.G.)

• En 1633, la infanta le confía una nueva misión diplomática. En 1635, enfermo, compra el castillo de Steen, que pinta entre 1635 y 1638 (Londres, N.G.). Realiza numerosos paisajes muy líricos: *Paisaje de pastores y pastoras* (1635 París, Louvre), *Paisaje con arco iris* (h. 1636, Munich), *La Kermesse* (h. 1637, París, Louvre), tela vertiginosa y «bruegeliana». *El jardín del amor* (Prado y Dresde) anuncia a *Watteau.

• A finales de 1635, prepara en Amberes los decorados para acoger al cardenal-infante de España, quien lo nombra pintor de su corte. Los retratos familiares, de clima jovial, se multiplican: *Elena Fourment y su hijo Frans* (h. 1635, Munich, A.P.), *Elena Fourment y sus hijos* (h. 1636, París, Louvre), *La pequeña pelliza* (h. 1639, Viena), *La caída de los titanes* (1637, Bruselas, B.A.) y *Los horrores de la guerra* (1638, Florencia) muestran todavía toda la viveza de su arte. *Las tres gracias* (1639, Madrid) siguen celebrando las desnudeces flamencas. El pintor firma su última obra, la *Virgen con santos*, hacia 1640 (Amberes).

Rubens, maestro indiscutido de la pintura, forma a decenas de alumnos. Su arte del grabado permite la difusión de su obra. Admirado y copiado, su estética sensibiliza a los pintores franceses, Ch. de La Fosse, Watteau, *Delacroix, *Cézanne o Renoir, y los artistas británicos *Constable y T. Gainsborough.

INFLUENCIAS Y CARACTERÍSTICAS PICTÓRICAS

Rubens abordó todos los géneros: histórico, religioso, mitológico, retratos, ya fueran oficiales o familiares, así como el autorretrato y el paisaje. Sus obras sobre tela o sobre madera son de dimensiones variadas. Su genio se expresa en los cuadros pero, sobre todo, en los ciclos decorativos de gran formato.

Tras una formación «romanista» y clasicista en Amberes, en la que demuestra interés por los pintores históricos amberinos y por el espíritu de *Bruegel el Viejo, admira en Venecia el arte de *Tiziano y de il *Tintoretto. En Roma descubre el arte antiguo, el de los *Carracci, Bassano, el Caravaggio y A. Elsheimer, a quienes habría conocido personalmente, y la pintura de los grandes artistas del renacimiento, *Miguel Ángel, *Rafael... Viaja también a Mantua, Florencia, Londres, París y Madrid.

Retratista oficial o pintor de corte, Rubens trabaja para el duque de Mantua, el archiduque Alberto, los nobles genoveses, Fernando II de Toscana, María de Médicis, Isabel de España, Carlos I de Inglaterra, Felipe IV de España y para el clero.

• Rubens debuta como pintor histórico. La composición es equilibrada y los efectos esculturales, aunque no por eso desdeña los efectos manieristas. Pero sus primeros lienzos están siempre teñidos por el naturalismo nórdico. Su dibujo afirma ya el movimiento de las formas.

UN GRAN MAESTRO

◆ Artista muy famoso en vida, Rubens conoce una gloria que nunca se ha visto interrumpida.

◆ El arte de este primer pintor barroco moderno está en el origen de un largo debate pictórico entre dibujantes y coloristas.

◆ Rubens pone en escena una pintura de historia idealista con «accesorios» realistas. Su fuerza en la renovación de los temas y sus variaciones de todo tipo sobre un tema concreto muestran una sed de novedad inextinguible.

◆ Su lenguaje formal y su dinámica rítmica garantizan una legibilidad perfecta del tema en su conjunto, lo mismo que de cada elemento, incluso entre tanta abundancia de ciclos decorativos.

◆ Rubens se muestra como un colorista virtuoso, con un control absoluto de todos los efectos del ilusionismo barroco y con una sutileza artística singular.

◆ Para las obras sobre madera, su preparación blanca facilita los efectos de veladura y de transparencia (*El descendimiento de la cruz*).

Rubens

- Su viaje a Italia le inspira claroscuros de una gran potencia plástica y dramática, en los que reencuentra el naturalismo y la monumentalidad luminosa de los personajes caravaggistas (*La adoración de los pastores*).
- Tras haber asimilado el arte del renacimiento, revela su propio genio. Su primer estilo pasa «de la vehemencia contrastada al sosiego clasicista» (J. Foucart, 1999), de la potencia plástica y dramática al equilibrio de una composición basada en el movimiento de líneas y la armonía de las masas, y en un dibujo preciso, amplio y elocuente. La coloración, en principio viva y clara, se enriquece simplificándose, desarrollando las afinidades entre el rojo y el azul, el blanco y el gris plateado de los tejidos, el ocre claro y rosa de las carnes, bañados en una luz dorada *(El descendimiento de la cruz)*. Sella de este modo la unión entre el renacimiento y la tradición flamenca. Su fuerza y su dinamismo formal se abren plenamente. Da nueva vida al academicismo decorativo de los *Carracci, mediante corrientes luminosas, untuosas y coloreadas que son propias de los venecianos.
- Más tarde su pintura se hace más narrativa y menos fogosa. Las composiciones decorativas y monumentales se organizan sobre diagonales ascensionales o en espirales vertiginosas. El énfasis y la libertad de acción del artista dan lugar a pinturas de colores más ricos y cálidos, de movimiento más espontáneo. El color que surge, de una exaltación «prerromántica», no afecta a la comprensión total del tema ni a la homogeneidad rítmica del conjunto *(La vida de María de Médicis)*. El colorido cálido de Tiziano se hace lírico sobre la paleta. La elección de los tonos, de las afinidades y la utilización del violeta muestran más audacia. Sus corrientes coloreadas, progresivamente más libres, triunfan sobre la organización formal *(La adoración de los Reyes, Amberes)*.
- Al final de su vida, Rubens pinta paisajes dramáticos y líricos, de un alcance cósmico y universal. Sus lienzos religiosos llevan el barroco a un paroxismo en un enmarañamiento de las líneas y de las formas, una agitación frenética de masas humanas coloreadas *(La matanza de los inocentes)*. Paralelamente, pinta a su familia con suavidad y frescura. Los desnudos sensuales y lánguidos se ven bañados por una luz delicada y unificadora, igual que los de Tiziano.

El rapto de las hijas de Leucipo
Hacia 1616. Óleo sobre tela, 2,22 × 2.09 m, Munich, Alte Pinakothek

Esta tela, que representa el episodio de Cástor y Pólux llevándose a dos de las tres hijas de Leucipo, ilustra el paso de Rubens del clasicismo al barroco. La composición, proporcionada, calculada y equilibrada pero de un movimiento ascendente y diagonal vigoroso, construida por masas de color, produce el efecto de un dinamismo nuevo. Esta fuga se refuerza con el patetismo sugerido por desnudos opulentos de influencia veneciana sometidos a la brutalidad humana: la plasticidad formal y el realismo del detalle son suntuosos. La inmovilidad del amorcillo y el paisaje sereno, de horizonte bajo, contrarrestan y acentúan el impulso y el lirismo de este suceso, reproducido con colores cálidos, deslumbrantes y sutiles.

El desembarco de María de Médicis en el puerto de Marsella (ciclo de la *Vida de María de Médicis* en 21 cuadros) 1622-1625. Óleo sobre tela, 3,94 × 2,95 m, París, Museo del Louvre

María de Médicis encarga a Rubens este ciclo. Si bien el artista firma todos los bosquejos en París, para su realización necesita la ayuda de sus colaboradores en Amberes. En este cuadro se mezclan el carácter oficial de la escena, la realidad histórica, los retratos fieles de los personajes y un universo mitológico. Su entusiasmo barroco se afirma en la inspiración poética, alegórica, mediante el dinamismo de una composición descentrada y la vitalidad enérgica de los monstruos marinos, de las sirenas y de las ninfas, opulentas y carnales, así como con los tonos sonoros y untuosos. Su pincel se hace ligero al resbalar sobre los encajes, las telas, las armaduras y las aguas.

OBRAS CARACTERÍSTICAS

Rubens pintó centenares de obras. De los ciclos gigantescos a lienzos intimistas.

La circuncisión, h. 1607, Génova, Sant'Ambrogio
La erección de la cruz, 1610, catedral de Amberes
El descendimiento de la cruz, h. 1612, catedral de Amberes
Júpiter y Calixto, 1613, Cassel , S.K.
El lamento de Cristo, 1614, Viena, K.M.
El rapto de las hijas de Leucipo, h. 1616, Munich, A.P.
Ciclo de la *Vida de María de Médicis*, 1621-1625, París, Louvre
Retrato de María de Médicis, h. 1623, Madrid, Prado
Susana Fourment con sombrero de plumas, 1625, Londres, N.G.
La adoración de los Reyes, 1626-1629, París, Louvre y Amberes, B.A.
El martirio de san Ildefonso, h. 1631, Viena, K.M.
El artista y Elena en el jardín de Amberes, h. 1631, Munich, A.P.
El camino del Calvario, 1636, Bruselas, B.A.
Paisaje con arco iris, h. 1636, Munich, A.P.
La Kermesse, h.1637, París, Louvre
Los desastres de la guerra, 1638, Florencia, Pitti
Las tres gracias, 1639, Madrid, Prado
La pequeña pelliza, h. 1639, Viena, K.M.
La Virgen con santos, 1640, Amberes, iglesia de Santiago

BIBLIOGRAFÍA

Bodart, Didier, *Rubens*, Carroggio, Barcelona, 1981; Jaffé, Michael, *Rubens: catalogo completo*, Rizzoli, Milán, 1989; Alpers, Svetlana, *La creación de Rubens*, A. Machado Libros, Madrid, 2001; Vergara, Alejandro, *Las Tres Gracias. Pietro Paolo Rubens*, TF-editores, Madrid, 2002; *Rubens (à Lille)* (catálogo de exposición), Réunion des Musées Nationaux, París, 2004.

Hals

Retratista del «siglo de oro» holandés, Frans Hals mezcla tradición e innovación, sobre todo en el tratamiento del modelo caravaggista. Domina el espacio, capta del natural la pose y la elocuencia del gesto. Su factura libre, de trazo vivo, largo y amplio, hace que vibren negros sutiles, aprehendidos como un color. Las carnaciones resultan vivas y luminosas. La apariencia y la psicología del modelo están en él íntimamente ligadas y se reproducen con brío, gracias a un oficio excepcional.

RECORRIDO BIOGRÁFICO

• Pintor neerlandés, Frans Hals (Amberes 1581¿?-Haarlem 1666), hijo de un tejedor emigrado flamenco, pasa toda su vida en Haarlem. Se forma junto al manierista C. Van Mander hacia 1600-1603 y contempla el arte de los manieristas holandeses, sobre todo el de H. Goltzius y C. Van Haarlem. Se convierte en maestro independiente en 1610 pero no efectúa el tradicional viaje a Italia. De sus matrimonios, primero hacia 1611 y después en 1617, nacerán más de diez hijos, de los que cuatro serán pintores. Una vez introducido en el ambiente de la burguesía holandesa, se especializa en el retrato. Muestra, por otra parte, preocupaciones sociales y literarias.
• Una de sus primeras obras conocidas data de 1611 (*Retrato de Jacobus Zaffius*, Haarlem, M. Frans Hals) y más tarde pinta el *Retrato de un hombre sosteniendo un cráneo* (h. 1611, Birmingham). Su primer gran encargo, *El banquete de los arqueros de San Jorge* (1616, Haarlem), reinventa el retrato en grupo, ejecutado al natural. Esta naturalidad se reencuentra en el *Retrato de niño con su nodriza* (1620, M. de Berlín), en el *Retrato de una pareja* (1622, Amsterdam) o en el *Retrato de Isaac Massa* (1626, Toronto).
• Entre 1620 y 1630 Hals realiza obras maestras entre las que destaca una serie importante de retratos de género inspirados en los caravaggistas de Utrecht, pero pintados en un estilo personal: *Bufón tocando el laúd* (1625, París, Louvre), *El alegre bebedor* (1626-1627, Amsterdam, Rm.), *El mulato* (1627, M. de Leipzig), la provocativa *Gitana* (h. 1628-1630, París), la hechicera con búho *Malle Babe* o *La hechicera de Haarlem* (1629-1630, M. de Berlín). Sus retratos y composiciones protagonizados por burgueses revelan la misma inspiración: *Retrato de Verdonck* (1627, Edimburgo), *El banquete de los arqueros de San Adrián* (1627, Haarlem).
• Tras 1630, Hals estructura más la composición de los retratos, sobre todo colectivos: *La compañía cívica* (1633 -1637, Amsterdam), *Retrato de Cornelia C. Vooght* (1631, Haarlem), *Retrato de Broecke* (1633, Londres, K.H.), el retrato de grupo de los *Oficiales del cuerpo de arqueros de San Jorge en Haarlem* (1639, Haarlem, M. Frans Hals).
• La obra del último período, tras 1640, melancólica y sobria, está ilustrada por *Los regentes del hospicio de Santa Isabel en Haarlem* (1641, Haarlem), el *Retrato de un miembro de la familia Coymans* (1645, Washington, N.G.), el *Retrato de S. Geraerdts* (1648.1650, M. de Amberes) o el *Retrato de mujer* (1648-1650, París).
• En 1662, ya anciano, Hals se encuentra en dificultades financieras y pide una pensión al municipio. La gravedad se lee en sus retratos de hombres, el *Retrato de Willem Croes* (1660, Munich, A.P.), o en los conservados en La Haya, París (J.-A.), Cambridge y Kassel. Llega al paroxismo en *Los regentes* y sobre todo en *Las regentes del hospicio de ancianas de Haarlem* (1664, Haarlem).
Retratista de un singular talento, Hals se desmarca de sus contemporáneos y sobre todo de *Rembrandt. Como alumnos, aparte de sus cuatro hijos y

de su hermano menor Dirck, tiene a P. Codde y Judith Leyster; los más ilustres son J.-M. Molenaer, A. Van Ostade y el muy talentoso A. Brouwer. Su oficio sensibiliza a *Fragonard y después a *Manet, que ve en él al precursor de una plástica nueva.

INFLUENCIAS Y CARACTERÍSTICAS PICTÓRICAS

Retratista y pintor de género en el campo del retrato, pintoresco y alegre, Hals se interesa por individuos, parejas, grupos o por retratos «psicológicos». Pinta al predicador y al vagabundo, a la mujer ligera y a la esposa del burgomaestre, al niño burgués y al pillo, a los jóvenes y a los menos jóvenes, así como algunas escenas de género y cuadros religiosos sobre tela, a veces sobre madera. Sus retratos de personajes sentados o de cuerpo entero son de un tamaño ligeramente inferior al natural. La burguesía y las corporaciones de Haarlem son sus principales clientes.

Hals se forma dentro del contexto manierista, italianizante, de Haarlem y de Amsterdam. Sus retratos realistas, incluso naturalistas, son tratados a la manera de los pintores caravaggistas de Utrecht, como H. J. Ter Brugghen, D. Van Baburen o G. Van Honthorst. Un hipotético viaje a Amberes, en 1616, le habría puesto en contacto con las obras de Van Dyck y quizá con las de *Rubens, lo que explicaría en parte la acentuación flamenca de su obra. También habría conocido el arte del neerlandés Rembrandt.

• Los primeros retratos de Hals, hacia 1611, muestran cierta rigidez, una voluntad de objetividad en una paleta oscura y una ejecución concisa, con reminiscencias del manierismo italiano revisado por C. Ketel, sobre todo en los encuadramientos ovales, en el *trompe-l'œil*, en los símbolos y en las actitudes.

• Su originalidad hace que supere rápidamente su formación y las influencias del entorno. Da una importancia constante a la realidad objetiva y a la psicología de sus modelos, en armonía con su estética pictórica. Sus personajes tienen una actitud orgullosa y, en el rostro, una expresión de fuerza. Los negros brillantes de los tejidos son un préstamo tomado de Van Dyck, la técnica viva y espontánea muestra la piel irrigada de bermellón *(Retrato de un hombre sosteniendo un cráneo)*.

• Sus obras maestras se valen de una composición dinámica y «barroca» inspirada en Van Dyck. Hals pone en escena la fuerte presencia natural de sus modelos. La composición es cada vez más específica, marcada por un codo que se proyecta hacia delante, que desplaza a la figura y parece «atravesar» la tela, mediante una mirada o una boca entreabierta, que interpelan al espectador. La actitud y el aspecto exterior realista participan

UN GRAN MAESTRO

◆ Hals es famoso en su tiempo, en su ciudad. Está considerado como un retratista espontáneo, alegre, un realista brillante. Esta definición es reducida. La generación de los impresionistas reconoce la verdadera dimensión de su talento.

◆ El pintor renueva el espíritu del retrato, entre el realismo y el barroco, se hace un maestro del realismo objetivo (de la apariencia) y de la psicología (la revelación del alma).

◆ Hals vivifica la fórmula fija y arcaica de los retratos colectivos en su ejecución de retratos de grupos de hombres, de corporaciones. No inventa ningún nuevo esquema, ni un nuevo tipo de retrato, sino que resulta innovador en la orquestación; interpreta modelos nuevos, inspirados en los caravaggistas de Utrecht *(Malle Babbe)*.

◆ Inscribe a sus figuras en el espacio mediante estructuras en diagonal y poses oblicuas. Cada personaje se ve individualizado en su diferencia.

◆ Perfecciona una técnica que le es propia, sobre todo por la utilización de una brocha para aplicar la pintura en largas pinceladas, *alla prima* (directamente sobre la tela). No se le conoce ningún dibujo preparatorio.

◆ Posee un arte de los valores, de los colores, de la animación espacial, una fuerza y una libertad de factura sin equivalente en su época.

en la psicología de los personajes, a los que el artista capta con una pincelada rápida y brillante *(Retrato de Isaac Massa)*.

• Entre 1625 y 1630, Hals se lanza a un estilo que procede del caravaggismo claro de Utrecht. Aclara su paleta, juega con la movilidad de la luz y de la materia, aumenta el realismo de sus temas a menudo llenos de alegría. Aumenta también la rapidez del gesto pictórico: la materia es fluida, ligera o empastada, opaca o transparente, y se hace eco del carácter desapegado y libre del tema *(El alegre bebedor)*.

• A continuación el pintor vuelve a personajes más austeros tanto por su monumentalidad como por los tonos escogidos. Si bien siempre toma como referencia el retrato holandés de Van Dyck, a veces rivaliza con Rembrandt: una gran figura oscura y sobria de un dignatario se coloca sobre un fondo neutro en una monocromía de marrones. La atmósfera es pesada, la presencia intensa y recogida, la gestualidad elegante. Los negros, destacados por blancos puros o plateados, siempre en una pincelada amplia, visten a sus modelos *(Retrato de mujer)*.

• En la década que transcurre entre 1640 y 1650, pinta a profesores y teólogos de su generación. El modelo avejentado y desestructurado se ve reconstruido, el contorno se difumina. La factura se hace más entrecortada y temblorosa. En los negros y blancos se deslizan reflejos coloreados. Un expresionismo en tensión aparece en los ojos y en las manos.

• En el campo de los retratos de grupo, su primer cuadro, desde 1616, se aparta del manierismo de C. Van Haarlem por la animación que evoca, la respiración espacial, el movimiento que da a los personajes, la espontaneidad de las poses, las expresiones tomadas al natural. La riqueza de los colores, la fuerza de la pincelada, acentúan la dinámica de la obra *(El banquete de los oficiales [...] de San Jorge)*.

• El «desorden» amenaza sus composiciones *(El banquete de los arqueros de San Adrián)*. Hals se apresura a reestructurarlas y clarificarlas, y corre el riesgo de convertir en estatuas a sus personajes. Mantiene las flexiones de las cabezas y los juegos de miradas densas de los rostros, de contornos remodelados. Los fondos se oscurecen con los negros, teñidos de blancos plateados y de marrones anaranjados. En contrapartida, el cromatismo de las vestiduras rebosa de naranjas, verdes, rojos, amarillos *(Los oficiales [...] de San Jorge)*.

• Los últimos retratos colectivos, austeros y oscuros, realzados por toques de blanco, desarrollan una tensión en los rostros y en las miradas *(Las regentes del hospicio de ancianos de Haarlem)*.

OBRAS CARACTERÍSTICAS

Existen 209 cuadros cuyo autor es con seguridad Frans Hals y, de ellos, 195 son retratos. Se le atribuyen otros 21 cuadros.

Retrato de un hombre sosteniendo un cráneo, h. 1611, Birmingham, B.I.
El banquete de los oficiales del cuerpo de arqueros de San Jorge, 1616, Haarlem, Museo Frans Hals
Retrato de una pareja, 1622, Amsterdam, Rm.
Retrato de Isaac Massa, 1626, Toronto, A.G.
El banquete de los oficiales del cuerpo de arqueros de San Adrián, 1627, Haarlem, Museo Frans Hals
Retrato de Verdonck, 1627, Edimburgo, N.G.
La gitana, h. 1628-1630, París, Louvre
Retrato de Cornelia C. Vooght, 1631, Haarlem, Museo Frans Hals
La compañía cívica, 1633-1637, Amsterdam, Rm.
Los regentes del hospicio de Santa Isabel en Haarlem, 16412, Haarlem, Museo Frans Hals
Retrato de mujer, 1648-1650, París, Louvre
Retrato de hombre, 1660-1666, Cassel, S.K.
Las regentes del hospicio de ancianos de Haarlem, 1664, Harlem, Museo Frans Hals

*La compañía del capitán Reynier Reael y del lugarteniente
C. M. Blaeuw en Amsterdam* llamada La compañía cívica.
1633-1637. Óleo sobre tela, 2,09 × 4,29 m, Amsterdam
Rijksmuseum

Este grupo de hombres, a los que se ha pintado en pie y a tamaño
natural, pertenece a una serie de ocho obras. Inacabada por falta de
entendimiento con quien la había encargado, P. Codde se encarga
de concluir el cuadro (parte de la derecha).

Hals consigue en este caso un dominio perfecto del espacio,
del carácter de sus modelos y del oficio pictórico. Ha vencido
las dificultades de composición con las que se había encontrado
anteriormente, imprimiendo ritmo a la escena mediante los
oblicuos que dibujan las armas, las actitudes variadas y estables
de los hombres tomadas del natural, y mediante los movimientos
de codos, manos y cabezas, estableciendo una relación natural entre
los individuos que componen el grupo y el espectador atraído
por su universo. Estos hombres muestran sus vestiduras negras
de reflejos marrones, dorados o argentados, alegradas por colores
refinados, azules, amarillos y naranjas, sobre un fondo
monocromo. El brío de su pincelada amplia hace que los
personajes respiren y vivan.

La compañía cívica ▶
(detalle: el abanderado)

Este detalle es significativo en el arte de Hals, que entonces se
encontraba en su apogeo. La actitud del abanderado, la suntuosidad
del color gris pálido y de los reflejos sutiles, y la pincelada rápida y
ligera se mueven entre realismo y barroco. Este personaje hará que
*Van Gogh diga, en 1885: «Raramente he visto a un personaje más
divinamente bello. Es único, a Delacroix le habría entusiasmado».

BIBLIOGRAFÍA

Grimm, Claus, Montagni, E. C., *La obra pictórica completa de Frans Hals*, Noguer, Barcelona, 1975; Slive, Seymour
[et al.], *Frans Hals*, Prestel, Munich, 1989; Biesboer, Pieter; Luna, Juan J., *La pintura holandesa del siglo de oro: Frans
Hals y la Escuela de Haarlem* (catálogo de exposición), Banco Bilbao Vizcaya, Madrid, 1994.

Pietro da Cortona

Pintor y arquitecto al servicio de la iglesia católica durante el período triunfante de la Contrarreforma, Pietro da Cortona es una personalidad capital del barroco romano sobre el plano pictórico, decorativo, teatral y arquitectónico por su capacidad de integrar la decoración en el entorno. Sus medios de expresión están en consonancia con el sentimiento nuevo de grandeza del clero. Su arte del fresco pone en evidencia su virtuosismo: crea lo irreal y fastuoso por medio de un exceso de formas y colores liberados en el espacio.

RECORRIDO BIOGRÁFICO

• Pietro Berrettini, llamado Pietro da Cortona (Cortona, Toscana, 1596-Roma 1669), nacido en una familia de artesanos y artistas, se forma en el clasicismo florentino de A. Commodi. Sigue a su maestro a Roma en 1612. Con B. Ciarpi, descubre el arte del renacimiento clásico y dibuja según lo antiguo. Más tarde se vuelve hacia el estilo barroco de G. Lanfranco.
• Al principio realiza frescos clásicos, teñidos de una nueva expresión, como los de la villa Arrigoni (h. 1616, Frascati).
• Su lenguaje barroco aflora hacia 1624: *El sacrificio de Polixena* (Roma, Capitolina) y *El triunfo de Baco* (*id.*), *El juramento de Semíramis* (Londres, col. Mahon) *y la vida de Salomón* sobre la cúpula del palacio Mattei (Roma), inspirada en el estilo de *Tiziano y de *Rubens. Animado por sus mecenas Barberini y Sacchetti, la realización de la decoración de la iglesia S. Bibiana (1624-1626) representa un éxito para él. Pietro da Cortona inicia una intensa producción de frescos y de retablos: frescos de la villa Sacchetti (1626-1629, Castelfusano), *El rapto de las sabinas* (1629, Roma), que mezcla el esplendor barroco con reminiscencias clásicas, *La Virgen y el Niño y cuatro santos* (1628, Cortona, iglesia S. Agostino), *Venus cazadora se aparece a Eneas* (1630-1635, París).
• En el apogeo de su carrera es nombrado director de la academia de San Lucas (1634-1638). Pinta *El triunfo de la Divina Providencia* en la bóveda del palacio Barberini (1633-1639, Roma), manifiesto del barroco ilusionista y teatral. Las iglesias de S. Lorenzo, la Chiesa Nuova y del Vaticano, entre otras, le ofrecen sus muros.
• En 1637, Pietro da Cortona parte a Florencia al servicio de Fernando II, gran duque de Toscana, para decorar el palacio Pitti: *Las cuatro edades de la humanidad* (1637 y 1640, Sala della Stuffa), frescos vitales y equilibrados, y *Venus, Júpiter, Marte, Apolo* (1641-1647, salones de los Planetas), que se integran en una decoración en la que dominan los estucos dorados y blancos.
• Su última etapa se desarrolla en Roma, de 1647 hasta su muerte. Pinta la cúpula de la Chiesa Nuova (1648-1651), la *Historia de Eneas* (1651-1654, palacio Doria Pamphili), que adapta a la arquitectura barroca de Borromini. Después se consagra más a la arquitectura. Deja cartones para los mosaicos de San Pedro (1651), dirige la decoración del palacio de Montecavallo, decora la cúpula y el ábside de la Chiesa Nuova (1655-1660) con una *Asunción de la Virgen* y pinta la bóveda de la nave con el tema de *La visión de san Felipe Neri durante la construcción de la iglesia* (1664-1665), su última obra *a fresco*.
• Sus cuadros de altar expresan también innovaciones barrocas: *La Natividad de la Virgen* (1643, Perugia, G.N.), *Rómulo y Remo recogidos por Fáustulo* (1643, París), *San Carlos llevando el santo clavo entre los apestados* (1667, Roma) y un último cuadro de altar para la iglesia de S. Ignacio (1669, Pistoia).
• Realiza paisajes clásicos, poco numerosos, como el *Paisaje con puente* (1625, Roma, Capitolina) y *Paisaje con barcas* (*id.*).
El arte de Pietro da Cortona no tiene continuidad en sus discípulos, G. F. Romanelli o C. Ferri. Durante este mismo período *Poussin, en Roma, escoge la concepción clásica pura, mientras que Le Brun, en París, manifiesta algunas tentativas barrocas asociadas al estilo poussinesco. Cortona inspira las obras de los romanos G. B. Gauilli, llamado Baciccio, A. Pozzo y, fuera de Roma, de L. Giordano, G. de Ferrari y, en el siglo siguiente, de G. *Tiepolo. Éstos asimilan su estética, la prolongan y la difunden durante más de un siglo.

Influencias y características pictóricas

Pietro da Cortona pone en escena los temas de la Contrarreforma (el martirio, la visión, la glorificación de los papas) en una retórica rica en alegorías, emblemas, metáforas y símbolos. Trabaja también sobre temas mitológicos o profanos. Sus frescos sobre los techos y las bóvedas de las iglesias no excluyen su actividad sobre cuadros de caballete o de altar.

Se beneficia de la confianza de los Barberini, de los papas (Urbano VIII, Inocencio X, Clemente IX) y de los mecenas privados (C. dal Pozzo, el marqués Sacchetti), del francés La Vrillière y de Fernando II, gran duque de Toscana.

Formado en Roma por los florentinos clásicos, Pietro da Cortona copia también de la antigüedad, de *Rafael y Pietro da Caravaggio, célebre decorador de la primera mitad del siglo XVI, quien ejercerá influencia sobre los barrocos. Después se muestra también sensible al estilo barroco de G. Lanfranco y de Rubens, al arte renacentista del *Veronés y de Tiziano, antes de volverse hacia A. *Carracci, maestro de la galería Farnesio.

• Entre 1616 y 1624, asocia a su cultura el modelo de los frescos de fachadas de Pietro da Caravaggio. La fuga, la sorprendente libertad de estilo de este último, su «expresionismo» y su realismo le inspirarán tras 1624. Pero sus frescos siguen siendo clásicos por la elección de la iconografía, el equilibrio de la composición y el oficio *(La aurora).*

• A partir 1624, el artista manifiesta su interés por el arte barroco de Lanfranco, que combina las perspectivas eruditas con la audacia de los escorzos de il *Correggio. Comprende el dinamismo barroco de Rubens y admira el color veneciano del Veronés o el de las *Bacanales* de Tiziano, que domina en Roma. Pietro da Cortona crea entonces lienzos de un heroísmo digno, todavía clásico, pero tratado con énfasis y una gran libertad de colores (*El triunfo de Baco*, 1624). También se esfuerza por conseguir que sus paisajes «puros» reproduzcan una naturaleza serena.

• El pintor continuará oscilando entre el clasicismo de Rafael y el ritmo desenfrenado del barroco *(El rapto de las sabinas).* Por su formación, su búsqueda de la belleza ideal y del equilibrio clásico conjuga la solidez del dibujo romano, la elegancia de la línea florentina y la claridad del color veneciano *(Las cuatro edades de la humanidad).* Adopta una luz constante y persevera en este camino paralelamente a sus desarrollos barrocos.

• En la década de 1630, el énfasis, la libertad de imaginación, el movimiento y la profusión ornamental caracterizan su producción barroca. *El triunfo de la Divina Providencia* es una cumbre de su arte. Mediante la puesta en escena tumultuosa de temas heroicos, Pietro da Cortona quiere maravillar, sorprender, persuadir y seducir. Destaca lo eterno y universal a costa de los detalles particulares, en un lenguaje alegórico y simbólico. Rechaza el realismo, contrario a lo imaginario y a lo irreal, sus aspiraciones.

Un gran maestro

◆ Pietro da Cortona es un pintor muy célebre, al servicio de los papas de su época. Su arte tiene emuladores hasta el siglo XVIII. Sigue siendo poco conocido por el gran público.

◆ Se convierte en la figura más representativa y eminente del barroco. Pero su búsqueda de la belleza ideal procede del equilibrio clásico.

◆ Eleva los temas heroicos de la Contrarreforma católica al rango de epopeya. Pone en imágenes la nueva iconografía de la divina providencia.

◆ La composición, decorativa, monumental e ilusionista de sus frescos describe una espiral en torbellino o una diagonal en ascensión, y se adapta a la arquitectura del lugar.

◆ Pietro da Cortona utiliza la exuberancia de los colores para hacer verosímil lo fantástico y lo imaginario, en una dinámica inigualada en donde la visión de conjunto prima sobre el detalle.

◆ Destaca en la asociación de pintura, escultura, real o fingida (*quadratura*, estuco) con la arquitectura. Su luz unifica la obra barroca.

◆ Domina la técnica del fresco. Las amplias y fluidas pinceladas de los frescos, y los empastes sobre las telas, dinamizan sus creaciones.

Pietro da Cortona

• En su producción barroca, el pintor se inspira igualmente en el ilusionismo de A. Carracci, basado en la reproducción tangible del espacio pictórico. Abandona los «marcos concretos» con el fin de crear una ilusión total sobre el conjunto del espacio pintado. Retorna a veces a la división en compartimentos del espacio arquitectónico, al que siempre se adapta. Los estucos en oro y blanco, fingidos o pintados, se mezclan en la composición, cuya escala es mayor que la natural. Los motivos y las figuras, llevados por el movimiento, se destacan sobre un fondo claro. La decoración se despliega y los drapeados vuelan en un desorden aparente. Sin embargo el intercambio de gestos y miradas confiere una unidad a esta composición barroca.

• El espacio inestable se ahonda y la perspectiva ilusionista abre las arquitecturas (las *quadrature*). La ilusión óptica y el *trompe-l'œil* hacen inciertos los límites entre pintura, escultura y arquitectura. El dibujo sensual y virtuoso une la multitud de personajes, vistos en escorzo o en torsión, al decorado. Las formas se penetran mutuamente, describen curvas y contracurvas. La luz cambiante, tan pronto dramática como seráfica, suscita el deslumbramiento, revela colores cálidos y líricos. Manchas yuxtapuestas forman una masa bajo las pinceladas amplias y empastadas.

• En sus últimas obras decorativas, Pietro da Cortona separa las estructuras en artesones y los estucos decorativos de la parte puramente pictórica (*Visión de san Felipe Neri*). Los tonos ligeros y claros de sus techos anuncian el nuevo ilusionismo barroco que se abre hacia un infinito azulado. Sus cuadros exhiben la misma renovación estética.

OBRAS CARACTERÍSTICAS

Cortone pinta numerosas telas e inmensos techos y bóvedas.

El triunfo de Baco, 1624, Roma, Capitolina
Paisaje con puente, 1625, Roma, Capitolina
El rapto de las sabinas, 1629, Roma, Capitolina
El triunfo de la Divina Providencia, 1633-1639, Roma, palacio Barberini
Venus cazadora se aparece a Eneas, 1630-1635, París, Louvre
Las cuatro edades de la humanidad, 1637-1641, Florencia, palacio Pitti
Rómulo y Remo recogidos por Fáustulus, 1643, París, Louvre
Cúpula de la Chiesa Nuova, 1648-1651, Roma
La historia de Eneas, 1651-1654, Roma, palacio Doria Pamphili
La Asunción de la Virgen, 1655-1660, Roma, Chiesa Nuova (también llamada S. Maria in Vallicella)
La visión de san Felipe Neri durante la construcción de la iglesia, 1664-1665, Roma, Chiesa Nuova
San Carlos llevando el santo clavo entre los apestados, 1667, Roma, iglesia S. Carlo ai Catinari.

BIBLIOGRAFÍA

Campbell, Malcolm, *Pietro da Cortona at the Pitti Palace: a study of the planetary rooms and related projects*, University Press, Princeton, 1977; Briganti, Giuliani, *Pietro da Cortona o Della pittura barocca*, Sansoni, Florencia, 1982 (reed.); Lo Bianco, Anna, *Pietro da Cortona, 1597-1669*, Electa, Milán, 1997; Frommel, Christoph Luitpold (ed.); Schütze, Sebastian (ed.), *Pietro da Cortona: atti del convegno internazionale Roma-Firenze 12-15 novembre 1997*, Electa, [Roma], 1998.

◀ *El triunfo de la Divina Providencia*
1633-1639. Frescos, Roma, palacio Barberini, techo de un salón

A petición de la familia Barberini, Pietro da Cortona glorifica el pontificado de Urbano VIII. El erudito F. Bracciolini concibe la iconografía: «El triunfo de la divina providencia y el cumplimiento de sus fines a través del poder espiritual del Papa». El tema mezcla los símbolos del catolicismo triunfante (grandes abejas coronadas de laurel, símbolos del poder temporal y espiritual de los Barberini) y los de la mitología clásica (Cronos). En el centro, por encima de las nubes, reina la divina providencia. La adopción del estilo monumental, las referencias a la autoridad de los Barberini y a la mitología dan una base verosímil a la sorpresa visual, a la imaginación y a lo fantástico. Las formas giran libremente y desbordan el cuadro arquitectural realizado en trompe-l'œil. La abertura del cielo, el viento que levanta los drapeados ondulantes, la multitud de figuras simbólicas y los corros de querubines, todo en contrapicado, proporcionan la ilusión de que el mundo imaginario e ideal irrumpe en lo real bajo el poder del Papa.

En esta escena de alborozo ondulante, la luz dorada móvil y unificadora exalta los colores y articula armoniosamente las masas en un movimiento de conjunto. El efecto general es espléndido e impetuoso.

Poussin

Poussin es la encarnación del clasicismo francés. Solitario, exigente y respetado, desarrolla un arte erudito, poético y sensible. Alía un cristianismo coloreado de estoicismo con un panteísmo poético. El pintor da importancia al dibujo, al equilibrio en la composición y a la moderación de las emociones, y hace destacar a los personajes, que evolucionan en un paisaje «ideal». El color es franco, nunca exuberante, y la factura lisa.

RECORRIDO BIOGRÁFICO

• Nicolas Poussin (Les Andelys1594-Roma 1665), pintor francés, pasa fugazmente por los talleres de Q. Varin, N. Jouvenet, F. Elle y G. Lallemand. En París obtiene, desde 1662, encargos religiosos. Colabora con Ph. de Champaigne en la decoración del palacio de Luxemburgo (obra perdida). Hace amistad con el poeta italiano G. B. Marino, quien lo recomienda en Roma.

• Con ocasión de su primera estancia en Roma (1624-1640), Poussin conoce al cardenal F. Barberini, sobrino del papa Urbano VIII, para quien pinta *La muerte de Germánico* (1628, Minneapolis), y teje lazos de amistad con C. del Pozzo, amante del arte y apasionado por la antigüedad. Pero Poussin ambiciona y obtiene grandes encargos oficiales que no consiguen el éxito: *El martirio de san Erasmo* (1627, Roma).

• Entre 1627 y 1633, se decide a realizar obras de caballete para coleccionistas privados. Propone temas religiosos como *La matanza de los inocentes* (h. 1628-1629, Chantilly); *Lamentación sobre el Cristo muerto* (h. 1629, Munich, A.P.), temas melancólicos ilustrados por *Eco y Narciso* (h. 1627, París, Louvre), poéticos (*La inspiración del poeta*, h. 1630, París, Louvre) y trágicos (*Tancredo y Herminia*, h.1631, San Petersburgo, Ermitage). Las alegorías eruditas se multiplican: *La muerte de Adonis* (h. 1627, Caen, B.A.), *El triunfo de Flora* (h. 1627, París), *El imperio de Flora* (h. 1631, Dresde, Gg.). Su estilo teatral se apoya sobre el estudio de las pasiones humanas. Tras una grave enfermedad, se casa en 1630 con Anne-Marie Dughet, hermana de Gaspard, su alumno, pintor de paisajes.

• Hacia 1634-1636 su renombre traspasa los Alpes. El cardenal Richelieu le encarga lienzos mitológicos: *El triunfo de Pan* (Londres, N.G.), *El triunfo de Baco* (Kansas City M.), *El triunfo de Neptuno* (h. 1636, Filadelfia). Concibe grandes puestas en escena históricas, como *La adoración del becerro de oro* (h. 1633-1636, París, Louvre), *El rapto de las sabinas* (h. 1637, id.) y *Los israelitas recogiendo el maná del desierto* (1637-1639, id.). *Los pastores de Arcadia* (h. 1638-1640, id.) encarnan sus aspiraciones ideales y poéticas. Emprende la serie de *Los siete sacramentos* (1636-1640, Washington) con aires antiguos.

• A petición de Richelieu, es nombrado primer pintor del rey en 1640 y se desplaza a París, pero las obras que se le encargan, demasiado grandiosas, no le convienen: *La institución de la eucaristía, El tiempo y la verdad* (París, Louvre), la decoración de la gran Galería del Louvre, inacabada. Por otra parte, víctima de las rivalidades parisinas, en particular con S. Vouet, Poussin abandona París. Conservará relaciones con numerosos coleccionistas, como Paul Fréart de Chantelou.

• De vuelta a Roma en 1643, basa su reputación gracias a la segunda serie de *Los siete sacramentos* (1644-1648, Edimburgo, N.G.), realizada para Chantelou, y *El juicio de Salomón* (1649, París). El temperamento exigente y austero del pintor es perceptible en su *Autorretrato* (1650, id.).

• Sensible a la filosofía del estoicismo, sobre todo a la de Séneca, pone en imágenes las *Vidas* de Plutarco y la *Historia de Foción* en dos cuadros, al igual que el *Paisaje con los funerales de Foción* (1648, col. Plymouth, Oakly Park). A partir de la década de 1640, el paisaje «ideal» se convierte para Poussin en un tema por sí mismo. *Paisaje con san Juan en Patmos* (h. 1644-1645, Chicago, A.I.), *Paisaje con un hombre muerto por una serpiente* (1648, Londres, N.G.), *Paisaje con Píramo y Tisbe* (1651, Frankfurt, S.K.), *Paisaje con Diana y Orión* (1658, Nueva York) y las complejas *Cuatro estaciones* (1660-1664, id.) expresan su panteísmo. Poussin pinta una última obra, *Apolo y Dafne* en 1665 (París, Louvre).

«Pintor-dibujante», al margen del gusto de la época, Poussin trabaja solo, no forma a ningún alumno, ni es directamente copiado, pero confirma a los artistas franceses contemporáneos en su clasicismo: S. Bourdon, L. de La Hyre, y después Ch. Le Brun. Ejercerá una influencia determinante sobre la elaboración del neoclasicismo, a finales del siglo XVIII, y suscitará el interés no sólo de *Ingres, sino también de *Delacroix, de *Cézanne y de *Picasso.

INFLUENCIAS Y CARACTERÍSTICAS PICTÓRICAS

Poussin elabora temas religiosos, temas históricos y antiguos en formatos grandes y, después, medianos. Pinta paisajes, temas bucólicos inspirados en odas latinas o en la literatura de la época. Prefiere el mecenazgo privado de C. dal Pozzo, V. Giustiniani o P. Fréart de Chantelou, para pintar temas clásicos y sobre todo paisajes, a los encargos oficiales del cardenal Barberini o de Luis XIII.

Pousin prefiere Roma a París. Dibuja los modelos de la antigüedad, copia las *Bacanales* de *Tiziano, estudia a *Rafael. Como «pintor-filósofo-erudito» que es, inclinado hacia la razón y el «ideal», se opone a *Caravaggio. Se inspira en los decorados de la segunda escuela de Fontainebleau, representada por T. Dubreuil, A. Dubois y M. Fréminet. Menosprecia a los pequeños flamencos y holandeses.

• Poussin reflexiona sobre su arte: «La materia debe tomarse como noble. Hay que empezar por la disposición, después por el ornamento, el decorado, la gracia, la vivacidad, el vestido, la verosimilitud y sobre todo el juicio, siempre. Esas últimas partes son del pintor y no pueden aprenderse. Es el ramo de oro de Virgilio [la inspiración antigua] que nadie puede encontrar ni recoger si no lo conduce la fatalidad».

• Su método es muy personal: busca primero «la concepción de la idea», que estudia y medita. Después asocia un proyecto plástico preciso: número de personajes, composición, juego de las actitudes, ritmos y colores. Realiza croquis sombreados, a la aguada, y coloca pequeñas figuras de cera o de tierra en una especie de teatro para asentar su proyecto. Finalmente, Poussin pinta sobre una preparación roja, a veces clara, respetando cuatro etapas: dispone las arquitecturas mediante regla y compás, las traza en la preparación, instala sus personajes según los mismos puntos de fuga y pinta cada elemento individualmente. Dispone sus colores, poco grasos, en capas finas, sin veladuras.

• Durante su período de juventud, de 1627 a 1633, la inspiración de Poussin es alegórica, erudita, y se traduce libremente mediante líneas ligeras, un colorido sostenido y cálido (*El triunfo de Flora*). Personaliza cada composición según su sensibilidad, pero su esquema es clásico, piramidal o en bajorrelieve. Rechaza el ilusionismo. Muy pronto, exalta el sentimiento humano (*La matanza de los inocentes*). Tras 1630, pinta algunas ejecuciones rápidas.

• Sus grandes realizaciones históricas en torno a 1635 son composiciones equilibradas y solemnes en donde los sentimientos intensos *(affetti)*, aunque sean contenidos, agitan los ros-

UN GRAN MAESTRO

◆ Reconocido en vida por un pequeño grupo de admiradores iluminados, Poussin se afirma como un adepto del dibujo, al igual que *Rafael; se opone a los coloristas venecianos y al flamenco *Rubens. De este modo, genera una disputa estilística que desemboca en un debate de fondo que preocupará a los artistas hasta el siglo XIX. Su arte, tan pronto alabado como denostado, según las épocas, sigue siendo una referencia.

◆ Modelo del clasicismo francés (y del neoclasicismo del XVIII), Poussin se inscribe al margen de la estética barroca que estaba en boga en Roma. Su arte personal ilustra su sensibilidad y su filosofía.

◆ Poussin concibe series originales, permaneciendo respetuoso a la doctrina y a la liturgia cristianas. Se impone como una de los creadores del paisaje «ideal» tras los italianos A. Carracci y el Domenichino. Su compleja iconografía necesita de varios niveles de lectura: religioso, mitológico, alegórico y antiguo.

◆ Sus composiciones siguen basándose en el equilibrio y la estabilidad, incluso cuando actitudes animadas se ponen en escena teatralmente.

◆ Poussin domina una técnica rigurosa: elabora intelectualmente su tema y, después, lo define, lo pone en escena con la ayuda de dibujos y de una maqueta antes de pintarlo.

tros y la gestualidad *(El rapto de las sabinas)*. Otras telas inspiradas en la antigüedad presentan a personajes esculturales en sus drapeados, cuerpos y rostros idealizados, coloreados en tonos fríos *(Los siete sacramentos)*.

• *El tratado de las pasiones*, publicado tras la muerte del artista, es el fruto de sus conferencias y de sus ideas: exalta la relación entre pintura y poesía. Poussin desarrolla la expresión de las pasiones, su aportación más importante a la teoría clásica, reflejo del poema en latín del pintor y teórico francés Ch. A. Dufresnoy (*De' Arte grafica*, traducido por R. de Piles en 1668). Retomando el adagio «*Ut pictura poesis*», Dufrénoy declara: «La pintura y la poesía son dos hermanas». Poussin se inscribe también en la línea de Descartes, que publica, en 1649, *Las pasiones del alma*.

• En su madurez artística, a partir de 1642, la búsqueda de moralidad y de estoicismo se expresa en los temas del Nuevo Testamento y de la historia romana. Sus representaciones son monumentales, austeras, con una geometría simétrica perfecta, con una línea pura, con un modelado firme. La expresión de los rostros es grave, los gestos expresivos. Los tonos subidos animan las escenas *(El juicio de Salomón)*.

• La naturaleza ocupa un lugar preponderante en la obra del pintor. Todopoderosa y omnipresente, se convierte en el símbolo de la aspiración del artista a un cierto ideal. Poussin recorre a esbozos sobre el natural, a notas y croquis, y recrea un paisaje intelectual, construido según las leyes de la perspectiva. Integra a pequeños personajes *(Paisaje con un hombre muerto por una serpiente)*. El paisaje gana en monumentalidad y en vida, mientras que los personajes, convertidos en formas simples, quedan inmovilizados ante la fuerza eterna de la naturaleza *(Paisaje con Diana y Orión)*.

• A partir de 1655, la mano del pintor tiembla. Para paliar la imposibilidad de trazar una línea continua, opta por un trabajo en comas y en trazos, utiliza una brocha amplia que favorece las vibraciones sensibles *(Las cuatro estaciones)*.

OBRAS CARACTERÍSTICAS

Poussin pinta alrededor de 200 cuadros y realiza 450 dibujos.

El martirio de san Erasmo, 1627, Roma, Vaticano
El triunfo de Flora, h. 1627, París, Louvre
La muerte de Germánico, 1628, Minneapolis, I.A.
La matanza de los inocentes, h. 1628-1629, Chantilly, M. Condé
El triunfo de Neptuno, h. 1636, Filadelfia, M.A.
La adoración del becerro de oro, h. 1633-1636, París, Louvre
Los siete sacramentos, 1644-1648, Edimburgo, N.G.
El rapto de las sabinas, h. 1637, París, Louvre
Los pastores de Arcadia, h.1638-1640, París, Louvre
El juicio de Salomón, 1649, París, Louvre
Autorretrato, 1650, París, Louvre
Paisaje con los funerales de Foción, 1648, col. Plymouth, Oakly Park
Paisaje con Píramo y Tisbe, 1651, Frankfurt, S.K.
La muerte de Safira, h. 1654-1656, París, Louvre
Paisaje con Diana y Orión, 1658, Nueva York, M.M.
Las cuatro estaciones, 1660-1664, París, Louvre
Apolo y Dafne, 1665, París, Louvre

Los pastores de Arcadia
Hacia 1638-1640. Óleo sobre tela, 85 × 121 cm, París,
Museo del Louvre

Unos personajes leen una inscripción grabada sobre una tumba
antigua que se sitúa en el paisaje: «Et in Arcadia ego», que podría
traducirse como «Incluso en Arcadia yo, la muerte, existo».
Esta tela encarna las aspiraciones estéticas y filosóficas del pintor:
«Mi naturaleza me obliga a buscar y amar las cosas bien ordenadas,
huyendo de la confusión que me es contraria y enemiga como
lo es la luz de las oscuras tinieblas».
Poussin confirma aquí su clasicismo y su gusto por la antigüedad.
La composición, perfectamente equilibrada, orquestada alrededor
de la tumba emplazada en un paisaje idílico, pone en escena a cuatro
personajes, tres pastores y la alegoría de «la Felicidad relacionada
a la muerte» (G. Bellori, 1672). Esta última figura, femenina, se
levanta en primer plano, imponente y austera, y hace retroceder hasta
un segundo plano a las tres figuras masculinas, más accesibles, en sus
posturas ligeramente relajadas. El rostro hierático, de perfil, como en
los bajorrelieves antiguos, opone su calma intemporal a la expresión
asombrada de los rostros y de las manos que interrogan.
El paisaje encantado, lugar de dicha y de perfección, difunde sin
embargo una melancolía cuya expresión mesurada envuelve las
figuras. La luz esculpe con gracia los gestos más que los cuerpos:
la claridad de éstos se destaca sobre el fondo más oscuro de la tumba.
Frente a este grupo improbable, en esta naturaleza imaginaria,
la primera impresión de gracia poética se ve pronto sustituida
por una meditación silenciosa.

BIBLIOGRAFÍA
Thuillier, Jacques, *La obra pictórica completa de Poussin*, Noguer, Barcelona, 1975; Rosenberg, Pierre (ed.); Prat,
Louis-Antoine (ed.), *Nicolas Poussin: 1594-1665* (catálogo de exposición), Réunion des Musées Nationaux, París,
1994; Thuillier, Jacques, *Poussin before Rome: 1594-1624*, Richard L. Feigen, Londres, 1995; Marin, Louis, *Sublime
Poussin*, Stanford University Press, Stanford, 1999.

La Tour

La obra humana y espiritual de Georges de La Tour contrasta con su avidez material y su temperamento violento. Sus escenas diurnas, de tonos claros, de un realismo caravaggista respetuoso con la dignidad humana, subrayan la fragilidad física y psicológica de los personajes. El claroscuro tan personal de sus «nocturnos» simplifica los planos e inmoviliza las figuras pálidas o enrojecidas. El brillo de la vela traduce la sobriedad, el silencio, el drama y la esperanza cristiana.

RECORRIDO BIOGRÁFICO

En el caso de Georges de La Tour, pintor francés de Lorena (Vic-sur-Seille, cerca de Metz, 1593-Lunéville 1652), con frecuencia faltan indicaciones precisas, en particular por lo que respecta a la datación de la obra. Hijo de un panadero acomodado, se habría formado en Lorena, concretamente en Nancy. Más tarde habría partido hacia Italia, a Roma, entre 1610 y 1615, y a los Países Bajos, a Utrecht, hacia 1615-1620, ciudades en las que brilla el arte caravaggista, sobre todo en los pinceles del italiano C. Saraceni y del neerlandés G. Van Honthorst. También es posible que descubriera estas corrientes gracias a la circulación de artistas y de obras.

• Gracias a su boda noble en 1617 con Diane Le Nerf, hija de un tesorero del duque de Lorena Enrique II, se le admite entre la burguesía de Lunéville y se instala en la localidad. Rico y con privilegios, conoce la notoriedad: desde 1623 el duque de Lorena Enrique II le encarga cuadros (perdidos).

• Entre 1631 y 1635 se ve afectado por la guerra de los Treinta años, por los tumultos, las epidemias, las hambrunas rurales y por la rebelión de los campesinos loreneses.

• Durante su primer período, antes de 1638, pinta escenas diurnas próximas al naturalismo de A.*Carracci: *Los comedores de guisantes* (M. de Berlín); y obras de un realismo caravaggista, pero también italiano y flamenco, en donde subraya la decadencia corporal: *Anciano* (antes de julio de 1624, San Francisco) y *Anciana (id.), Tocador de zanfonía con perro* (Bergues), *Santiago el menor* (Albi, M. Toulouse-Lautrec), la célebre *Riña de músicos* (h. 1625-1630 ¿?, Malibú), *San Jerónimo penitente* (Estocolmo y Grenoble, B.A.), desnudo y decrépito, atormentado por la cuerda, *Las lágrimas de san Pedro* (perdido), *Santo Tomás* (Albi, M. Toulouse-Lautrec) o *El tocador de zanfonía* (h. 1631-1636 ¿?, Nantes). *La buenaventura* (Nueva York), *El tramposo del as de tréboles* (Ginebra, col. part.) y el *Tramposo del as de diamantes* (h. 1625, París) muestran la vejez, la picardía.

• Se desplaza a París sin duda hacia 1638-1642 para huir del incendio de Lunéville (1638) que destruye una parte de su obra. Preocupado por su éxito, se une a los franceses y a Luis XIII cuando el duque Carlos IV abdica. La Tour es mencionado hacia 1639 como «pintor habitual del rey». Habría pintado para Luis XIII un *San Sebastián* y, para el cardenal Richelieu, un *San Jerónimo.*

• De vuelta a Lunéville en 1643, pasa a las escenas nocturnas: *El soplador de la lámpara* (Dijon, B.A.), *San José carpintero* (principios de la década de 1640, París), *El pensamiento de san José (id.)*, tela enigmática, *El recién nacido* (entre 1645 y 1648, Rennes). Concibe varias magdalenas arrepentidas: *Magdalena penitente,* llamada *Magdalena Fabius* (Washington), *Magdalena penitente* llamada *Magdalena Wrightsman* (Nueva York, M.M.), *Magdalena penitente* llamada *Magdalena Terff* (París). El tema y la composición de *Job burlado por su mujer* (Épinal) sorprenden: una inmensa forma femenina domina con su masa roja a un hombre replegado y humilde. Se suceden otras escenas nocturnas: *La adoración de los pastores* (1644 ¿?, París), *San Sebastián cuidado por Irene* (h. 1649, *id.*), *Las lágrimas de san Pedro* (1645, Cleveland), *La negación de san Pedro* (1650, Nantes, B.A.) y *San Alexis* (1648, perdido). La *Mujer de la pulga* (Nancy), tema enigmático, está concentrada en una ocupación íntima que hace del espectador un mirón.

• En plena gloria, Georges de La Tour muere a causa de la peste.

La Tour logra renombre artístico tanto en Lorena como en París, así como un importante éxito financiero y social. A su muerte, su hijo Étienne y el taller del maestro ejecutan encargos de mediana calidad.

INFLUENCIAS Y CARACTERÍSTICAS PICTÓRICAS

La Tour pinta al óleo sobre tela temas diurnos y nocturnos. Multiplica, mediante réplicas autógrafas numerosas, las obras sobre temas voluntariamente limitados: escenas religiosas, de género y de devoción, en un formato a menudo apaisado, a tamaño natural. No envuelve el tema principal con ningún paisaje, ni de ninguna decoración, no dibuja arquitecturas, ni aureolas, ni alas a los ángeles. No se le conocen retratos, ni dibujos.

Pinta para el duque de Lorena Enrique II y para el rey Luis XIII.

En Lorena, La Tour conoce el manierismo poético complejo de J. Bellange y sus obras diurnas y nocturnas, el arte de J. Leclerc, discípulo del caravaggista italiano C. Saraceni (de vuelta de Italia en Nancy en 1620). Con ocasión de sus hipotéticos viajes a Roma y a Utrecht, habría descubierto el paisaje del *Caravaggio y el caravaggismo de los neerlandeses G. Van Honthorst, D. Seghers, H. J. Ter Brugghen, M. Stomer y D. Van Baburen, y el naturalismo de A. Carracci.

En Lunéville, en donde obtiene sus títulos de nobleza, y después en París, hacia 1630, el artista quizás se acerca a la corriente realista y a las últimas producciones del manierismo siguiendo la moda de las «noches».

• Antes de 1638, las escenas diurnas demuestran la influencia del Caravaggio en la elección del tema y de la composición, en el tratamiento realista, luminista, en la dimensión poética y espiritual. Estas obras recuerdan también al caravaggismo neerlandés claro y naturalista. Pinta «la innoble y espantosa verdad» (P. Merimée) en matices claros y refinados. Sin desprecio ni complacencia ni pintoresquismo, pero con un realismo patético y despiadado, La Tour traduce su visión del mundo, feo y miserable. El hieratismo de las miradas y de las actitudes se contradice por la actividad de las manos, por la fuerza de las miradas que los personajes se intercambian.

• En sus últimas telas diurnas, como *La buenaventura*, denuncia con seriedad e ironía la farsa de las ilusiones, de la belleza, de la riqueza y del amor. Sin embargo su virtuosismo exalta la elegancia de las joyas y de las telas. Los santos que meditan o los penitentes recuerdan la ley moral, la vanidad de las cosas, el estoicismo desarrollado en la época para confrontar los males que afectaban Lorena. Esta inspiración realista, bajo una luz fría y clara, es una influencia procedente de los neerlandeses, pero también «del manierismo por el brío en la factura, el preciosismo de los tonos, los refinamientos de escritura y una cierta inspiración descriptiva» (R. Fohr, 1968). El estilo evoluciona hacia una simplificación de los planos, una estilización monumental de las figuras que alcanzará su paroxismo en las obras nocturnas.

• «La tensión interior de los nocturnos [...]» (J. Thuillier, 1973), la atmósfera enrojecida y marrón debida al brillo artificial de una mísera candela, de llama aparente o escondida, símbolo del tiempo que se consume, inmoviliza los cuerpos y las miradas. La luz estiliza hasta el «cu-

UN GRAN MAESTRO

◆ Pintor de renombre en su tiempo, La Tour cae en el olvido tras su muerte. En 1915, H. Voss lo «redescubre». Tras las exposiciones en l'Orangerie de los «Pintores de la realidad en la Francia del siglo XVII» (1934) y la consagrada enteramente a su pintura (1972), su éxito se hace universal.

◆ La Tour toma prestados elementos del manierismo lorenés y parisino, del realismo y luminismo caravaggista, italiano y flamenco, para conseguir una obra de una plasticidad muy personal.

◆ El pintor inventa temas intimistas a los que confiere una ambigüedad, un misterio poético que se mantiene intacto.

◆ Cuando trata temas más clásicos, renueva las actitudes (manos cruzadas en el *San Pedro*), introduce una iconografía inhabitual, lorenesa (*San Alexis*, el *Tocador de zanfonía*) o de actualidad, sobre un fondo de guerra y de drama.

◆ La somera preparación de la tela no perjudica la factura lisa, ni la calidad de la ejecución.

◆ Su originalidad tiende a la simplificación de los planos, al efecto producido por sus iluminaciones con vela, a la sobriedad de su paleta y de los fondos monocromos. Los personajes, incluso si están en plena refriega, parecen fijados en el silencio y la inmovilidad, confinados a un recogimiento extremadamente pesado. De su obra emana una tensión patética y estoica, una búsqueda espiritual y moral.

bismo» las formas convertidas en intemporales, desnuda y provoca la emoción. Los empastes coloreados desaparecen en provecho de una superficie lisa que incita al espectador a seguir el camino luminoso propuesto por el pintor. Este nimbo dota de una presencia real a figuras que a menudo son anónimas. La yuxtaposición de un niño y de un anciano basta para darle a una escena una dimensión poética y metafísica. Una gravedad pesimista se lee en los últimos cuadros religiosos. La gama cromática se reduce: alrededor de los rojos a menudo muy intensos, algunos acentos en azules, amarillos y verdes subrayan el contraste.

• «La Tour habría pasado de este modo de un arte brillantemente descriptivo, no despojado de arcaísmo y de torpeza, a un lenguaje más sintético, todo él retención y dominio, jugando con la sobriedad y la monumentalidad de las formas, con el recogimiento de los gestos y de las expresiones, con la concentración de los efectos luminosos, de tal manera que la unidad del conjunto proviene de una calidad de "silencio" que sólo es propia de él» (R. Fohr).

El tocador de zanfonía
Hacia 1631-1636 ¿? Óleo sobre tela,
162 × 105 cm, Nantes,
Museo de Bellas Artes

Llamado también El tocador de la mosca, en referencia al insecto de tamaño natural presente cerca del nudo rosa del instrumento, este cuadro provocó la admiración de Merimée y de Stendhal. Lejos de una representación pintoresca, La Tour expresa en esta obra diurna un naturalismo despiadado que pone en evidencia la vulnerabilidad, la decadencia física y patética de este viejo miserable de boca torcida, con profundas arrugas, de cabellos y barba hirsutos. La luz natural paraliza al personaje en una gama sobria, beis y anaranjada, sobre un fondo neutro pero trabajado. Solamente el toque rojo del sombrero rompe la armonía de los tonos. Esta exageración en la expresión también la encontramos en *La buenaventura,* en donde la paleta cromática, que retoma los marrones y el rojo, se enriquece con la policromía resplandeciente de los detalles. El realismo voluntariamente acentuado, el virtuosismo de la pincelada, colocan a ésta entre las obras de juventud de La Tour.

BIBLIOGRAFÍA

Thuillier, Jacques, *La Obra pictórica completa de Georges de La Tour*, Noguer, Barcelona, 1974; *Los Músicos de Georges de La Tour (1593-1652): alegoría y realidad en la pintura barroca francesa* (catálogo de exposición), Museo del Prado, [Madrid], 1994; Conisbee, Philip (ed.), *Georges de La Tour and his world* (catálogo de exposición), Yale University Press, New Haven, 1996; Cuzin, Jean-Pierre; Rosenberg, Pierre; Thuillier, Jacques, *Georges de La Tour* (catálogo de exposición), Réunion des Musées Nationaux, París, 1997.

El recién nacido
Entre 1645 y 1648. Óleo sobre tela, 76 × 91 cm, Rennes, Museo de Bellas Artes

En esta «noche», bañada por una luz rojiza, íntima y silenciosa, el niño inmerso en una luz blanca e inmaterial parece tocado por la gracia, bajo la mirada grave de su madre.
«Estrechamente apretado en su mantillas [...] el niño no es más que una promesa de vida protegida por las mujeres. No hay alegría en su presencia, ni siquiera una sonrisa: la gravedad ante el destino que empieza en este mundo de ilusión y de sufrimientos. Pero más allá de todo pensamiento, y con más precisión que con las palabras, La Tour expresa aquí la maternidad y este vínculo, hecho de posesión, de dedicación y de esperanza, entre la vida que se cumple y la vida que comienza.» (J. Thuillier, 1973.) ¿Es necesario ver aquí una traducción del dolor de La Tour, padre atormentado por los numerosos fallecimientos de sus hijos, o una Natividad en la que el Niño Jesús sería atendido por la Virgen y santa Ana? La Tour no pone en escena ninguno de los medios tradicionales de representar lo sagrado y, sin embargo, éste se impone. De cualquier manera, hay que recalcar la economía de medios extrema que emplea, con personajes que apenas emergen de un fondo negro. La figura de la madre aparece como un bloque piramidal, muy plástico, casi «cubista», más definido todavía gracias al contorno sinuoso que define a la mujer que sostiene la vela.

OBRAS CARACTERÍSTICAS

Los historiadores del arte enumeran hoy en día 80 composiciones de La Tour, de las que unas 43 son originales reencontrados. Solamente dos llevan fecha y firma: *Las lágrimas de san Pedro* (1645) y *La negación de san Pedro* (1650). En el inventario se cuentan unos 30 cuadros de taller y copiados, y ningún dibujo.

Anciana, antes de julio de 1624, San Francisco, Y.M.M.
Tocador de zanfonía con perro, Bergues, M.M.
Riña de músicos, h. 1625-1630, Malibú, J. P. Getty Museum
San Jerónimo penitente (con sombrero cardenalicio), Estocolmo, Nm.
Tocador de zanfonía, h. 1631-1636 ¿?, Nantes, B.A.
La buenaventura, Nueva York, M.M.
El tramposo del as de diamantes, h. 1625, París, Louvre
San José carpintero, inicio de la década de 1640, París, Louvre
El pensamiento de san José, h. 1640, Nantes, B.A.
La Magdalena penitente, llamada *Magdalena Fabius*, Washington, N.G.
La Magdalena penitente, llamada *Magdalema Terff*, París, Louvre
El recién nacido, entre 1645 y 1648, Rennes, B.A.
Job menospreciado por su mujer, Épinal, Museo provincial de los Vosgos
La adoración de los pastores, 1644 ¿?, París, Louvre
San Sebastián cuidado por Irene, h. 1649, París, Louvre
Las lágrimas de san Pedro, 1645, Cleveland, M.A.
La mujer de la pulga, Nancy, Museo histórico lorenés

Velázquez

Retratista del rey Felipe IV de España, «Velázquez es el equilibrio, el dominio, el pudor, la reserva» (Y. Bottineau, 1998). Desarrolla una carrera brillante en la corte. Se inspira en modelos flamencos e italianos, y da pruebas de un sentido excepcional de la realidad, de lo natural y de la psicología humana. Aunque posee una perfección pictórica desde los inicios, su estilo evoluciona considerablemente, desde una plástica escultural y caravaggista a un oficio «preimpresionista».

RECORRIDO BIOGRÁFICO

• Diego Rodríguez de Silva y Velázquez (Sevilla 1599-Madrid 1660), pintor español, pertenece a la pequeña nobleza. Empieza su aprendizaje en Sevilla, en 1611, en el taller de F. Pacheco, pintor erudito, buen teórico y pedagogo. Se convertirá en su yerno en 1618, después de ser aceptado en 1617 en el gremio de pintores. Hasta 1623 pinta cuadros de devoción: *San Juan en Patmos* (1618, Londres, N.G.), *La adoración de los Reyes Magos* (1619, Madrid). También retratos, pero sobre todo bodegones y escenas de género, inspirados por los flamencos e italianos: *Vieja friendo huevos* (1618, Edimburgo, N.G.), *El aguador de Sevilla* (1620, Londres, W.M.) y *Cristo en casa de Marta y María* (1619-1620, Londres), donde utiliza como pretexto un episodio de la vida de Jesús.
• Presente en Madrid y Toledo entre 1622 y 1629, Velázquez saca lecciones artísticas del tenebrismo, en particular de la obra de P. de Ribera, y amplía su cultura pictórica con el *Greco. Realiza el *Retrato del poeta Luis de Góngora* (1622, Boston) y la *Imposición de la casulla a san Ildefonso*, 1623 (Sevilla, M. Provincial).
• Felipe IV le nombra pintor del rey en 1623: *Busto de Felipe IV con coraza* (1625-1626, Madrid, Prado), *Felipe IV de cuerpo entero* (1628, *id.*). Realiza retratos de la corte: *El conde-duque de Olivares* (1624, São Paulo, M.A.). Las telas de *Tiziano y de *Rubens de la colección del rey le inspiran para *El triunfo de Baco*, llamado *Los borrachos* (1628, Madrid, Prado).
• De 1629 a 1630, sin duda animado por Rubens, Velázquez viaja a Italia. Visita Génova, Venecia, Ferrara, Nápoles. Probablemente pinta en Roma *La túnica de José* (Escorial) y *La fragua de Vulcano* (Madrid), cuadros cercanos a *Carracci, así como un retrato de la hermana del rey, *La infanta Doña María* (1630, *id.*), futura reina de Hungría por su boda con Fernando III en 1631.
• Como mejor pintor del rey y como cortesano ambicioso, inmortaliza de 1630 a 1644 a la familia real: *El príncipe Baltasar Carlos con un enano* (1631, Boston, M.F.A.), *Retrato ecuestre de Felipe IV* (1635, Madrid), *Retrato ecuestre del príncipe Baltasar Carlos* (*id.*), *Felipe IV en traje de caza* (*id.*), *El infante Don Fernando en traje de caza* (*id.*), *Baltasar Carlos en traje de caza* (*id.*), *Felipe IV* (1635, Londres), *Felipe IV en Fraga* (1644, Nueva York, F.C.). Estos personajes, dignos y vívidos, posan sobre un fondo de paisaje o en interiores. El artista da prueba de su suavidad en *La dama del abanico* (1646, Londres) y de humanidad en el retrato de los enanos *Francisco Lezcano* (1637), «*El Primo*» y *Don Sebastián de Mora* (1644), o de los bufones *Castañeda* (1635), *Juan de Calabazas* (1639) y *El bufón llamado Don Juan de Austria* (1644), lienzos conservados en Madrid (Prado). Realiza escasas obras religiosas: *El Cristo de la columna* (1632, Londres, N.G.), *La Crucifixión* (1630, Madrid, Prado), *La coronación de la Virgen* (1641-1642, *id.*).
• Maestro de obras de la decoración y de los cuadros reales para los palacios madrileños, el Alcázar y el Buen Retiro, pinta *La rendición de Breda*, llamada *Las lanzas* (1635, *id.*), emotiva por su humanidad. Esboza también retratos «picarescos» de los filósofos *Menipo* y *Esopo* (1639, *id.*). La *Vista de Zaragoza* (1647, *id.*) responde a un encargo del príncipe Baltasar Carlos.
• Con ocasión de su segundo viaje a Italia de 1649 a 1651 (Velázquez llevaba el encargo de adquirir obras de arte), en Roma pinta obras maestras: el retrato de su servidor *Juan de Pareja* (1650, Nueva York, M.M.); *El papa Inocencio X* (1650, Roma), obra ante la cual el papa habría exclamado «¡Demasiado real!» y que, tan admirada como temida, habría permanecido en la familia; las dos *Vistas del jardín de la Villa Médicis* (1650¿?, Madrid); la sensual y tizianesca *Venus del espejo* (h. 1650, Londres), que se presenta de espaldas. En 1652 se le encarga la decoración y el plan de trabajo de los aposentos de la corte.
• Nombrado caballero de Santiago, satisfecho y con títulos, en 1660 organiza la boda de la infanta y de Luis XIV. Pinta los retratos de la familia real: *La infanta María Teresa a los catorce*

años (1652, Viena), *La infanta Margarita a los tres años* (1654, *id.*), *a los cinco años* (1656, *id.*) y *a los ocho años* (1659, *id.*), *El príncipe Felipe Próspero* (1659, *id.*), todos endebles e inexpresivos, vestidos suntuosamente, en un cromatismo delicado, con pinceladas vibrantes. *Felipe IV* (1655, Madrid, Prado) es uno de los últimos retratos del rey.

• Sus dos últimas obras maestras del Prado, *Las meninas* (1656), obra que evoca la vida cotidiana de los miembros de la familia real y en la que tiene la audacia de representarse junto a ella, y *Las hilanderas* (1657 ¿?), transposición realista de un tema mitológico, juegan con la realidad compleja y el simbolismo.

En su evolución de un realismo brutal a una poética misteriosa y seductora, Velázquez anuncia a los impresionistas como *Monet y J. Whistler. Manet lo califica como «pintor de pintores». *Bacon en *El papa gritando* o *Inocencio X*, lo mismo que *Picasso en sus series derivadas de *Las meninas*, rinden, en el siglo XX, un homenaje a este precursor del arte moderno.

INFLUENCIAS Y CARACTERÍSTICAS PICTÓRICAS

Velázquez domina todos los temas: el retrato (pueblo de Sevilla, familia real, Papa), la pintura histórica, religiosa o mitológica, el desnudo femenino, el paisaje y la naturaleza muerta. Sobre todos los formatos de tela, desde el más grande hasta el más pequeño, pinta casi exclusivamente a la familia real y algunos cortesanos.

El pintor retiene la lección de los flamencos P. Aertsen, J. Beuckelaer, retomada por los italianos del norte: Passerotti, Campi y más tarde Carracci. Conoce a Zurbarán y a ciertos coloristas españoles (Herrera y J. Martínez Montañés, el escultor policromo). Amplía su cultura artística en Toledo con el Greco y en Madrid contemplando los Tiziano y los Rubens. En Venecia copia *La última cena* de il *Tintoretto. En Roma, dibuja *El Juicio Final* de *Miguel Ángel, los lienzos de *Rafael y se impregna del arte del paisaje y de la humanidad de A. Carraci y del Domenichino.

• En sus inicios, en sus primeros lienzos devotos, Velázquez se inspira en contemporáneos suyos, como Zurbarán. Más tarde rompe con la tradición religiosa y estilística sevillana. Pinta escenas de género inspiradas en los flamencos e italianos, caracterizadas por la solidez de la composición y la fuerza de las formas esculturales, el realismo brutal y la dureza de los rostros, la violencia de los contrastes luminosos y de la policromía española. Además de estos personajes populares, escogidos entre la plebe, que adquieren sus cartas de nobleza, «se atreve a reducir las escenas de la historia sagrada a un papel secundario, cercano al de los bodegones» (Y. Bottineau, 1969).

En sus primeros retratos, esculturales, impactantes por su verdad, se inspira en el Greco. Después evoluciona hacia el retrato de corte tizianesco.

• La influencia de Rubens se hace evidente en la ligereza de la pincelada, del modelado, de los colores más vivos. Velázquez profundiza su cultura pictórica junto a los grandes maestros del renacimiento, los coloristas venecianos, y desarrolla una visión impregnada de humanismo, siguiendo el ejemplo de Carracci o del Domenichino. A partir de entonces abandona los bode-

UN GRAN MAESTRO

◆ Velázquez, el retratista español con más talento del siglo XVII, es admirado y alabado en vida por toda Europa. Todavía hoy suscita admiración y delectación.

◆ Inclasificable estilísticamente, a veces cercano al clasicismo, interpreta el arte de los maestros italianos y flamencos y posteriormente se desmarca de la tradición. Da prioridad a la realidad, de la que tiene un sentido excepcional.

◆ Velázquez es innovador al pintar bodegones «religiosos», así como a enanos y bufones. Ofrece el primer desnudo de la pintura española *(Venus del espejo)* antes de *Goya y su *Maja desnuda*.

◆ Los retratos proponen una nueva manera de situar a las figuras en el espacio y poses más naturales.

◆ Por primera vez, un pintor practica el dibujo al aire libre como preparación para la pintura al óleo.

◆ En los retratos, la rapidez de la pincelada no perjudica a la evocación de la realidad. En los paisajes dicha evocación se convierte en preimpresionista. Velázquez multiplica los efectos de oficio, de la factura lisa y fluida a empastes que rozan el «tachismo» por la mezcla óptica de los colores.

gones. Domina el espacio, continúa suavizando el modelado del cuerpo en un empeño más realista que estético, aclara y matiza su paleta, aligera todavía más la pincelada *(Retrato de la infanta Doña María o La fragua de Vulcano).*

• La madurez de su arte se define por la simplicidad de las composiciones, la suntuosidad de los colores y, sobre todo, por la fuerza plástica. Velázquez representa con una agudeza psicológica sorprendente a la familia real, y a los enanos y bufones. A todos trata con la misma dignidad, con la misma humanidad, desde el respeto a las diferencias sociales y físicas. Destaca en la naturalidad de la expresión, en la puesta en escena y en la luz. Los personajes se presentan ya sea en un interior, en un ambiente oscuro de tonos cálidos, ya sea en un exterior de aire claro y luminoso. El estilo es ágil.

• En los retratos ecuestres o de caza, Velázquez magnifica la vitalidad y el realismo. Su técnica de los empastes, pintados rápidamente, sugiere las materias, las sedas, los terciopelos y los bordados *(Felipe IV,* 1635).

• Sensible al color veneciano, establece una unidad de color entre el rostro, el vestido y el plano posterior, que pone en evidencia la expresión *(Inocencio X)* o la sensualidad. Así, la *Venus del espejo* revela en dicho espejo su aire misterioso mientras que su desnudez se pone en escena suntuosamente. Los paisajes, transposición al óleo de dibujos ejecutados al aire libre, dan importancia sobre todo a la luz, en una factura preimpresionista. Paralelamente, sus lienzos religiosos se apegan al clasicismo.

• Sus últimos retratos reales muestran una libertad que renueva el tradicional retrato cortesano. La composición es simple, pero la asociación de un sencillo ramo de flores y de una figura real es audaz *(Retrato de la infanta Margarita,* 1654, Viena, K.M.). La mirada inexpresiva de los modelos principescos, inmovilizados en la fragilidad de su ser, los colores y los grises plateados centelleantes, vibrantes, un oficio ligero y espléndido marcan este período. *Las meninas* y *Las hilanderas,* de una composición sutil y de una temática compleja, concluyen su búsqueda permanente de la realidad asociada al misterio, en una técnica «tachista». La magnificencia de las vestiduras, de los tejidos, satinados, tornasolados, con reflejos argénteos, se reproduce mediante un trabajo preimpresionista.

OBRAS CARACTERÍSTICAS

Velázquez deja alrededor de un centenar de obras. Este número poco elevado se explica por su rango de cortesano y de pintor cultivado, digno de la amistad del rey de España.

La adoración de los Reyes Magos, 1619, Madrid, Prado
Cristo en la casa de Marta y María, 1619-1620, Londres, N.G.
Luis de Góngora, 1622, Boston, M.F.A.
Felipe IV de cuerpo entero, 1628, Madrid, Prado
La fragua de Vulcano, 1630, Madrid, Prado
La infanta Doña María (hermana del rey), 1630, Madrid, Prado
Retrato ecuestre de Felipe IV, 1635, Madrid, Prado
Felipe IV, 1635, Londres, N.G.
Francisco Lezcano, 1637, Madrid, Prado
La rendición de Breda, llamada *Las lanzas,* 1635, Madrid, Prado
La dama del abanico, 1646, Londres, W.C.
El papa Inocencio X, 1650, Roma, Galería Doria-Pamphili
Vista del jardín de la Villa Médicis, 1650 ¿?, Madrid, Prado
Venus del espejo, h. 1650, Londres, N.G.
La infanta María Teresa a los catorce años, 1652, Viena, K.M.
Busto de Felipe IV, 1655, Madrid, Prado
Las meninas, 1656, Madrid, Prado
Las hilanderas, 1657 ¿?, Madrid, Prado
El infante Felipe Próspero, 1659, Viena, K.M.

BIBLIOGRAFÍA

Domínguez, Antonio; Pérez Sánchez, Alfonso E.; Gállego, Julián, *Velázquez* (catálogo de exposición), Ministerio de Cultura, Madrid, 1990; Batiele, Jeannine, *Velázquez, el pintor hidalgo,* Ediciones B, Barcelona, 1999; Morán Turina, Miguel; Sánchez Quevedo, Isabel, *Velázquez: catálogo completo,* Akal, Madrid, 1999; Brown, Jonathan, *Velázquez, pintor y cortesano,* Alianza, Madrid, 2000.

Felipe IV
1635. Óleo sobre tela 1,99 × 1,13 m,
Londres, National Gallery

▲ *Busto de Felipe IV con coraza*
Hacia 1625-1628. Óleo sobre tela,
57 × 44 cm, Madrid, Museo del Prado

Estos tres retratos del rey de España muestran
claramente la evolución estilística de Velázquez,
en el transcurso de su carrera, sobre un mismo tema.
En el primero de estos retratos reales, que data de los
inicios sevillanos del artista, Velázquez trata de manera
escultural este rostro duro y realista. Los contrastes de
luz y los colores son todavía abruptos. La factura es lisa
y fluida. Tras su primer viaje a Italia en 1628, Velázquez
suaviza el modelado y asimila los colores venecianos,
con lo que opta por desarrollar las armonías cromáticas
a expensas del tradicional traje negro.
En el retrato de 1635, los bordados de plata se
convierten en pequeños empastes pintados con rapidez.
En cuanto al retrato de 1655, muestra una extrema
simplicidad de composición, sobriedad en los colores,
sobre todo en las vestiduras, lo que pone en evidencia
la psicología del modelo, la expresión patética y lúcida
de un rey en declive, reproducida con una enorme
calidad y un realismo absoluto. Velázquez también sabe
hacer que resplandezcan los vestidos de las infantas,
el muaré y el brillo de los satenes con reflejos plateados
que se destacan sobre un fondo de tonos trabajados,
de una factura «tachista» preimpresionista.

◄ *Busto de Felipe IV*
1655. Óleo sobre tela, 69 × 56 cm, Madrid,
Museo del Prado

Rembrandt

Pintor no conformista de cuadros históricos y de retratos, Rembrandt convence y emociona por su arte del claroscuro, sus colores terrosos o resplandecientes, su materia empastada, la factura «expresionista» de sus autorretratos introspectivos y los lienzos en los que la representación realista se muda en una realidad completamente interior. Rembrandt fue también, sin duda, el más grande aguafuertista de la historia del arte.

RECORRIDO BIOGRÁFICO

• El pintor y grabador neerlandés Rembrandt Harmenszoon Van Rijn, llamado Rembrandt (Leyde 1606-Amsterdam 1669) es el octavo hijo de un molinero que vivía cerca del Rin (Van Rijn). Lleva a cabo su aprendizaje como pintor y grabador en el taller de J. Van Swanenburgh, en Leiden, y después en Amsterdam junto al pintor de temas históricos P. Lastman, gran admirador de *Caravaggio. Rechaza hacer el tradicional viaje a Italia.

• De vuelta a Leiden, el pintor realiza *Balaam* (1626, París, C.-J), en donde la influencia de Lastman es evidente, la *Huida a Egipto* (1627, Tours, B.A.), en una tonalidad más marronosa, *Dos filósofos conversando* (1628, Melbourne, N.G.A.), *La negación de san Pedro* (1628, Tokyo, Bridgestone M.) y *Los peregrinos de Emaús* (1629, París), en donde la realidad y la ficción se funden en su lenguaje personal del claroscuro.

• Rembrandt se apasiona también por el retrato realista y psicológico: *Hombre riendo* (h. 1628, La Haya, M.) o *La profetisa Ana*, en la que toma como modelo a su madre (1631, Amsterdam). Se interesa por las escenas de la vida cotidiana, religiosas o profanas: *Jeremías prevé la destrucción de Jerusalén* (1630, Amsterdam), *Sabio en una habitación* (h. 1628, Londres, N.G.).

• Se instala en Amsterdam en 1631. *La lección de anatomía del doctor Tulp* (1632, La Haya) le consagra como artista. Rembrandt vive en la casa de un rico comerciante de arte, H. van Uylenburgh, y se casa con su prima, Saskia, en 1634. La elegancia y la belleza de Saskia inspiran a Rembrandt en numerosas obras: *Flora* (1635, Londres, N.G.), *Saskia sonriendo con un sombrero de plumas* (1633, Dresde, S.K.). Imagina también escenas más intimistas, como *El peinado* (1633, Ottawa, N.G.), o de reflexión como el *Filósofo en meditación* (1632, París). Efectúa más de cincuenta retratos de la burguesía entre 1631 y 1633: *El mercader Ruts* (1631, Nueva York, F.C.), *Un noble oriental* (1632, Nueva York, M.M).

• Realiza uno de sus raros encargos religiosos con *La vida de Cristo* (1633-1639, Munich, A.P.), una obra luminista y dinámica. *El festín de Baltasar*, llamado también *Baltasar percibiendo la escritura sobre el muro* (1635, Londres), y *Sansón cegado por los filisteos* (1636, Frankfurt, S.K.) son del mismo estilo.

• A partir de 1636 está en la cumbre de su arte: *Danae* (1636, San Petersburgo, Ermitage), *Hombre en traje histórico* (1636, Washington, N.G.), *Tobías y el ángel* (1637, París, Louvre). Pinta algunos paisajes: *Paisaje con un puente arqueado* (h. 1628, M. de Berlín), *Paisaje con castillo* (h. 1640, París, Louvre). Rembrandt gana mucho dinero. Su casa desborda de pinturas (*Rafael, Van Eyck, Giorgione), grabados (Durero, Caillot, *Rubens, Mantegna), dibujos de *Bruegel, objetos artísticos, sedas y porcelanas. Su taller cuenta con numerosos alumnos.

• La madurez de la década de 1640, a pesar de la muerte de Saskia (1642) cuando su hijo Titus no cuenta más que un año, se caracteriza por un arte sereno y equilibrado, profundo y rico: la *Sagrada Familia* (1640, París), *Saskia con un clavel* (1641, Dresde), *La adoración de los pastores* (1646, Londres, N.G.), *Los peregrinos de Emaús* (1648, París). *La ronda de noche* (1642, Amsterdam), mal percibida por quienes la habían encargado, afecta a la reputación del artista: éste presenta dicho retrato colectivo como una escena vivida y no como un alineamiento de personajes que posan. Las ventas decaen. Especulaciones arriesgadas precipitan la caída del artista.

• Las grandes obras maestras de la década de 1650 las hace en rojo y oro: *El hombre del casco dorado* (1650, Berlín), *Joven en la ventana* (1651, Estocolmo, Nm.), *Aristóteles* (1653, Nueva York), *Jacob bendiciendo a los hijos de José* (1656, Cassel, S.K.) y su hijo *Titus leyendo* (1656-

1657, Viena, K.M.). *Mujer bañándose* (1654, París, Louvre), en la que toma como modelo a su sirviente Hendrickje Stoffels, convertida en su amante, es tachada de inmoral. En 1657 sobreviene la ruina económica y el embargo de todos los bienes que Rembrandt poseía.

• La muerte de su compañera (1663) y la quiebra financiera no perjudican su producción artística, de una libertad de factura total: *Moisés mostrando las tablas de la ley* (1659, Dresde, Gg.), *La negación de san Pedro* (1660, Amsterdam, Rm.), *Los síndicos del gremio de los pañeros* (1662, *id.*), *La novia judía* (1665, *id.*), *San Mateo y el ángel* (1661, París, Louvre), *La conjura de Claudius Civilis* (1661, Estocolmo), el *Retrato de Titus* (1663, Londres, Dulwich College), el *Retrato de familia* (1668-1669, Brunswick, S.H.A.U.M.).

• Rembrandt escruta constantemente su propio rostro. Una galería de más de cincuenta autorretratos constituye un auténtico diario íntimo, «redactado» durante más de cuarenta años (entre los 20 y 63 años de edad): *Autorretrato del artista* en 1626 (Kassel), 1629 (La Haya, M.), 1632 (Glasgow), 1640 (Londres), *Autorretrato del artista con paleta y pinceles* en 1660 (París) y 1669 (Londres, N.G.).

Pintor, grabador (cerca de 300 grabados atribuibles) y dibujante muy fecundo, Rembrandt forma a numerosos discípulos, como C. Fabritius, G. Dou, G. Flinck, F. Bol... Su arte suscita copias, pastiches, réplicas de taller y falsificaciones. Los románticos, como Goya, que ve en él a un maestro, admiran su visión del individuo.

INFLUENCIAS Y CARACTERÍSTICAS PICTÓRICAS

Rembrandt se decanta por la pintura histórica y el retrato, simple, doble o colectivo, y sobre todo el autorretrato. Sus obras versan sobre temas de la antigüedad, mitológicos, bíblicos, de la vida cotidiana, desnudos femeninos realistas, algunos paisajes... Pinta en pequeños formatos sobre madera, pero también sobre lienzos de todas las dimensiones.

Los encargos provienen esencialmente de notables (comerciantes, médicos, predicadores), pero también de rabinos y artistas. Lleva a cabo algunos encargos religiosos hechos por las iglesias y realiza para el conde italiano A. Ruffo lienzos históricos y heroicos.

Formado en Leiden y después en Amsterdam, Rembrandt aprecia la pintura de *Leonardo, se inspira en el arte dinámico y barroco de Rubens, y en el claroscuro del alemán A. Elsheimer, cuyos personajes apenas iluminados se confunden en las sombras. La pintura tonal de sus retratos femeninos recuerda a *Tiziano.

• Rembrandt rechaza la teoría clásica del arte: la jerarquía de los géneros, el dibujo perfecto, el bello ideal, la factura lisa. En sus inicios se ve marcado por las concepciones de P. Lastman en materia de pintura histórica que ponen el acento sobre los elementos realistas y psicológicos. Rembrandt retiene también de su maestro la riqueza expresiva del grafismo convulso y en pequeños trazos.

UN GRAN MAESTRO

◆ Celebrado y admirado en vida, Rembrandt tiene un enorme éxito, que en el siglo XX aumenta aún más.

◆ Antiacadémico, rompe con los preceptos tradicionales de la pintura e introduce una plástica singular que anima unos temas ampliamente pensados.

◆ Firma la serie de autorretratos introspectivos más grande de la historia de la pintura occidental. Rompe con las reglas del retrato oficial y encuentra un nuevo modo narrativo imponiendo su propia visión histórica, literaria y poética, distante del calvinismo.

◆ Rembrandt elabora un método de creación que le es propio: realiza sus obras a partir de un esbozo, trazado en un tono monocromo con el pincel, dividido en zonas de colores. Los fondos lisos y transparentes son los primeros en ejecutarse. Los numerosos «arrepentimientos» demuestran su búsqueda del relieve mediante el juego del claroscuro.

◆ El tema y la factura, el color, la luz, se encuentran en una ósmosis perfecta. El pintor es el primero en proponer un estallido del lenguaje pictórico clásico mediante empastes expresionistas. Representa «una observación militante de la realidad» (J. Foucart, 1971) en un trabajo variado, «primer germen de la dislocación del lenguaje pictórico» (*id.*).

Rembrandt

- Llegado a la madurez de su arte, Rembrandt reduce el espacio, opta por una paleta de tonos oscuros casi monocromos, alrededor de los marrones y de los grises, colocados en manchas yuxtapuestas. Escoge una factura empastada y rugosa aplicada a grandes pinceladas, contornos y planos aproximativos inscritos en una penumbra vívida, y un claroscuro poético de donde emerge una luz deslumbrante, que manifiesta espectacularmente su realismo naturalista y su visión fantástica.
- En su obra tardía, se inspira en *La última cena* de Leonardo, y expresa en *Los peregrinos de Emaús* (1648) «una súbita revelación que sella el destino de los hombres» (J. Foucart). Su gusto por el esbozo lo lleva a liberarse de todo efecto espacial en provecho de la puesta en evidencia de personajes monumentales. Las composiciones están muy estructuradas y poseen un gran dinamismo. La materia espesa, el virtuosismo de la factura, de colores cálidos y terrosos resplandecientes de rojos y de oro, hacen que la obra vibre.
- Rembrandt se interesa esencialmente por los retratos. Los individuales ofrecen toda la diversidad humana: ancianos arrugados, retratos de sus mujeres como figuras antiguas, mitológicas, de su hijo (*Titus vestido de monje*). La expresión de las miradas es directa, a las mujeres les da forma mediante una pasta rica, luminosa y dorada que recuerda a Tiziano.
- El recorrido artístico de Rembrandt, de la representación «física» de la realidad a la vida interior, se dibuja a través de sus autorretratos, que desvelan las múltiples facetas de su personalidad: Rembrandt como patriota, como burgués, como gentilhombre del renacimiento, como apóstol... pero también como objeto de una introspección narcisista e inquieta. En su juventud, lo mismo que en la madurez, su lucidez es a veces sarcástica: mechas rubias desgreñadas rascadas con el mango del pincel, nariz demasiado evidente. Sus retratos de grupo *(La lección de anatomía, La ronda de noche)* dan la impresión de una vida intensa. Cada personaje, animado por un movimiento propio, es a la vez individuo único y miembro del grupo.

Jeremías prevé la destrucción de Jerusalén 1630. Óleo sobre madera, 58 × 46 cm, Amsterdam, Rijksmuseum

Esta obra de juventud pone en escena, en un espacio exterior vasto e infinito, al profeta Jeremías apesadumbrado por la visión de Jerusalén en llamas. El sentimiento dramático se lee sobre su rostro fatigado, arrugado, auténtico como el de la *Profetisa Ana* y, por su actitud resignada, pensativa, se acerca al *Filósofo en meditación*. Si bien el fondo de la tela está pintado en marrón y rojo oro, las vestiduras, la alfombra y sobre todo los bronces muestran una factura precisa, un oficio de un gran virtuosismo y un sentido agudo del color.

BIBLIOGRAFÍA

Arpino, Giovanni; Lecaldano, Paolo, *La Obra pictórica completa de Rembrandt*, Noguer, Barcelona, 1971; Clark, Keneth, *Introducción a Rembrandt*, Nerea, Madrid, 1989; Brown, Christopher; Kelch, Jan; Thiel, Pieter van (eds.), *Rembrandt: el maestro y su taller* (catálogo de exposición), Electa España, Barcelona, 1991; White, Christopher, *Rembrandt*, Destino, Barcelona; Thames and Hudson, Londres, 1992; Bockemühl, Michael, *Rembrandt 1609-1669: el enigma de la visión del cuadro*, Taschen, Colonia, 2000; Shama, Simon, *Los ojos de Rembrandt*, Plaza & Janés, Barcelona, 2002.

Autorretrato del artista con pintura y pinceles
1660. Óleo sobre tela, 111 × 85 cm, París, Museo del Louvre

Este autorretrato, uno de los últimos, representa a Rembrandt en un encuadramiento conciso. Se pone el acento sobre la autenticidad psicológica y física de su persona, reproducida sin complacencia: piel arrugada y ojeras, nariz grandes, cabellos despeinados... Solamente el rostro, su paleta de pintor y el fragmento de la tela que pinta emergen de los tonos terrosos. La materia pictórica aplicada, en oro o en rojo, llena de luz, suplanta los detalles, el dibujo. Su presencia y su mirada traspasan la tela e increpan al espectador.

OBRAS CARACTERÍSTICAS

Hoy en día están catalogados 400 cuadros de Rembrandt, de los cuales alrededor de 55 son autorretratos. Teniendo en cuenta los problemas de atribución debidos a la existencia de sus numerosos alumnos e imitadores (lo que le diferencia de los demás artistas), el corpus de sus obras tiende a reducirse.

Los peregrinos de Emaús, 1629, París, J. A.
Jeremías prevé la destrucción de Jerusalén, 1630, Amsterdam, Rm.
La profetisa Ana (madre del artista), 1631, Amsterdam, Rm.
La lección de anatomía del doctor Tulp, 1632, La Haya, M.
El filósofo en meditación, 1632, París, Louvre
El festín de Baltasar, 1635, Londres, N.G.
Hombre en traje histórico, 1636, Washington, N.G.
La Sagrada Familia, 1640, París, Louvre
Autorretrato, 1640, Londres, N.G.
Saskia con clavel, 1641, Dresde, Gg.
La ronda de noche, 1642, Amsterdam, Rm.
Los peregrinos de Emaús, 1648, París, Louvre
El hombre del casco dorado, 1650, Museo de Berlín
Aristóteles, 1653, Nueva York, M.M.
Autorretrato del artista con paleta y pinceles, 1660, París, Louvre
La conjura de Claudius Civilis, 1661, Estocolmo, Nm.
La novia judía, 1665, Amsterdam, Rm.

Vermeer

Maestro atípico del arte holandés, Vermeer pinta la vida íntima y cotidiana de mujeres silenciosas e intemporales. Sus escenas de género, de composición compleja, en las que se incluyen suntuosas naturalezas muertas, se ven inundadas de gotas de colores luminosos, a menudo amarillas y azules. La pureza de la luz, los reflejos centelleantes, «puntillistas» y singulares, las sensaciones físicas y la perfección de su arte ofrecen una impresión de naturalidad que emociona.

RECORRIDO BIOGRÁFICO

• Johannes Vermeer, llamado Vermeer de Delft (Delft 1632-*id.* 1675), pintor neerlandés olvidado durante mucho tiempo, creció junto a su padre, un tejedor de sedas, tabernero y marchante de cuadros. Tras un aprendizaje que se supone realizó junto a L. Bramer, célebre en Delft en la década de 1650, Vermeer se convierte en maestro del gremio de los pintores en 1653 y se casa. Todo apunta a que llevara una vida apartada y a que se ganara la vida a duras penas como pintor y marchante de grabados.

• Un impresor ve en él al heredero de C. Fabritius, muerto en 1654, del que habría sido alumno, y al discípulo de Rembrandt. Su preocupación por la luz y su admiración por Fabritius se revelan propicias a la expansión de su obra, de la que solamente tres cuadros llevan fecha: *La alcahueta* (1656, Dresde), *El astrónomo* (1668, París, Louvre) y *El geógrafo* (1669, Frankfurt). La escena burguesa de género, enteramente construida alrededor de figuras femeninas, caracteriza su obra.

• Sus realizaciones de juventud, de obediencia caravaggista, se inspiran en los artistas de Utrecht: *Cristo en casa de Marta y María* (Edimburgo), *Diana y sus ninfas* (La Haya, M.), así como *La alcahueta*, que anuncia sus obras de madurez.

• La primera obra más personal de Vermeer se titula *Joven dormida* (Nueva York). Vienen después, en el período 1655-1660, varias obras maestras que revelan las características estilísticas del artista, en la elaboración de interiores, la elección de las poses y de los tejidos, el gusto por los reflejos, etc.: *Dama leyendo una carta* (Dresde). *La lechera* (Amsterdam) es sin duda una magistral naturaleza muerta (que el pintor británico J. Reynolds admirará), mientras que en *La callejuela* (*id.*) capta, como en una instantánea, a mujeres en su actividad en el exterior, tema raramente explotado por el pintor.

• La *Vista de Delft* (La Haya), el único paisaje de Vermeer, «rayo de sol sobre la ciudad tras la tormenta», «impresionista» por la luz y por la técnica, pasará a la posteridad como uno de los lienzos más famosos de Vermeer, «el cuadro más bonito del mundo» (M. Proust, 1921). La serie de los músicos ilustra sobre todo sus investigaciones espaciales: *La lección de música* (Nueva York, F.C.), *El concierto* (Boston, I.S.G.M.), *Gentilhombre y dama tocando la espineta* (Londres), *Dama bebiendo con un caballero* (M. de Berlín). De 1660 a su muerte, Vermeer sigue con la temática musical: tocadora de laúd, de flauta, de guitarra, de espineta.

• Probablemente entre 1660 y 1665 pinta *La mujer en el aguamanil*, a veces conocida como *Mujer en la ventana* (Nueva York), *La pesadora de perlas* (Washington, N.G.), *Dama de azul leyendo una carta*, conocida como *La lectora* (Amsterdam, Rm.), y *La joven con turbante* o de *la perla* (La Haya), llamada «la Gioconda del norte».

• De su último período, hacia 1665-1670, datarían *La encajera* (París, Louvre) y *El taller*, llamado *Alegoría de la pintura* (Viena). También, los lienzos sobre el tema de la carta, como *La carta de amor* (Amsterdam), de composición compleja, o la *Mujer joven que escribe una carta y su sirvienta* (Nueva York, F.C.). Entre sus últimas obras, *La alegoría de la fe* (Nueva York, M.M.) se revela como «laboriosa», mientras que la *Dama al virginal* (Londres, N.G.) vuelve a una composición más esquemática. En 1672, Vermeer experimenta la precariedad económica y se separa de sus lienzos.

Su arte sin narración, opuesto al de sus contemporáneos, como J. Steen o G. Ter Borch, pequeños maestros holandeses de la escena de género, no suscita seguidores, excepto Van Meegeren, falsario de talento. Como *Piero della Francesca y *La Tour, pintores del silencio, Vermeer fascina. Los pintores británicos J. Reynolds, T. Gainsborough, el francés *Watteau y más tarde los impresionistas ven en él a un precursor genial.

INFLUENCIAS Y CARACTERÍSTICAS PICTÓRICAS

Vermeer fija su atención sobre las escenas de género en interiores. Trabaja sobre todo en el tema de las cartas y de la música, tomados en la intimidad de una mujer, a veces en presencia de un hombre con papel secundario. Pinta retratos, dos paisajes urbanos, raramente escenas religiosas y mitológicas, sobre un soporte de tela o de madera. En sus inicios realiza grandes formatos que después reduce para los temas de atmósfera más íntima.

El francés B. de Monconys y J. Dissius, impresor de Delft, compran sus obras.

El arte de Vermeer se asemeja al mismo Delft, ciudad «de cerámicas frías, untuosamente esmaltadas, y de alfombras suaves, profundas y silenciosas, villa de las industrias del lujo, pero también de instrumentos matemáticos y físicos» (R. Huyghe, 1985).

• En sus inicios, el pintor se inspira en los caravaggistas de Utrecht, en el claroscuro de *Rembrandt, en los temas de las escenas de género de los artistas holandeses, sobre todo de E. Quellinus. Adopta los temas y el estilo caravaggistas de moda en Holanda, traducidos mediante un realismo sin concesiones. Retoma el caravaggismo claro de D. Van Baburen, y pone en escena escasos motivos religiosos, aunque sí numerosas mujeres cortejadas y sensuales, vino de reflejos ambarinos y vasos con reflejos de cristal. Sus obras se ven acariciadas por un claroscuro, por una tonalidad profunda, de amplia factura. Todavía no le preocupan ni el espacio ni la profundidad.

• Rápidamente, conjuga el arte de G. Dou y de C. Fabritius (alumnos aventajados de Rembrandt), de P. De Hooch y de *Hals, sus contemporáneos holandeses. Vuelve a la tradición realista del norte y a su poesía. En sus temas «sin historia y sin palabras» se concentra en la reproducción de los efectos, despierta las sensaciones visuales y táctiles a partir de las materias, asienta la autenticidad de las figuras situadas en un espacio iluminado, en pleno día. Así se inicia la obra que le hace célebre, sin evolución dominante ni cronología cierta. Vermeer se situaría entre la imitación de la materia real de Dou, la exaltación de la materia a expensas de la realidad de Hals, la precisión natural de los *trompe-l'œil*, las naturalezas muertas de Fabritius, el arte de las escenas galantes en un espacio interior realista e iluminado de De Hooch. Alía la forma sólida y la vibración del color luminoso, asociados a la búsqueda de los volúmenes espaciales.

UN GRAN MAESTRO

◆ Pintor conocido en su tiempo, Vermeer cae en el olvido en el siglo XVIII. T. Thoré lo redescubre en 1866. El escritor Marcel Proust se entusiasma ante sus lienzos. Desde entonces suscita un interés apasionado.

◆ Vermeer, pintor de la luz, continúa siendo un artista inclasificable por la temática, la nueva visión hecha posible por su técnica y la perfección plástica. Su arte toma como punto de partida la tradición artística holandesa de su época.

◆ Elabora escenas de género «sin narración», mudas.

◆ Sus composiciones complejas atestiguan también su búsqueda espacial.

◆ Tiene una técnica propia. Pinta del natural con la ayuda de una cámara oscura. Sobre la capa coloreada todavía algo fresca deposita un toque de color muy claro. Su «puntillismo» brillante reproduce a la perfección el estallido de la luz solar incidente. Con el pincel deposita capas de pintura grasas, cremosas, bastante líquidas, que desbordan ligeramente el dibujo. En las partes más oscuras de la tela, colorea la oscuridad y sube la intensidad del tono para llegar «a lo agudo del color», que disuelve en la luz y no en la sombra, como sus predecesores.

◆ Vermeer se impone como el maestro de la luz pura y blanca, como el pintor de las sensaciones visuales, táctiles e incluso auditivas por el silencio intrínseco a su arte. Representa la realidad exacta y límpida en una reproducción impecable.

• Demuestra ciertamente su originalidad en la elección de sus tonos: azul zafiro y azul pasado, amarillo limón, bermellón, ocre rojo. Los aplica tan pronto en pasta untuosa, como en pequeños toques o en veladura, a veces simultáneamente *(La lechera)*. Casa la materia de las cosas con la materia de la pintura, que «no se aparta jamás de la verdad absoluta del valor coloreado que la une a su modelo y la confunde con éste» (R. Huyghe).

• En la madurez de su arte, la composición evoluciona, la espacialidad se hace perfecta, la luz, límpida y la factura, espesa. La materia pictórica «puntillista» o «perlada», visible gracias a la firmeza de los empastes y la rugosidad de la textura, revela por primera vez el brillo de la luz solar incidente.

• La claridad que emana de los lienzos de Vermeer, pintor de la luz, permanece fiel a la realidad, toma acentos melancólicos, sobrepasa ligeramente al dibujo para disipar la sequedad del contorno y para sugerir un flujo. Colorea e ilumina la oscuridad, reduce los contrastes, sitúa la fuente iluminadora paralelamente al plano de trabajo, creando de este modo «volúmenes luminosos» ficticios y obras intemporales.

• Pintor de figuras inmóviles, frágiles y mudas, de la ilusión y de la profundidad, Vermeer reproduce el efecto óptico mediante tonos claros, que deslumbran y dan un brillo centelleante a los elementos: los cobres, el chorro de leche, las perlas. Las ventanas, fuente de luz, no ofrecen ninguna vista exterior. El mundo de Vermeer es límpido, sobrio, cerrado, tranquilizador y silencioso.

• Las últimas obras muestran todavía mayor seguridad técnica, alían la inmovilidad y el movimiento. Su arte se carga de objetos. Pesadas cortinas se inscriben en el primer plano, los grises o marrones se mezclan con los tonos claros. La objetividad absoluta encuentra sus límites y finalmente vuelve a la estilización y al despojamiento.

Es, «siempre, sea cual sea el genio con el que los cuadros se han creado, la misma mesa, la misma alfombra, la misma mujer, la misma y única belleza, enigma [...], la impresión particular que produce el color» (Marcel Proust,1921).

OBRAS CARACTERÍSTICAS

Se conocen una treintena de obras de Vermeer. Solamente tres cuadros llevan fecha.

Cristo en casa de Marta y María, Edimburgo, N.G.
La alcahueta, 1656, Dresde, Gg.
Joven dormida, Nueva York, M.M.
Mujer leyendo una carta, Dresde, Gg.
La lechera, Amsterdam, Rm.
Vista de Delft, La Haya, Mauritshuis
Gentilhombre y dama tocando la espineta, Londres, B.P.
La mujer en el aguamanil, Nueva York, M.M.
La joven del turbante (o *de la perla*), La Haya, Mauritshuis
La encajera, París, Louvre
La carta de amor, Amsterdam, Rm.
El taller o *La alegoría de la pintura*, Viena, K.M.
El astrónomo, 1668, París, Louvre
El geógrafo, 1669, Frankfurt, S.K.

BIBLIOGRAFÍA

Blankert, Albert, *Vermeer: todas las pinturas*, Noguer, Barcelona, 1982; Koningsberger, Hans, *El mundo de Vermeer: 1632-1675*, Time-Life Books, [Amsterdam]; Printer, Barcelona, 1982; Schneider, Norbert, *Vermeer 1632-1675: la obra completa, pintura*, Taschen, Colonia, 2000; Vergara, Alejandro; Westermann, Mariët, *Vermeer: y el interior holandés* (catálogo de exposición), Museo Nacional del Prado, Madrid, 2003.

Gentilhombre y dama tocando la espineta o *La lección de música*
Hacia 1660. Óleo sobre tela, 73,5 × 64,1 cm, Londres, Buckingham Palace

Un gentilhombre parece escuchar la música que toca una muchacha a la que vemos de espaldas. En la tapa de la espineta, una inscripción en latín: «La música es compañera de la alegría y medicina para los dolores». Esta escena de interior ofrece una síntesis del arte de Vermeer, pintor de la luz y de la figura femenina en un universo en el que reina la ilusión óptica de la profundidad. La sensualidad plástica de la obra acompaña al silencio y la intemporalidad.
El artista demuestra su dominio del espacio: la puesta en perspectiva de la mesa, de la silla y de la viola de gamba conduce la mirada del espectador hacia el fondo del cuadro. La construcción procede de rectángulos encajados, de tamaños diferentes. La luz, cristalina, acentúa la estructura de la obra. Vermeer, que ha llegado a la madurez de su arte, destaca por su técnica y por su oficio «puntillistas».
La pasta suave y coloreada se enriquece con puntos luminosos que traducen el reflejo de la luz incidente que hace brillar la seda de la alfombra, los clavos y el terciopelo de la silla, el cobre que se refleja sobre la jarra de porcelana de un blanco puro.
La sensación táctil de las materias, del mármol, de los metales, de la madera, de los tejidos, es atrayente a la vista y casi se puede palpar. El espejo ahumado refleja el rostro de la intérprete y una parte del embaldosado.
Esta obra de una composición compleja, rica en detalles, emana una tranquilidad que no sólo se dirige a la vista, sino también al oído y al tacto. La intemporalidad de los personajes de esta escena cerrada y la música extrañamente silenciosa del cuadro conducen hacia la universalidad y el recogimiento.

El siglo XVIII:
el rococó
y el neoclasicismo

En el siglo XVIII, ciencia y filosofía se asocian a las preocupaciones artísticas. Una libertad nueva se abre paso. Ciertas cortes europeas se ven seducidas por las nuevas ideas. Los franceses *Watteau, Boucher y *Fragonard, y el italiano *Tiepolo, ponen en escena la felicidad, la despreocupación, el libertinaje de la sociedad mundana, que el inglés *Hogarth pinta con imaginación. *Chardin se sitúa fuera de la efervescencia rococó, estilo relacionado con el reino de Luis XV que concluye con el de Luis XVI. En el tercer cuarto de siglo, la reacción al rococó y un nuevo retorno a la antigüedad suscitan el neoclasicismo, encabezado por *David.

EL SIGLO DE LAS LUCES EN EUROPA

Tras la muerte de Luis XIV, en 1715, desaparece una determinada concepción del absolutismo. Luis XV se convierte en «el bienamado». Junto a él, la marquesa de Pompadour preconiza una política de reformas, inspirada en el pensamiento de las luces: libertad de culto, justicia equitativa, abolición de la tortura, progreso económico, desarrollo de la instrucción, de las artes y de la ciencia. El régimen vacila con la guerra de Sucesión de Austria (1740-1748) y con la guerra de los Siete años (1756-1763). Luis XVI, rey a partir de 1774, llama a un sector de la burguesía a reformar el estado, de donde surge un conflicto con la nobleza y el clero. El descontento general conducirá a la Revolución francesa de 1789.

En Europa, la segunda mitad del siglo XVIII lleva la marca del despotismo «ilustrado» de los soberanos, inspirados por los valores de las luces. Apoyándose en las ideas de los filósofos, sobre todo franceses, Federico II de Prusia, Catalina II de Rusia, Carlos III de España, María Teresa y José II de Austria, y Gustavo III de Suecia adoptan en mayor o menor medida la monarquía absoluta de espíritu nuevo legitimado por la razón.

El movimiento de las ideas. La filosofía de las luces engendra una percepción nueva del mundo (métodos, medidas y observaciones) favorece un pensamiento laico que valoriza al individuo (el hombre natural, el hombre social), lo útil. El empirismo, la certeza de los hechos, el saber «compartido», el progreso científico y técnico inspiran una crítica de la jerarquía social, del poder religioso y un deseo de reformas radicales. El espíritu enciclopédico y racionalista de Diderot, el espíritu científico de D'Alembert y el sentido de las leyes y de la justicia de Montesquieu animan las discusiones de los salones literarios; el sentimiento de la naturaleza de Rousseau, el sentido de la libertad, de la justicia y de la tolerancia de Voltaire, así como la historia natural de Buffon, alimentan también debates apasionados. Locke, Hume, Newton... encarnan las luces *(Enlightenment)* en Gran Bretaña; Leibniz, Wolf, Kant y Lessing marcan el pensamiento alemán del *Aufklärung*. Pero ya para Rousseau el progreso técnico que marca la revolución industrial inglesa es una amenaza para la «felicidad».

Cosmopolitismo, academias y mercado del arte. Los príncipes se codean con los escritores y artistas que recorren Europa. El italiano Ricci trabaja en Londres, su compatriota Tiepolo en Alemania y en España; los franceses Boucher y Carle Van Loo pintan respectivamente para los reyes de Suecia, de Dinamarca y de Polonia, y para la casa de Saboya en Italia. Diderot, en Rusia, aconseja a Catalina II para sus adquisiciones de obras; Voltaire se desplaza a Prusia junto a Federico II.

La creación de academias nacionales se extiende a toda Europa. En Rusia se instituyen la Academia imperial de San Petersburgo (1724) y la Academia de las artes de Moscú (1757). En Londres, Hogarth alienta el nacimiento de la academia privada de Saint Martin's Lane (1734), preludio de la Royal Academy (1768). En España se crea la Academia real de las bellas artes de San Fernando (1752). En Francia, la Academia real ejerce un casi monopolio sobre la llamada «gran» pintura y, en Bélgica, la Academia real de bellas artes (1769). Estas instituciones constituyen ricas colecciones.

Sin embargo, los géneros llamados «menores» empiezan a encontrar su sitio fuera de los salones con la aparición de un comercio del arte.

LA RENOVACIÓN DE LA ESTÉTICA PICTÓRICA

Nacimiento del rococó en París. Desde 1699, Luis XIV reclama pinturas «menos serias». Más tarde, la marquesa de Pompadour, amiga de escritores y filósofos, se relaciona también con pintores a los que anima a aligerar el tono.

En la disputa estética iniciada en el siglo XVII entre los partidarios del color, privilegiado por Rubens, y los del dibujo, favorecido por Poussin, ganan los primeros en 1717, con ocasión de la recepción de la pintura *El embarque para la isla de Citera,* de Watteau, en la Academia.

Los artesonados, los entrepaños y los dinteles se cargan de grutescos, de fantasías exóticas, y «rocalla» (en referencia a las rocas artificiales con incrustaciones de conchas en los jardines). La pintura es el espejo de la sociedad mundana, despreocupada y más tarde decadente. Se hace decorativa, llena de artificios, revoloteante, ligera y de una luz cristalina en Boucher y Natoire, o más seriamente en Coypel y Van Loo. Este «estilo francés» se aleja de la pintura religiosa e histórica, y se carga de ornamentos tornasolados y lujosos, de pintoresquismo, de erotismo y onirismo, como las «fiestas galantes» de Watteau. El exotismo de los objetos chinescos, turcos y de un Oriente imaginario animan la «pastoral» de Boucher, mientras que Fragonard destaca en las «figuras de fantasía». El retrato mundano mitológico, las representaciones protagonizadas por animales, el paisaje en ruinas y las marinas obtienen también un gran éxito.

El rococó en Italia y en Europa central. Tras un eclipse en el siglo XVII, Venecia recupera su resplandor en el recuerdo del *Veronés: Ricci lanza la nueva corriente rococó que Tiepolo encumbrará. Paralelamente las *vedute* (vistas de las villas) de Canaletto, Bellotto y Guardi dan sus cartas de nobleza a estos «recuerdos» venecianos.

En Prusia y Austria, el éxito de los pintores rococós franceses (Van Loo) e italianos (Tiepolo, Carlone) oculta el arte de los decoradores alemanes. Los más jóvenes, como Rottmayr y Troger, se forman en Italia, contrariamente a Holzer y a Maulbertsch, el «Tiepolo vienés». El retrato se pone de moda.

Inglaterra, aparte. El rococó no encuentra eco al otro lado del canal de La Mancha: solamente Thornhill se ve seducido por el estilo de los decoradores venecianos. La pintura de paisaje, en cambio, atrae a los coleccionistas. La meditación sobre la naturaleza caracteriza la obra de Wilson, el primer gran paisajista inglés. Hogarth, a pesar de estar formado según la estética rococó, pinta series narrativas para la burguesía urbana. Su seguidor Reynolds, primer presidente de la Royal Academy en 1768, da importancia sobre todo al arte del retrato (como Gainsborough) y, oponiéndose al cosmopolitismo reinante, reivindica la creación de una pintura inglesa.

EL NEOCLASICISMO

La reacción al rococó. El arte neoclásico aparece en Roma entre 1760 y 1770 bajo la égida de dos alemanes, el teórico Winckelmann y el pintor esteticista Mengs, tras los descubrimientos de las ruinas de Herculano en 1738, de Paestum entre 1740 y 1744, y de Pompeya en 1748. La reacción contra el rococó engendra un clasicismo meditado que descansa sobre el rigor intelectual, el gusto por la naturaleza, la virtud grecorromana del heroísmo y del civismo, la «belleza ideal» antigua, la «noble simplicidad y la calmada grandeza», según Winckelmann.

Un movimiento de alcance internacional. En Francia, ciertos aspectos del neoclasicismo responden a los ideales de Rousseau y a la racionalidad de Diderot (simplicidad y perfección de la naturaleza, arte didáctico, moral). David, jefe de filas del neoclasicismo, pone su arte al servicio de la Revolución francesa ilustrando los acontecimientos contemporáneos: las muertes de Marat y de Bara, *El juramento del Jeu de paume.* Peyron le precede y Regnault le sigue, lo mismo que Guérin. El dibujo, analítico y preciso, sugiere la inmovilidad. El color está desprovisto de cambios irisados, la ejecución es lisa. El encuentro de David con Bonaparte, en 1797, será determinante para la carrera y la evolución del artista.

En cuanto a Inglaterra, ésta se inclina por un retorno al gótico, aunque retratistas como Romney, de estilo más severo, se inspiran en la antigüedad. El milanés Appiani, la suiza Angelica Kauffmann y los artistas rusos o daneses se sitúan en cambio en la línea de Mengs y de David. La Revolución, madurada por la enseñanza de las luces, derriba la sociedad monárquica del siglo XVIII. El neoclasicismo toma el color de la exaltación romántica a comienzos del siglo XIX con David, todavía, y con Gros.

Watteau

Watteau, pintor de fiestas galantes y de escenas teatrales, artista enigmático, encarna la pintura francesa en tiempos de la regencia. Sus representaciones de bellas damas y de encantadores gentileshombres vestidos de satén poseen un carácter onírico, pero su universo es a menudo serio. Su arte nace de su percepción del universo femenino, lleva la marca de las influencias flamencas y venecianas que él personaliza con un refinamiento y un lirismo teñidos, según las obras, de alegría o de melancolía.

RECORRIDO BIOGRÁFICO

• Jean-Antoine Watteau (Valenciennes 1684-Nogent-sur-Marne 1721), pintor francés, es introducido por su padre, carpintero-techador, en el taller de J.-A. Guérin, donde está de 1699 a 1702, antes de desplazarse a París en donde trabaja primero como copista para G. Dou. Descubre así las escenas religiosas de *Tiziano y *Rubens; se impregna de las representaciones galantes, de modas y de costumbres que le inspiran para *La verdadera alegría* (1702-1703, Valenciennes, B.A.).
• De 1704 a 1708, junto a Ch. Gillot (pintor, pero sobre todo decorador y sastre de teatros), se apasiona por la comedia italiana: *Arlequín, emperador en la Luna* (1707, Nantes, B.A.), *¿Qué he hecho yo, malditos asesinos?* (1704-1707, Moscú, Pushkin), *Los pequeños actores* (1706-1708, París, Carnavalet).
• Gillot envía a su brillante alumno a París, junto a Claude III Audran, célebre decorador de los castillos reales instalado en el palacio de Luxemburgo, en donde Watteau admira, en la galería Médicis, las realizaciones de Rubens. De 1708 a 1709 se forma en la decoración y trabaja para Marly, Meudon, el castillo de La Muette y el hotel parisino de Poulpry-Nointel. En abril de 1709, el artista compite en la Academia real por el premio de Roma: sólo obtiene el segundo premio y vuelve a Valenciennes en donde pinta *El buscador de nidos* (1710, Edimburgo) y temas militares como *El campamento volante* (1709-1710, Moscú, Pushkin).
• De vuelta a París, en 1710, se instala en casa de Sirois (suegro de Gersaint, el marchante de cuadros), al que representa como actor: *Vestido de Mezzetin* (h. 1717, Londres) —Mezzetin era el nombre de escena del actor italiano A. Constantini, contemporáneo del pintor y célebre por su interpretación del personaje de Arlequín. Watteau es recibido en la Academia para presentar sus cuadros *Los celosos* (perdido) y *La partie carrée* (San Francisco, M.F.A.). Es aceptado como miembro en 1717 con *El embarque para la isla de Citera*, llamado también *La peregrinación a la isla de Citera* (París), a título de pintor de temas históricos y no de «fiestas galantes». Entre 1712 y 1717, reside sin duda sucesivamente en casa de Sirbois, en la del pintor N. Vleughels, y en la del mecenas y coleccionista Crozat, quien le invita a sus fiestas de Montmorency en donde Watteau admira obras de Van Dyck y de Tiziano. Pinta *El encantador* y *La aventurera* (1712, Troyes, B.A.).
• De 1715 a 1721, Watteau dibuja y pinta mucho. Elabora una síntesis entre el arte flamenco y veneciano, perceptible en sus paisajes: *El bíbaro en Gentilly* (h. 1715, París, col. part.) y *Las estaciones*, de las que sólo subsiste *El verano* (h. 1715, Washington, N.G.). También se percibe en sus temas religiosos o mitológicos: *Ninfa y sátiro*, llamada también *Júpiter y Antíope* (1715, París, Louvre), *El juicio de Paris* (1720, id.) y en sus desnudos: *La toilettte* (1717, Londres, Wall. C.), y en sus raros retratos: *Antoine Pater* (1716 ¿?, Valenciennes) y *Gentilhombre* (1716, París, Louvre). Pero las obras que van a hacerle famoso son las que tienen como tema las «fiestas galantes»: *El donador de serenata* (1715, Chantilly, M. Condé), *La perspectiva* (1715, Boston), *Los campos Elíseos* (1717, Londres, Wall. C.), *Los placeres del amor* (id., Dresde, Gg.), *Los placeres del baile* (1717, Londres), *Asamblea en un parque* y *El paso en falso* (id., París, Louvre), *Fiestas venecianas* (id., Edimburgo), *Los pastores* (id., Berlín), *Diversiones campestres* (1718, Londres), *Los encantos de la vida* (1718 ¿?, id.), *Cita para la caza* (1720, id.). Su pasión por el teatro se prolonga, como muestra *El amor en el teatro italiano* y *El amor en el teatro francés* (1717 y 1718, M. de Berlín), *El indiferente* y *La Finette* (1717, París, Louvre), y más tarde *Gilles* (1717-1719, id.).
• En 1719, tísico, se desplaza a Londres para acudir a un médico. De vuelta a París, en 1720, se instala en casa de Gersaint y pinta *La muestra*, conocida como *La muestra de Gersaint*

(1720, Berlín), y *Los comediantes franceses* (1720, Nueva York). Watteau fallece prematuramente en casa de Crozat a los treinta y siete años.

Las obras de Watteau, dibujante y decorador de éxito, son apreciadas en toda Europa. No tiene alumnos pero trabaja en compañía de J.-B. Prater y N. Lancret que prolongan, sin inspiración, su arte. Se le plagia en toda Europa: su amigo Vleughels, su sobrino Louis-Joseph en París, Mercier en Londres, Pesne en Berlín. Otros pintores transponen su estilo: F. Boucher, J.-P. Oudry o F. Lemoyne. El tema de la fiesta galante se convierte en uno de los componentes del rococó.

INFLUENCIAS Y CARACTERÍSTICAS PICTÓRICAS

Watteau ve la fiesta galante como una reunión de personas en un jardín arbolado o sobre una terraza de palacio. Estas personas contemplan, se dicen palabras de amor, bailan, tocan música o representan obras teatrales. Estas escenas de costumbres no tienen que hacer olvidar los paisajes, los retratos, los temas populares, religiosos, mitológicos, la alegoría y el desnudo femenino.

Watteau plasma todos estos temas sobre tela o sobre madera, en formatos variados pero con una marcada preferencia por las pequeñas dimensiones. También se encarga de realizar decorados para el teatro, dinteles, biombos, artesonados en madera, lo mismo que tapas para clavicordio y rótulos para comerciantes. J. de Julienne, E.-F. Gersaint, P. Crozat, A. de La Roque y Federico II de Prusia son los principales interesados en su arte.

Hombre del norte, Watteau conoce la pintura neerlandesa de G. Dou y de los pequeños maestros flamencos, como David II Teniers. Formado en París por Gillot y Claude III Audran, el pintor desarrolla allí toda su carrera. Se inspira en artistas franceses, como L. de Boulogne, J. Bérain y Ch. de La Fosse, italianos como Tiziano, y flamencos como Van Dyck y sobre todo Rubens.

• Para aprender su oficio, en Valenciennes, Watteau copia a los artistas coloristas del norte y retoma el realismo, a veces rústico, de las escenas de género de Teniers.

• El encuentro con Gillot, que le contagia su entusiasmo por el teatro y los actores, marca un giro en su carrera. Del pintor L. de Boulogne retiene la flexibilidad del estilo de la pintura francesa. Durante su estancia con Audran se forma como decorador en la tradición del adornista Bérain pero innova concibiendo motivos fantasiosos de inspiración china y exótica. En el palacio de Luxemburgo descubre, fascinado, los colores cálidos y la vivacidad de la pincelada de Rubens. Su estilo se hace untuoso y después adopta definitivamente una pasta fluida. Su técnica condena los lienzos a un estado de conservación precario. En casa de su mecenas Crozat, admira los dibujos de Van Dyck, trabaja el arte del paisaje y lo perfecciona.

UN GRAN MAESTRO

◆ Adulado en vida y tras su muerte, Watteau cae en el olvido con la aparición del neoclasicismo. Reencuentra su gloria bajo el segundo imperio francés: lo alaban entonces los Goncourt, Ch. Baudelaire y P. Verlaine.

◆ Aunque sea pintor de escenas galantes, en la Academia se le abren las puertas como pintor de temas históricos, lo que revela tanto la importancia de Watteau en la época como la disgregación de la jerarquía de los géneros. El artista encarna la pintura francesa de su tiempo.

◆ «Watteau ha renovado la gracia, esa sutileza que parece sonreír desde la línea, el alma de la forma, la fisonomía espiritual de la materia.» (E. y J. de Goncourt, 1860.)

◆ Es el gran intérprete poético e inspirado de las fiestas galantes, moda que aparece a finales del siglo XVII. Sobre el tema de la evasión hacia un mundo encantado e irreal, presenta a figuras femeninas vueltas de espaldas al espectador y alejándose hacia el fondo del cuadro. Pone de moda los motivos chinescos y el exotismo.

◆ Este diseñador y colorista refinado pone su empeño en sugerir la textura de los tejidos satinados. Coloca resaltos de color claro sobre las vestiduras, a veces blancos, dorados o plateados. Sus lienzos, sutilmente coloreados, están bosquejados rápidamente.

◆ De la aparente futilidad de sus cuadros se desprende una magia teñida de una melancolía absolutamente personal.

Watteau

• Después el pintor efectúa la síntesis entre el estilo de Fontainebleau de Audran, heredero de J. Callot, el colorido propio de Rubens y los tonos venecianos de Tiziano, delicados y luministas, que en su caso se tiñen de una poesía que destila un sentimiento de tristeza y de melancolía *(Ninfa y sátiro)*.

• Su último período artístico, muy productivo y más acabado técnicamente, pone en escena temas realistas en el espíritu del norte, desnudos intimistas y sensuales de obediencia veneciana, algunos retratos y el mundo del teatro. Para concebir sus lienzos, Watteau pinta o esboza los paisajes y a continuación coloca a los personajes sacados de sus libretas de dibujo. Se trata con frecuencia de sus amigos, vestidos para la ocasión con ropa de teatro. Las y los elegantes visten con telas satinadas, de colores refinados, con vestidos «a la española» o para papeles teatrales *(El amor en el teatro italiano)*. Pero sobre todo Watteau pinta las fiestas galantes. Las figuras femeninas, de espaldas, en una actitud de abandono, refuerzan la impresión de sueño: son enigmáticas, a veces melancólicas, y la atmósfera pvaporosa, en camafeos verdes, marrones o naranjas. Este lirismo onírico, reproducido de manera muy personal, es la marca del estilo de Watteau *(El embarque para la isla de Citera)*.

• En 1718, Watteau vuelve a un arte realista de inspiración holandesa, a temas contemporáneos descritos con modernidad *(La muestra de Gersaint)*. Los personajes se reparten en grupos, por masas: su presencia física se impone más. Los tonos venecianos se hacen suaves y profundos.

Embarque para la isla de Citera
o *Peregrinación a la isla de Citera*
Óleo sobre tela, 1,30 × 1,92 m, París,
Museo del Louvre

Esta salida hacia la isla del amor constituye el más célebre de los cuadros de Watteau de entre los que ilustran las fiestas galantes, tomadas en su fugacidad entre «la aspiración del futuro y la nostalgia del pasado» (R. Huyghe, 1972). «Obsérvese el carácter pleno de las pequeñas figuras [...]. ¡Qué grácil fluidez del pincel sobre los escotes y los desnudos entrevistos que siembran su rosa voluptuoso en la sombra del bosque! [...] Y esos rayos del sol poniente sobre los vestidos...» (Hermanos Goncourt, 1860.) La composición ondulante atrae la mirada del espectador desde la estatua hacia la popa del barco, recorriendo cada una de las parejas sorprendidas en su intimidad (como ocurre en los artistas del norte). Los vestidos brillan en un refinamiento de tonos venecianos. El entusiasmo no oculta la melancolía, perceptible en los personajes vistos de espaldas: la escena se ve bañada por una atmósfera vaporosa y crepuscular en un mundo de ilusiones perdidas y de sueños inaccesibles.

OBRAS CARACTERÍSTICAS

Se conocen alrededor de 20 cuadros de Watteau. Se ejecutaron en solamente quince años de carrera. La obra comprende también numerosos dibujos, sobre todo a tres lápices (sanguina, negro y blanco).

El buscador de nidos, 1710, Edimburgo, N.G.
La perspectiva, 1715, Boston, M.F.A.
Antoine Pater, 1716 ¿?, Valenciennes, B.A.
Bajo un disfraz de Mezzetin, h. 1717, Londres, Wall.C.
El embarque para la isla de Citera o *La peregrinación a la isla de Citera*, 1717, París, Louvre
Asamblea en un parque, 1717, París, Louvre
Fiestas venecianas, 1717, Edimburgo, N.G.
Los pastores, 1717, Berlín, Charlottenbourg
Los placeres del baile, 1717, Londres, D.C.
El indiferente, 1717, París, Louvre
Diversiones campestres, 1718, Londres, Wall C.
Los encantos de la vida, 1718 ¿?, Londres, Wall C.
Gilles, 1717-1719, París, Louvre
Cita de caza, 1720, Londres, Wall. C.
La muestra, llamada *La muestra de Gersaint*, 1720, Berlín, Charlottengourg
Los comediantes franceses, 1720, Nueva York, M.M.

BIBLIOGRAFÍA

Macchia, Giovanni; Montagni, E. C., *La Obra pictórica completa de Watteau*, Noguer, [Barcelona], 1976; Roland Michel, Marianne, *Watteau: un artiste au XVIIIe siècle*, Flammarion, París, 1984; García Felguera, María de los Santos, *Watteau*, Historia 16, Madrid, 1993; Rudolf, Geneviève (coord.), *Watteau et la fête galante* (catálogo de exposición), Réunion des Musées Nationaux, París, 2004.

Tiepolo

Tiepolo, ilustre y prolífico pintor veneciano del siglo XVIII, se adapta a todos los encargos con un ardor inagotable, una rapidez sorprendente y mucho entusiasmo. Sus obras ponen en escena la vida aristocrática. Articula con fastuosidad formas de una elegancia suntuosa en un espacio aéreo vertiginoso, con colores deslumbrantes y con una luminosidad sin igual.

RECORRIDO BIOGRÁFICO

• Giovanni Battista o Giambattista Tiepolo (Venecia 1696-Madrid 1770), hijo de un comerciante, pasa por el taller de G. Lazzarini, se forma junto a F. Bencovich y a G. Piazzetta. Tras la realización del *Sacrificio de Isaac* (1716, Venecia, iglesia dell'Ospedaletto), se inscribe en la corporación de pintores venecianos, en 1717, y se casa con C. Guardi, hermana del célebre pintor F. Guardi, en 1719.

• Pinta lienzos con predominio del marrón: *El repudio de Agar* (1719, Milán, col. Rasini), la *Madonna del Carmelo* (h. 1720, Milán, Brera), *El rapto de Europa* (1720-1722, Venecia, Ac.), *Alejandro y Campaspe* (h. 1725-1726, Montreal).

• Su primera e importante decoración en fresco, *La fuerza de la elocuencia* (h. 1724-1725, Venecia), da el tono a su arte, impetuoso, y a su paleta clara. Le sucede *La apoteosis de santa Teresa* (1725, Venecia, iglesia dei Scalzi). De 1726 a 1728 pinta frescos para el arzobispado de Udine: *Raquel escondiendo los ídolos, El juicio de Salomón, Sara y el ángel...* (1727-1728) y diez lienzos históricos romanos para el palacio Dolfin en Venecia, como *El triunfo de Escipión* (1725-1730, San Petersburgo, Ermitage), obras bañadas de luz.

• En su madurez, los encargos para ejecutar frescos llegan de toda Italia. En Milán realiza *El triunfo de las artes* (1731, palacio Archinto, destruido), *La historia de Escipión* (1731, palacio Casati Dugnati) y *La carrera del carro del sol en el Olimpo* (1740, techo del palacio Clerici). En Bérgamo, las escenas de la *Vida de san Juan Bautista* (1732-1733, capilla Colleoni); en Vicenza *La fuerza, la temperanza, la justicia y la verdad* (1734, techo de la villa Loschi-Zileri); en Venecia *La gloria de santo Domingo, La aparición de la Virgen a santo Domingo* (1737-1739, techo de la iglesia S. Maria dei Gesuati). Paralelamente realiza grandes lienzos dramáticos: *Abraham y los ángeles* (1732, Venecia, iglesia S. Rocco) y *Agar e ismael* (id.), *La recogida del maná* y *El sacrificio de Melquisedek*, (1738-1740, iglesia de Verolanuova, cerca de Brescia). El tríptico de *La Pasión de Cristo* (1739, Venecia, iglesia S. Alvise) y el pequeño cuadro de *Júpiter y Danae* (h. 1736, Estocolmo).

• Vuelve a residir en Venecia en 1740. Decora el techo de la Scuola del Carmine (*Aparición de la Virgen del Carmelo al bienaventurado Simeón Stock*, 1740-1744). El quadraturista G. Mengozzi Colonna efectúa para él pinturas arquitecturales que encuadran la historia de Antonio y Cleopatra (h. 1747-1750, palacio Labia, lienzos en Edimburgo y Melbourne). Tiepolo realiza otras obras maestras: *Venecia recibe un don de Neptuno* (1745-1750, Venecia), *Consilium in arena* (1749-1750, Udine, M.C.), *La visita de Enrique III a la villa Contarini* (1750, París), *La fama anunciando a los habitantes la llegada de su huésped* (h. 1750, Venecia, villa Contarini). Tiepolo se ilustra también en los retratos: *Antonio Ricobono* (h. 1745, Rovigo, Ac.), el *Retrato de un procurador* (h. 1750, Venecia).

• Pintor de las cortes europeas, Tiepolo llega en 1750 a Alemania, acompañado por sus dos hijos, Giandomenico y Lorenzo, para crear los grandiosos frescos sobre la *Vida de Federico Barbarroja* (1751-1753, Wurzburgo).

• De vuelta en Venecia en 1753, se le encargan los frescos para los fastos de la república, las grandes familias y el clero: *El triunfo de la fe* (1754-1755, Venecia, iglesia de la Pietà), *El sacrificio de Ifigenia, Orlando furioso* (1757, Vicenza, villa Valmarana), *Alegoría nupcial* (1758, Venecia, palacio Rezzonico), *El triunfo de Hércules* (1761, Verona, palacio Canossa), *La apoteosis de la familia Pisani* (1761-1762, Stra; esbozo en el Museo de Angers). Prosigue su carrera de retratista, en la que destaca una serie dedicada a orientales: *Cabeza de un oriental* (1755, San Diego, M.A.); *La joven del loro* (1758-1760, Oxford).

• Presentes en España, en Madrid, en 1761, a petición de Carlos III, los Tiepolo decoran los techos del palacio real: *La apoteosis de España, de la monarquía española* y *La apoteosis de Eneas* (1761-1764, *in situ*). El alba de la cultura neoclásica llama al crepúsculo de la fantasía y la luz de Tiepolo. Busca un segundo aliento en los siete *pale* de la iglesia de Aranjuez y allí pinta *La Inmaculada Concepción* (1767-1769, Madrid), su última obra, puesto que muere súbitamente en Madrid.

Sus hijos le suceden. Su talento encuentra un eco en F. Boucher, *Fragonard o *Delacroix junto a los dibujantes franceses del siglo XVIII.

INFLUENCIAS Y CARACTERÍSTICAS PICTÓRICAS

La producción de Tiepolo está constituida por obras religiosas, mitológicas, históricas, a menudo alegóricas (a la gloria de quienes las encargaban), y por retratos. Los cuadros de caballete o de altar, de medios y grandes formatos, responden sobre todo a encargos religiosos. Tiepolo despliega su talento principalmente en Venecia y alrededores (Bérgamo y Vicenza sobre todo), así como en Udine y Milán, y más tarde en Alemania y en España. Los frescos gigantescos decoran las iglesias, las villas y los palacios de los Dugnati, Labia, Pisani y de las cortes europeas, de K. P. van Greiffenklau en Wurzburgo, de Carlos III en Madrid.

En Venecia, Tiepolo asimila la lección del claroscuro de Piazzeta. Prolonga el arte del *Veronés y del barroco. Su pintura se refiere también a S. Ricci, iniciador de la pintura veneciana rococó de principios del siglo XVIII, y a *Rembrandt por la densidad del oficio. En Wurzburgo descubre los temas caballerescos. En Madrid tiene que enfrentarse al neoclasicismo naciente.

• En sus inicios, Tiepolo pinta esencialmente cuadros. El contorno es lineal, el trazo quebradizo, el color cálido se despliega en una gama de marrones, el claroscuro es acusado. Su estilo es duro. En las telas siguientes, de formato superior, la composición se hace audaz, la tensión dramática se relaja, una luz tenue y difusa acaricia unos colores vivos y variados. El estilo de su primer fresco (1724-1725), de modelado duro y con efectos de perspectiva a veces exagerados, muestra todavía su dependencia hacia el arte de S. Ricci y del Veronés. De Ricci adopta el sentido del decorado, de lo alegre, de lo claro, con la pincelada vibrante; de Veronés retiene el gusto por la decoración, por el espacio y la belleza aristocrática de los personajes. En Udena (1726-1730) su arte, menos académico, evoluciona hacia el rococó; Tiepolo desarrolla arabescos fluidos, un dinamismo impetuoso, una violencia y una audacia que marcan sus composiciones. Su paleta se hace más clara, y una luminosidad natural invade sus esferas celestes. Los cielos de un blanco límpido y las estelas de nubes blancas y rosas hacen que resurjan los tonos claros, nacarados, de las vestiduras y de los ornamentos. Los detalles de los rostros y de los objetos son naturalistas; la expresión se carga de humanidad.

• En su madurez, su genio decorador y de la teatralidad se acentúa. El énfasis atrevido de sus puestas en escena refuerza el patetismo de su inspiración. La exuberancia formal se baña en una luz atmosférica que exalta tonos atrevidos. Cuando la inspiración es alegre, la composición se hace elegíaca, la atmósfera aérea y la paleta como iluminada *(La carrera del carro del Sol en el Olimpo).* Decorados prodigiosos, arquitecturas pintadas (suntuosas columnas, falsas perspectivas de palacios, de jardines) confieren una dignidad grandiosa a los fastos que celebran héroes profanos vestidos como en el siglo XVIII (palacio Labia). Las alegorías, de tradición barroca, toman como modelo a ricas familias contemporáneas y dotan a los personajes simbólicos, profanos o bíblicos, de posturas y de actitudes animadas, en el espíritu de la época. La materia sensual, la armonía argéntea del color se ven penetrados por una luminosidad máxi-

UN GRAN MAESTRO

◆ La reputación de Tiepolo se extiende, estando él en vida, por toda Europa. La creatividad se le reconoce a partir del fin del siglo XIX.
◆ En la línea de los decorados del *Veronés, de los fastos barrocos, Tiepolo desarrolla un genio decorativo muy personal.
◆ Renueva el vocabulario de la alegoría de las grandes familias, introduce los temas caballerescos en donde la cortesía y la generosidad se imponen.
◆ El artista demuestra audacia en composiciones fogosas, pone en evidencia el aspecto «grandioso» y «heroico» de los personajes.
◆ Tiepolo desarrolla una armonía clara y sedosa del color, y una luz nueva, solar.

ma. Tiepolo muestra su visión satírica y humorística *(Consilium in arena)* de las costumbres de su tiempo con ayuda de detalles naturalistas.

• En Wurzburgo, Tiepolo innova en la decoración y en la iconografía, y une los oros y los blancos de los estucos a las composiciones alegóricas que enriquece con una dimensión a la vez pagana y sagrada. De este modo, la presencia de una multitud multicolor simboliza los cuatro *Continentes*, mientras que un sentimiento de lo sagrado transfigura las escenas de *Bodas* y de *Investidura*. Tiepolo cuenta poemas caballerescos con patetismo y melancolía. Los colores tiernos dominan y sugieren una atmósfera idílica y onírica.

• En Madrid, sus composiciones y decoraciones se hacen más calmadas, aunque los escorzos resulten siempre sorprendentes. Los colores, opacos y violáceos, y la luz más sorda, expresan sus inquietudes frente al neoclasicismo.

• En sus últimas creaciones, abandona los excesos del rococó y pone su genio al servicio de una tensión ascética. Una factura entrecortada, tonos pálidos y lechosos concuerdan con la atmósfera de recogimiento y con el carácter sombrío y amenazante del paisaje.

• Sus retratos oficiales o alegóricos, expresivos, de una factura esbozada o pulida, son una muestra de la variedad de su talento y de su sentido de la realidad.

La apoteosis de la familia Pisani
1761-1762. Fresco, 23,5 × 13,5 m, Stra, villa Pisani

Tiepolo expresa, sobre el techo gigantesco y oval del salón
principal de la villa de los Pisani, su gusto por la fantasía
heroica, la perspectiva audaz y el ilusionismo decorativo
de las grisallas y de las arquitecturas pintadas. Aquí reinan
los miembros de la familia Pisani, sobre todo los niños,
a quienes está dedicada esta Apoteosis. Las alegorías
de los continentes y del comercio explican su prosperidad.
El artista describe un mundo en movimiento y sin gravedad,
pero anclado en la realidad, que es la del teatro de la vida.
Distribuye irregularmente las figuras en un cielo azul
y sobre un horizonte que se vuelve infinito a través
de la brecha luminosa. Los personajes, con ropas ricas
y claras, tomados en escorzo, se ven atrapados en
un torbellino de luz.

La visita de Enrique III a la villa Contarini
Hacia 1750. Fresco transpuesto sobre tela, 3,30 × 7,40 m, París, Museo Jacquemart-André

Tiepolo celebra la visita del rey Enrique III a la familia Contarini, de la nobleza italiana, en 1574, el año mismo en que este hijo de Enrique II y de Catalina de Médicis se convierte en rey de Francia. En esta escena histórica, el pintor da vida al mundo aristocrático. Por medio de la teatralidad exalta los sueños y las ambiciones de la nobleza. Este fresco grandioso se sitúa en la continuidad estética de los del *Veronés. Tiepolo, ayudado por su hijo Domenico, afirma con fuerza un lenguaje formal y pictórico, incluso declamatorio. Una claridad solar baña su obra. Queda encuadrado por arquitecturas esculpidas y por decoraciones pintadas en perspectiva, realizadas por el *quadraturista* Colonna.

OBRAS CARACTERÍSTICAS

El catálogo de Tiepolo cuenta con alrededor de 300 obras (desde la tela de 1 m^2 a la decoración de 540 m^2); frescos en alrededor de 27 palacios, villas, residencias y en 15 iglesias. Más de 250 lienzos.

La fuerza de la elocuencia, h. 1724-1725, Venecia, techo del palacio Sandi.
Alejandro y Campaspe, h. 1725-1726, Montreal, M.A.
Raquel ocultando a sus ídolos, el juicio de Salomón, Sara y el ángel, 1727-1728, Udine, arzobispado
Escipión y su esclavo, 1731, Milán, palacio Dugnati
Agar e Ismael, 1732, Venecia, iglesia S. Rocco
Júpiter y Danae, h. 1736, Estocolmo, universidad
La gloria de santo Domingo, 1737-1739, Venecia, iglesia S. Maria dei Gesuati
La aparición de la Virgen al bienaventurado san Simeón Stock, 1740-1744, Venecia, Scuola dei Carmini
Venecia recibe un don de Neptuno, 1745-1750, Venecia, palacio de los dux
El encuentro de Antonio y Cleopatra, 1747-1750, Edimburgo, N.G.
El banquete de Cleopatra, 1747-1750, Melbourne, N.G.
La visita de Enrique III a la villa Contarini, h. 1750. París, J.-A.
Retrato de un procurador, h. 1750, Venecia, G.Q. Stampalia
Beatriz de Borgoña presentada por Apolo a Federico Barbarroja, las Bodas..., 1751-1753, Wurzburgo, Kaisersaal
El sacrificio de Ifigenia,1757, Vicenza, villa Valmarana
La joven del loro, 1758-1760, Oxford, Ashmolean Museum
Apoteosis de la familia Pisani, 1761-1762, Stra, villa Pisani
Apoteosis de la gloria de España, de la monarquía española, 1761-1764, Madrid, palacio Real
La Inmaculada Concepción, 1767-1769, Madrid, Prado

BIBLIOGRAFÍA

Piovene, Guido; Pallucchini, Anna, *La Obra pictórica completa de Tiépolo*, Noguer, Barcelona, 1976; Alpers, Svetlana; Baxandall, Michael, *Tiepolo and the pictorial intelligence*, Yale University Press, New Haven, 1994; Bergamini, Giuseppe (coord.), *Giambattista Tiepolo: forme e colori: la pittura del settecento in Friuli* (catálogo de exposición), Electa, Milán, 1996; *Giambattista Tiepolo* (catálogo de exposición, Venecia y Nueva York 1996-1997), Skira, Milán, 1996; Pedrocco, Filippo, *Giambattista Tiepolo*, Flammarion, París, 2002.

Hogarth

Hogarth, artista comprometido, es un testimonio de la cultura de su entorno en la Gran Bretaña georgiana. Pone en imágenes la sátira y el discurso edificante, el humor y las convenciones, la realidad y lo imaginario. Apunta a la moralización de la sociedad y a la expresión de una filosofía. Retratista célebre y pintor de escenas de la vida londinense mundana o popular, da a «leer» sus narraciones y sus descripciones pictóricas, tan pronto esbozadas como finamente acabadas.

RECORRIDO BIOGRÁFICO

William Hogarth (Londres 1697-*id.* 1764), artista británico, grabador, ilustrador y pintor, hijo de un maestro de escuela, se inicia junto a J. Thornhill, su futuro suegro. Crea sus primeras representaciones realistas de la vida popular: *Una calle* (1725, Upperville, Estados Unidos, col. Mellon), *El reconocimiento de la paternidad* (h. 1726, Dublín, N.G.), *Los fieles dormidos* (1728, Minneapolis, I.A.), *La ópera del pordiosero* (1728, Londres,T.G.; New Haven, Y.C.).
• En 1720 se casa con la hija de su maestro y se convierte en retratista de los aristócratas en sus *conversations pieces*, retratos de grupo que entonces estaban de moda: *La boda de Stephen Beckingham y Mary Cox* (h. 1729, Nueva York, M.M.), *La familia Wollaston* (1736, Leicester, A.G.), *La familia Fountaine* y la *Recepción en casa de sir Richard y lady Child* (1730, Filadelfia, M.A.), *Niños jugando a hacer teatro en casa de J. Conduitt...* (1731), *Retrato de Enrique VIII y de Ana Bolena* (perdido). Pinta ciclos satíricos: *La carrera de una prostituta* (1732, destruido), *La vida de un libertino* (1736, Londres), así como retratos de actores de la vida cotidiana: *Sarah Malcolm en prisión* (1733, Edimburgo), *El poeta en la miseria* (1729-1736, Birmingham, M.A.). Practica también el género religioso —*El buen samaritano* y *La piscina probática* (1735-1736, Londres, Saint Bartholomew's Hospital)— en obras de composición clásica pero de factura rococó: *Moisés llevado ante la hija del faraón* (1746, Londres), *San Pablo ante Félix* (1748, Londres, Lincoln's Inn Society).
• Recibe encargos de retratos de la burguesía próspera: *George Arnold* (h. 1738, Cambridge, F.M.), *Capitán Thomas Coram* (1740, Londres), *Los hijos del doctor Graham* (1742, Londres), *Mary Edwards* (1742, Nueva York, F.C.), *Benjamin Hoadly, obispo de Winchester* (1743, Londres, T.G.). Posteriormente habría acudido a París para tomar conocimiento del rococó francés. De esta época datan el retrato de *Mrs. Elisabeth Salter* (1744, Londres), *Autorretrato con perro* (1745, *id.*), *El capitán Graham en su camarote* (1745 ¿?, Greenwich), *Los criados del pintor* (1750-1755¿?. *id.*), *El actor Garrick y su mujer* (1757, Londres, castillo de Windsor).
• Hogarth esboza una serie satírica de la sociedad mundana de la que la más conocida sigue siendo *El casamiento a la moda* (1745, Londres). En ella explica la unión desgraciada entre un aristócrata sin dinero y una rica heredera burguesa. Hogarth centra su mirada sobre otros temas realistas de la vida contemporánea popular: *La vendedora de quisquillas* (1740 ¿?, *id.*), *En casa del costurero* (1744, Londres), *El baile* (1745, Camberwell, South London A.G), *La puerta de Calais* (1748, Londres).
• Graba y publica en 1753 un tratado de estética no exento de humor sobre *El análisis de la belleza*. Tras la elaboración de la serie satírica y moralizadora sobre *La campaña electoral* (1754, Londres), intenta por última

vez, sin éxito, imponerse como pintor histórico con el tríptico para la iglesia Saint Mary Redcliffe de Bristol, ilustrando *Las tres Marías en la tumba, La Ascensión* y *El cierre de la tumba* (1756, Bristol, City A.G.), y *Segismundo* (1760, Londres, T.G.).

Célebre por sus retratos y grabados, Hogarth impone una cierta idea del arte británico. Tras su muerte, el éxito de J. Reynolds, T. Gainsborough o B. West suplanta durante cierto tiempo su obra. En el siglo XIX, solamente *Ingres concibe algunos retratos de burgueses, tomados en una actitud natural, que atestigua su éxito social, en el mismo espíritu que Hogarth.

INFLUENCIAS Y CARACTERÍSTICAS PICTÓRICAS

Los retratos de aristócratas y sobre todo de la burguesía, las escenas de género de las *conversations pieces* y las series constituyen lo esencial de la producción de Hogarth. También pinta cuadros de historia y, al final de su vida, temas políticos y polémicos. Sus telas, del pequeño al gran formato, son muy a menudo de dimensiones medias. Esboza retratos por encargo. Las escenas de género interesan a sus amigos y mecenas, como M. Edwards. Hogarth desarrolla toda su carrera en Londres. Se forma principalmente solo o en el «gran género» junto al pintor histórico J. Thornhill. Evoluciona en una comunidad de artistas, de escritores y de mecenas. Conoce el arte de *Watteau, que le inspira sus *conversations pieces*, a los retratistas franceses H. Rigaud y M. Quentin de La Tour, y al italiano J. Amigoni.

• Hogarth aborda los temas políticos, religiosos o sociales. Se dirigen a todo el mundo, excepto a los «entendidos», a los que el artista desprecia. Quiere dar una existencia propia a la pintura inglesa, liberándola de su condición artesanal y de los estilos francés e italiano. Quiere inscribirla en la realidad contemporánea para darle valores vívidos. Para hacerlo, tiene que profundizar en la mezcolanza social londinense, en la cultura y en la historia de su país (las novelas de Fielding y Defoe), en la revolución industrial naciente y en las actividades de la burguesía.

• Apasionado por la libertad, proclama también la dignidad y la felicidad de los hombres, denuncia a la nobleza corrompida y desposeída de poder, la religión triunfante que se apoya en la ignorancia y la credulidad, la corrupción de los magistrados, los políticos perversos, la violencia del pueblo, la moda y sus artificios... A todo esto «responde, pictóricamente, Hogarth mediante la insolencia o por una provocación trivial» (P. Georgel, 1978). El artista quiere crear una pintura moralizadora recurriendo a la comedia que «corrige las costumbres mediante la risa» (según Hogarth, quien retoma la definición latina).

• Su visión de la belleza se funda sobre la «variedad compuesta» y la «línea serpentina» mesuradas, según escribe. En toda su obra se caracteriza

UN GRAN MAESTRO

◆ Célebre en vida, Hogarth conquista un lugar importante y reconocido a través de los siglos.
◆ Hogarth hace que nazca una escuela de pintura británica, italianófoba y francófoba, de la que él es el representante más eminente. Su arte moralizador, cuya ambición es dar lecciones edificantes al pueblo, se opone al arte oficial, aristocrático, de su tiempo.
◆ Artista con mucha inventiva, inaugura un género nuevo al que denomina «tema moderno y moral» y que desarrolla en series. Este «pintor de historia cómica» (Fielding, 1742) introduce en Inglaterra las *conversations pieces*. Es el primer retratista de envergadura en describir a la burguesía.
◆ El retratista elabora composiciones originales cuando pinta a sus amigos o su entorno, o cuando se pinta a él mismo.
◆ Hogarth crea, al otro lado del Canal, una escuela de pintura autóctona, inicia la fundación de la Royal Academy e instituye la Saint Martin's Lane Academy.

Hogarth

por la unidad dinámica, la efervescencia de lo real y el despertar de un espíritu en el que se mezclan la risa y el horror.

• Hogarth rompe con el retrato tradicional inglés de P. Lely o de G. Kneller y pinta sus modelos al natural en su actividad diaria. Revela, a veces con ingenuidad, su carácter, su personalidad, su rango social: la fuerza y la majestad nuevas de un comerciante, de un médico, de un obispo o de un capitán. Interpreta la moralidad de su época de una manera completamente personal. Desde ese momento, su juicio de valor, positivo o negativo, sustituye a la descripción. Realiza retratos sencillos en busto de sus modelos y compone cuadros más elaborados para los retratos de sus amigos y de sí mismo. Tras su viaje a París en 1744, Watteau y el rococó francés le influyen en el tratamiento suntuoso de los tafetanes de tonos cambiantes y el lujo de las armonías de los colores complementarios.

• El teatro y las comedias de Molière inspiran sus primeras series de *conversation pieces* en la organización de las imágenes por ciclos (*Antes y después*), el desglose de los cuadros, las composiciones, los gestos y las expresiones, pero el artista introduce un elemento brutal o patético. Las series siguientes son más narrativas y dramáticas *(La vida de un libertino)*. La enseñanza moral que se extrae de la parábola se refuerza mediante citaciones bíblicas.

• Hogarth destaca en las escenas de multitud, en donde muestra a la sociedad en el estilo de las estampas populares, con sus mismas exageraciones.

• Por su oficio, Hogarth es rococó: su pincelada delicada, espontánea, libre, fresca y a veces esbozada con sabiduría, viva y vigorosa, recuerda a la del italiano J. Amigoni, contemporáneo suyo.

BIBLIOGRAFÍA

Baldini, Gabriele; Mandel, Gabriele, *La Obra pictórica completa de Hogarth*, Noguer, Barcelona, 1975; Einberg, Elizabeth, *Hogarth: the painter* (catálogo de exposición), Tate Gallery, Londres, 1997; *William Hogarth: conciencia y crítica de una época: 1697-1764* (catálogo de exposición), Real Academia de Bellas Artes de San Fernando, Madrid, 1998; Docampo, Javier, *Hogarth y la estampa satírica en Gran Bretaña*, Electa; Ministerio de Cultura, Madrid, 1999.

La orgía (de la serie *La vida de un libertino*)
1735. Óleo sobre tela, 62,5 × 75 cm, Londres, Soane Museum

Hogarth pone en escena en esta serie temas contemporáneos moralizadores, un género nuevo que enseguida obtiene mucho éxito. La vida de un libertino está constituida por ocho elementos, quizás por inspiración de los grabados italianos o de la comedia de Fielding de 1730. Hogarth pinta al natural la vida de personajes londinenses abigarrados pero que, individualmente, revelan su posición social y su personalidad íntima por las vestiduras, por la actitud y por la mirada.

El pintor impone su punto de vista, la reprobación en este caso, acoplando lo gracioso (robo del reloj del libertino) con la violencia (mujer que quema de forma salvaje un planisferio; en la pared, retratos mutilados) o con el drama, sugerido por ciertos detalles: una chica escupe alcohol, un joven cantor contempla cómo se desviste la prostituta.

La «variedad compuesta» y la «línea serpentina», garantías de belleza, los tonos marrones, verdes y rojos, la factura rococó, sutil, fresca, ágil, contribuyen al dinamismo, a la efervescencia de esta inmoralidad denunciada, cómica y patética.

OBRAS CARACTERÍSTICAS

Hogarh pinta alrededor de 200 lienzos y realiza más de 250 estampas.

La recepción en casa de sir Richard y lady Child, 1730, Filadelfia, M.A.
Niños jugando a hacer teatro en casa de J. Conduitt..., 1731, col. part.
La vida de un libertino (serie), 1735, Londres, S.M.
Sarah Malcolm en prisión, 1733, Edimburgo, N.G.
Capitán Thomas Coram, 1740, Londres, Founding Hospital
La vendedora de quisquillas, 1740 ¿?, Londres, N.G.
Los hijos del doctor Graham, 1742, Londres, T.G.
Mrs. Elisabeth Salter, 1744, Londres, T.G.
En casa del modista, 1744, Londres, T.G.
Autorretrato con perro, 1745, Londres, T.G.
El capitán Graham en su camarote, 1745 ¿?, Greenwich, N.M.M.
El casamiento a la moda, 1745, Londres, N.G.
Moisés llevado ante la hija del faraón, 1746, Londres, Founding Hospital
La puerta de Calais, 1748, Londres, T.G.
La campaña electoral, 1754, Londres, S.M.
Los criados del pintor, 1750-1755 ¿?, Londres, T.G.

Chardin

Humilde y minucioso, Chardin es el pintor de las naturalezas muertas, pero también un pintor de género atípico: en una época que da importancia a la dulzura, la elegancia y el refinamiento pictóricos, presenta, más allá de una fidelidad a la realidad, la verdad simple, eterna y esencial de las cosas y de los seres. Sus obras son agradables, cargadas de poesía y de sentimiento. Las composiciones rebuscadas, la utilización compleja del espacio, la luz constante y la aparente simplicidad de los cuadros caracterizan su obra, en la que domina un color a menudo marrón, cálido y tonal.

RECORRIDO BIOGRÁFICO

• La carrera de Jean Siméon Chardin (París 1699-*id.* 1779), pintor francés, hijo reservado y modesto de un carpintero, se desarrolla casi enteramente en París bajo el reinado de Luis XV. Autodidacta, constituye un símbolo de su tiempo. Alumno temporal de P.-J. Cazes y de N. Coypel, es admitido en 1724 en la academia de San Lucas, y sobre todo, en 1728, gracias a *La raya* y al *Buffet* (París), en la Academia real de pintura como «pintor de talento para animales y frutas». Fundada por Ch. Le Brun en 1648, la poderosa Academia menospreciaba hasta ese momento las naturalezas muertas, consideradas como una categoría inferior en la jerarquía de los géneros. Tras esta recepción excepcional, sigue los cursos de la Academia y expone regularmente sus obras junto a otros artistas de su tiempo en el salón del Louvre, que se celebra anualmente desde 1667. *El ánade azulón* (1728-1730, París, M. de la Chasse et de la Nature), *Perro corriendo* (1724, Los Ángeles) y *Gato mirando una perdiz y una liebre muertas* [...] (1727-1728, Nueva York) son de este período.
• En 1730 recibe sus primeros encargos de C.-A. de Rothenbourg: *Los atributos de las ciencias* y *Los atributos de las artes* (1731, París, J.-A.), *Instrumentos de música y loro* (1731, col. part.). Enriquece su repertorio: *Naturaleza muerta con un cuarto de costillas [...]* (1732, París, J.-A.), *Naturaleza muerta con garrafa, cubilete de plata, limón pelado [...]* (1733, Karlsruhe), *Mortero con su mano, caldero de cobre rojo [...]* (h. 1734, París), *El fumadero* (1737 ¿?, París).
• En 1733 aborda la figura humana a la manera holandesa: *Mujer sellando una carta* (1733, Berlín). El personaje principal aparece a menudo absorbido por el trabajo o por el juego, como prueban *La fuente* (1733, col. part.), *La niña del volante* (1737, col. part.) y, después, los cuadros en Estocolmo (Nm.) —*La lavandera* (h. 1734), *El joven dibujante* (1738) y *La obrera de tapicería* (1743)—, así como las numerosas obras del Louvre, en París, como *El soplador* (1734), *Hombre joven con violín* (1738), *La proveedora* y *El aya* (1739), *La madre laboriosa* y *El benedícite* (1740), *El niño del trompo* (1741). El rey adquiere *El organillo* en 1751 (*id.*). El arte de Chardin tiene un éxito cada vez mayor en las cortes extranjeras. Pinta las célebres *Pompas de jabón* (1739, Washington, N.G.), *La maestra de escuela* (1740, Londres, N.G.) y *El castillo de naipes* (1741, *id.*). Viudo en 1735, vuelve a casarse en 1744.
• Bajo la protección del director de la Academia, N. de Largillière (muerto en 1746), Chardin obtiene en 1743 una plaza como consejero en la institución. Será su tesorero de 1755 a 1774. Preside la organización del Salón desde 1755. En 1752 obtiene una pensión del rey y en 1757 una vivienda en el Louvre. A partir de 1748, Chardin se consagra sobre todo a la naturaleza muerta: *Perdiz muerta, pera [...]* (1748, Frankfurt), *La mesa de cocina* (1756, Carcasona), la célebre *Cesta de fresas del bosque* (1761, col. part.) o, conservadas en el Louvre: *El tarro de olivas* (1760), *Uvas y granadas* (1763), *El bizcocho* (1763), *Vaso de agua y cafetera* (h. 1760), *El cubilete de plata* (h. 1768).
• En 1765 realiza una serie de dinteles para el marqués de Marigny: *Atributos de la música civil* y *Atributos de la música guerrera* (París, col. part.). Hasta 1770, la Academia honra su obra. Cuando J.-B. Pierre asume la dirección, Chardin dimite de sus cargos.
• Al final de su vida, con problemas de vista, experimenta con el pastel y ejecuta retratos íntimos y sensibles: *Autorretrato* (1771 y 1775, París) y *Retrato de madame Chardin* (1775, *id.*).

Numerosos contemporáneos le emulan en el género del «púdico poeta de las ayas y de los conejos muertos» (P. Rosenberg, 1979), aparte de Fragonard, maestro del rococó y de los temas eróticos. Chardin muere en 1775 en medio de la indiferencia hasta que *Manet, *Cézanne, *Matisse, *Braque y G. Morandi extienden su arte.

INFLUENCIAS Y CARACTERÍSTICAS PICTÓRICAS

Chardin pinta naturalezas muertas: animales, frutas, atributos de las artes, utensilios de cocina, en escenas de género de la vida doméstica, cotidiana, tomadas en el ambiente de una burguesía laboriosa y honesta, esencialmente mujeres, adolescentes y niños. Esboza retratos y autorretratos al pastel sobre tela, a veces sobre madera. Efectúa algunos dinteles de gran formato, pero le da más importancia al formato de talla mediana.

Los soberanos de Europa, los cortesanos coleccionistas y los artistas le compran las obras, de las que Chardin pinta a menudo variantes.

Chardin no viaja. P.-J. Lacaze y N. Coypel le inician respectivamente en el dibujo de lo antiguo, en la luz y en la densidad de las cosas. Chardin conoce las naturalezas muertas de contemporáneos suyos como N. de Largillière y A.-F. Desportes. Ha visto también las telas de los holandeses P. Claesz y W. Heda, los retratos de inspiración flamenca del francés J. Aved, quien le orienta hacia las escenas de género. Observa las obras de los holandeses *Rembrandt, G. Dou, Van Mieris, quizás *Vermeer y de los franceses Le Nain. «Es necesario que olvide todo lo que he visto, incluso de qué manera han tratado los demás esos objetos», afirma.

• Las primeras naturalezas muertas de Chardin (1724-1728) son, sin embargo, una prueba de la influencia que en él tuvieron sus contemporáneos, en la exactitud y la opulencia de la presentación. Sus investigaciones (1730-1733) le llevan a recomponer los objetos según su propia visión: pone por delante la verdad platónica, la eternidad, la nobleza, la perfección. Los primeros cuadros presentan animales muertos, frutas, botellas y cubiletes de plata. A partir de 1730, añade a su repertorio objetos usuales y «pobres» en interiores de cocina: una marmita de cobre, o unos calderos, o unos jarros, acompañados de carne, de verduras o de pescado.

• Introduce la figura en la escena de género (1733-1740), que toma como un hombre de su siglo: cede al placer de los ojos, al sentimiento poético. Chardin huye de la anécdota, del detalle pintoresco de los «pequeños maestros» del norte. Escoge las escenas más banales, sin historia, «atemporales». Inmoviliza a los actores, anónimos y en apariencia inexpresivos, en su actividad, en su universo cerrado e íntimo: un niño jugando, un adulto en actividad. Reduce su presencia a lo esencial reproduciendo un gesto, o la tensión de una nuca. De sus lienzos emana una emoción grave y contenida, el pudor, la compasión, la comprensión y la ternura hacia los niños. Hace que los personajes se sienten, los destaca sobre un fondo oscuro, practica una yuxtaposición inteligente de los planos.

UN GRAN MAESTRO

◆ Reconocido por la Academia real, admirado por el Diderot crítico de arte (*Salons* de 1751 a 1781) y por numerosos contemporáneos, Chardin obtiene un gran éxito en su tiempo. Con su muerte sobreviene el olvido. En 1845, la venta de uno de sus lienzos provoca admiración y, en 1846, P. Hédouin, primer biógrafo del artista, ayuda a su resdescubrimiento.

◆ Chardin provoca una ruptura de categorías en la jerarquía de los géneros y rehabilita el género llamado «menor» de la naturaleza muerta aportando una renovación formal y estilística. Rompe con la tradición de los «pequeños maestros» del norte.

◆ Chardin propone un repertorio voluntariamente limitado de objetos y figuras, y lo retoma constantemente, renovándolo y sin que nunca se haga monótono. Es el poeta más grande de la infancia (P. Rosenberg).

◆ Confecciona sus cuadros en pinceladas de colores separados, poco legibles de cerca, que a una cierta distancia se recomponen perfectamente en un difuminado sublime.

◆ Domina la ciencia de la composición, a menudo piramidal.

◆ Su representación de la realidad, perfecta y eterna, va más allá de esta realidad: «un» objeto se convierte en «el objeto». La simplicidad verdadera de las cosas y de los seres que pinta vuelve a cubrir de nobleza la naturaleza muerta, los rostros modestos y anónimos, capturados en la inmovilidad de un sentimiento de eternidad, con lo que recuerda el arte de Vermeer o de *La Tour.

Chardin

- De 1748 a 1768 vuelve a la naturaleza muerta. Varía en los temas y en los objetos: pinta frutas comunes o raras, y jarras, y vasos, o una cafetera, etc. Estas obras, sobrias o complejas, dan muestras de una maestría y de una suntuosidad inigualadas. A las primeras composiciones de equilibrio incierto les suceden sólidas orquestaciones cada vez más complejas. Chardin se interesa por los volúmenes y las masas. Multiplica y miniaturiza los objetos y acrecienta el vacío que los rodea. Hace que los elementos retrocedan en la tela: la visión global es inmediata y armoniosa.

- Sus primeros fondos de tela, tratados en barnices de marrones matizados y graduados, se unifican y después se unen a una gama de rojo-naranja. La luz ocupa un papel creciente, se hace más clara, baña la composición, crea numerosos reflejos. La reproducción precisa de sus inicios se hace «brusca» y «áspera», junta lo untuoso con lo grumoso. En la madurez de su arte y tras 1748, «la manera de pintar [al óleo] de Chardin es singular. Coloca los colores uno tras otro, sin casi mezclarlos, de manera que su obra se parece de alguna manera a un mosaico» (M. Chaumont, siglo XVIII). Las largas pinceladas yuxtapuestas, casi «puntillistas», se hacen más lisas y aporcelanadas. Los reflejos, las transparencias se multiplican en un difuminado y en una penumbra misteriosa, de una absoluta armonía.

- En 1765, Chardin se emplea en grandes decoraciones y, en 1769, se lanza al arte de la grisalla antes de concluir su obra con retratos al pastel, contenidos y sensibles (1771-1779).

- Para llegar a la esencia de su arte, Chardin busca la «verdad» más allá de la apariencia, de la descripción minuciosa. No pinta ningún objeto, sino su esencia, ya se trate de un cubilete, de un trozo de pan o de un cántaro. Sus autorretratos ofrecen una síntesis entre la materia, el parecido físico y mental y la estilización.

BIBLIOGRAFÍA

Chardin (catálogo de exposición), Réunion des Musées Nationaux, París, 1999; Rosenberg, Pierre; Temperini, Renaud, *Chardin*, Flammarion, París, 1999.

El benedícite
1740. Óleo sober tela
49,5 × 38,5 cm, París,
Museo del Louvre

El *benedícite* (en latín, «bendice») es la plegaria pronunciada en común antes de la comida. Esta famosa obra gusta desde el momento de su presentación en el Salón, por su simplicidad, su verdad, su legibilidad, su ternura y su pudor. En un interior de burgués virtuoso, una complicidad silenciosa se instala entre los tres personajes, tomados en un momento cotidiano que se instala fuera del tiempo. La composición inteligente orquesta grandes espacios vacíos, el colorido es suave y matizado, la ejecución lisa y sedosa. Esta escena de todos los días muestra cómo «Chardin supo mezclar felicidad profana y sagrada» (P. Rosenberg, 1979). Escrupuloso y vacilante, multiplicó los esbozos y los borradores, y después pintó diversas variantes de este lienzo.

El tarro de olivas
1760. Óleo sobre tela, 71 × 98 cm, París, Museo del Louvre

Chardin alcanza en este cuadro la perfección de su arte. Domina la composición y el espacio, controla el colorido armonioso y cálido, el fondo ahumado y matizado, vibrante, en una factura difuminada. Una luz dulce y tonal envuelve la obra en una atmósfera velada, tranquila y silenciosa.

«Y es que el tarro de porcelana es de porcelana, y el ojo capta la separación de las olivas por el agua en la que nadan [...]. Es este ojo el que entiende la armonía de los colores y de los reflejos. ¡Oh, Chardin! No es el blanco, ni el rojo, ni el negro lo que deslías en tu paleta: es la sustancia misma de los objetos, es el aire y la luz, lo que tomas con la punta de tu pincel para posarlo sobre la tela... No se comprende cómo es posible tal magia. Son capas espesas de color aplicadas unas sobre otras y cuyo efecto transpira de abajo arriba. En otras ocasiones, se diría que sobre la tela se ha insuflado un vapor... Acercaos, veréis cómo todo se confunde, se aplana y desaparece. Alejaos, y todo se crea y se reproduce.» (Diderot, Salon de 1763.)

OBRAS CARACTERÍSTICAS

Chardin pinta alrededor de 400 obras, de las que 36 pertenecen al Louvre.

Perro corriendo, 1724, Los Angeles, Pasadena M.A.
Gato mirando una perdiz y una liebre muertas [...], 1727-1728, Nueva York, M.M.
La raya, 1728, París, Louvre
El buffet, 1728, París, Louvre
Los atributos de las ciencias, 1731, París, Museo J.-A.
Naturaleza muerta con garrafa, cubilete de plata, limón pelado [...], 1733, Karlsruhe, S.K.
Mujer sellando una carta, 1733, Berlín, Charlottenburg
Mortero con su mano, caldero de cobre rojo [...], h.1734, París, C.-J.
El fumadero, 1737 ¿?, París, Louvre
La proveedora, 1739, París, Louvre
El benedícite, 1740, París, Louvre
El niño del trompo 1741, París, Louvre
Perdiz muerta, pera [...], 1748, Frankfurt, S.K.
El organillo, 1751, París, Louvre
La mesa de cocina, 1756, Carcasona, B.-A.
El tarro de olivas, 1760, París, Louvre
Cesta de fresas del bosque, 1761, col. part.
Atributos de la música civil, 1765, París, col. part.
El cubilete de plata, h. 1768, París, Louvre
Autorretrato, 1771 y 1775, París, Louvre

Fragonard

Pintor y dibujante de espíritu rococó, Fragonard es un artista jovial y alegre, sensible e impulsivo, audaz y libre. Su obra encarna las aspiraciones, los contrastes y las contradicciones del siglo XVIII. Da muestras de una imaginación viva, de dones brillantes y de una gran facilidad de ejecución. Por el sentido del movimiento y del virtuosismo, por la paleta sensual y dorada, por el lugar que ocupa el amor en sus escenas es muy representativo de su época.

Recorrido biográfico

• Jean Honoré Fragonard, maestro francés del rococó (Grasse 1732-París 1806), de familia modesta, llega a París a los seis años. Se forma brevemente junto a J. S. *Chardin, y después junto a F. Boucher. En 1752 obtiene el premio de Roma. De 1753 a 1756 sigue los cursos de la Escuela real dirigida por C. Van Loo.
• En su período de juventud presenta cuadros históricos: *Jeroboam sacrificando a los ídolos* (1752, E.N.S.B.A.), premio de Roma, *Psique mostrando a sus hermanas los regalos que ha recibido del Amor* (1753-1754, Londres, N.G.), *El lavado de pies* (1745-1755, catedral de Grasse) y temas galantes, *La gallina ciega* (1755, Toledo) o *El subibaja* (1755, Lugano, T.B.).
• De 1756 a 1761, Fragonard vive en Roma y viaja por Italia, animado por sus amigos, el pintor H. Roberty el Abbé de Saint-Non, joven y rico amante del arte. Descubre así las enseñanzas de los maestros italianos, de A. *Carracci a *Tiepolo, que le inspiran *El beso robado* (1759, Nueva York), *Las lavanderas* (h. 1760, Saint Louis, Missouri, M.A.), *La tempestad* (h. 1759, París, Louvre), *La gran cascada de Tívoli* (h. 1761, id.), *El toro blanco en el establo* (h. 1765 ¿?, Londres), *El establo* (h. 1760, París, col. part.).
• De vuelta a París en 1761, en plena posesión de su arte, Fragonard pinta *Las bañistas* (h. 1763, París), *Coreso y Calírroe* (h. 1765, id.), pintura con la que ingresó en la Academia, admirada sobre todo por Diderot, y que el rey adquiere. Pero el pintor renunciará seguidamente a la pintura histórica. Su interés le lleva hacia los cuadros de gabinete, los paisajes, los temas eróticos: *Los jardines de la villa d'Este* (h. 1765 ¿?, Londres), *Los felices azares del columpio* (1767, Londres), *Fuego a la pólvora* y *La camisa levantada* (1779, París, Louvre), *El beso* (h. 1770, id.), *El instante deseado* (1770, Suiza). Fragonard se instala en el Louvre y se casa en 1768.
• Pinta sus famosas *Figuras de fantasía*, retratos libres y esbozados con brío: *Mademoiselle Guimard*, *El Abbé de Saint-Non, Diderot, El escritor* (1769, París, Louvre), así como *La lectora* (Washington N.G.). En 1771, en la cumbre de su arte y de la gloria, Fragonard rehuye del reconocimiento oficial y rechaza la función de pintor del rey. Prolonga su temática erótica en los cuatro techos encargados por madame Du Barry, con *La persecución* entre ellos (1770-1773, Nueva York, F.C.), percibidos como pasados de moda por los jóvenes pintores adeptos al neoclasicismo naciente. Desanimado, abandona París durante algunos meses en 1773 y 1774, siguiendo al rico amante del arte Bergeret, que se lo lleva a Roma, en donde la influencia póstuma de Tiepolo se hace mayor.
• Su período parisino de 1774 a 1806 se conoce mal. En un primer momento su arte no varía: *La rosquilla* (h. 1775, Munich), *El «cheval fondu»*, juego de la época (h. 1775-1780, Washington, N.G.). Después intenta adaptarse a las ideas artísticas nuevas: *La fiesta en un parque en Saint-Cloud* (1775-1780, París), *La adoración de los pastores* (1776, París), *La cerradura* (1784, id.), *El sacrificio de la rosa* (1785-1788, Los Angeles, col. part.), *La marca de amor* (h. 1780, Londres, Wall.C.) o *La fuente de amor* (h. 1785, id.) denotan una cierta melancolía. Pueden incluso percibirse acentos románticos en *El juramento al Amor* (1780-1785, París).
• Postrado por la muerte de su hija en 1788, y después arruinado por la Revolución, Fragonard deja de pintar. Su antiguo alumno, *David, acude en su ayuda: lo nombran miembro del jurado de las artes y después miembro del conservatorio del Louvre.
Pintor solitario, no tuvo ni seguidores ni imitadores, pero sí alumnos: su hijo Évariste y su cuñada Marguerite Gérard. Renoir y Bonnard se remiten a él en lo que respecta a la reproducción

de las carnes femeninas. De *Daumier a *Dubuffet, su factura ágil tiene emuladores. Por la libertad de su gestualidad, acaso podría reconocerse en él al «padre de la pintura pura» (P. Rosenberg), de los impresionistas y de la *Action Painting* de Pollock.

INFLUENCIAS Y CARACTERÍSTICAS PICTÓRICAS

Fragonard prueba con todos los géneros: retratos, escenas familiares, paisajes, pastiches de grandes maestros, miniaturas, etc. Se adapta a los temas religiosos, de historia, mitológicos y alegóricos. Cultiva sobre todo los cuadros de formatos medios y ovales, y pinta al óleo sobre lienzo.

Recibe encargos sobre todo de mecenas privados: el marqués de Véri, la condesa Du Barry, mademoiselle Guimard... y sus amigos: el Abbé de Saint-Non, Bergeret, etc.

El artista sigue las enseñanzas sucesivamente de Chardin, Boucher y C. Van Loo, antes de impregnarse en Italia (Roma, Tívoli, Nápoles, Bolonia, Venecia y Génova) del arte de los grandes maestros italianos, de Carracci al *Veronés, de Barocci o Solimena a Tiepolo, de los barrocos *Correggio o *Pietro da Cortona. Pinta con el paisajista H. Robert. Medita también, en Roma o con ocasión de un hipotético viaje a los Países Bajos, sobre el arte de los maestros del norte, del paisajista J. Van Ruisdael, de *Rembrandt, Van Dyck o Jordaens. En el palacio de Luxemburgo copia a *Rubens, La Fosse...

Lejos del circuito oficial y académico, Fragonard aprende de Chardin la realidad de las cosas. Después «Fragonard hace pasar la remembranza de Rubens a través del brillo de Boucher» (hermanos Goncourt, 1860). De los maestros italianos y europeos, retiene más particularmente la calidez del color. «Su mundo es el de la alegría de vivir, de la franqueza, de la felicidad, y sobre todo del frescor. Es el observador que jamás insiste ni caricaturiza. Se limita a describir, con una sonrisa, con arrebato, con una maravillosa seguridad en su mirada [...]. Evoluciona para seguir siendo siempre el mismo» (P. Rosenberg). Sus maneras cambian según los temas, pero destaca siempre en la captación del instante. Llega al apogeo de su arte hacia 1771.

• Sus primeros cuadros de historia, de gran aparato religioso o alegórico, de arte vacilante y prudente, coloreados en un estilo muy «francés» son admirados por sus contemporáneos por «el calor de la composición y la armonía del efecto».

• En Roma, en 1759, sus paisajes de grandes cielos nublados y turbulentos reflejan la influencia del holandés Van Ruisdael. H. Robert le enseña la fuerza y la «salud» de la naturale-

UN GRAN MAESTRO

◆ Fragonard es conocido en su tiempo por su pintura histórica, pero sus temas galantes le garantizan la gloria. Con la pujanza del neoclasicismo, su arte cae en desuso y después en el olvido. Reencuentra su lugar de pintor frívolo en la segunda mitad del siglo XIX, gracias a la pluma de los Goncourt, pero su talento como pintor histórico y elegíaco no se reconoce hasta el siglo XX.

◆ Maestro del rococó, va contra todas las reglas, tanto estéticas como técnicas. Aunque es sensible a las corrientes de su tiempo, se inclina menos hacia el neoclasicismo que hacia el romanticismo.

◆ Inventa la *figura de fantasía*, una nueva concepción espontánea del retrato. Reinventa la representación del Amor, que regenera constantemente. Expresa una gran diversidad temática.

◆ El pintor domina la técnica del óleo, del pastel, del *gouache*, de la acuarela... Introduce el gusto de pintar como acto «puro» y eleva el esbozo al rango de cuadro acabado. Su rapidez de ejecución le permite pintar un lienzo en una hora.

◆ Fragonard gusta del amarillo en todas sus tonalidades, del dorado a los ocres, y la luz áurea, particularmente en sus evocaciones ligeras. Su técnica es libre y ardiente. Sus largos e impetuosos trazos de color, vivos y abstractos, espesos y palpables, recubren la tela de manera a veces imperfecta, inacabada. El tema puede quedar relegado a un segundo plano. Después, bajo la influencia neoclásica, la factura se hace lisa, ilusionista y aporcelanada.

za, garante de la belleza, pero no le transmite su gusto por las ruinas. Una vegetación abundante, exuberante, y el elemento acuático invaden los cuadros de Fragonard.

• El artista es el pintor del amor más que del libertinaje y de las escenas subidas de tono. Sus primeras escenas galantes se revelan como muy próximas a las de Boucher, imaginarias, artificiales, elegantes, lánguidas, delicadas y ligeras, de un rococó puro. Denotan un estilo ya muy seguro. Los personajes se confunden o se destacan en una naturaleza cada vez más lujuriosa. Las escenas de interior, más íntimas, exaltan el deseo y el amor. La fantasía de los lienzos de la madurez y el arte alegre de los esbozos se apoyan sobre la libertad de la factura. La sensualidad y la alegría de los temas encuentran un eco en la paleta viva y la pincelada libre, impetuosa, lírica hasta lo arbitrario, hasta lo inacabado.

• Los retratos priman la ejecución sobre el parecido, la instantánea de las actitudes sobre la pose. Fragonard llega a un rococó «extremo»: su oficio atrevido se convierte en lo más moderno, su pincel rápido y nervioso le conduce casi hasta la abstracción.

• Tras 1774, las alegorías del amor se multiplican. Los temas, menos directos, remiten al estilo correggiano. En algunas obras recuerda a las de los artistas del norte. El arte de Fragonard se impregna de la lección del neoclasicismo naciente. Su factura se hace más lisa. Los ocres y marrones se ven sustituidos por tonos vivos, y el claroscuro aporta su misterio. La melancolía y la inquietud románticas atraviesan su obra final.

Retrato del Abbé de Saint-Non
1769. Óleo sobre tela, 80 × 65 cm, París, Museo del Louvre

Este tipo de cuadro «pintado en una hora», esbozado en amplias pinceladas, de una factura rápida y empastada, de colores exaltados, desdeña el realismo del detalle o del análisis psicológico, muy en boga en los retratos de la época. Tampoco corresponde a las categorías oficiales. Como los retratos de escritor, de cantante, de soldado, de talla idéntica, Fragonard habría confeccionado esta figura de fantasía para decorar su vivienda en el Louvre. Son retratos de ejecución rápida, espontáneos y vívidos, que encuadran medio cuerpo ricamente vestido y normalmente se colocan tras un entablamento de piedra. Están en el espíritu del «retrato de carácter» desarrollado anteriormente por F. *Hals.

BIBLIOGRAFÍA

Wildenstein, Daniel; Mandel, Gabriele, *La Obra pictórica completa de Fragonard*, Noguer, Barcelona, 1975; Rosenberg, Pierre, *Fragonard* (catálogo de exposición, París y Nueva York 1988), The Metropolitan Museum of Art, Nueva York, 1988; Cuzin, Jean-Pierre, *Jean-Honoré Fragonard: life and work: complete catalogue of oil paintings*, Harry N. Abrams, Nueva York, 1988; Rodari, Florian, *Fragonard: l'instant desire*, Herscher, París, 1994.

El beso
1770. Óleo sobre tela, oval 54 × 65 cm, París, Museo del Louvre

«Fragonard es el poeta de la pintura erótica: escapa a la indecencia del género
mediante la rapidez de la ejecución. El arte tiene que correr sobre estas brasas
ardientes. Solamente una ligera ebriedad puede disculpar las licencias y las orgías
del pincel. El esbozo es su pudor y su ideal: la indecencia empieza con lo acabado.
Una fantasía libertina esbozada espiritualmente es disculpable, mientras que
una obscenidad hecha con pincel grueso es imperdonable. Por eso prefiero con
mucho las ligerezas galantes de Fragonard a su célebre cuadro de *La cerradura*»
(P. de Saint-Victor, 1860). Este análisis es adecuado en el caso de *El beso*.
Si el acercamiento amoroso se hace a menudo como juego y a hurtadillas, este
sabroso sainete describe una relación sincera y ardiente, carnal y sensual, directa
y sin equívocos.

OBRAS CARACTERÍSTICAS

Los cuadros catalogados de Fragonard son 420 (Jean-Pierre Cuzin, 1987).

La gallina ciega, 1755, Toledo, EE. UU., M.A.
El beso robado, 1759, Nueva York, M.M.
La tormenta, 1759, París, Louvre
Las bañistas, h. 1763, París, Louvre
Los jardines de la villa d'Este, h. 1765 ¿?, Londres, Wall.C.
Coreso y Calirroe, 1765, París, Louvre
Los felices azares del columpio, 1767, Londres, Wall. C.
Mademoiselle Guimard, h. 1769, París, Louvre
Retrato del abad de Saint-Non, 1769, París, Louvre
El instante deseado o *Los amantes felices*, h. 1770, suiza, col. part.
El beso, h. 1770, París, Louvre
Muchacha jugando con su perro en la cama, h. 1775, Munich, A.P.
Fiesta en un parque, en Saint-Cloud, 1775-1780, París, Banco de Francia
La adoración de los pastores, 1776, París, Louvre
La cerradura, 1784, París, Louvre
El juramento al Amor, 1780-1785, París, Louvre

David

Pintor de temas históricos y retratista neoclásico en la línea de los grandes retratistas franceses, David manifiesta un temperamento fogoso. Se implica en la historia de Francia, ilustra la Revolución, el consulado y el imperio, como un Fouché de la pintura. La moral, el ideal y la realidad alimentan su arte, poderoso, directo y variado, que evoluciona desde el «rococó neoclásico» al «neoclasicismo prerromántico» y presenta, en su madurez, un neoclasicismo «puro», fiel a los bajorrelieves en friso de la antigüedad.

RECORRIDO BIOGRÁFICO

• Jacques Louis David (París 1748-Bruselas 1825), pintor francés nacido en una familia burguesa, padeció la muerte prematura de su padre. Tras su admisión en la academia de San Lucas, David sigue los cursos de J. M. Vien desde 1766. Pinta temas históricos y retratos: *Marie-Josèphe Buron* (1769, Chicago, A.I.); *La muerte de Séneca* (1773, París); *Erasístrato descubriendo la causa de la enfermedad de Antíoco* (1774, París, E.N.S.B.-A.), obra que mereció el premio de Roma.
• Presente en Roma de 1775 a 1780, se deja seducir por la antigüedad. Dibuja los monumentos antiguos y se inicia en las ideas de los teóricos neo-antiguos como A. R. Mengs y el arqueólogo J.-J. Winckelmann, prolongadas por otros más jóvenes, como Quatremère de Quincy. Tras un viaje a Nápoles, pinta *Los funerales de Patroclo* (1779, Dublín, N.G.) y *San Roque intercediendo ante la Virgen por la curación de los apestados* (1780, Marsella).
• De vuelta a Francia en 1780, David presenta *El dolor y los lamentos de Andrómaca sobre el cuerpo de Héctor* (1783, París), con el que ingresó en la Academia, y *Belisario pidiendo limosna* (1784, París). Conocido, abre un taller frecuentado sobre todo por J.-G Drouais, A.-L. Girodet y A.-J. Gros. Se impone con *El juramento de los Horacios* (1784, París), cuadro pintado especialmente en Roma en «la atmósfera de la antigüedad» y que es el manifiesto de la pintura neoclásica. Le suceden *La muerte de Sócrates* (1787, Nueva York, M.M.), *Los amores de Paris y Helena,* (1788, París, Louvre), *Los lictores llevan a Brutus el cuerpo de sus hijos* (1789, *id.*). Inmortaliza al *Conde Potocki* (1780, Polonia, M. de Varsovia), a *Alphonse Leroy* (1783, Montpellier, Favre), a *Charles-Pierre Pécoul* (1784, París, Louvre) y a su suegro, *Lavoisier y su esposa* (1788, Nueva York).
• En 1789 estalla la Revolución francesa. La actividad política de David transforma su vida. Es diputado en la Convención, sale elegido para el Comité de seguridad general, encargado de las manifestaciones revolucionarias, y pone su arte al servicio de la nación ilustrando acontecimientos contemporáneos: *La muerte de Marat* (1793, Bruselas), *La muerte de Bara* (1794, Aviñón, Calvet), el momento heroico del *Juramento del Juego de pelota* (esbozos de 1791, Versalles). Pinta también *La condesa de Sorcy-Thélusson* (1790, Munich), *La marquesa de Orivilliers* (1790, París, Louvre), *Louise Trudaine* (1791, *id.*), *La familia Sérizat* (1795, *id.*) y un *Autorretrato* (1794, *id.*). A la muerte de Robespierre, en 1794, David es encarcelado. Pinta *La vista del jardín de Luxemburgo* (*id.*) y concibe *El rapto de las sabinas* (acabado en 1799, París).
• David conoce a Napoleón Bonaparte en 1797. Pinta la historia contemporánea: *Retrato ecuestre de Bonaparte en el monte Saint-Bernard* (1800-1801, Versalles). Primer pintor del emperador a partir de 1804, conmemora las fiestas de la coronación: *La coronación de Napoleón* (1805-1807, París; réplica en 1821, Versalles, M.), *La distribución de las Águilas* (1808-1810, Versalles). Representa con brío a *Henriette de Verninac* (1799, París, Louvre), *Madame Récamier* (1800, *id.*), *El papa Pío VII* (1805, *id.*), *Napoleón* (1812, Washington, N.G.) y *Madame David* (1813, *id.*). No obtiene el puesto de director de bellas artes que pretende, abandona sus funciones oficiales y en 1813 termina *Leónidas* (1814, *id.*).
• Durante la Restauración, en 1814, bajo Louis XVIII, David se exilia en Bélgica. Su libertad de artista consumado lo aleja un poco de la antigüedad: *Amor y Psique* (1817, Cleveland, M.A.); *La cólera de Aquiles* (1819, Fort Worth, Kimbell A.M.); *Marte desarmado por Venus y las Gracias* (1824, Bruselas) y efectúa retratos sobrios y poderosos, en la tradición francesa: *El general Gérard* (1816, Nueva York); *Emmanuel Joseph Sièyes* (1817, Cambridge, [Mass.], F.A.M.), *La condesa Daru* (1820, Nueva York, F.C.). Muere en Bruselas en 1825.

David marca una renovación de la pintura francesa. Los alumnos en los que influyó son numerosos: Drouais, Gérard, Girodet, Gros, Wicar, Faber. Otros pintores prestigiosos reconocen su papel de «padre de la pintura moderna»: los clásicos y en primer lugar *Ingres, así como los románticos (Gros o *Delacroix), quienes le deben su aliento épico.

INFLUENCIAS Y CARACTERÍSTICAS PICTÓRICAS

David escoge temas nobles: la antigüedad clásica, la alegoría, la mitología, la religión, la historia contemporánea, el retrato y no realiza más que un paisaje. Se inspira en los escritos de Homero, de Ovidio, de Virgilio, de Tito Livio, de Petrarca. Pinta cuadros al óleo sobre tela, a veces sobre madera, en todos los formatos, entre ellos algunos inmensos, en los que los personajes se representan a tamaño natural. Trabaja para su entorno y sus amigos políticos: el conde de Angiviller, Lavoisier, Trudaine, madame Récamier.

David obtiene su inspiración de la experiencia romana: el clasicismo, el arte grecorromano, el renacimiento son fuentes de inspiración, pero también el siglo XVII francés e italiano, el neoclasicismo naciente de finales del siglo XVIII, y el colorido de Venecia y Flandes. Aunque se instruye en Roma, hace carrera en París y acaba sus días en Bruselas.

• David se forma junto a J. M. Vien, cuya obra lleva la marca del siglo XVII y contiene también los fermentos del neoclasicismo. Los primeros lienzos de David muestran un arte vacilante, pero de una potencia colorista muy real. El pintor se esfuerza en respetar las exigencias de la Academia, con la esperanza de ser aceptado como pintor histórico.

• Parte hacia Italia, a Bolonia, en donde las obras de *Carracci y de su escuela le inician en el clasicismo ecléctico. Después se instala en Roma, ciudad de la antigüedad grecorromana, del renacimiento y del clasicismo de *Rafael y de *Poussin. El neoclasicismo que reina en el ambiente, «el vigor del tono y de las sombras» (David) de los pintores italianos, le seducen. Se aleja de los epígonos libertarios del arte rococó y de Vien en provecho de una composición más serena, pero todavía fogosa, reminiscencia del manierismo de Giulio Romano y del clasicismo teatral de Ch. Le Brun. Sus figuras masculinas y guerreras son expresivas en una forma estilizada y un colorido sostenido. David pinta composiciones homéricas con numerosos personajes, repartidos en numerosas escenas *(Los funerales de Patroclo)*. Uno de los fundamentos de su arte consiste en reutilizar unos croquis muy detallados y en «pintar con verdad y precisión desde el primer momento» (David).

• De vuelta a París, David alcanza una madurez temática y formal en dramas antiguos cuyas figuras menos numerosas se disponen en composiciones cadenciosas como bajorrelieves. La teatralidad trágica, la elocuencia gestual retenida y la expresión mesurada, impregnadas de grandeza, son emanaciones de la estatuaria antigua. La decoración es sobria, la anécdota no existe, el tono alto, la luz fría y contrastada. La «belleza ideal» inspirada en los maestros clásicos Rafael y Poussin y el modelado escultural perfecto de los desnudos, conforme a los cánones de la estatuaria grecorromana, se afirman a través de la preeminencia de la línea, en un

UN GRAN MAESTRO

◆ David domina la pintura de su tiempo. Tan pronto se le adula como se le critica. Su obra es reconocida hasta nuestros días, aparte de un corto período de su vida en el que predomina como tendencia el romanticismo.

◆ Pintor neoclásico, rompe con el arte rococó. Su vena antigua se matiza, situándolo en la confluencia del clasicismo y del romanticismo. «Padre de la pintura moderna» (*Delacroix), engendra también un academismo esterilizante.

◆ David se distingue por su diversidad temática, pero privilegia los temas heroicos (Brutus) e interpreta temas antiguos, históricos y galantes. Instaura una visión de jefe del estado, de la nación, como ciudadano trabajador.

◆ Para elaborar sus lienzos, David pone en cuadrícula cada figura y después la transcribe sobre la tela. Estudia los gestos a partir de un modelo desnudo, al que luego transcribe y viste. Un arquitecto le ayuda para la elaboración de las perspectivas.

◆ Su composición en friso y frontal se refiere al modelo de los bajorrelieves y de los frescos antiguos. Contrarresta la secular ordenación piramidal. Confiere una gran modernidad a sus composiciones geométricas.

◆ Su factura evoluciona desde un trabajo liso a una pincelada más amplia. Impone sobre todo como fondo de tela la modernidad de sus tonos neutros, el «aterciopelamiento» vibrante.

David

estilo severo y grave *(El juramento de los Horacios)*. David quiere «reanimar la virtud y los sentimientos patrióticos» (Angiviller).

• La influencia de Van Dyck y de *Rubens, a los que admira durante su viaje a Flandes, queda reflejada en sus retratos, que ganan en color, en armonía y en perfección en los detalles.

• En 1789, David se convierte en el pintor de los acontecimientos revolucionarios, de las alegorías heroicas *(La muerte de Sócrates)*. Después se libera de las obligaciones estéticas de la antigüedad afirmando que la pintura es «un arte que se va a hacer más interesante que nunca, puesto que vuestras sabias leyes [parlamentarias], vuestras virtudes, vuestras acciones, multiplicarán a nuestros ojos los temas dignos de ser transcritos a la posteridad».

• Sus retratos sobrios, sobre fondo neutro, de factura amplia, triunfan. David aprovecha su estancia en prisión para buscar nuevos recursos en la antigüedad y en el clasicismo de Poussin, privilegiando el alcance estético sobre la moralidad.

• Pintor de Bonaparte, el artista aplica las estrictas consignas iconográficas del emperador en sus cuadros de actualidad (pompas fastuosas, campos de batalla, etc.). El sentido del acontecimiento se transmuta en exactitud histórica *(La coronación de Napoleón)*. Por el contrario, su estilo se libera. Influenciado por su discípulo Gros, desafía el equilibrio neoclásico, abraza el colorido veneciano y de Rubens *(La distribución de las Águilas)*.

• En Bruselas, sus temas galantes e idealizados, inspirados por la mitología antigua, revelan un arte lánguido, grácil, de colorido fresco y de una factura lisa. La sobriedad y la franqueza de sus últimos retratos de regicidas franceses y de dignatarios destituidos, de colores deslumbrantes y de decoración rebuscada, dan prueba de su interés por Van Dyck y Rubens, pero también por el británico T. Lawrence.

El juramento de los Horacios
1784. Óleo sobre tela, 3,30 × 4,25m, París, Museo del Louvre

Esta obra, realizada por encargo del conde de Angivillier, director de los edificios del rey Luis XVI y ferviente aficionado a la pintura histórica, exalta la moral y el heroísmo, e ilustra el momento descrito por el autor latino Tito Livio en el que tres hermanos, los Horacios, prestan juramento a su padre antes de ir a combatir a los tres Curiacios, en ocasión del conflicto entre Alba y Roma. Este cuadro comporta un triunfo y se inscribe como el manifiesto del neoclasicismo: el universo es viril, heroico, virtuoso. La geometría lineal, construida en verticales y horizontales, gana con facilidad al universo femenino, plagado de curvas, del rococó. Todos los elementos se refieren a la arqueología antigua: la composición en bajorrelieve y centrada, la arquitectura, los drapeados, el modelado vigoroso y escultural de los hombres. La decoración es lacónica, la anécdota no existe, el momento es dramático, los héroes austeros y llenos de arrojo. El color es franco, la luz fría, la pincelada lisa. La pureza de las líneas y la armonía del grupo de las hermanas recuerdan al clasicismo de *Poussin.

La coronación de Napoleón
1805-1807. Óleo sober tela, 6,1 × 9,3 m, París, Louvre

Este encargo de Napoleón confiere a David un estatus excepcional, equivalente al de *Tiziano
bajo el emperador Carlos Quinto, *Velázquez bajo Felipe IV o Le Brun bajo Luis XIV.
La inmensa composición, de una unidad perfecta, comprende doscientos retratos, cada uno de ellos
diferente en su actitud y expresión. Ante esta galería de retratos, Napoleón exclama: «¡Cuánta verdad!
¡No es una pintura, por este cuadro se puede caminar!» La seda, el terciopelo, los oros, las pedrerías,
de un realismo sobrecogedor, visten a los figurantes de este momento de comedia humana,
en una factura ágil.

OBRAS CARACTERÍSTICAS

David realiza más de 200 obras: telas, esbozos, dibujos y tintas.

La muerte de Séneca, 1773, París, P.P.
San Roque intercediendo ante la Virgen por la curación de los apestados, 1780, Marsella, B.-A.
El dolor y los lamentos de Andrómaca sobre el cuerpo de Héctor, 1783, París, E.N.S.B.-A.
Belisario pidiendo limosna, 1784, París, Louvre
El juramento de los Horacios, 1784, París, Louvre
Lavoisier y su esposa, 1788, Nueva York, M.M.
La condesa de Sorcy-Thélusson, 1790, Munich, A.P.
El juramento del Juego de pelota (esbozos de 1791), Museo nacional del castillo de Versalles
Muerte de Marat, 1793, Bruselas, B.-A.
El rapto de las sabinas, 1799, París, Louvre
Retrato ecuestre de Bonaparte en el monte Saint-Bernard, 1800-1801, Museo nacional del castillo de Versalles
La coronación de Napoleón, 1805-1807, París, Louvre
El general Gérard, 1816, Nueva York, M.M.
Marte desarmado por Venus y las Gracias, 1824, Bruselas, B.-A.

BIBLIOGRAFÍA

David : 1748-1825 (catálogo de exposición), Réunion des Musées Nationaux, París, 1989; Brookner, Anita, *Jacques-Louis David*, Armand Colin, París,1990; Vaughan, William; Weston, Helen, *Jacques-Louis David's "Marat"*, Cambridge University Press, Cambridge, 2000.

El triunfo del romanticismo (1789-1848)

Entre 1789 y 1848, las evoluciones políticas y las condiciones económicas, sociales, culturales, unidas a los descubrimientos científicos y técnicos, suscitan una renovación en el pensamiento y en el arte.

La situación histórica en Europa

En Francia. La Revolución francesa (1789-1794), el directorio (1795-1799), el consulado (1799-1804) y el imperio (1805-1815) provocan perturbaciones, mientras que en Europa la guerra y las nuevas estructuras políticas hacen temblar las viejas monarquías, que se ven obligadas a oponerse al expansionismo napoleónico y a enfrentarse al despertar de las nacionalidades. Con la caída del imperio, la restauración de la monarquía desencadena problemas suplementarios: Luis XVIII (1815-1824) combate los vestigios de la Revolución y devuelve Francia a las fronteras de 1789; Carlos X (1824-1830), por su intransigencia, conduce a la revolución de las Tres gloriosas de 1830; en cuanto a Luis Felipe (1830-1848), llevado al poder por la burguesía liberal, abdica tras algunas insurrecciones obreras. Se instaura la II República, que inspirará insurrecciones por toda Europa. Tendrá su fin en el golpe de estado de Luis Napoleón Bonaparte el 2 de diciembre de 1851.

Gran Bretaña. Gran Bretaña (Reino Unido desde 1800), con la fuerza añadida de sus colonias y por ser la primera potencia industrial y comercial, apoya las coaliciones que concluyen con la derrota francesa de Waterloo (1815) y la caída de Napoleón I. Cuando sube al trono la reina Victoria, en 1837, tiene que hacer frente a una poderosa corriente republicana. La monarquía parlamentaria y la implantación de un gabinete ministerial se imponen a partir de 1841. Grecia, apoyada por Gran Bretaña, Francia y Rusia, entra en guerra contra los turcos y proclama en 1822 su independencia, efectiva en 1830.

Los estados alemanes hostiles a Francia. En 1789, los estados del Sacro imperio romano germánico observan con simpatía la Revolución francesa, pero se oponen a ella a partir de 1792. Los ataques franceses (1795 y 1797) contribuyen al fin del imperio (1804): en 1806 Napoleón crea la Confederación del Rin; por reacción se refuerza la idea de unidad, que se hace realidad en 1871. A pesar de que reprime la insurrección de 1848 contra Austria, emerge por otro lado una modernidad política. La exaltación nacionalista, surgida de las guerras, da lugar al concepto de «germanidad».

España. Los ejércitos napoleónicos ocupan Portugal y España. La entronización de José Bonaparte provoca la insurrección del pueblo español (1808). Los países de América bajo dominación española aprovechan este momento para sublevarse y obtener su independencia en 1825.

LA INDUSTRIALIZACIÓN DE EUROPA Y SUS CONSECUENCIAS SOCIALES

El progreso científico y técnico. La sociedad industrial se desarrolla apoyándose en la ciencia experimental. La revolución industrial se inicia en Gran Bretaña con la utilización de la máquina de vapor. Los descubrimientos pasan a ponerse al servicio de la conquista material del mundo (telégrafo, alumbrado con gas en las calles de Londres, primer ferrocarril en 1825, etc.). El carbón sirve como combustible para toda la metalurgia (primera acería en 1811). Aumenta la mecanización de las minas y de las manufacturas. Un navío a vapor atraviesa por primera vez el Atlántico.

Los descubrimientos científicos se multiplican. En 1800, el italiano Volta inventa la pila eléctrica. El médico y físico británico Young estudia la interferencia luminosa (1804). Dalton concibe la teoría atómica y la aplica a fenómenos químicos. Davy y Faraday desarrollan aplicaciones médicas e industriales de la química. En Alemania, hacia 1820, Gauss establece las leyes sobre la fiabilidad y el desgaste de los materiales. Con Wilhelm E. Weber, trabaja sobre la electricidad y el magnetismo (1833), estudia los coeficientes de torsión, la influencia del frotamiento en los movimientos vibratorios. Liebig pone a punto los abonos químicos (1839). En Francia, Joseph Fourier estudia la circulación del calor (1807). Paralelamente a Young, Fresnel descubre la teoría ondulatoria de la luz (1814). El matemático Poisson redacta un tratado de mecánica que demuestra la aplicación de las matemáticas a la física y a la mecánica. Descubre también las leyes de la electroestática y destaca en el cálculo de probabilidades (1837). Ampère funda la electrodinámica (1821). El francés Champollion descifra los jeroglíficos (1822). Niepce inventa la fotografía (1829). En 1830 se crea en París la Escuela Central de Artes y Manufacturas. Aparece la litografía y se multiplica el uso de los carteles. Fortalecido por estos descubrimientos, el capitalismo se desarrolla rápidamente.

Socialismo utópico y movimiento obrero. Los movimientos de 1848 provocan la abolición de los derechos señoriales en Europa central y oriental. La formación de nuevas entidades nacionales se acelera, las ideas políticas y sociales están en ebullición.

La era industrial abre la vía al socialismo utópico. El industrial británico del textil Owen crea una colonia obrera en 1825 (New Harmony), el año en que muere Saint-Simon, quien propone una teoría del salariado y predica la lucha contra la anarquía industrial y el liberalismo salvaje. Charles Fourier imagina falansterios que respondan a la nueva era de la «industria societaria, verídica y atrayente» (1829).

El pauperismo, el trabajo de las mujeres y de los niños, el paso del trabajo artesanal a la manufactura engendran las primeras revueltas: ludismo en Gran Bretaña (N. Ludd), insurrección de los tejedores en Lyon (1831). La revolución de 1848 pone en escena a Blanqui y Blanc, adeptos, en un primer momento, a la nacionalización y a la distribución de la producción por el estado, a las que Proudhon se opone. Sin embargo todos luchan contra el capitalismo liberal. Marx y Engels fundan en 1847 la Liga de los Comunistas y redactan el *Manifiesto comunista*. En Gran Bretaña la primera International Association (1856) se ve seguida por el Trade Union Congress (1868). Las ideas de Marx se extienden por Europa: la I Internacional es fundada en 1864 en Londres.

LA EVOLUCIÓN DE LAS IDEAS

El Sturm und Drang en Alemania. Este movimiento (literalmente, «tempestad y pulsión») nace a finales del siglo XVIII. Su nombre proviene de una obra de teatro escrita por Klinger en 1776, un melodrama prerromántico que se opone al racionalismo del siglo de las luces: un sentimiento fuerte de la naturaleza, la primacía de la persona y la bondad natural surgidas del rousseauismo, el «asalto» del pensamiento libre y la exaltación de los sentimientos humanos se ven asociados a un repliegue sobre la historia nacional antigua del país, en reacción contra las violencias revolucionarias y napoleónicas. Novalis introduce la exaltación mística romántica desde 1800. El Sturm und Drang, animado por Herder, agrupa a toda una generación de escritores: Schiller, Goethe, Heine.

Shakespeare, a quien Lessing glorificaba ya en el siglo anterior, es la referencia del Sturm und Drang y del teatro europeo. La vuelta a las fuentes, inspirada en el canto y la poesía populares que exaltan el sentimiento nacional y después el nacionalista, emociona a estos escritores, lectores de los poemas gaélicos de Ossián (de hecho redactados por Macpherson en 1760). Goethe ridiculiza la literatura francesa «empolvada y caduca»; Schiller vilipendia ese «siglo hacedor de párrafos». Para estos prerrománticos lo importante es el descubrimiento, la originalidad, el genio y lo natural, las emociones nuevas, fuertes y sinceras, lo verdadero. La sensibilidad, la ensoñación o la violencia de las emociones abundan en los personajes.

La filosofía pangermanista y dualista de Fichte, que sucede a la de Kant, el idealismo de Schelling, que identifica el espíritu y la naturaleza en la obra de arte, la filosofía de Hegel, para quien la belleza, clásica por el equilibrio de la forma y de la idea, romántica por la preeminencia de la idea sobre la forma, debe ser la expresión de lo sensible, ilustra el poderío del movimiento prerromántico germánico. Beethoven, padre de la música romántica, anuncia a Carl Maria von Weber, Mendelssohn, Schubert, Schumann y Wagner, el romántico nacionalista.

El romanticismo inglés. Encuentra sus fuentes de inspiración literaria en el redescubrimiento de Shakespeare en el siglo XVIII, en la poesía de Edward Young, de Blake y de Macpherson, en las novelas «góticas» de Horace Walpole o negras de Ann Ward-Radcliffe, en la línea proseguida por Mary Shelley *(Frankenstein)* o por el estadounidense Poe y, en cierta medida, por Dickens. Woodsworth, Milton, los escoceses W. Scott, Shelley y Byron, y T. Macaulay se ilustran en la poesía, la novela imaginaria o histórica de la edad de oro del romanticismo. El bello desorden de los jardines ingleses celebra la naturaleza en libertad.

La oposición al racionalismo del siglo XVIII en Francia. La nostalgia de la época medieval, de su espiritualidad y de su fantasía, estimula la imaginación. *La Chanson de Roland* resurge. Chateaubriand viaja al país de los galos, los druidas y los antiguos celtas y al corazón de la edad media con *El genio del cristianismo* (1802). Vivant Denon, autor del *Viaje al bajo y alto Egipto* (1802), director general de los museos en el mismo año, funda el orientalismo, al que se adhieren Chateaubriand (*Itinerario de París a Jerusalén*, 1811) y Victor Hugo (*Las orientales*, 1829).

Romanticismo europeo. La segunda generación romántica (Stendhal, Balzac, Vigny, Musset, Nerval, Lamartine, Dumas, Hugo) es contemporánea del romanticismo español (Larra, Martínez de la Rosa) e italiano (Manzoni en literatura, Bellini, Donizetti, Rossini en música). La ensoñación y la exaltación pueblan las partituras de Chopin, los efectos violentos y dramáticos orquestan la obra de Halévy, la pasión romántica inspira a Berlioz.

El romanticismo ruso se expresa en Pushkin y Lérmontov. La idea de una música típicamente rusa se abre camino con Glinka, «padre de la música rusa».

EL ARTE A IMAGEN DEL PENSAMIENTO

El apogeo del neoclasicismo, la eclosión de los romanticismos. En la década de 1780, el neoclasicismo llega a su apogeo con David. Mientras que este arte se difunde por Europa, la Revolución francesa y luego el imperio proyectan la actualidad sobre la pintura histórica. David, como el romántico Gros, otorga una dimensión dramática a los acontecimientos del consulado y del imperio. Los cuadros de Girodet-Trioson y de Prud'hon mezclan neoclasicismo y romanticismo. Los temas son románticos, pero el estilo sigue siendo forzado. Géricault y el joven *Delacroix exaltan los dramas del destino humano. Géricault encarna el genio romántico, pero sigue siendo clásico por la técnica y el estilo de las figuras. Durante este tiempo, *Ingres, influenciado por la pureza formal inspirada en los vasos griegos y en la pintura del *Quattrocento*, se libera de la severidad ideal antigua de David en beneficio de un refinamiento «manierista». G. Michel traduce los paisajes y la naturaleza con un toque pictórico arrebatado.

El español *Goya también toma la actualidad como tema en su odio por el invasor francés. Como *Friedrich, figura emblemática del romanticismo alemán, su sensibilidad desemboca en lo fantástico, lo mórbido y lo diabólico, mientras que en Gran Bretaña ciertos pintores abren la vía al romanticismo pictórico: Copley se interesa por las epopeyas modernas, Füssli extrae su inspiración de los textos de Shakespeare y Blake de la Biblia, de Dante y de sus propios poemas.

Compromisos oficiales y revueltas individuales. Si bien Napoleón controla el arte y lo pone al servicio de su gloria, los demás países otorgan más libertad a los pintores. Friedrich da vía libre a su imaginación, con el riesgo de ser sancionado por las academias. Goya traduce sin ambages sus emociones y sus fantasmas.

En Gran Bretaña, la Royal Academy difunde una enseñanza teórica, pero deja a los artistas la libertad de formarse allí donde deseen. En Francia, por el contrario, bajo Carlos X y luego bajo Luis Felipe, se tiende hacia un academicismo apremiante.

Algunos artistas se atreven a revelarse: Géricault fustiga la mediocridad de la enseñanza que se imparte. El escultor Carpetaux sigue la vía de Rude, artista detestado por la Academia. Baudelaire, crítico de arte, ve en los cuadros de Vernet una «masturbación ágil y frecuente».

EL TRIUNFO DEL ROMANTICISMO

Con *Turner y Delacroix, entre 1824 y 1840, el romanticismo llega a su apogeo.

El movimiento romántico en Francia. Durante este período, el conflicto entre las estéticas romántica y clásica, desencadenado por *La matanza de Quíos*, presentada en el Salón de 1824, opone a los partidarios de Delacroix frente a los de Ingres. Los partidarios de la tradición ven en la tela «la masacre de la pintura» y le oponen *El voto de Luis XIII* de Ingres. La oposición se cristaliza todavía más frente a *La muerte de Sardanápalo*, presentada en 1827 al mismo tiempo que la *Apoteosis de Homero*, de Ingres. Delécluze se indigna: «Las reglas primordiales del arte, indica, parecen haber sido violadas intencionadamente». Sensible al escándalo provocado por la obra, Carlos X interrumpe sus encargos a Delacroix. Baudelaire, que apoya la trayectoria plástica del pintor, declarará a propósito del Salón de 1846: «El romanticismo no está precisamente ni en la elección de los temas ni en la verdad exacta, sino en la manera de sentir. [...] Para mí, el romanticismo es la expresión más reciente, la más actual de la belleza. [...] Quien dice romanticismo dice arte moderno —es decir, intimidad, espiritualidad, color, aspiración hacia el infinito, expresados por todos los medios que contienen las artes».

En esos mismos años, en los salones de 1824 y 1827, el tratamiento nuevo de los paisajes del británico Constable hace una entrada triunfal: subyuga a los románticos.

El Oriente, imaginario en Ingres, se hace real para Delacroix (1832); el artista renueva su temática y estimula la libertad de su oficio, el estallido suntuoso del colorido, y se libera de los últimos vestigios del ideal clásico. Delacroix triunfa sobre Ingres, y el romanticismo sobre el clasicismo.

La escuela del paisaje inglés. Durante la década de 1820 se desarrolla el paisaje topográfico, dominado por Bonington. Le suceden dos corrientes de vena romántica conducidas por Constable y Turner. De los cuadros de Constable emana una frescura y una naturalidad que se traducen en una factura brillante, mientras que Turner compone escenas espectaculares, históricas o modernas, situadas en un paisaje natural en el que intenta recrear, con un colorido difuminado, los efectos de la luz.

LAS CORRIENTES PICTÓRICAS CONTEMPORÁNEAS DEL ROMANTICISMO

El arte trovador. Aparecido en la segunda mitad del siglo XVIII (ejercerá su influencia hasta 1830), el arte trovador se inspira en el pasado no clásico, de la edad media al siglo XVII. Lo novelesco, lo sentimental, la anécdota, se leen en las obras de Fleury-Richard o de Revoil. Incluso Ingres, genio del movimiento, que se inspira en el estilo ideal griego, se deja seducir por el gótico. Su nostalgia del pasado es romántica, pero su factura es clásica.

Los orientalistas. El orientalismo se despierta tras la campaña de Egipto (1798-1799) y se manifiesta entre numerosos pintores emocionados por las revueltas, las guerras de independencia (Grecia) y atraídos por los nuevos lugares codiciados por las políticas coloniales (Magreb). La «moda egipcia» se extiende al campo del mobiliario y de la arquitectura; en el Louvre se inaugura un departamento egipcio (1826), se erigen obeliscos en París (1836), Londres y Nueva York.

Al orientalismo imaginario de Gros (*La batalla de Abukir*, 1806), de Ingres (*La gran odalisca*, 1814; *El baño turco*, 1863), de Delacroix (*La matanza de Quíos*, 1824; *Grecia en las ruinas de Missolonghi*, 1826), le sucede el Oriente real del mismo Delacroix (*Mujeres de Argel*, 1834), el de Fromentin, escritor, historiador del arte y pintor, de Chassériau, pintor de la síntesis entre la forma ideal de Ingres y la sensualidad del colorido, y de la pincelada de Delacroix. El británico Wilkie, el italiano Hayez y el alemán Rottmann participan de este movimiento.

Los nazarenos. Entre 1809 y 1840, pintores alemanes y vieneses, tras los pasos de Overbeck y Pforr, se reagrupan en Roma. Rechazan la antigüedad y el neoclasicismo, afirman su identidad nacional y religiosa mediante frescos y lienzos de sentimientos puros, heredados de la edad media. Toman como modelo la estética italiana de los primitivos y de los pintores del renacimiento anteriores a Rafael: Durero, Fra Angelico, el Perugino.

Un arte burgués. Un arte de encargo, ecléctico, se desarrolla en Francia bajo la monarquía de julio (1830-1848). Alía el estilo y los temas del pasado con el color romántico: Vernet, Delaroche y Couture, maestros de este arte, seducen a pintores británicos del academicismo victoriano (toda la segunda mitad del siglo XIX).

La escuela de Barbizon. Inspirada en Constable, la escuela de Barbizon (cerca de Fontainebleau) marca, entre 1830 y 1860, una etapa importante en el arte del paisaje francés, con la aparición de la pintura «sobre el motivo», al aire libre. Daubigny, Théodore Rousseau, Díaz de la Peña y Millet, cabeza del grupo, rompen con el paisaje histórico y clásico y se alejan del que concibe Corot, pero conservan las huellas del romanticismo por la carga emocional de los motivos, la luminosidad y la poesía de sus claros en el bosque de Fontainebleau.

La primera mitad del siglo XIX aparece como un período bisagra: sufre sacudidas políticas (revolución, guerras napoleónicas, reivindicaciones nacionales), asiste a la formación de los grandes imperios coloniales, el desarrollo de la industrialización y los movimientos sociales que suscitan una mutación de la sociedad, a la que acompaña el arte. De ahí nacerán la modernidad y después las vanguardias que representan, en el siglo XIX, el realismo, el arte de Manet o el impresionismo.

Goya

Goya, el hombre de las luces, «visionario» moderno y humano, impulsivo y contrario a las convenciones, da pruebas en su obra de una renovación sorprendente que va del rococó a las obras «negras». Su arte está unido a la historia de su país y a su vida íntima. Maestro del retrato, de la decoración, de los cartones para tapices, grabador tan excepcional como Durero y Rembrandt, pasa de la realidad a lo fantasmal, de lo jovial a lo trágico, de una pintura coloreada y luminosa a la monocromía y a los tonos sombríos. Su escritura, siempre estilizada, muestra una factura lisa o esbozada.

RECORRIDO BIOGRÁFICO

- Francisco de Goya y Lucientes (Fuendetodos, Aragón, 1746-Burdeos 1828), pintor español, hijo de un artesano dorador, entra a los 13 años en el taller de J. Luzán en Zaragoza. En 1763 y en 1766, tras ser rechazado en la Academia de San Fernando tras acceder a dos concursos, parte a Roma. De vuelta a Zaragoza en 1771, pinta sus primeros frescos (*La adoración del nombre de Dios*, 1771, basílica del Pilar) y decora la cartuja de Aula Dei con cuadros sobre la vida de la Virgen (1772-1774, *in situ*).
- En Madrid, en 1773, se casa con la hermana de F. Bayeu, pintor de renombre, que le introduce en las manufacturas reales, y ejecuta cartones para tapices destinados a Carlos III: escenas populares y de caza, figuras inscritas en paisajes como la *Danza de los majos* o *La sombrilla* (1775, Madrid).
- En 1780 por fin se acepta al artista en la Academia de San Fernando, pero vuelve a Zaragoza y pinta *La Virgen en gloria y santos mártires* (cúpula de la basílica del Pilar). En Madrid realiza cuadros de altar y se distingue en los retratos del *Conde de Floridablanca*, su amigo y protector (1783, Madrid), de *El arquitecto Ventura Rodríguez* (1784, Estocolmo) y de *La duquesa de Osuna* (1785, Mallorca, col. March).
- Pintor del rey a partir de 1786, Goya retrata a la alta sociedad madrileña: *La marquesa de Pontejos* (1786, Washington, N.G.), el niño *Osorio* (1787, Nueva York), *La familia del duque de Osuna* (1788, Madrid). Continúa confeccionando cartones para tapices: *Siete escenas campestres* (1787, Madrid, col. part.), *La pradera de San Isidro* (*id.*), o también *El pelele* (*id.*). No abandona los temas religiosos: en *La vida de san Francisco de Borja* (1788, catedral de Valencia) despunta lo fantástico.
- En 1789 se le nombra pintor de cámara de Carlos IV. Las efigies oficiales del rey, de la reina María Luisa y de la corte se suceden: *La marquesa de la Solana* (1789, París, Louvre).
- En Cádiz, en 1792, Goya se queda sordo. Las obras reflejan su inquietud: *Corridas de toros* (1792-1794, Madrid, col. part.), *Los cómicos ambulantes* (*id.* Prado). Sigue esbozando retratos como el de la actriz *La Tirana* (1794, Mallorca, col. March), o la duquesa de Alba, que ocupa un lugar preponderante: *La duquesa de Alba* (1794, Madrid) y *La duquesa de Alba con mantilla* (1797, Nueva York). Director de la academia en 1795, pinta a sus amigos ministros, al embajador de Francia *Guillemardet* (1798, París, Louvre), realiza un *Autorretrato* (1798, Castres, M. Goya) y recibe encargos religiosos: el fresco del *Milagro de san Antonio de Padua* (1798, Madrid), el lienzo *El apresamiento de Cristo* (*id.* catedral de Toledo). La serie de los *Caprichos*, aguafuertes satíricos, se sitúa entre 1793 y 1799.
- En 1799, su función de primer pintor y retratista del rey de España hace que le lleven los encargos: pinta a *La reina María Luisa* (1799, Madrid, Prado), *Retrato ecuestre del rey* (*id.*), *La condesa de Chinchón* (*id.* Madrid, col. Sueca), *La familia de Carlos IV* (*id.*, Madrid, Prado); en 1800, *La maja desnuda*, y luego *La maja vestida* (*id.*).
- Durante el período 1800-1808, Goya pinta, además de sus visiones salvajes (*Los caníbales*, Besançon, B.A.), sus más bellos retratos: *El duque y la duquesa de Fernán Núñez* (1803, col. Fernán Núñez), *Doña Isabel de Cobos de Porcel* (1805, Londres), *Fernando VII a caballo* (1808, Madrid, Ac. S. Fernando).
- En 1808, la monarquía española se derrumba: tras la ocupación napoleónica, el país se subleva. Goya traduce la ferocidad humana en la serie de *Los desastres de la guerra* (1810-1815)

El pelele
1791-1792. Cartón para tapiz, 267 × 160 cm, Madrid, Prado

Esta obra pertenece al último período de los cartones para tapiz del artista,
como *La gallina ciega*. Este gusto por la vida campestre encuentra su
inspiración en la literatura del siglo XVIII influida por Rousseau que se
extiende por Europa: En España, por ejemplo, Valdés, un amigo de Goya,
publica en 1799 el *Elogio de la vida campestre*.
En este cartón, unas mujeres se ríen de un pelele, alegoría del género
masculino al que ellas hacen volar manteándolo. ¿Describiría aquí Goya
sus desgraciados amores con la duquesa de Alba? En cualquier caso ilustra
el carácter maléfico del género femenino. La ejecución rápida, desenvuelta
pero con total dominio, y la luminosidad de los colores, de estilo ligero,
muy propio del siglo XVIII, se alían con la elegancia popular y la ironía
del tema.

y en los dos lienzos maestros del *Dos* y *Tres de mayo de 1808* (1814, Madrid). Realiza los retratos del canónigo *Llorente* (1810-1811, M. de São Paulo) y de su amigo *Silveta* (18089-1812, Madrid, Prado), y pinta sin piedad a seres imaginarios o humanos: *El coloso* (1808-1810, *id.*), *Lazarillo de Tormes* (*id.*, Madrid, col. Marañón), *Las majas en el balcón* (1806-1810, Nueva York, M.M.), *Las jóvenes* y, luego, *Las viejas* (h. 1808-1810, Lille), *La casa de locos* (1808-1812, Madrid), o *Escena de la Inquisición* (1812-1814, Madrid, *id.*), en donde no se priva de criticar a la Iglesia.

- En 1814 el rey Fernando VII vuelve a Madrid y Goya es restituido en su cargo de pintor oficial. Inmortaliza a los grandes de España, sus amigos: *El duque de San Carlos* (1815, M. de Zaragoza) y *El duque de Osuna* (1816, Bayona, B.A.). Enfermo, se pinta en su *Autorretrato* (1815, Madrid, Ac. S. Fernando) y se representa en el *Retrato del artista con su médico Arrieta* (1819, Minneapolis, I.A.). Realiza la emocionante *Última comunión de san José de Calasanz* (1819, Madrid), y después se retira a su casa de Carabanchel, la Quinta del sordo. Retoma el grabado al aguafuerte (*Disparates* o *Proverbios*), decora los muros de su casa con «pinturas negras», propias de pesadillas y de alucinaciones: *El sabbat, Duelo a garrotazos, Dos viejos comiendo, Dos muchachas riéndose de un hombre, Saturno,* etc. (1820-1821, Madrid).

- En 1823, Fernando VII restablece el absolutismo real. Como liberal, Goya se exilia a París y luego a Burdeos, en donde pinta el *Retrato de Juan de Muguiro* (1827, Madrid, Prado), y la famosa *Lechera de Burdeos* (h. 1827, Madrid). Muere en su exilio voluntario en 1828.

Goya cierra el siglo XVIII, así como la «edad de oro» de la pintura hispánica y anuncia la modernidad plástica de *Delacroix, Corot, *Manet, *Cézanne, lo mismo que el expresionismo y el imaginario del surrealismo.

INFLUENCIAS Y CARACTERÍSTICAS PICTÓRICAS

Goya se aficiona a la escena de género (caza, temas galantes y populares, vicios sociales, desengaños amorosos, violencia humana, hechiceras y diablos), los temas históricos y religiosos, los retratos y la naturaleza muerta.

Sus cartones para tapices, sus cuadros pintados sobre tela y a veces sobre madera, sus pinturas murales, realizadas al óleo o al fresco, de todos los formatos, son encargos de los reyes de España (Carlos III, Carlos IV, Fernando VII), de sus mecenas y amigos (los ministros Floridablanca y Jovellanos, la duquesa de Alba, los Osuna), y también del clero.

Tras sus inicios españoles, Goya viaja a Roma, en donde descubre el arte de C. Giaquinto. Es sensible a la estética de su compatriota del siglo XVII, *Velázquez. lo mismo que a la de *Tiepolo (muerto en 1770), con quien se relaciona en Madrid. «He tenido tres maestros: *Rembrandt, Velázquez y la naturaleza», afirma.

- Los primeros lienzos religiosos de Goya revelan una puesta en escena heredada del barroco-rococó italiano de C. Giaquinto o una sobriedad y un vigor surgidos de la herencia peninsular de Zurbarán, Murillo o Velázquez. Sus frescos y sus cartones para tapices, teñidos de rusticidad española, son sin embargo testimonio de la influencia decorativa de G. Tiepolo por sus temas, por las formas amplias y poderosas, por la legibilidad de los techos en *trompe-l'œil* y por los efectos solares. El artista realiza algunos esbozos campestres, realistas, francos y espontáneos, huellas de la lección directa de la naturaleza y cuyos colores variados en la suavidad de la luz oponen sombra y claridad (*La sombrilla*).

- Retratista mundano, reviste o desnuda a sus modelos, en la tradición de Velázquez, o hace emerger a sus figuras en una penumbra cálida y coloreada que toma prestada de Rembrandt. Esboza ampliamente con ligeros empastes. Este período coloca a Goya en la filiación estética española por la franqueza y la audacia de los colores, por las pinceladas divididas.

- La crisis política y social, los desengaños personales del pintor y su sordera transforman su percepción amable de la vida en una crítica pesimista que llega hasta el desprecio de la mujer *(El pelele).* Fiel al espíritu del siglo de las luces, condena los vicios y la perversión. Traduce su tormento en obras trágicas o alucinadas en las que se penetran mutuamente las formas animales y humanas *(Los caprichos).*

- Si bien algunos retratos delicados en tonos plateados son testimonio de un último homenaje al siglo XVIII, otros, más crueles, son fruto de su lucidez.

- La guerra y el hundimiento de la monarquía española (1808) le trastornan: sus cuadros históricos desmitifican el heroísmo de las batallas y muestran su fiereza. Rompe con la estética

La familia de Carlos IV
1800. Óleo sobre tela, 2,80 × 3,36 m, Madrid, Prado

Inspirado por la composición de *Las meninas* de *Velázquez, esta pintura real
une las verdades psicológicas y físicas: la pretenciosidad, la incapacidad,
la presencia fantasmal de un rey de inquietante degeneración, los tocados
ridículos que hacen más evidente la fealdad de la reina y de la hermana del
rey, la frescura inocente de los niños, la belleza de la joven princesa con su bebé.
La ligereza de la reproducción de los drapeados, esbozados y transparentes,
que se destacan aéreos en un espacio sobrio, marcan la filiación de Goya
a Velázquez. Esta obra es reveladora del talento de retratista del pintor.
Del rostro más cruelmente representado a la belleza más pura (*Doña Isabel de
Cobos de Porcel*, 1805), da muestras de su «humanismo revolucionario».

UN GRAN MAESTRO

◆ Goya disfruta en vida de una gran popularidad en España y en el extranjero.
◆ Adopta el rococó antes de romper con toda convención artística para desarrollar
   un arte personal y libre que constituye una prefiguración de todo el arte moderno.
◆ Introduce en sus escenas a multitudes anónimas, da una nueva visión de la guerra, sustituye la gloria por el horror. Asocia de manera satírica el animal con el
   hombre.
◆ Goya se confirma como un maestro del retrato, cruel y lúcido, pero tierno para la
   infancia.
◆ Su estilo tan personal alterna entre una capa fogosa y una factura lisa, un colorido alegre y luminoso, y tonos oscuros. Las superposiciones de color recuerdan
   a *Rembrandt y las pequeñas pinceladas entremezcladas anuncian la técnica impresionista. Sus pinturas murales «negras» están realizadas con negros ahuma-
   dos, con blanco y con ocres, algo de rojo y azul, aplicados con pincel y espátula.
◆ Esboza sus frescos directamente sobre el mortero fresco y modifica el dibujo inicial durante la aplicación de los colores. En sus obras monocromas, Goya prepara su pasta espesa con la espátula y trata las sombras de los rostros mediante
   capas ligeras, negras y transparentes.

Goya

tradicional: la composición se hace dinámica, la factura adquiere fuerza y fogosidad, el realismo es trágico, las sombras patéticas y dignas de Rembrandt *(Tres de mayo).*
• Trata las escenas de género de los años 1808-1814 en monocromos utilizando negros brillantes y profundos, ocres cálidos, azules crudos, verdes mates y a veces rojos estridentes *(La casa de locos).*
• Enfermo de nuevo (1819), Goya expresa su malestar en sus lienzos religiosos, de factura libre y rápida, y luego en sus «pinturas negras», fruto de la crónica negra de España. Los tonos oscuros y el estilo expresionista vuelven a llevarnos a un universo de pesadillas, de escenas de brujería pobladas de monstruos y figuras seniles, y de un escarnio del amor *(El sabbat).*
• En Burdeos reencuentra la paz interior, vuelve al lirismo, a la suavidad y al color *(La lechera).*

El sabbat
1820-1821. Pintura mural al óleo trasladada a tela, 1,40 × 4,38 m, Madrid, Prado

Esta obra forma parte de una serie de 14 «pinturas negras» concebidas por Goya para su casa, la Quinta del sordo. Este ciclo es sin duda el más fantástico de su obra. En una gama de grises sombríos, el pintor pone en escena sus alucinaciones y sus recuerdos, algunos relativos al derrumbamiento de la monarquía, a la ocupación napoleónica o al poder absolutista, y otros asociados a sus propios sufrimientos, físicos y morales.
*El sabba*t se construye alrededor del gran macho cabrío (un diablo vestido de monje, colocado a la izquierda) rodeado por un grupo de hechiceras y hechiceros. Un pesimismo feroz y delirante invade la composición que contemplan dos personajes extraños al sabbat: la mujer a medio enterrar es quizá una representación de la monarquía española; en cuanto a la muchacha de negro sentada en el extremo derecho, fuera del círculo demoníaco, ¿habría que interpretarla como el testimonio impasible de su propia pesadilla?
Goya desarrolla aquí una libertad creadora hasta entonces desconocida: la técnica, que domina con maestría, se pone al servicio de la expresión del universo propia del artista, de la expresión de sus fantasmas.

OBRAS CARACTERÍSTICAS

La obra de Goya comprende alrededor de 700 pinturas, 280 aguafuertes, un millar de dibujos.

La sombrilla, 1775, Madrid, Prado
La Virgen en gloria y santos mártires, 1780, Zaragoza, basílica del Pilar
El conde de Floridablanca, 1783, Madrid, Banco Urquijo
El arquitecto Ventura Rodríguez, 1784, Estocolmo, Nm.
Retrato de Osorio, 1787, Nueva York, M.M.
La familia del duque de Osuna, 1788, Madrid, Prado
El pelele, 1791-1792, Madrid, Prado
La duquesa de Alba, 1794, Madrid, col. del duque de Alba
La duquesa de Alba con mantilla, 1797, Nueva York, Hispanic Society
El milagro de san Antonio de Padua, 1798, Madrid, S. Antonio de la Florida
La maja desnuda y *La maja vestida*,1800, Madrid, Prado.
La familia de Carlos IV, 1800, Madrid, Prado
Doña Isabel de Cobos de Porcel,1805, Londres, N.G.
Las viejas, 1808-1810, Lille, B.A.
La casa de locos, 1808-1812, Madrid, Ac. S. Fernando
Dos de mayo y *Tres de mayo*, 1814, Madrid, Prado
La última comunión de san José de Calasanz, 1819, Madrid, iglesia de S. Antón
Dos muchachas burlándose de un hombre, 1820-1821, Madrid, Prado
El sabbat, 1820-1821, Madrid, Prado
La lechera de Burdeos, h. 1827, Madrid, Prado

BIBLIOGRAFÍA

Angelis, Rita de, *La Obra pictórica de Goya*, Planeta, Barcelona, 1988; Morales y Marín, José Luis (dir.), *Goya: jornadas en torno al Estado de la Cuestión de los Estudios sobre Goya: Madrid, 21-23 de octubre de 1992*, Universidad Autónoma de Madrid, 1993; Luna, Juan J.; Heras, Margarita de las, *Goya: 250 aniversario* (catálogo de exposición), Museo del Prado, Madrid, 1996; Bozal, Valeriano, *Las pinturas negras de Goya*, TF-editores, Madrid, 1997; Blackburn, Linda, *El Viejo Goya: una aproximación*, Edhasa, Barcelona, 2004.

Friedrich

Friedrich, pintor singular, solitario y melancólico, vive en un taller austero, favorable al desarrollo de una imaginación fértil en símbolos y en metáforas visuales. Estos paisajes sobrios, estas altas montañas, o extensiones marinas o heladas, bañadas en una atmósfera irreal, a menudo brumosa, a veces mórbida, expresan una espiritualidad intensa. La naturaleza fría de colorido blanco, azul, verde y marrón, el universo inmenso y vertiginoso toman cuerpo en la precisión de pinceladas pequeñas y finas.

RECORRIDO BIOGRÁFICO

• El pintor alemán Caspar David Friedrich (Greifswald 1774-Dresde 1840) pertenece a una familia numerosa. Su padre fabrica jabones y velas. Desde 1781 tiene que afrontar la muerte de su madre y, después, de una hermanita, de un hermano que se ahoga mientras él intenta salvarlo del hielo que se rompe bajo sus patines y finalmente de otra hermana. Atormentado por estos dramas que se suceden en el espacio de diez años, estudia dibujo y entra en la Academia de bellas artes de Copenhague en 1794. En 1798 se instala en Dresde, centro importante del pensamiento romántico. Frecuenta sobre todo al pintor P. O. Runge, y a los escritores y poetas L. Tieck y Novalis. Tras el éxito que obtienen sus grandes dibujos sepia y sus acuarelas, que suscitan la admiración de Goethe, se pone a pintar: *Bruma* (1806, Viena, K.M.), *El verano* (1807, Munich, N.P.).
• Su primera gran pintura al óleo, *El crucifijo sobre la montaña*, llamado *El retablo de Tetschen* (1807-1808, Dresde), una obra maestra, se convierte enseguida en objeto de escándalo y de crítica. Lo mismo ocurre con las siguientes, *Monje a la orilla del mar* (h. 1809, Berlín) y *Abadía en un bosque* (1809, *id.*).
• Sus viajes a través de Alemania y por las orillas del Báltico en 1809 le inspiran *El arco iris* (1808, Essen, Folkwang M.) y *Paisaje del Riesengebirge* (1810, Moscú, Pushkin). En 1810 su fama alcanza el apogeo cuando la casa de Prusia adquiere sus obras. Concibe *Una mañana en el Riesengebirge* (h. 1810, Berlín), *Paisaje de invierno con una iglesia* (1811, M. de Dortmund), *Paisaje rocoso* (*id.*, Dresde, Gg.), *Puerto al claro de luna* (*id.* Winterthur, Museos O. Reinhart), *Tumbas de héroes antiguos* (1812, Hamburgo) y *El crucifijo en la montaña* (*id.* Düsseldorf). Es elegido miembro de las academias de Berlín y después de Dresde en 1816.
• Viaja de nuevo al Báltico en 1815 y 1818: *Navíos en el puerto* (1815-1817, Postdam, Sanssouci) y *La ciudad al claro de luna* (h. 1817, Winterthur) son la constatación. Los cuadros ejecutados durante el año de su viaje de bodas a Rügen y Winterthur evocan la contemplación y la interrogación: *Los acantilados blancos de Rügen* (h. 1818, *id.*), *El caminante sobre el mar de nubes* (1818, Hamburgo), *En el velero* (*id.*, San Petersburgo, Ermitage). Pinta también *Dos hombres mirando a la luna* (1819, Dresde, Gg.), *El cementerio de convento bajo la nieve* (1817-1819, destruido), *Niebla* (1818-1820, Hamburgo, K.).
• A partir de 1820 le seducen los paisajes del campo y los inmortaliza: *Praderas cerca de Greifswald* (1821, Hamburgo, K.), *El árbol de los cuervos* (1822, París), *Paisaje campestre* (*id.*, Berlín), *Paisaje cerca de Dresde* (1824, Hamburgo, K.), *Las ruinas de Eldena* (1825, Berlín, Nationalgalerie). Pero el mar, lo mismo que las montañas, continúan fascinándole: *Naufragio en las costas de Groenlandia* (1822, desaparecido), *Los arrecifes* (1824, Karlsruhe), *El monte Watzmann* (h. 1824, Berlín), *La alta montaña* (destruido durante la segunda guerra mundial). Conoce a F. Overbeck, jefe de filas de los nazarenos, a cuyo arte es contrario, pues prefiere el de J. C. C. Dahl, influyente paisajista de Dresde. En 1826 cae en una depresión y pinta *El naufragio* (h. 1827, Hamburgo).
• El apogeo de su último período se sitúa entre 1832 y 1835: *La gran reserva* (1832, Dresde), *Las tres edades de la vida* (1835, Leipzig) y *La mañana de Pascua* (h. 1835, Londres, N.G.), *Claro de luna sobre el mar* (h. 1836, Dortmund) es su último cuadro: muere víctima de un ataque de apoplejía en 1836.
Sus contemporáneos no reciben demasiadas influencias de su arte, aparte de C. G. Carus, K. Blechen y sus alumnos, de los que el más dotado, A. Heinrich, muere en 1822. P. O. Runge, su contemporáneo, presiente la emergencia de un nuevo arte del paisaje del que Friedrich, como J.-B. Corot y T. Rousseau veinticinco años más tarde, serían los iniciadores.

INFLUENCIAS Y CARACTERÍSTICAS PICTÓRICAS

Friedrich pinta la naturaleza en todas sus versiones: mar Báltico, montaña del Harz, campo poblado de islas, de rocas, de árboles vistos bajo la luz variable de las estaciones y de los días. Vestigios de la presencia humana (cruz, cementerio, iglesia, barcos de pescadores) salpican el paisaje. Utiliza el lienzo, los paneles y los cartones de todos los formatos.

Cuenta con la estima de numerosos coleccionistas privados: el conde F. A. von Thun-Hohenstein, J.-G. von Quandt, D. d'Angers; con amigos compradores como C. G. Carus o el librero berlinés G. A. Reiner. Cuenta también entre sus adeptos a los grandes de las cortes europeas: Federico Guillermo III de Prusia, el duque Carlos Augusto de Sajonia-Weimar, Federico VI de Dinamarca, el zar y la corte de Rusia.

Friedrich se instala en Dresde y recorre Alemania: Neubrandenburg, Rügen, Greifswald (ciudad de su infancia), Bohemia, las regiones del Harz y del Riesengebirge. Recibe la influencia de sus contempoáneos, J. C. C. Dahl y J. C. Seydelmann, alemán y noruego respectivamente.

• La obra de Friedrich aparece como una reflexión profunda, surgida de una observación escrupulosa de la naturaleza, de una realidad que traduce por pequeñas y ligeras pinceladas. Tras el contacto con P. O. Runge realiza paisajes compuestos *(Bruma)*. Inventa su propio lenguaje de signos: *El retablo de Tetschen*, erigido como cuadro de altar, no sería una crucifixión en un paisaje «sino simplemente un paisaje con una cruz, una estatua» (H. Zerner, 1982). En cuanto al *Monje a la orilla del mar*, es el testimonio de una ascesis entonces desconocida y del rechazo del pintoresquismo: su monje no reza, no se diluye en el paisaje. Sus creaciones suscitan, más allá del misterio, la impresión de una dimensión religiosa o contemplativa.

• Solamente a partir de 1810, de una manera progresiva, alcanza la potencia simbólica de su arte, que durante toda su carrera oscila entre realismo y poesía. Ésta se despliega en vistas imaginarias en las que se expresa una originalidad temática y práctica, más trascendental que realista *(Abadía en un bosque)*. Ofrece una visión de la naturaleza, universal, a veces idílica, que alimenta con sus observaciones *(El arco iris)*. Su colorido, más intenso, se desarrolla en cuadros a menudo concebidos en parejas que representan una antítesis formal y temática: amanecer y atardecer, edades del hombre (juventud, esperanza–vejez, muerte), espacio abierto infinito–espacio cerrado y sombrío de los bosques.

• Entre 1812 y 1814, Friedrich sustituye el simbolismo patriótico antinapoleónico por el simbolismo cristiano. Dominan los paisajes oscuros y terrosos. La factura fluida parece, sin embargo, estriada.

UN GRAN MAESTRO

◆ Conocido en vida solamente en Alemania, Friedrich cae en el olvido antes de su muerte: la originalidad de su persona y de su obra es excesiva para la época. Se le redescubre hacia 1890 por influencia del simbolismo. Hoy en día se le reconoce como el más grande paisajista alemán del siglo XIX, pero para el gran público sigue siendo un desconocido.

◆ Friedrich, como paisajista, rompe con todas las formas del género que se conocían hasta él. Renueva el paisaje cargándolo de símbolos extraídos de motivos naturalistas (rocas rotas, ruinas, hielos dislocados, bruma, tinieblas).

◆ Friedrich pinta al óleo y dispone finas capas coloreadas, fluidas, de tonos fríos, en un trabajo meticuloso, «caligráfico». Su pincelada produce materialidad y se estira en sus obras de madurez. La luz de las auroras boreales y del crepúsculo, los contraluces, sugieren la idea de trascendencia.

◆ Simplifica sus composiciones hasta el extremo, alcanzando así una potencia expresiva en una verdadera ascesis pictórica. La simetría, tan perfecta que resulta glacial, se fractura a veces en rupturas del espacio (falla, precipicio) que sumergen la mirada en el abismo y provocan el vértigo.

◆ El arte de Friedrich responde en parte a las exigencias y a los sueños inaccesibles de los románticos. Resulta «a la vez personal y objetivo, de una expresión inmediata, no convencional, universalmente inteligible, [...] no discursivo y enteramente sugestivo» (H. Zerner, 1982).

Friedrich

• Entre 1815 y 1818 su arte se hace menos marginal en los temas y en la plástica: paisajes marinos, de pequeño formato, presentan una composición libre *(El caminante sobre el mar de nubes)*. La carga simbólica se atenúa, mientras que el espacio juega un papel esencial *(Cementerio de convento bajo la nieve)*. La felicidad, la de su matrimonio y la de las amistades, parece aportarle una nueva libertad: la figura femenina se hace más presente *(Las dos hermanas en el balcón ante el puerto*, h. 1820, San Petersburgo, Ermitage), el colorido, más denso, se carga con un simbolismo propio.

• A partir de 1820, Friedrich representa paisajes siempre insólitos, aunque sean el fruto de sus estudios del natural. Expresa su búsqueda de lo divino a través de los paisajes polares, oponiéndose a la tradición de las escenas bíblicas italianas. Los motivos se enriquecen: pinta sus primeros interiores y algunas escenas patrióticas. Toma prestada de M. Dahl la fluidez de la materia pictórica, un colorido más fresco. Su pincelada «tachista», inspirada en Seydelmann, se estira en trazos largos. La materialidad de la pintura aparece en formatos más variados.

• Hacia 1826 su melancolía se hace dominante y sus pensamientos mórbidos se leen en numerosos paisajes diurnos y nocturnos, de efectos luminosos o invernales.

• En el apogeo de su actividad tardía, muestra una sensibilidad exacerbada y un talento de colorista *(La gran reserva)*. Alrededor de los motivos vistos en un plano más cercano, emerge un simbolismo límpido relacionado con la muerte: sepulturas primitivas, ruinas, tumbas y lechuzas.

El caminante sobre el mar de nubes
1818. Óleo sobre tela, 74,8 × 94,8 cm, Hamburgo, Kunsthalle

«¡Friedrich! El único pintor de paisajes que había tenido hasta entonces el poder de remover todas las facultades de mi alma, el que realmente creó un nuevo género: la tragedia del paisaje», exclama el romántico D. d'Angers. A través de una vista de la suiza sajona en la niebla, el pintor intenta representar la inmensidad del universo. El cuadro es sobrecogedor: el hombre se encuentra entre la naturaleza y Dios, como testigo del «espectáculo». La composición sobria, concebida sin plano intermedio, crea una impresión de espacio vertiginoso, casi físico, como en *Los acantilados blancos de Rügen*. El espectador que contempla la tela se encuentra, como el personaje, en disposición de sentir el paisaje, este océano frío de tonos fríos. El crítico H. Zerner proponía en 1976 una interpretación simbólica de los elementos: la niebla sería la imagen de las divagaciones, de la realidad escondida, la barrera entre la tierra y el cielo; las rocas, lo que los une, la imagen de la fe. El hombre en pie, representado de espaldas, parece recogerse, quizás en recuerdo de un difunto.

El árbol de los cuervos
1822. Óleo sobre tela, 54 × 71 cm, París, Museo del Louvre

Friedrich sustituye la alegoría tradicional de la pintura religiosa por un simbolismo extraído de la naturaleza y liberado de convenciones. En el horizonte, a la izquierda, aparece la isla de Rügen: tras el roble seco poblado de cuervos se levanta un túmulo, probablemente una tumba primitiva. Los elementos naturales remiten, metafóricamente, a la angustia, al pecado y a la muerte: el roble tortuoso, al tormento; los cuervos, de mal agüero, a la desgracia; el sol que se pone, al último aliento de vida. El expresionismo gráfico del árbol atraviesa toda la obra de Friedrich.

OBRAS CARACTERÍSTICAS

Se conocen unas 310 pinturas de Friedrich.
El crucifijo sobre la montaña llamado *El retablo de Tetschen*, 1807-1808, Dresde, Gg.
Monje a la orilla del mar, h. 1809, Berlín, Charlottenbourg
La abadía en el bosque, 1809, Berlín, Charlottenbourg
Una mañana en el Riesengebirge, h. 1810, Berlín, Charlottenbourg
Tumbas de héroes antiguos, 1812, Hamburgo, K.
El crucifijo en la montaña, 1812, Düsseldorf, Km.
La ciudad al claro de luna, h. 1817, Winterthur, Museos O. Reinhart
El caminante sobre el mar de nubes, 1818, Hamburgo, K.
Paisaje campestre, 1822, Berlín, Nationalgalerie
El árbol de los cuervos, 1822, París, Louvre
La luna sobre el mar, 1822, Berlín, Nationalgalerie
Paisajes cerca de Dresde, 1824, Hamburgo, K.
Los arrecifes, 1824, Karlsruhe, S.K.
El cementerio bajo la nieve, 1826, Leipzig, M.
El monte Watzmann, h. 1824, Berlín, Nationalgalerie
El naufragio, h. 1827, Hamburgo, K.
La gran reserva, 1832, Dresde, Gg.
Las tres edades de la vida, 1835, Museo de Leipzig
Claro de luna sobre el mar, h. 1836, Museo de Dortmund

BIBLIOGRAFÍA

Jensen, Jens Christian, *Caspar David Friedrich: vida y obra*, Blume, Barcelona, 1980; Hofmann, Werner (dir), *Caspar David Friedrich: pinturas y dibujos*, (catálogo de exposición), Museo del Prado, Madrid, 1992; Arnaldo, Javier, *Friedrich*, Historia 16, Madrid, 1993; Hofmann, Werner, *Caspar David Friedrich*, Thames and Hudson, Londres, 2002; Norbert, Wolf, *Caspar David Friedrich 1774-1840: el pintor de la calma*, Taschen, Colonia, 2003.

Turner

Pintor y acuarelista misántropo y ambicioso, Turner tiene dos preocupaciones principales: rivalizar con los maestros del pasado y con los artistas vivos, y transcribir su sentimiento de la naturaleza a partir de los temas de actualidad. Prefiere el paisaje y otorga a la luz un papel preponderante, que confiere a sus obras la dimensión del sueño, anulando el dibujo y los contrastes de sombra y de luz. Su pintura evoluciona desde un oficio clásico e ilusionista a los tintes tonales y al color intenso en una pasta preparada, y después a un torbellino de colores y de luz, a veces «informal».

RECORRIDO BIOGRÁFICO

• Joseph Mallord William Turner (Londres 1775-id. 1851), pintor británico, hijo de un barbero, sigue los cursos de la Royal Academy de 1789 a 1793 junto a T. Malton, practicante del dibujo arquitectural y del paisaje topográfico. Expone anualmente sus acuarelas y trabaja paralelamente en despachos de arquitectos y topógrafos.

• El período 1792-1796 es determinante: Turner estudia con T. Girtin las acuarelas de J. R. Cozens. Efectúa sus primeros viajes de estudios al país de Gales y a Kent. Aborda la pintura al óleo en 1793 y expone en la Academy *Los pescadores en el mar* (1796, Londres). Pinta *Las mesetas de Coniston* (1798, *id.*).

• Honrado por sus colegas, los académicos, respetuoso con la jerarquía de los géneros y de la composición clásica , Turner opta por el género del paisaje, al que confiere sin embargo una dimensión histórica. Expone sus cuadros acompañándolos de citaciones épicas de J. Thomson: *Eneas y la sibila* (1798, Londres, T.G.); *El lago de Buttermere* (*id.*); *La décima plaga de Egipto* (1880, Indianápolis), primero de sus paisajes históricos. Tras 1813, recurre a citas de su propio poema, *The Fallacies of Hope* (*Las falacias de la esperanza*) para las leyendas de sus cuadros.

• En 1803, Turner llega a Francia por *El muelle de Calais* (1803, Londres, N.G.), inmortaliza el Sena, descubre en París el arte de *Watteau, de *Géricault, de *David, etc., se desplaza a Suiza. De vuelta a Gran Bretaña en 1804, abre su galería y presenta temas contemporáneos como *El naufragio* (1805, Londres). En 1807, ante el éxito de su compatriota D. Wilkie, pinta escenas de género: *La forja* (1807, Londres, T.G.), *Sol levante en la bruma* y *Pescadores limpiando y vendiendo pescado* (*id.*) y la campiña inglesa: *El Támesis cerca de Walton Bridges* (h. 1810, *id.*). Su gusto por los temas históricos se afirma: *La batalla de Trafalgar* (1808, *id.*) y *El ejército de Aníbal atravesando los Alpes* (1812, *id.*), en donde se inicia la desmaterialización del paisaje. Quiere rivalizar con el virtuosismo luminoso del pintor C. de Lorena: *El harpa eólica de Thomson* (1809, Manchester, City A.G.), *Dido construyendo Cartago* (1815, Londres).

• Viaja de nuevo a Europa a partir de 1817. Se mide con los paisajistas holandeses al pintar *Dordrecht: paquebote llegando de Rotterdam* (1818, New Haven, Y.C.). En Venecia, capta la luz. Se inspira en Watteau en *Inglaterra, Richmand Hill, el día del aniversario del príncipe regente* (1819, Londres, T.G.).

• Entre 1820 y 1830 se reafirma su estilo: *Como os plazca* (1822, col. part.), homenaje a Shakespeare y Watteau, *La bahía de Baia con Apolo y Sibila* (h. 1823, Londres, T.G.), y después *El fuerte de Dieppe* (1825, Nueva York, F.C.), *Colonia: llegada de un paquebote por la noche* (1826, *id.*) y *Ulises burlando a Polifemo* (1829, Londres). Organiza composiciones singulares, emplea un colorido personal que se aparta de la estructura tonal como *La muerte sobre un caballo pálido* (h. 1825-1830, Londres, T.G), *Regulus* (1828-1829, *id.*) o *La playa de Calais [...]* (1830, Bury). De 1829 a 1837, lord Egremond le invita a sus posesiones de Petworth; allí crea *La música en Petworth* (h. 1830, Londres, T.G.).

• A partir de 1835, su obra tiende hacia la abstracción: *Venecia, la Piazzetta* (1835, Londres, T.G.), *El incendio en el Parlamento de Londres* (1834-1835, Filadelfia), *Los descargadores cargando carbón al claro de luna* (1835, Washington, N.G.), *Julieta y su nodriza* (1836, col. part.), *El buque «Temerario» remolcado a su último destino* (1839, Londres, N.G.) o *El valle de Aosta* (h. 1838, Melbourne).

• Hacia 1840, irá más lejos todavía en la abstracción fusionando los objetos y su entorno: *Negreros tirando por la borda a los muertos y moribundos* (1840, Boston); *Tempestad de nieve en el mar [...]* (1842, Londres); *Venecia, tarde [...]* (1845, *id.*); *Paisaje con río y bahía* (h.1845, París), de colorido turbulento; *Ángel ante el sol* (1846, Londres, T.G.), un lienzo casi informal. Muere recluido en su estancia de Chelsea.

La obra de Turner parece cercana al estilo de *Monet. Sin embargo, difiere del trabajo analítico de los impresionistas; Turner abre más bien la vía hacia la pintura «pura», hacia la abstracción. Para asegurar su posterioridad, el pintor lega una parte de su obra a los museos de Londres.

INFLUENCIAS Y CARACTERÍSTICAS PICTÓRICAS

Turner es un pintor de paisajes: históricos (mitológicos, bíblicos, antiguos o contemporáneos), heroicos (guerreros, escenas navales), con los elementos desatados (avalanchas, tempestades, incendio) o de escenas pintorescas y campestres (gitanos, pescadores, pescaderos). Realiza algunas vistas de interior y *pictures of nothing* («pinturas de nada»), vistas «puras» de temas evanescentes. Sus paisajes históricos son, con raras excepciones (un lienzo cuadrado y uno octogonal), óleos sobre tela de gran formato: los otros paisajes, menos ambiciosos, son de formatos variados.

El pintor se beneficia de una clientela de mecenas y coleccionistas (Dr. Monro, R. Colt Hoare, W. Fawkes, lord Egremont...) y del apoyo incondicional del crítico J. Rushkin.

Estudia la pintura italiana del renacimiento y la de los alumnos de *Carracci (il Guercino, Albani). Admira el arte de sus contemporáneos británicos, al acuarelista Girtin y al pintor de escenas de género Wilkie, además de pintores del siglo XVIII como los paisajes clásicos de R. Wilson. Desea igualar la pintura francesa de los siglos XVII y XVIII, representada por C. de Lorena, *Poussin y Watteau. Conoce a los paisajistas holandeses del siglo de oro (S. Van Ruysdael, los Van de Velde...). Turner recorre Europa, pero su carrera se desarrolla esencialmente en Inglaterra.

• Su formación de acuarelista le permite adquirir el sentido de la perspectiva atmosférica, una técnica más libre, liberarse de la base monocroma y aclarar su paleta. Sus primeras telas son pintorescas o manifiestan cierto realismo inseparable de su sentimiento de la naturaleza. Turner se apoya en la observación de los paisajes, anotada en sus croquis, en sus dibujos y acuarelas, fundamento de un trabajo ejecutado seguidamente en el taller. Ya no utiliza la acuarela excepto con ocasión de sus desplazamientos.

• Se inclina prioritariamente hacia el paisaje histórico *(Eneas y la sibila)*, clásico *(La décima plaga de Egipto*, 1802, Londres, T.G.); se inicia en los esquemas de composición, en el color tonal degradado con habilidad y en la luz inmóvil de N. Poussin y de C. de Lorena. Se ve también seducido por la luz móvil de los coloristas venecianos (*Tiziano, il Tintoretto y *el Veronés)

UN GRAN MAESTRO

◆ Con gran renombre en Gran Bretaña y en Europa, Turner es hoy un artista muy reputado, gracias a las retrospectivas de sus obras y a la inauguración de la Turner Gallery en Londres en 1987.

◆ Paisajista de estructura clásica, y luego romántica, Turner tiende hacia una abstracción estilística no temática.

◆ Si Turner es innovador al celebrar el ferrocarril antes que los impresionistas *(Lluvia, vapor, velocidad)*, sigue siéndolo sobre todo en los detalles que retiene: velas negras (*La paz: funerales en el mar*, 1842, Londres, T.G.), piedras en vuelo (*Avalancha en los Grisones*, 1810, *id.*), patetismo de un perro aullando. Es el primero en representar un tema cuya legibilidad necesita el apoyo del título.

◆ Su pasta pictórica blanca, colocada en pequeñas pinceladas, deslumbra. Pintor de colores brillantes, Turner busca y alcanza el color-luz «puro».

◆ Trabaja con espátula, aporta a la pintura al óleo las técnicas de la acuarela. El artista utiliza una extensa paleta, una barra de blanco plateado o instrumentos «con los que ponía blanco por todos los rincones» (sir J. Gilbert). Para realizar *Lluvia, vapor, velocidad*, utiliza «pinceles bastante cortos, una paleta sucia, y se mantiene de pie, casi pegado a la tela», según nos dice uno de los amigos de Turner.

y por los clásicos boloñeses de Roma (il Guercino, G. Reni...). Pinta también a la manera de los holandeses: mar lisa, pulida como un espejo, cielo infinito, calma *(Dordrecht)*.

• Entre 1820 y 1830, Turner asimila sus influencias y afirma su estilo propio: la composición se ve guiada por diagonales más complejas, la luz intensa se hace radiante, el color es vivo (azul, rojo, amarillo), los marrones cálidos y el blanco omnipresente *(La playa de Calais [...])*. Para dar una realidad material al cuadro y para no mezclar los colores intensos, Turner trabaja con la espátula.

• Su estilo evoluciona en 1835 alrededor de la temática del incendio; el color y la luz no tonales abrazan sus telas *(El incendio del Parlamento de Londres)*.

• A partir de 1842 se crea una composición acompasada, turbulenta y centrífuga *(Luz y color)*, basándose en el *Tratado de los colores* (1810) de Goethe. Llega a una tela en la que el tema pierde legibilidad *(Ángel ante el sol)* en donde flotan los elementos rojizos y dorados: árboles, figuras, nubarrones. Sus paisajes son «imágenes de nada» («*pictures of nothing*», W. Hazlitt, 1816, citado por A. J. Finberg, 1967).

• Sus últimas realizaciones inacabadas, tranquilas, muestran la disolución de las formas convertidas casi en abstractas y la eliminación de cualquier detalle en una luz dorada, emocional.

Ulises burlando a Polifemo. La Odisea de Homero
1829. Óleo sobre tela, 1,32 × 2,03 m, Londres, National Gallery

Polifemo, cíclope temible, ha hecho prisioneros a Ulises y sus compañeros. Para escaparse, Ulises consigue reventarle su único ojo. En este paisaje histórico, de tema mítico y dramático, Turner muestra su capacidad de recomponer una obra a partir de las influencias francesas, italianas y holandesas. Afirma su magia del color y de la luz, basada en la alternancia de tonos cálidos y fríos, de azules y dorados. El sol lo abraza todo, como oro fundido. La naturaleza se extiende «con una majestad salvaje alrededor de la contienda del monstruo y del héroe, ahoga a ambos en su terrible resplandor, en la agonía del sol» (H. Focillon, 1938). «*Polifemo*» demuestra su técnica perfecta y, por consiguiente, hay que considerarlo como el cuadro central en la carrera de Turner» (J. Ruskin, conferencia de 1863).

Lluvia, vapor y velocidad. El Great Western Railway
1844. Óleo sobre tela, 91 × 122 cm, Londres, National Gallery

La luz coloreada y ardiente sirve para transmitir la emoción más que para transcribir la realidad observada y vivida. Para realizar esta obra, Turner se instala en la plataforma de la locomotora, lanzada a toda velocidad. A partir de sus notas, de sus croquis, el pintor elabora el cuadro en su taller. El aire y el humo del tren, impalpables, se materializan sobre la tela mediante empastes. Los elementos sólidos, el puente y el tren, se evaporan en una atmósfera irreal, romántica: «Sin duda fue una improvisación hecha con una furia rabiosa, bosquejando cielo y tierra en un golpe de pincel, una verdadera extravagancia, pero hecha por un loco genial» afirma extasiado Théophile Gautier (Histoire du romantisme, 1872).

Obras características

Turner realizó 282 lienzos, de los que un centenar quedaron inacabados, y varios miles de acuarelas, aguadas, dibujos y estampas.

Los pescadores en el mar, 1796, Londres, T.G.
La décima plaga de Egipto, 1800, Indianápolis, M.A.
El naufragio. Pescadores intentando salvar el equipaje, 1805, Londres, T.G.
Salida del sol en la niebla y *Pescadores limpiando y vendiendo pescado*, 1807, Londres, N.G.
Avalancha en los Grisones (Casa destruida por una avalancha), 1810, Londres, T.G.
La batalla de Trafalgar, 1808, Londres, T.G.
El ejército de Aníbal atravesando los Alpes, 1812, Londres, T.G.
Dido construyendo Cartago, 1815, Londres, N.G
Regulus, 1828-1829, Londres, T.G.
Ulises burlando a Polifemo. La Odisea de Homero, 1829, Londres, N.G.
La playa de Calais en marea baja, pescadera recogiendo los cebos, 1830, Bury, Bury A.G and M.
El incendio del Parlamento de Londres, 1834-1835, Filadelfia, M.A.
El valle de Aosta, h. 1838, Melbourne, N.G.V.
Negreros echando por la borda a los muertos y moribundos, 1840, Boston, M.F.A.
Tempestad de nieve en el mar, vapor a la altura de un puerto, 1842, Londres, T.G.
Luz y color (la teoría de Goethe), 1843, Londres, T.G.
Lluvia, vapor y velocidad. El Great Western Railway, 1844, Londres, N.G.
Venecia, tarde, salida al baile, 1845, Londres, T.G.
Paisaje con río y bahía, h. 1845, París, Louvre.

BIBLIOGRAFÍA

Ginzburg, Silvia, *Turner*, Anaya, Madrid, 1990; Riout, Denys, *William Turner*, Polígrafía, Barcelona, 1996; Shanes, Eric, *Turner*, Debate, 1997; *Turner y el mar: acuarelas de la Tate*, (catálogo de exposición), Fundación Juan March, Madrid, 2002; Venning, Barry, *Turner*, Phaidon Press, Londres, 2003.

Constable

Modesto y discreto, sensible y perseverante en su trabajo, Constable ama la humilde campiña inglesa y sus cielos nubosos. Paisajista naturalista y romántico, se dedica a la observación directa, escrupulosa, de la naturaleza. Medita y madura largamente cada cuadro, cuyos temas van unidos a su vida personal. Su obra destaca la transparencia de los reflejos acuáticos y la actividad de las nubes, en todos sus estados, pintados mediante una factura libre.

RECORRIDO BIOGRÁFICO

• John Constable (East Bergholt, Suffolk, 1776-Londres 1837), pintor británico, hijo de un rico molinero, se ve obligado a trabajar desde los dieciséis años. Tiene la suerte de conocer al coleccionista de arte G. Beaumont y al pintor J. Farington que le convencen, en 1799, para que siga los cursos de la Royal Academy, en donde expone en 1802.

• Paralelamente, estudia por su cuenta el paisaje inglés del siglo XVIII y el paisaje clásico del siglo XVII. Se inclina por sus propias impresiones nacidas de sus paseos por su campo natal, alrededor del río Stour, que representa en acuarelas y en esbozos pintados, lo que no le impide abordar otros temas para vivir. Sus vistas de Londres, por ejemplo, no contradicen la tradición del paisaje compuesto: *Vista de Epsom* (1809, Londres); *Malvern Hall* (*id.*); *El molino de Flatford visto desde la esclusa del Stour* (h. 1811, Londres); *Paisaje con doble arco iris* (1812, *id.*); *Dedham visto desde Langham* (h. 1813, Londres, T.G.).

• Su primer éxito en el campo de los «grandes» paisajes compuestos se titula *Astilleros cerca de Flatford Mill* (1814, Londres). En 1816 se casa, se instala en Londres y confirma su talento: *Wivenhoe Park, Essex* (1816, Washington, N.G.); *Weymouth Bay* (*La bahía de Weymouth al acercarse una tormenta*, 1816, Londres, y 1819, París). Se convierte en miembro asociado de la Royal Academy y su éxio se agranda: *El caballo blanco* (1819, Nueva York), *Stratford Mill* (1820, Londres), *La catedral de Salisbury vista desde el sudoeste* (*id.*, Washington, N.G.).

• En el Salón de París de 1824, la famosa *Carreta de heno* (*id.*, Londres) entusiasma a los románticos (*Géricault y *Delacroix, sobre todo) por su frescura cromática y por la libertad de su factura. Constable recibe una medalla de oro. Ese mismo año reside en Brighton, en donde su mujer recibe atenciones médicas. Inspirado por los trabajos del meteorólogo L. Howard, observa las nubes que pasan, las variaciones de luz y los cambios atmosféricos. Inventa nuevos procedimientos pictóricos que se adaptan mejor al conocimiento científico de los fenómenos naturales.

• *La catedral de Salisbury* (1823, Londres), su primer encargo importante, es un paisaje más arquitectural que atmosférico, al contrario que la luminosa *Esclusa* (1824, Lugano, T.B.), que tiene un gran éxito, lo mismo que *Caballo saltando* (1825, Londres). Tras *El castillo de Hadleigh* (h. 1828-1829, Londres), Constable es elegido en 1829 como miembro asociado de la Royal Academy, pero queda muy afectado por el fallecimiento de su mujer ese mismo año, y su última obra mayor, *La catedral de Salisbury vista a través de los campos* (1831, Londres) así parece demostrarlo. Supervisa la ejecución de su obra grabada entre 1829 y 1834. De 1833 a 1836 da conferencias sobre la historia del paisaje.

A Constable solamente le iguala en el arte del paisaje su contemporáneo *Turner, quien acabará por eclipsarlo totalmente, pero su inspiración es diferente.

Aparte de las obras pintadas, las acuarelas y los dibujos, Constable lega las *Conferencias sobre la historia del paisaje*, una colección de grabados sobre el *Paisaje inglés* y su *Correspondencia*. Su arte no tiene sucesores en Gran Bretaña. En Francia, los románticos descubren su gran libertad de ejecución, los pintores de Barbizon y los impresionistas su capacidad de pintar al aire libre y en diferentes momentos del día.

INFLUENCIAS Y CARACTERÍSTICAS PICTÓRICAS

Constable pinta incansablemente los paisajes de su ciudad natal en la ribera del Stour, los cielos nubosos de la orilla del canal de la Mancha en todas sus variaciones atmosféricas (tormenta, arco iris, puesta de sol) y la catedral de Salisbury. Deja escasos retratos y escenas religiosas. Sus pinturas de formatos pequeños o muy grandes tienen como soporte la tela, el papel, el papel encolado sobre tela, el cartón y el panel. Responde a los encargos de mecenas y amigos: sir G. Beaumont, la familia Fisher...
Se inspira en C. Lorrain, en el acuarelista británico T. Girtin y admira a los maestros antiguos, como *Rubens.
Aparte de su pueblo y de Londres, Constable no hace más que algunas escapadas al norte y sobre todo al sur de Inglaterra. Nunca salió de su país.
• Formado en el estudio del paisaje en la Royal Academy, Constable evoluciona por su cuenta desde el dibujo a la pintura. En su intento de simplificar la composición, introduce contrastes de luz y demuestra su apego al paisaje clásico de C. de Lorena (*Valle de Dedham*, 1809, Londres, V.A.M.): «Durante dos años quise hacer cuadros y encontré una verdad falsa», declara. «Volveré pronto a East Bergholt y allí trabajaré sin descanso pintando del natural [...] y tenderé hacia la representación simple y auténtica de las escenas que me interesarán [...]. Hay sitio para un pintor de naturaleza (*natural painter*).» Encontramos la prueba en *Malvern Hall*, una de las primeras obras pintadas al aire libre, innovadora por la libertad del colorido, la luminosidad y la frescura, el blanco deslumbrante y puro en ligeras pinceladas.
• Tras algunas acuarelas a la manera de Girtin, se expresa directamente mediante esbozos al óleo. Sin embargo, sus paisajes pintados sobre el motivo recuerdan todavía a las composiciones tradicionales *(Vista de Epsom)*. Para alejarse de éstas observa con gran perspicacia los fenómenos atmosféricos naturales.
• Para obtener estos matices de materia y luminosidad emplea procesos sutiles, como el de «cubrir la tela de manchas blancas para reproducir el

UN GRAN MAESTRO

◆ En Gran Bretaña, Constable se ve eclipsado por Turner, pero tiene un gran éxito en Francia en el círculo de los artistas del XIX. En vida del artista, los grandes cuadros fueron los que le otorgaron notoriedad. Hoy las pequeñas acuarelas y los esbozos al óleo son más apreciados.
◆ Las obras de Constable, pintadas al natural y en la naturaleza, introducen una frescura, una sinceridad y una emoción diferentes a las de los cuadros ejecutados en el taller por sus contemporáneos.
◆ La naturaleza misma vista en directo y pintada, es el único tema de su obra.
◆ Constable realiza sus esbozos directamente al óleo, sobre una base roja para preservar la unidad del cuadro. Para traducir los cambios atmosféricos adopta diferentes procedimientos, como la famosa «nieve de Constable».
◆ Constable varía su factura: fluidez y transparencia para los reflejos acuáticos; pasta grumosa y espesa para las nubes algodonosas o cargadas que anuncian la inminencia de la tormenta.
◆ La viveza de las pinceladas se atenúa a menudo en la obra «acabada».
◆ La espontaneidad de la expresión real, la gran libertad de ejecución de los cielos vívidos y nubosos, la frescura y luminosidad de sus colores son características de su arte.

Constable

brillo de las hojas mojadas y del rocío, y el de utilizar un pincel más grueso o una espátula para obtener una materia más variada» (W. Vaughan, 1979).

• En la madurez de su arte, a partir de 1816, escoge formatos grandes para expresar su percepción directa del campo *(La carreta de heno)* y después pinta las orillas del mar *(Weymouth Bay)*, lo que constituye una novedad. Según sus propios términos, intenta simbolizar «el fenómeno natural en su significación más pura». Su sensibilidad engendra un arte fiel a la realidad humilde de su país natal al que está unido afectivamente y al que pinta con emoción.

• Todavía insatisfecho, estudia científicamente los fenómenos de la naturaleza: las nubes y su evolución según la estación, el tiempo y la hora del día. De este modo Constable consigue dominar mejor la luz: «El cielo es la fuente de la luz en la naturaleza y lo gobierna todo», declara. Profundiza en su investigación sobre los cambios de tonos de la luz natural, sobre el paso de un tiempo claro a la tormenta, seguido de un arco iris *(El castillo de Hadleigh; La catedral de Salisbury vista a través de los campos)*. La luz se hace lívida y dramática.

• Constable pinta la naturaleza por ella misma, en toda su diversidad... Para él, la cuestión no está en «qué» pintar, sino en «cómo» pintar. Desde ese momento la técnica pictórica constituye una garantía de diversidad: «A la agitación de la tempestad responde como un eco la agitación de la tela trabajada con la espátula» (P. Wat, 1995).

Obras características

Vista de Epsom, 1809, Londres, T.G.

Malvern Hall, 1809, Londres, T.G.
El molino de Flatford visto desde la esclusa del Stour, h. 1811, Londres, V.A.M.
Paisaje con doble arco iris, 1812, Londres, V.A.M.
Astilleros cerca de Flatford Mill, 1814, Londres, V.A.M.
Weymouth Bay, 1816, Londres, V.A.M. y 1819, París, Louvre
El caballo blanco, 1819, Nueva York, F.C.
Stratford Mill, 1820, Londres, N.G.
La carreta de heno, 1821, Londres, N.G.
La catedral de Salisbury, 1823, Londres, V.A.M.
Caballo saltando, 1825, Londres, R.A.
El castillo de Hadleigh, h. 1828-1829, Londres, T.G.
La catedral de Salisbury vista a través de los campos, 1831, Londres, col. part., en depósito en la N.G.

BIBLIOGRAFÍA

Cormack, Malcolm, *Constable*, Phaidon, Oxford,1986; Rosenthal, Michael, *Constable*, Thames and Hudson, Londres, 1987; Pérez Carreño, Francisca, *Constable,* Historia 16, Madrid, 1993.

Weymouth Bay
(La bahía de Weymouth antes de una tormenta)
1819. Óleo sobre tela, 88 × 112 cm, París, Museo del Louvre

Constable se califica como «pintor de la historia natural de los cielos», subrayando menos la dimensión enfática del tema que su manera de abordarlo mediante el arte, el sentimiento y la sinceridad.
Se funde con el tema, en este caso la bahía de Weymouth, un lugar cercano al que escogió para su luna de miel.
El cielo, la luz contrastada del paisaje, provocan un sentimiento poético que Constable suscita por la adecuación de la factura al tema. «Sería difícil», afirma, «citar un tipo de paisaje en el que el cielo no sea la forma dominante, la medida del espacio y el vehículo principal del sentimiento.»
La luz, en «oposición, unión, sombra, matiz, reflexión y refracción» (P. Wat, 1999), invade todo el espacio del cuadro: la playa de arena, la duna, las rocas, el mar, el cielo oscurecido, bajo y pesado, subrayado por la sombra, y también los pequeños personajes que nos ofrecen la escala. El toque realista y sensible restituye la agitación de los elementos: la violencia de la tempestad anunciada se siente en los tonos terrosos, realzados con toques blancos, últimos destellos luminosos antes de la tormenta. Una escritura viva y untuosa restituye la dimensión sonora del paisaje.

Ingres

Pintor decidido, susceptible y tempestuoso, Ingres afirma su talento de dibujante y de colorista. Aunque durante su época se viera en su obra el triunfo del clasicismo, participa de la estética del romanticismo mediante su voluntad de expresar la esencia del ser y por el uso del arabesco abstracto y de los colores lisos y expresivos. Más allá de los temas y ornamentaciones grecorromanas o góticas de su período trovador, de los drapeados de un orientalismo imaginario, destaca por hacer táctiles las materias y por desarrollar una sensualidad del desnudo casi abstracta gracias a su línea curva.

RECORRIDO BIOGRÁFICO

• Jean-Auguste Dominique Ingres (Montauban, 1780, París, 1867), pintor francés, estudia dibujo y pintura con su padre, decorador. A los once años entra en la Academia real de Toulouse, en donde tiene como maestro al pintor J. Roques, antiguo alumno de J. M. Vien. Es además segundo violín de la orquesta del Capitole.
• Reside en París de 1797 a 1806. Conoce a varios artistas y frecuenta el taller de *David. Parte en el año en que gana el premio de Roma, gracias a los *Embajadores de Agamenón* (1801, París, E.N.S.B.A.). Pinta su *Autorretrato a la edad de veinticuatro años* (1804, Chantilly, Condé) y realiza encargos: los tres retratos de *Monsieur, Madame* y *Mademoiselle Rivière* (1805, París); *La bella Zélie* (1806, Ruán, B.A.); *Napoleón I sobre el trono imperial* (*id.*, París). Expuestos en el Salón de 1806, se critica de estos retratos que sean «arcaicos».
• Ingres se instala en Roma de 1806 a 1820, en donde se entusiasma sobre todo con los frescos de *Rafael, las ruinas romanas y las colecciones de antigüedades. Sus obras son admiradas por la crítica parisina, sobre todo *François-Marius Granet* (1807, Aix-en-Provence, Granet) en donde se expresa una sensibilidad prerromántica; *Madame Devauçay* (*id.*, Chantilly); *La bañista* llamada *«de Valpinçon»* (1808, París). Por el contrario, las deformaciones anatómicas de *Edipo y la esfinge* (1808, París, Louvre) y, sobre todo, de *Júpiter y Tetis* (1811, Aix-en-Provence, Granet) se le reprochan vivamente. Herido, Ingres decide quedarse en Roma. Realiza numerosos retratos —*Charles Marcotte d'Argenteuil* (1810, Washington, N.G.); *Joseph-Antoine Moltedo* (1810, Nueva York)— y construye grandes composiciones: *Rómulo vencedor de Acron* (1812, París, E.N.S.B.A), *El sueño de Ossián* (1813, Montauban). Tras su boda en 1813 y un viaje a Nápoles, firma *Madame de Senonnes* (1814-1816, Nantes), *La gran odalisca* (1814, París), que indignará a los puristas en el Salón de 1819, y *Paolo y Francesca* (1814, Chantilly, Condé).
• En 1815, el imperio se derrumba. Ingres pierde su clientela francesa pero se vuelve hacia la colonia inglesa: *Las hermanas Montaigu* (1815, Londres, col. part.); *La familia Stamaty* (1818, París, Louvre). Se interesa por los temas históricos llamados «trovadores», más cercanos en el tiempo que los temas clásicos: *Enrique IV recibiendo al embajador de España* (1817, París); *La muerte de Francisco I* (*id.*); *La muerte de Leonardo da Vinci* (1818, *ibid.*).
• Invitado a Florencia por el escultor Bartolini entre 1820 y 1824, Ingres continúa destacando en el arte del retrato: *Lorenzo Bertoloni* (1820, París, Louvre); *El conde Gouriev* (1821, San Petersburgo, Ermitage); *Madame Leblanc* (1823, Nueva York, M.M.). Recibe del gobierno francés el encargo de *El voto de Luis XIII* (1820-1824, Montauban). El éxito del *Voto* lo convierte en defensor del clasicismo, en reacción al romanticismo de *La matanza de Quíos* (1824) de *Delacroix. Los dos artistas se verán enfrentados por sus respectivos seguidores hasta su muerte.
• Desde entonces, Ingres efectúa una carrera oficial brillante: al año siguiente es elegido para la Academia de bellas artes y abre un taller. Prosigue su carrera de retratista: *Madame Marcotte de Sainte-Marie* (1826, París); *Monsieur Bertin* (1832, *id.*). Opone el estilo de la *Apoteosis de Homero* (1827, *id.*) al de *La muerte de Sardanápalo* (1827) de Delacroix. El fracaso del *Martirio de san Sinforiano* (1834, catedral de Autun) le afecta: no vuelve a exponer en el Salón y vuelve a Roma como director de la villa Médicis.
• De 1835 a 1842, Ingres enseña, reorganiza la institución, dibuja y pinta poco: *La odalisca y la esclava* (1839, Cambridge [Mass.]) y *La enfermedad de Antíoco* (1840, Chantilly, Condé).

• De vuelta a París, deja un testimonio inigualable sobre personalidades tales como *Fernando Felipe, duque de Orleans* (1842, col. part.), *La condesa de Aussonville* (1845, Nueva York, F.C.), *La baronesa James de Rothschild* (1848, col. part.), *Madame Moitessier* (1851, Washington, N.G.; 1852-1856, Londres). Se casa en segundas nupcias con Delphine Ramel (retrato en 1859, Winterthur, M. O. Reinhart).

• Su celebridad favorece encargos decorativos monumentales: *La edad de oro* y *La edad de hierro* (1842-1849, castillo de Dampierre, inacabados); *La apoteosis de Napoleón I* (1853, destruida), y cartones para vidrieras. Pinta también cuadros religiosos: *La Virgen de la hostia* (1854, París); *Juana de Arco en la coronación de Carlos VII* (1854, París, Louvre). Concluye su obra con *Venus Anadiomene* (1848, Chantilly); *La fuente* (1856, París, Orsay); *El baño turco* (1862, París). Su última tela esbozada, *Jesús entre los doctores* (1862, Montauban, Ingres) es del estilo de Saint-Sulpice.

Imponente y coronado por el éxito, (*Autorretrato a la edad de setenta y nueve años*, 1858, Cambridge [Mass.], F.A.M.), Ingres se encuentra en el origen de la renovación de la pintura clásica del siglo XIX. Forma e inspira a más de doscientos alumnos y discípulos franceses y extranjeros, como H. Lehmann, E. Amaury-Duval, H. y P. Flandrin, el suizo B. Menn, el italiano C. Del Bravo. Ingres influye en el simbolismo y el modernismo, y marca el arte de *Degas, *Gauguin, Renoir y, después, en el siglo XX, el de *Matisse, los nabis, *Picasso y los pintores del pop-art. En Montauban se le dedica un museo.

INFLUENCIAS Y CARACTERÍSTICAS PICTÓRICAS

Ingres toma sus temas de la historia antigua, medieval y nacional, de la literatura antigua (Homero, Ossián, Dante...), de la Biblia y de la mitología. Pinta sobre todo retratos, desnudos y grandes decoraciones, sobre lienzos de todos los formatos.

Sus principales encargos provienen de los burgueses Rivière y Bertin, de los mundanos y de los nobles franceses (Madame de Senonnes y el duque de Orleans) e ingleses, de los oficiales como Napoleón I, del gobierno francés y del gobernador de Roma.

En París, se forma junto a David, que le sensibiliza respecto al clasicismo y a los primitivos franceses y flamencos, se interesa por el arte de J. *Van Eyck, de los iluminadores franceses de la edad media, de la escuela de Fontainebleau y de los pintores clásicos como P. de Champaigne. En Italia, y sobre todo en Roma, descubre la obra florentina de *Masaccio, los monumentos y los objetos de la antigüedad grecorromana, las madonas y los frescos de Rafael, el manierismo toscano de *Pontormo... Admira los edificios bizantinos, los frescos de *Giotto. El artista privilegia el trabajo del natural con modelos vivos.

• Sus primeros retratos y desnudos se consideran «arcaicos», «secos y recortados», de estilo «gótico», pero impresionan por la precisión del dibujo clásico, la finura del modelado, lo inci-

UN GRAN MAESTRO

◆ Ingres goza de una gran notoriedad en vida. Nunca decaerá, aunque su arte pueda suscitar crítica o admiración.

◆ Ni neoclásico ni académico, pero ferviente defensor del dibujo, Ingres es a la vez clásico, romántico y realista.

◆ Ingres es innovador por su imaginación orientalizante y por sus temas trovadores que se refieren a la edad media y al renacimiento *(La muerte de Leonardo da Vinci)*.

◆ Su arte se funda en la línea: estira los cuerpos de las mujeres desnudas, confiriéndoles un intenso poder expresivo, y marca el carácter individual de cada modelo. Asienta el principio de verdad del dibujo. Asocia lo real y la idea.

◆ Para elaborar sus cuadros, Ingres esboza sobre papel una idea y luego escoge el tema: «Dibujad mucho antes de pensar en pintar», dice a sus alumnos. Tras una larga fase de documentación y de maduración de la composición y de los detalles, pinta rápidamente. A veces retoma la elaboración de sus lienzos mucho más tarde.

◆ Para sus retratos antiguos, dibuja a un modelo viviente, desnudo, antes de vestirlo o de envolverlo con tejidos reales.

sivo del trazo, la suavidad de la luz y la sutileza de los reflejos inspirados en Van Eyck y en el arte de la iluminación. Los retratos femeninos tienen los rostros de las madonas rafaelescas. En cambio, el «manierismo expresionista» de su línea invierte de manera singular la lección de David. El pintor alarga el cuerpo de las mujeres hasta los límites de lo verosímil y de la coherencia anatómica *(Júpiter y Tetis)*: incluso se afirmaba que añadía una vértebra al cuerpo femenino. Su pasión por el violín, la línea musical tendida, quizá encuentren un eco en esta originalidad plástica.

• Ingres evoluciona hacia un clasicismo oficial, no centrado en la búsqueda del «bello ideal», sino en el estilo: «El estilo es la naturaleza», afirma. El arte de lo maestros antiguos, sus notas literarias (sobre Homero, Plinio), biográficas (sobre Rafael, Enrique IV, etc.) alimentan su pintura histórica, que apunta a la grandeza: perfección de la composición, del dibujo, búsqueda del color local. Se impone también por un sentimiento prerromántico *(Sueño de Ossián)* y por el realismo natural y elegante que caracteriza sus retratos.

• Ingres confirma su clasicismo con composiciones inspiradas en Rafael y que evocan a Champaigne *(El voto de Luis XIII)*. Sus escenas religiosas y sus decoraciones monumentales, de un rafaelismo sofocado, no alteran su vigor creativo.

• El expresionismo de la línea es típico de su estilo y del carácter marcado de sus modelos, de los que capta la individualidad por la actitud, la indumentaria, lo mismo que por la expresión del rostro. Su gusto por las curvas y los arabescos, el modelado liso sin sombras ni luces marcadas, se desarrolla en semitonos sutiles *(El baño turco)*. Si bien el color, esencialmente el de los tejidos, hace que destaquen los modelos, el dibujo sigue siendo fundamental: «Hay que modelar», declara el artista, «en redondo y sin detalles interiores aparentes».

La gran odalisca
1814. Óleo sobre tela, 91 × 162 cm, París, Louvre

Esta odalisca, figura nacida del orientalismo imaginario del pintor, sufre desde su exposición los sarcasmos de la crítica: debilidad del dibujo, aberraciones anatómicas, monotonía cromática son los principales reproches que se le hacen a esta obra. Solamente los allegados al artista defienden la audacia de la curva expresiva del alargamiento dorsal, la mirada franca, la dulzura rafaelesca del rostro, el modelado sensual y redondo de este cuerpo lánguido, acariciado y aplanado por una luz diáfana que anticipa el japonesismo y los medios tonos de *Manet.
Este testimonio clásico, repensado desde el natural, simila la síntesis formal del retrato de Madame Recamier (1800) de David, retoma el estilo serpentino y las proporciones alargadas de los manieristas toscanos. Ingres funde estos elementos de préstamo en la potencia de su estilo que se confirmará, de la *Odalisca al Baño turco*, en el juego de las curvas y de las contracurvas audaces.

Monsieur Bertin
1832. Óleo sobre tela, 116 × 96 cm, París, Louvre

Ingres representa a L.-F. Bertin, fundador del *Journal des Débats,* burgués feliz y opulento bajo Luis Felipe, en una pose poco habitual para la época, apoyando las fuertes manos sobre las rodillas. La actitud del personaje desvela la verdad humana del modelo más que la expresión de la cara: ahí se mide el genio de Ingres. Los críticos opinarán que esta pose es vulgar: «Un gran señor convertido en un campesino gordo». ¿No sería que Ingres nos ofrece más bien a «un campesino gordo convertido en gran señor?» (D. Ternois, 1984).

OBRAS CARACTERÍSTICAS

Ingres pintó alrededor de 177 obras y realizó miles de dibujos preparatorios.

Monsieur, Madame y *Mademoiselle Rivière*, tres retratos, 1805, París, Louvre
Napoleón I en el trono imperial, 1806, París, Museo del Ejército
Madame Duvauçay, 1807, Chantilly, Condé
La bañista llamada «*de Valpinçon*», 1808, París, Louvre
Joseph-Antoine Moltedo, 1810, nueva York, M.M.
Júpiter y Tetis, 1811, Aix-en-Provence, Granet
El sueño de Ossián, 1813, Montauban, Ingres
La gran odalisca, 1814, París, Louvre
Madame de Senonnes, 1814-1816, Nantes, B.A.
Enrique IV recibiendo al embajador de España, París, Petit Palais
El voto de Luis XIII, 1820-1824, catedral de Montauban
Madame Marcotte de Sainte-Marie, 1826, París, Louvre
La apoteosis de Homero, 1827, París, Louvre
Monsieur Bertin, 1832, París, Louvre
La odalisca de la esclava, 1839, Cambridge [Mass.], F.A.M.
Fernando Felipe, duque de Orleans, 1842, col. part.
Venus Anadiomene, 1848, Chantilly, Condé
Madame Moitessier, 1852-1856, Londres, N.G.
La Virgen de la hostia, 1854, París, Orsay
El baño turco, 1862, París, Louvre

BIBLIOGRAFÍA

Pansu, Evelyne, *Ingres: dibujos*, Gustavo Gili, Barcelona, 1981; Camesasca, Ettore, *La obra pictórica de Ingres*, Planeta, Barcelona, 1988; Ternois, Daniel, *Ingres*, Carroggio, Barcelona, 1988; García Guatas, Manuel, *Ingres*, Historia 16, Madrid, 1993.

Géricault

Doce años de actividad bastan a Géricault, artista apasionado, seductor y sensible, para imponer su arte. Sus obras poseen la fogosidad del caballo, su motivo predilecto. Sus temas de actualidad, profundamente madurados, de un realismo científico, ilustran la violencia de la vida contemporánea. Ensalza el cuerpo, otorga privilegio a la forma y a la composición en una factura untuosa o lisa, marrón y de un ocre rojizo. Aunque constituya la encarnación del genio romántico por sus temas y por la expresión dramática de su obra, tanto la técnica como el estilo continúan siendo clásicos.

RECORRIDO BIOGRÁFICO

• Théodore Géricault (Ruán 1791-París 1824), pintor francés, nace en el seno de una familia rica que se instala en París en 1796. La herencia que recibe en 1808 le permite disfrutar de sus dos pasiones, la pintura y los caballos. Entre 1808 y 1812 se forma en el taller de C. Vernet y en el de P.-N. Guérin. Estudia la antigüedad, la naturaleza y a los maestros antiguos.

• Su creación se inicia con el tema de los caballos y de los asuntos militares: *Oficial de cazadores a caballo de la guardia imperial, a la carga* (1812, París) le vale la medalla de oro en el Salón de 1812; *Retrato de carabinero* (h. 1812-1814, *id*, Ruán, B.A.); *Coracero herido saliendo del fuego* (1814, París, Louvre; Nueva York, Brooklyn M.); *El tren de artillería* (h. 1814, Munich, N.P.)

• De 1816 a 1817, después de su fracaso en el concurso del premio de Roma, Géricault inicia y costea su viaje a la capital italiana, en donde se instala. Se apasiona por los maestros del renacimiento y por el clasicismo del siglo XVII. En sus primeras telas se atropellan los caballos en tropel: *Carrera de caballos libres* (1817, Lille; París, Louvre), *Carrera de caballos libres en Roma* (*id.*, Baltimore, Walters A.G.), *Caballo detenido por esclavos* (1817-1818, Ruán).

• De vuelta a París, cultiva los paisajes y la observación de animales: *Paisaje con acueducto* (1817-1820, Nueva York), *Paisaje con tumba romana* (h. 1818, París, P.P.), *Paisaje heroico con pescadores* (*id.*, Munich, N.P.), *Doma de toros* (*id.* Cambridge [Mass.], F.A.M.), *El mercado de bueyes* (1817, *id.*). Observa a los protagonistas de combates de boxeo, nos ofrece la expresión del niño *Alfred Dedreux* (1817, París, col. R. Lebel; Nueva York, M.M.) o la del *Retrato de oriental* (1819-1821, Besançon).

• Los sucesos contemporáneos, históricos y políticos, alimentan sus obras: *Carro de soldados heridos* (1818, Cambridge [G.B.]) ilustra la retirada de Rusia. Relata temas de actualidad: el asesinato del magistrado A. Fualdès en Rodez y el naufragio del barco *La Méduse*, que él convierte en epopeyas trágicas. Para realizar esta última obra, dibuja y pinta innumerables esbozos que le conducen a este gran cuadro que es el inmenso *La balsa de la Medusa* (1819, París), considerado como el manifiesto del romanticismo pictórico. Agotado por esta realización que obtiene éxito pero que también suscita controversias, inmerso en una depresión, declina un encargo del gobierno y lo cede a *Delacroix antes de retirarse a Fontainebleau.

• Presente en Londres en 1820-1821, Géricault expone con éxito *La balsa de la Medusa*, descubre a *Constable, J. H. Füssli y las acuarelas de *Turner. Se introduce en la litografía y graba escenas de la vida cotidiana tomadas del natural o de temas deportivos. Pinta *El Derby de Epsom* (1821, París).

• Es en París en donde acaba su carrera con *El horno de yeso* (h. 1821-1822, París), los esbozos de *La apertura de las puertas de la Inquisición, La trata de negros* y el *Retrato de Louise Vernet de niña* (h. 1818-1819, París, Louvre), el *Retrato de un vandeano* (h. 1822-1823, *id.*) o escenas de tempestades. La serie de diez retratos de alienados, de los que cinco se han perdido, modelos clínicos ejemplares de su enfermedad, la lleva a cabo por iniciativa del psiquiatra Georget: *Monomaníaco del juego* (1822-1823, París, Louvre), *Monomaníaco del robo* (*id.*, Gante, B.A.), *Monomaníaco de la envidia* (*id.*, Lyon). Géricault aborda estos retratos con una voluntad total de realismo científico. Confiere, sin curiosidad malsana ni sensiblería, una verdadera dignidad a estos excluidos de la vida.

Pintor, grabador y escultor a horas perdidas, Géricault muere prematuramente. Su arte abre perspectivas a los siglos XIX y XX: al joven Delacroix, a *Daumier, *Courbet, *Manet, *Degas, *Cézanne y a los pintores del arte moderno francés.

Influencias y características pictóricas

Fascinado por los caballos, Géricault los representa en los temas que aborda: oficial, batalla, esclavismo y luego trabajo en los campos, carreras de caballos, herrador. Pinta también escenas deportivas (boxeo, trapecio), retratos (niños, adultos, alienados), paisajes y sucesos célebres (asesinato, naufragio). Los formatos son variados, a veces inmensos.

Recibe pocos encargos estatales, pero sus amigos (Marceau, Dedreux, el litógrafo Charlet, el psiquiatra Georget, el pintor H. Vernet) coleccionan sus obras.

En París, en casa del pintor C. Vernet, se concentra en el tema de los caballos. En el taller de P. N. Guérin, pintor de historia académica en la Escuela de bellas artes, se inicia en el arte neoclásico de *David. El barón Gros le inspira para nuevas composiciones. Copia de manera muy personal a los maestros antiguos del Louvre: los retratos ecuestres de Van Dyck y de *Tiziano, los leones de *Rubens, los lienzos de *Rembrandt, El diluvio de *Poussin.

En Italia, en Florencia, Roma y Nápoles, retiene la lección escultural de la antigüedad, el arte del renacimiento, los frescos de *Miguel Ángel y de los *Carracci. La naturaleza también se convierte en maestra.

En Gran Bretaña, Géricault queda impresionado por los paisajistas y los pintores de animales, por Constable, Füssli... En Bruselas, la visita a David reaviva su admiración por la técnica y plasticidad del maestro. El asilo y la morgue alimentan su gusto por el realismo científico.

• La pasión por los caballos y los acontecimientos militares que le son contemporáneos incitan a Géricault a pintar con una gran expresividad soldados y campos de batalla. Mientras el oficial imperial muestra el vigor del héroe vencedor, y lo reproduce con una composición y una pincelada fogosas, el oficial herido se encuentra en el suelo, guiando a su caballo por una pendiente en descenso. Su febrilidad se ve acentuada por amplios colores lisos sin relieve ni animación. Después, el artista pasa por un período más calmado con paisajes clásicos cercanos a los de Poussin.

• Géricault afirma su gusto por el equilibrio de las masas, la precisión del movimiento, la pureza plástica lineal del desnudo académico. Los temas de actualidad transformados en grandes composiciones históricas *(La balsa de la Medusa)* llevan su cultura clásica hacia una representación «moderna»; las composiciones en diagonal no centradas resaltan los desnudos cadavéricos de realismo fúnebre. Su paleta se simplifica en tonos terrosos bañados en un contraste de sombras y de luz. Los esbozos preparatorios de siluetas o de rostros a veces inacabados constituyen retratos sobrecogedores.

• La nueva objetividad de los paisajistas ingleses le fascina. Presta atención en particular a la calidad de la luz de Constable. Sus carreras de caballos demuestran que la alianza entre velocidad y forma neoclásica es imposible: la espontaneidad del movimiento del caballo al galope, acentuada por una factura fogosa, es incompatible con la forma neoclásica «pura», ideal, inmovili-

Un gran maestro

◆ Pintor célebre pero controvertido en vida, Géricault también es conocido por sus litografías. Tras su muerte, toma dimensiones míticas.

◆ A Géricault se le considera neoclásico por sus lienzos, aunque alejado del neoclasicismo frío de los davidianos, o romántico por la modernidad de sus temas y de su tratamiento. Acentos de realismo o estallidos de lirismo completan su paleta sincrética.

◆ Escapa a cualquier clasificación artística, ya que persigue una investigación permanente que pueda conciliar sus contradicciones y calmar su insatisfacción. La «aceleración de la muerte» (J. Michelet) no le permite conseguirlo. Sin embargo se muestra innovador en la elección de los temas. Representa por primera vez un combate de boxeo. Sería el único pintor de su tiempo en representar la doma de caballos. Da a los temas de actualidad una dimensión histórica.

◆ Junto al pintor A.-J. Gros, es uno de los primeros artistas franceses en practicar la litografía.

◆ Privilegia a menudo la composición y la plástica escultural clásica en detrimento del sujeto. El lenguaje del claroscuro y una escritura elíptica intentan fijar el movimiento en el instante. Sus lienzos, por la factura y el color aplicado en amplias pinceladas, conservan un aire de esbozo que abre la vía a una reproducción «moderna», más libre.

zando el gesto y reforzando esta quietud del movimiento con un oficio pausado, liso e ilusionista. La sensación y la emoción románticas se oponen al razonamiento y al heroísmo neoclásicos.

• El realismo de sus últimos cuadros monocromos es el producto de la observación aguda y sin prejuicios de la humanidad más sencilla, la que pasa por dificultades, sea ésta campesina, minera u obrera. Las cabezas y los fragmentos humanos mutilados, de una crudeza inigualada, son elevados a puros «retazos de pintura», de un romanticismo absoluto. Los estudios de alienados, con un realismo científico que parece glacial, obligan al espectador a hacer frente a estos locos dignos, a reconocer su existencia.

• A lo largo de su obra, para poder expresar la fuerza de sus temas, Géricault busca expresiones plásticas nuevas. Según expresa, se trata de «esa fiebre de exaltación que todo lo trastoca y domina, y que produce obras maestras».

Oficial de cazadores a caballo de la guardia imperial, a la carga
1812. Óleo sobre tela, 2,92 × 1,94 m, París, Louvre

Pintor desconocido por aquel entonces, Géricault sorprende al presentar esta obra.
La precisión de la observación, la fogosidad del caballero y del caballo, la pincelada brusca propia más de un esbozo que de una obra acabada, aportan elementos muy innovadores para la época. La composición recuerda a Gros, el ímpetu a *Rubens, la luz a *Rembrandt. La modernidad romántica reside en la elección del momento, justo cuando la grandeza imperial empieza a vacilar en Rusia, sublimado por este héroe que «se vuelve hacia nosotros y piensa» (J. Michelet). Géricault pinta las dudas de su tiempo, las ruinas del imperio, la conciencia de la muerte. La factura espesa rompe con el clasicismo davidiano.

La balsa de la Medusa
1819. Óleo sobre tela, 4,91 × 7,16 m, París, Louvre

La fragata *La Medusa* naufraga en 1816. Una balsa transporta durante trece días a marineros a la deriva. Géricault explota este tema de actualidad contemporáneo y trágico. Opta por captar la escena en el momento en que la esperanza resurge a la vista de un posible rescate. La construcción falsamente realista de este racimo humano (muertos y supervivientes confundidos) paralizado en el instante patético, encarna el romanticismo.

La composición piramidal, en cambio, lo mismo que el modelado académico de los cuerpos, la relación de luces y sombras, los colores terrosos, provienen de todos los clasicismos (antiguo, del renacimiento, del siglo XVII y davidiano). Como en el caso del *Oficial,* el historiador J. Michelet ve aquí un arte comprometido, un símbolo del naufragio político de Francia.

OBRAS CARACTERÍSTICAS

Más de 300 esbozos pintados y cuadros pertenecen al activo de Géricault, aparte de los dibujos, acuarelas, litografías y algunas esculturas.

Oficial de cazadores a caballo de la guardia imperial, a la carga, 1812, París, Louvre
Coracero herido saliendo del fuego, 1814, París, Louvre
El tren de artillería, h. 1814, Munich, N.P.
Carrera de caballos libres, 1817, Lille, B.A.
El mercado de bueyes, 1817, Cambridge, [Mass.], F.M.A.
Caballo detenido por esclavos, 1817, 1818, Ruán, B.A.
Paisaje con acueducto, entre 1817 y 1820, Nueva York, M.M.
Carro de soldados heridos, 1818, Cambridge, [G.B.], Fitzwilliam Museum
La balsa de la Medusa, 1819, París, Louvre
Retrato de oriental, 1819-1821, Besançon, B.A.
El derbi de Epsom, 1821, París, Louvre
El horno de yeso, 1821-1822, París, Louvre
Monomaníaco de la envidia, h. 1821-1823, Lyon, B.A.
Retrato de un vandeano, h. 1822-1823, París, Louvre

BIBLIOGRAFÍA

Eitner, Lorenz E. A., *Géricault: his life and work*, Orbis Publishing, Londres, 1983; Alhadeff, Albert, *The Raft of the Medusa: Géricault, art, and race*, Prestel Verlag, Munich, 2002.

Delacroix

Delacroix, hombre de su siglo, seductor y cultivado, apasionado y riguroso, historiador del arte y teórico del color, se impone como el maestro del romanticismo. Es uno de los últimos grandes pintores decoradores. La impregnación de los maestros clásicos y el Oriente habitan su obra. El impulso de sus primeros esbozos permanece intacto en sus lienzos. Los temas, las composiciones, las formas dinámicas y tormentosas exaltan su talento fogoso de colorista.

RECORRIDO BIOGRÁFICO

• Eugène Delacroix, pintor francés (Saint-Maurice, cerca de Charenton 1798-París 1863) es el hijo de V. Oeben, familiar de los célebres ebanistas Riesener, y de C. Delacroix, un político. Entra en el taller parisino de P.-N. Guérin y después en Bellas Artes, cuyo academicismo impermeable a las novedades pictóricas del barón Gros o de *Géricault no le interesa. Al principio propone composiciones clásicas y religiosas como *La Virgen de las cosechas* (1819, iglesia de Orcemont) o *La virgen del Sagrado Corazón* (1821, catedral de Ajaccio). En *Dante y Virgilio*, llamada *La barca de Dante*, su primera obra expuesta en el Salón de 1822 (París) se hace evidente su relación con *La balsa de la Medusa* (1819) de Géricault. Delacroix inicia la redacción de su *Diario*, que proseguirá hasta 1863. A partir de entonces expone regularmente en el Salón. Baudelaire es su más ardiente defensor. El estudio de *La huérfana del cementerio* (1823, *id.*) y *La matanza de Quíos* (Salón de 1824, *id.*) le convierten en el jefe de filas del romanticismo y lo oponen a los clásicos encabezados por *Ingres.

• Antes de su viaje a Londres, en 1825, Delacroix ya admira a los pintores ingleses contemporáneos, como *Constable, de quien ha visto *El carro de heno* en el Salón de 1824. Busca temas en la literatura inglesa: Lord Byron para *El dux Marino Faliero condenado a muerte* (1826, Londres, Wall.C.), Walter Scott para *El asesinato del obispo de Lieja* (1829, París, Louvre) y, más tarde, William Shakespeare. Pinta algunos retratos «reales» como *El barón Schwiter* (1826, Londres, N.G.), e imaginarios o alegóricos sobre el oriente: *Una mulata* (1824-1826), Montpellier), *Grecia en las ruinas de Missolonghi* (1826, Burdeos) y *Turco sentado* (1827 ¿?, París, Louvre).

• En el Salón de 1827 expone *La muerte de Sardanápalo* (París), que marca el apogeo del romanticismo. Este cuadro es del gusto de Carlos X, quien le encarga *La muerte de Carlos el temerario* (*La batalla de Nancy*, 1831, Nancy, B.A.). Compone *Cristo en el huerto de los olivos* (1827, París, iglesia de Saint-Paul-Saint-Louis), *Naturaleza muerta con bogavante* (*id.*, Louvre), concibe desnudos como *Mujer acariciando a un loro* (*id.*, Lyon, B.A.) y *Estudio de mujer desnuda acostada sobre un diván* (1825-1832, París, Louvre). El gobierno de la monarquía de julio participa en el éxito de *La libertad guiando al pueblo* (1830, París). Delacroix se relaciona con Stendhal, Merimée, Dumas, George Sand y Chopin.

• En 1832, Delacroix acompaña al conde de Mornay a Marruecos, encargado de una misión diplomática en la corte de Mulay Abd al-Rahman. Este breve viaje le revela la belleza del país magrebí y le inspirará durante mucho tiempo: *Ejercicios militares de los marroquíes* o *Fantasía* (1832, Montpellier), *Mujeres de Argel* (1834, París), *Boda judía en Marruecos* (1841, *id.*), *El sultán de Marruecos* (1845, Toulouse, B.A.), *Comediantes bufones árabes* (1848, Tours), *Mujeres turcas en el baño* (1854, Hartford, Wadsworth Atheneum), *Paso de un vado en Marruecos* (1858, París, Louvre), *Campo árabe* (1863, Budapest, S.M.).

• En 1833, de vuelta en París, realiza a petición de Luis Felipe, en el palacio Borbón (1833-1847, *in situ*) y en el palacio de Luxemburgo (1842-1846, *in situ*) pinturas decorativas y alegóricas; en la galería de las batallas del museo histórico del castillo de Versalles la *Batalla de Taillebourg* (1837) y *La toma de Constantinopla por los cruzados* (1841, París).

• Paralelamente, pinta el *Cristo en la cruz* (1835, m. de Vannes) y *San Sebastián* (1836, iglesia de Nantua). Esboza los retrato sde *George Sand* (1838, Copenhague, O.S.), de *Chopin* (1838, París, Louvre) y su *Autorretrato* (h. 1839, *id.*). Plasma en imágenes temas literarios: *La muerte de Ofelia* (1838, Munich, N.P.), *Hamlet y los dos enterradores* 1839, París, Louvre), *El naufragio de Don Juan* (1840, *id.*), *La novia de Abydos* (1843, *id.*), *Rebecca* (1846, Nueva York, M.M.).

- En 1848, la República le encarga *Apolo vencedor de la serpiente Pitón* (1848-1851, París). Decora un salón en el ayuntamiento de París (destruido, esbozos en París, Carnavalet). Para sus otras obras Delacroix escoge temas variados: *El puma* (1852 ¿?, París, Louvre), *El mar visto desde las alturas de Dieppe* (1852, París, col. part), *Retrato de A. Bruyas*, coleccionista de Manet (1853, Montpellier, Fabre), *Los peregrinos de Emaús* (1853, Nueva York, Brooklyn M.).
- Bajo el segundo imperio, en la Exposición universal de 1855, el artista triunfa con la presentación de 42 lienzos. Es promovido a comendador de la Legión de honor y entra en el instituto. Decora la iglesia de Saint-Sulpice: *Heliodoro expulsado del templo* y *La lucha de Jacob con el ángel* (1855-1861, París). Pinta *La cacería de leones* (1855, Burdeos), *El rapto de Rebecca* (1858, París, Louvre), *Pelea de caballos árabes en una cuadra* (1860, *id.*), *Medea furiosa en la montaña*, 1863, Washington), escenas de combates de animales y *Tobías y el ángel* (1863, Winterthur, Museos O. Reinhart).

Delacroix muere de tuberculosis. Su *Diario*, la *Correspondencia*, sus artículos y el proyecto de *Diccionario de las bellas artes* se publican tras su muerte. En cuanto a la obra, inmensa y variada, es preludio de los impresionistas y del fauvismo, pero también de *Courbet, de *Cézanne, de Signac y de la pintura moderna.

INFLUENCIAS Y CARACTERÍSTICAS PICTÓRICAS

Pintor de inspiración religiosa, mitológica, literaria o histórica, Delacroix permanece fiel a la escena de género, al paisaje y a las marinas, a la naturaleza muerta, al combate de animales y al retrato. El Oriente, primero imaginario y después de 1832 observado, alimenta su obra.
Los encargos oficiales de Carlos X, Luis Felipe, Thiers, Napoleón III... se desarrollan en fresco sobre formatos inmensos. Los cuadros de caballete pintados al óleo, las acuarelas y las aguadas, de todos los formatos, son adquiridos por coleccionistas y comerciantes de arte.
Delacroix se forma en el taller del neoclásico P.-N. Guérin. Aunque admira a los clásicos (*Rafael, *Poussin), sus maestros siguen siendo los coloristas, *Tiziano, el *Veronés y *Rubens. Está influenciado por los primeros románticos, Géricault y Gros, y luego por el británico R. P. Bonington, acuarelista y pintor. En Londres descubre a Constable, *Turner, J. Reynolds y la literatura novelesca de las islas británicas, que prefiere al romanticismo épico de Lamartine o de Víctor Hugo.
- Clásico por formación y convicción, Delacroix pinta en sus inicios academias y copias de los maestros antiguos.
- Las obras que crea al margen de los encargos sorprenden por lo dramático del tema y por su alcance político (el contexto filheleno es contemporáneo de *La matanza de Quíos*), y por la franqueza de ejecución en una composición clásica. Si bien Delacroix pinta lo mórbido, renuncia al énfasis.

UN GRAN MAESTRO

- ◆ Desde el Salón de 1822 se hace famoso. Todos los movimientos del arte moderno lo incluyen entre sus influencias. Sus lienzos, más que las grandes decoraciones, conquistan al público.
- ◆ Al romper con el academicismo y con el neoclasicismo, Delacroix quiere favorecer un «clasicismo de la realidad», un romanticismo del tema y la traducción libre de sus impresiones personales.
- ◆ «Todo es tema; el tema eres tú mismo: son tus impresiones, tus emociones ante la naturaleza», declara Delacroix. La historia contemporánea y los animales fogosos se convierten en un motivo romántico. El eclecticismo de sus fuentes, literarias, visuales e imaginarias, complica la comprensión de la obra *(La libertad guiando al pueblo)*.
- ◆ El rigor de la composición clásica y del dibujo equilibran la vehemencia del color. Con perfecto dominio, Delacroix evita, según dice, «esta infernal comodidad del pincel» y los desvíos del trazo. El color triturado y espeso, empastado y sin embargo fundido, dan un aspecto de esbozo a la obra. La pincelada rayada o «tachista» produce una mezcla óptica, preimpresionista.
- ◆ Tras un trabajo preparatorio importante (dibujos, esbozos, croquis), Delacroix pinta de un tirón. Es innovador en el empleo racional y analítico del color que él divide en tintes puros; utiliza también el betún, de tintes terrosos (que perjudica a la conservación de los colores). Su brillantez se ve realizada, tras 1825, por el empleo de barnices.

Delacroix

- A partir de los años 1825-1830, Delacroix se aleja del rigor sistemático de la composición clásica y traduce sus temas con emoción y por medio de una escritura libre, a veces esbozada. Aprende de la estética inglesa, la de Bonington y Constable, la unidad atmosférica delicada y las finas vibraciones coloreadas. De los grandes coloristas venecianos, como Tiziano y el Veronés, y del flamenco Rubens retiene el entusiasmo del color y del movimiento, siempre dentro del respeto al dibujo *(La muerte de Sardanápalo)*.
- La inflexión de su carrera se produce en 1832 con su viaje a Marruecos: «Aquí lo sublime corre vivo por las calles y [...] le asesina a uno con su realidad [...]. A cada paso se encuentran cuadros ya preparados [...]. Podrías creerte en Roma o en Atenas», escribe. Oriente, sus abigarramientos coloreados y su luz solar le fascinan.
- Los grandes trabajos decorativos de la madurez, extraños al ideal épico el romanticismo francés, se construyen según una organización clara, de tradición clásica. Adaptación a la arquitectura, tema y estilo grandiosos, vigor extraordinario del colorido que compensa las débiles fuentes de luz, vista idealista del conjunto y precisión realista del detalle revelan un virtuosismo pictórico y una trayectoria estética rigurosa.
- Hacia el fin de su carrera, los cuadros de caballete reencuentran una composición clásica, mientras que la factura, siempre libre y espontánea, se adapta a los temas y a los sentimientos del pintor.

La muerte de Sardanápalo
1827. Óleo sobre tela, 3,95 × 4,95 m, París, Museo del Louvre

Esta composición trágica, inspirada en un drama de Byron, está explicada en el libreto del Salón de 1827: «Los insurrectos lo asediaron en su palacio [...]. Estirado sobre un lecho soberbio en la cumbre de una pira inmensa, Sardanápalo ordenó a los eunucos y oficiales del palacio que degollaran a sus mujeres, a sus pajes y hasta a sus caballos favoritos; ninguno de los objetos que habían servido a sus placeres debía sobrevivirle [...]. Baleah, copero de Sardanápalo, prendió por fin fuego a la pira y se arrojó también a las llamas».
Esta tela rompe con las reglas académicas de la perspectiva, de la legibilidad de las formas y de los colores. Las «reglas primordiales del arte parecen haber sido violadas intencionadamente», fustiga Delécluze, un crítico davidiano. En efecto, Delacroix describe la agitación dramática y el pánico sangrante. El exceso de emociones se ve traducido plásticamente mediante la utilización de los bordes de la tela para cortar la escena, la disposición y el amontonamiento de los seres y de las riquezas organizados en una pirámide cromática y volcándose sobre el espectador. El calor de los tonos abraza la composición; el dominio de la pincelada delimita los cuerpos y los objetos.

Pelea de caballos árabes en una cuadra
1860. Óleo sobre tela, 64,4 × 81 cm, París, Museo del Louvre

Delacroix pinta la inmediatez de la acción, el grito de los hombres y el ruido de los cascos. La cuadra, hasta el momento en calma, se convierte en un instante en un lugar en el que la vida se exalta. Delacroix se inspira en sus recuerdos marroquíes: «Allí vi todo lo que Gros y Rubens pudieron imaginar como más fantástico», escribe. La agitación y la emoción fulgurantes se reproducen mediante una plástica rítmica y ágil, y una factura dinámica y esbozada que refuerzan el ímpetu de las actitudes y de los gestos.

OBRAS CARACTERÍSTICAS

Frescos, telas, esbozos pintados, acuarelas, esbozos, grabados y litografías, la obra de Delacroix cuenta con alrededor de 853 números en el catálogo y millares de diseños, pasteles o aguadas.

Dante y Virgilio, llamado *La barca de Dante*, 1822, París, Louvre
La matanza de Quíos, 1824, París, Louvre
La huérfana en el cementerio, 1823, París, Louvre
Una mulata, 1824-1826, Montpellier, Fabre
Grecia en las ruinas de Missolonghi, 1826, Burdeos, B.A.
La muerte de Sardanápalo, 1827, París, Louvre
La libertad guiando al pueblo, 1830, París, Louvre
Ejercicios militares de los marroquíes o *Fantasía*, 1832, París, Louvre
Chopin, 1838, París, Louvre
Autorretrato, h.1839, París, Louvre
Boda judía en Marruecos, 1841, París, Louvre
Chopin, 1838, París, Louvre
La toma de Constantinopla por los cruzados, 1841, París, Louvre
Comediantes bufones árabes, 1848, Tours, B.A.
Apolo vencedor de la serpiente Pitón, 1848-1851, galería de Apolo, París, Louvre
Cacería de leones, 1855, Burdeos, B.A.
La lucha de Jacob con el ángel, 1855-1861, París, iglesia de Saint-Sulpice
Pelea de caballos árabes en una cuadra, 1860, París, Louvre
La percepción del impuesto árabe, 1863, Washington, N.G.

BIBLIOGRAFÍA

Eugène Delacroix: Museo del Prado, Palacio de Villahermosa, 2 marzo-20 abril 1988, (catálogo de exposición), Ministerio de Cultura. Dirección General de Bellas Artes y Archivos, Madrid, 1988; Hernando, Javier, *Delacroix*, Historia 16, Madrid, 1993; Delacroix, Eugène, *El Puente de la visión: antología de los diarios*, Tecnos, Madrid, 1998; Athanassoglou-Kallmyer, Nina Maria, *Eugene Delacroix*, Yale University Press, Londres, 2001; Gilles Neret, *Eugene Delacroix 1798-1863: el príncipe de los romanticos*, Taschen, Colonia, 2002.

Daumier

Daumier, ferviente republicano, observador de las costumbres y de la sociedad de su tiempo, es esencialmente conocido por sus caricaturas, aunque pintar es lo que le apasiona. Sensible, espontáneo, intuitivo y empírico, pinta al pueblo humilde con compasión y ternura, fustiga a la burguesía con precisión y realismo. Sus variaciones alrededor de un mismo tema revelan una plástica muy firme y singular, variada, marrón, rica en empastes, realzada en ocasiones con manchas coloreadas. La factura, a menudo percibida como inacabada, es muy expresiva y sorprendentemente moderna.

RECORRIDO BIOGRÁFICO

• Honoré Daumier (Marsella 1808-Valmondois 1879), artista francés, es el hijo de un fabricante de marcos y pintor decorador tentado por una carrera como escritor en París. Para paliar las dificultades financieras de su padre, Daumier trabaja desde joven en talleres de litografía y manifiesta precozmente dotes para el dibujo. En 1821 estudia junto a A. Lenoir, un antiguo alumno de *David y fundador del Museo de monumentos franceses. Después se formará en solitario en el Louvre y en la academia suiza, que frecuenta entre 1823 y 1828.

• Daumier empieza una tumultuosa carrera como señalado caricaturista político, bajo la dirección del polemista Philipon, fundador de la *Caricature* en 1830, del *Charivari* en 1832 y de *L'Association mensuelle* en 1934. El artista realiza dibujos, litografías (*La rue Transmonain*, 1834; *El vientre legislativo, id.*) y modela bustos en barro. Azuza con una agudeza sin igual a los hombres políticos y las costumbres de su época. Su pintura, de cronología incierta, ya es por entonces muy personal: *Aguafuertista* (h. 1836, París, col. part.); *Obreros en una calle* (h.1839, Cardiff); *Los noctámbulos* (h. 1847, *id.*); *Pareja cantando* (H. 1847, Amsterdam, Rm.); *Los bañistas* (h. 1847, Glasgow, A.G.); *Dos abogados* (h. 1848, Lyon). El rechazo de sus obras, con ocasión de las exposiciones del Salón, refuerza su actitud contestataria hacia el jurado académico.

• La revolución de 1948, la III república y sus amigos en el poder favorecen el reconocimiento de su pintura. El proyecto de su cuadro-esbozo, *La república* (1848, París), elegido por el jurado del concurso que era favorable al gobierno provisional, no llegó a hacerse realidad, pero Daumier pudo por fin exponer en el Salón: *El molinero, su hijo y el asno* (1849, Glasgow); *Don Quijote llegando a las bodas de Camacho* (h. 1850, Boston, col. Paine). Su producción pictórica aumenta: *Los emigrantes* (h. 1849, Minneapolis); *Queremos a Barrabás* (*Ecce Homo*, h. 1850, Essen, Folkwang M.), *El fardo* (h. 1850, Praga, Národní G.); *Una sala de espera* h. 1851, Buffalo [N.Y.]; *Los fugitivos* (1852-1855, Winterthur, M.O. Reinhart).

• La literatura y el teatro le proporcionan temas, como la fábula de La Fontaine *Los ladrones y el burro* (h. 1858, París, Louvre), *El drama* (h. 1859, Munich), *Crispin y Scapin* (h. 1858-1860, París), *Don Quijote* solo o con Sancho Panza (de 1849 a 1873, Munich, A.P.; Melbourne, N.G.V.; Nueva York, M.M.; París, Orsay...). Prosigue esta temática literaria pintando escenas de *El enfermo imaginario* (1862-1863, Merion [Penn.], B.F.). De las obras siguientes, *Un vagón de tercera* (h. 1862-1864, Nueva York; Cardiff, N.M. of Wales), *La espera en la estación* (h. 1863, Lyon, B.A.), *La lavandera* (1863, París) o *Los jugadores de ajedrez* (h. 1863, París, P.P.) se desprende una impresión de sufrimiento intenso. Sus últimas obras, *Pierrot tocando la mandolina* (h. 1873, Winterthur, M. O. Reinhart) y *Mujer llevando un niño* (1873, Zurich) constituyen un testimonio más de la modernidad de su trabajo. Afectado por la ceguera, Daumier sobrevive a duras penas, a pesar de la ayuda de Corot, antes de morir de un ataque de apoplejía.

Artista completo, dibujante, litógrafo y modelista, no consigue deshacerse de su imagen de caricaturista para que se le reconozca como pintor, excepto por parte de poetas y críticos como Ch. Baudelaire y T. de Banville. Sin embargo, su obra suscita el entusiasmo de los románticos *Delacroix, Préault... y de los pintores de Barbizon. Daumier influencia a la generación de *Manet, *Degas, *Monet, *Toulouse-Lautrec, *Van Gogh y, luego, a los fauvistas, los expresionistas alemanes, Soutine, *Picasso...

INFLUENCIAS Y CARACTERÍSTICAS PICTÓRICAS

Daumier desarrolla un pequeño número de temas. Su opción de retratar la vida cotidiana le lleva a esbozar innumerables escenas de las calles y de los trenes, evoca tanto los trabajos más duros como los más «nobles» (abogados sobre todo), pero también los oficios artísticos (saltimbanquis, pintores, músicos), los coleccionistas de estampas, las escenas de teatro (*Don Quijote, El enfermo imaginario*, las fábulas de La Fontaine). Pinta también en algún caso sobre temas religiosos y mitológicos.

Realiza las pinturas al óleo sobre panel o sobre tela, en formatos pequeños o medianos. Recibe pocos encargos oficiales. Los principales compradores son los amigos.

Iniciado en la pintura por el neoclásico A. Lenoir, Daumier se vuelve a continuación hacia la escultura antigua y el arte de *Tiziano. Luego retoma la pintura, admira los contrastes luminosos de *Rembrandt y la dinámica del movimiento de *Rubens. Los españoles le sensibilizan hacia el tenebrismo. El equilibrio de la composición y de las figuras de fantasía de *Fragonard le impacta.

• La creación de Daumier no evoluciona según una lógica definida. Debuta como caricaturista político, trabajo en el que se muestra lúcido, emocionante e imaginativo, antes de dedicarse a la pintura y al grabado.

• Su condición modesta, su percepción intuitiva del mundo parisino, su anclaje en la realidad, servidos por una memoria «maravillosa y casi divina que le hace de modelo» (Baudelaire) y una imaginación fecunda, le conducen a presentar innumerables facetas de la condición humana, a veces inspiradas por textos literarios. La dimensión universal del trabajo y de la pobreza del pueblo llano impacta en los cuadros de Daumier. La trata con toda sencillez, sin sensiblería ni efectos declamatorios. La composición es sobria y la expresión sincera.

• Según P. Georgel, «no existe nada más engañoso que su realismo. La observación, en su caso, es hermana del sueño; en la profundidades de su memoria, el mito y lo real no son más que uno» (1972). Para R. Fohr (1999), el realismo interiorizado de Daumier «se ve servido por un oficio inestable, en constante evolución, pero de una franqueza poco común: una materia espesa y untuosa, tan pronto acariciada por el pincel como "aterciopelada" o triturada con entusiasmo, un colorido denso y caluroso, a base de tierra y de ocres, realzado en los claros, de tonalidades sutiles y de brillos fulgurantes, un claroscuro...». Daumier opone los volúmenes, crea contrastes luminosos y artificiales y se atreve a presentar lo inacabado de las obras, hecho inaceptable en una pintura en aquella época pero que hoy se percibe como moderno: «Todo vuelvo a empezarlo veinticinco veces; al final lo hago todo en dos días».

• Aplica a la pintura el estilo de sus litografías y en el grafismo, la modulación de los blancos y negros transpuesta en sus óleos en marrones y ocres dignos del claroscuro de Rembrandt (*Queremos a Barrabás*), obras que se ven marcadas a veces por manchas de color rojo, azul, verde o amarillo. Una cierta y rara precisión del modelado puede convivir con una forma esbozada y bosquejada que recuerda a Rubens *(Los emigrantes)*, con una silueta vislumbrada, con un perfil perdido... Modela en barro sus figuras antes de dibujarlas o pintarlas. A veces pone en cuadrícula a sus personajes, da una primera forma a las masas, dispone empastes y resaltos, traza o crea al azar de su pincel. En pleno dominio de su arte, Daumier pasa con facilidad de una técnica a otra.

UN GRAN MAESTRO

◆ Pintor mal recibido por el gran público y el medio artístico de su época, con la excepción de Delacroix, Corot y Millet, Daumier no obtiene el éxito que merece. Permanece incomprendido, y a menudo se le conoce poco.

◆ Calificado como realista y visionario por sus intuiciones plásticas, Daumier es un artista singular que, lejos de las convenciones de su tiempo, anuncia por su factura el arte moderno.

◆ Hace suyos los temas anclados en la realidad (figuras de abogados, de coleccionistas de arte, escenas de la vida cotidiana del pueblo...) y los trata de diversas formas. Sus sátiras subliman lo grotesco y lo trágico.

◆ Su materia pictórica, de una gran potencia plástica, variada y rápida, se adapta a cada obra. Retrospectivamente, su pincelada «no acabada» se califica como impresionista, y la factura poderosa y los planos generales se designan como expresionistas.

Daumier

- La confección ordenada, las composiciones en friso, simples y estructuradas, conforman un cierto «clasicismo» *(Pasantes, Un vagón de tercera)*.
- Las obras de una absoluta espontaneidad, con una sensible influencia de Fragonard *(Pierrot tocando la mandolina)* se oponen al trabajo expresivo en que los rostros y los cuerpos deformados se ven cercados por el negro e invaden el primer plano, dirigiéndose directamente al espectador *(El enfermo imaginario)*.

La lavandera
1863. Óleo sobre tela, 49 × 33,5 cm, París, Museo de Orsay

Daumier representa al pueblo humilde parisino trabajando en las orillas del Sena durante el segundo imperio. Lleva a esta figura de mujer solitaria, plena, anónima, banal pero de una cierta nobleza al rango de símbolo de la clase trabajadora. El artista deja entrever la fatigosa vida cotidiana de esta mujer, la injusticia social que hace convivir al pueblo con una burguesía a la que pinta en paralelo, simbolizada por abogados arrogantes, de costumbres corrompidas, por coleccionistas de estampas, despreocupados y a la búsqueda de la obra bella y rara, temas que agudizarán su sentido de la observación a lo largo de toda su carrera. La factura lisa y fundida compacta las masas, acentúa los contrastes de claroscuro y afina los colores.

Don Quijote y Sancho Panza
Hacia 1868. Óleo sobre tela,
52 × 32,6 cm, Munich,
Neue Pinakothek

Durante más de veinte años,
Daumier trató el tema, tomado de
Cervantes, de este caballero heroico
y de su escudero (29 pinturas, 41
dibujos). En este cuadro, la silueta de
Don Quijote, que monta a su caballo
Rocinante, ocupa todo el espacio,
mientras que el fiel Sancho lo sigue
en la distancia, rezagado y
refunfuñando. El caballero sin
rostro impone su presencia altanera.
Sancho, fundido en el paisaje
pedregoso y en la luz intensa, se
pierde en esta naturaleza árida
y arcillosa dominada por el azul
deslumbrante del cielo. La sobriedad
de la composición es eminentemente
moderna. La economía de las formas
y del color refuerza la oposición entre
este caballo flaco y su amo, lleno de
prestancia pero igual de esquelético,
entre el horizonte curvo y la lanza
enhiesta. La factura, de pincelada
amplia en una materia seca, se
armoniza con un estilo que evoca
las maneras de Giacometti.

OBRAS CARACTERÍSTICAS

Daumier realizó alrededor de 330 pintura, 4 000 litografías, 100 dibujos xilografiados y 300 dibujos.

Obreros en una calle h. 1839, Cardiff, National Museum of Wales
Dos abogados, h. 1848, Lyon, B.A.
La república, 1848, parís, Orsay
El molinero, su hijo y el asno, 1849, Glasgow, A.G.
Los emigrantes, h.1849, Minneapolis, I.A.
Una sala de espera, h. 1851, Buffalo [N.Y.], Albright-Knox A.G.
Los coleccionistas de estampas,1853-1855, Argel, B.A.
Tres abogados conversando, h. 1856, Washington, col. Phillips
Pasantes, h. 1858, Lyon, B.A.
Los ladrones y el asno, h. 1858, París, Louvre
El hombre de la cuerda, h. 1858-1860, Boston, M.F.A.
El drama, h. 1859, Munich, N.P.
Crispin y Scapin, 1858-1860, París, Orsay
El coleccionista de estampas h. 1860, Filadelfia, M.A. y París, P.P.
Un vagón de tercera, h. 1862-1864, Nueva York, M.M.
La lavandera, 1863, París, Orsay
Trío de coleccionistas, h. 1865, París, P.P.
Don Quijote leyendo, h. 1866, Melbourne, N.G.V.
El perdón, h. 1866, Rotterdam, B.V.B.
Don Quijote y Sancho Panza, h. 1868, Munich, N.P.
Abogado leyendo, h. 1869, Winterthur, col. Bühler
Mujer llevando a un niño, 1873, Zurich, Fondo E. Bührle

BIBLIOGRAFÍA

Mendel, Gabriele, *La Obra pictórica completa de Daumier*, Noguer, Barcelona, 1977; Laughton, Bruce, *Honoré Daumier*,Yale University Press, New Haven, 1996; Loyrette, Henri [et al.], *Daumier : 1808-1879*, (catálogo de exposición), Réunion des Musées Nationaux, París, 1999.

Courbet

Imponente y sensible, ávido de gloria pero generoso, fraternal y vividor, coherente con sus elecciones, el republicano y socialista Courbet es el gran innovador del realismo, de lo «real» en la pintura. La rectitud de su dibujo, su dominio de los medios tonos, la seguridad del pincel y de la espátula, la precisión de su mirada sobre las cosas y los seres, su reflexión, casi metafísica, sobre el misterio de la vida hacen de él un gran maestro.

RECORRIDO BIOGRAFICO

• Gustave Courbet (Ornans 1819-Suiza 1877), pintor francés, nace en el seno de una familia acomodada de agricultores. Tras una breve formación artística neoclásica en Besançon, llega a París en 1839. Se inscribe en el taller Steuben, en la academia suiza y trabaja con tesón en el Louvre.
• Courbet empieza a pintar desde 1836. Su primera obra aceptada en el Salón (en donde expondrá raramente, teniendo en cuenta que se le rechaza en sucesivas ocasiones, hasta 1870) es un autorretrato: *El hombre del perro negro* (1842, París). Su producción es abundante: *El desesperado* (1843, París, col. part.); *Los amantes en el campo* (1844, Lyon, B.A.); *El hombre herido* (1844, París, Orsay); *El hombre del cinturón de cuero* (1845, París, Orsay); *El violoncelista* (1847, Estocolmo, Nm.), pintado el año en que nace su hijo natural; *Retrato del artista* (1849 ¿?, Montpellier). Esboza algunos retratos, entre ellos el de su hermana *Juliette Courbet* (1844, París, P.P.) y el *Retrato de Baudelaire* (1847, Montpellier, Fabre).
• A partir de 1846 se preocupa por el realismo, pintando los temas de la vida cotidiana en una factura untuosa y ejecutada con brillantez: *Una velada en Ornans* (1848, Lille, B.A.) y el inmenso *Entierro en Ornans* (1850, París). El artista insiste con *Los campesinos de Flagey volviendo de la feria* (1850, Besançon); *Los bomberos acudiendo a un incendio* (1850, París, P.P.), que recuerda a la *Ronda de noche* de *Rembrandt; *Las señoritas del pueblo* (1852, Nueva York, M.M.); *Las bañistas* (1853, Montpellier), que constituyen un escándalo, y *Las cribadoras* (1854, Nantes). Courbet participa en la revolución de 1848, realizando el frontispicio del diario *Le Salut public*; se vincula a *Daumier, C. Corot, F. Bonvin y los escritores Ch. Baudelaire, J. Champfleury o el socialista P. -J. Proudhon. Tras el golpe de estado del 2 de diciembre de 1851, se opone a Napoleón III.
• En 1854, Courbet se ha hecho famoso hasta en Viena y Berlín. En Montpellier pinta al coleccionista Bruyas en *¡Buenos días, señor Courbet!*, llamado *El encuentro* (1854, Montpellier). En 1855 crea *El taller del pintor*, denominado *Alegoría real* (París), promulga su *Manifiesto del realismo* y se costea la «exhibición de cuarenta cuadros»: esta primera exposición de un artista vivo se presenta al margen de la Exposición Universal de 1855.
• En los años 1860 y 1870, explora una nueva línea artística, más sensual: *Las señoritas de las orillas del Sena* (1856, París); *El reposo* (1866, París, Orsay) y *El origen del mundo* (id.); *El sueño* (id., París); *La mujer del loro* (id., Nueva York, M.M.) y el famoso *Retrato de Proudhon en 1853* (1865, París, P.P.); las figuras de fantasía, como *El enrejado* (1863, Toledo, M.A.); la naturaleza muerta con *Flores en un cesto* (1863, Glasgow, A.G.); los paisajes, con o sin animales: *El encarne* (1857, Boston, M.F.A.); *El ciervo en el agua* (1861, Marsella, B.A.); *Las fuentes del Loue* (1864, Hamburgo); *Las rocas de Étretat* (1866, Ottawa, N.G.); *La remesa de corzos [...]* (1866, París); *La mujer de la ola* (1868, Nueva York), *El mar tormentoso* (1870, París).
• En 1870 estalla la guerra franco-prusiana; Courbet, en el apogeo de su gloria, rechaza la Legión de honor. En 1871 se reúne con sus amigos parisinos implicados en la Comuna. Elegido presidente de la Comisión de las artes, salvaguarda las obras y reorganiza los museos. La III república le acusa de complicidad en la destrucción de la columna Vendôme. Es juzgado, condenado, encarcelado y arruinado. Se exilia a Suiza. Muy afectado y debilitado, pinta sus últimas obras: *Manzanas y granadas en una copa* (1869, Londres); *Las tres truchas del Loue* (1872, Berna, K.); *Autorretrato en Sainte-Pélagie* (1874, Ornans) y *El castillo de Chillon* (id.), que llevan la marca de su detención, y su última pintura, inacabada, *Gran panorama de los Alpes* (1877, Cleveland). Muere en su exilio suizo.

Courbet intercambia sus opiniones sobre la luz con sus contemporáneos, C. Corot y J. Whistler, los pintores de Barbizon, E. Boudin, J. B. Jongkind. Tanto *Manet, como *Degas y P. Puvis de Chavannes se inspiraron en su arte y, fuera de Francia, el ruso I. Repin, el belga J. Stevens, el alemán O. Müller. En el siglo xx, Soutine, *Matisse, *Picasso y Balthus lo tienen como referencia.

INFLUENCIAS Y CARACTERÍSTICAS PICTÓRICAS

Los temas que trata Courbet son variados: algunos hechos históricos, naturalezas muertas, retratos, autorretratos, figuras de fantasía, escenas de género y de oficios y paisajes del Franco Condado. Del pequeño formato al formato gigantesco el pintor se expresa mediante la pintura al óleo.

Le encargan obras los religiosos (iglesia de Saules), los ayuntamientos (Lille, Nantes...), los personajes públicos (el turco Jalil-Bey, el coleccionista y marchante de arte neerlandés H. J. Visselingh, los condes de Morny y de Choiseul), los mecenas (A. Bruyas, E. Baudry) y amigos suyos (Hetzel, Castagnary, Ordinaire...).

Courbet se forma en el Louvre copiando a los venecianos como el *Veronés y *Tiziano, aprecia a los españoles *Velázquez, F. Zurbarán y J. de Ribera, y además a los holandeses, sobre todo *Hals y Rembrandt. Conoce el arte de *Ingres, pero prolonga el de Gros y el de *Géricault. Viaja por Francia (el Franco Condado, su región natal, Fontainebleau, Le Havre), por los Países Bajos y por Alemania.

«He estudiado, fuera de cualquier sistema y sin ninguna opinión preconcebida, el arte de los antiguos y el arte de los modernos» y «he inspirado el sentimiento razonado e independiente de mi propia individualidad en el conocimiento completo de la tradición» declara Courbet. En 1861 acepta enseñar a una treintena de alumnos. Es partidario de una visión objetiva, simple y variada de la vida cotidiana contemporánea, accesible a todos, tomada y trabajada del natural.

• En sus inicios, Courbet no renuncia a ningún tema, realiza un gran número de retratos de amigos y sobre todo autorretratos en los que, atribuyéndose diferentes papeles, revela un cierto narcisismo. Con romántico lirismo expresa una ficción, poética, a veces premonitoria, de su vida futura *(El desesperado, El hombre herido)*. Se ve influenciado por el arte realista y oscuro de Zurbarán *(El hombre de la pipa)*, por los retratos crudos y sensibles de Velázquez, el arabesco y los tonos claros de Ingres *(Juliette Courbet)*.

UN GRAN MAESTRO

◆ Courbet conoce en vida un éxito relacionado con la violenta reacción del arte oficial, que considera el suyo como «vulgar y escandaloso». Si bien sus amigos artistas y críticos admiran sus obras, el público no reconoce su valor. En el siglo xx se le rehabilita ampliamente. «La virtud de su técnica ha gozado de tal proyección que posiblemente, sólo por ello, no constituya ninguna exageración afirmar hoy que toda la pintura moderna sería de otro modo si esta obra no hubiera existido» afirmará André Breton (1935).

◆ Socialista, ardiente defensor de la república en política, en la pintura se muestra como revolucionario, jefe de filas del realismo social. Rechaza el formalismo académico, lo mismo que el romanticismo. Sin embargo, figura como uno de los últimos románticos en la misma línea que Gros, *Géricault y *Delacroix.

◆ Hostil a cualquier formación impuesta, Courbet cree en el talento individual y en el trabajo más que en la teoría. Tras desembarazarse, como Géricault, de la tradición, reclamando la libertad para el arte, es el primer artista que, como reacción al Salón institucional, organiza una exposición de sus propias obras.

◆ Courbet escoge sus temas y sus personajes de la realidad cotidiana: campesinos, un entierro, bomberos, canteros, etc. Pero, transgrediendo la jerarquía de los géneros, sabe trascender el tema para convertirlo en una alegoría social, tratada como una pintura histórica, en gran formato.

◆ Courbet pinta lo «verdadero», sin concesiones al pintoresquismo, y utiliza una paleta oscura, sin virtuosismos, lo que le vale a su pintura el calificativo de «fea» otorgado por la crítica oficial.

◆ Su técnica rigurosa con el pincel, con el pincel plano y con la espátula es el fruto de vacilaciones de arrepentimientos, de reanudaciones, de búsquedas constantes.

Courbet

- En 1846, Courbet se centra en los holandeses Rembrandt y Hals, en el realismo de sus retratos de corporaciones y sus autorretratos de oficio untuoso.
- Alrededor de 1848 alcanza la madurez artística (*Una velada en Ornans*, *Entierro en Ornans*) y se libera del romanticismo para tender hacia su ideal de realismo popular, pintando lo «verdadero», lo prosaico, lo insignificante. Demuestra una gran energía plástica, rica en tintas oscuras y austeras, de efectos contrastados, de un oficio sabroso aunque sin virtuosismo y de una materia presente, viva. Sus desnudos femeninos y masculinos de 1853 (*Bañistas*; *Luchadores*, Budapest, S.M.) se imponen como un manifiesto realista del cuerpo humano. A la fuga romántica de Gros y de Géricault opone la tranquilidad y la realidad de lo cotidiano.
- Tras 1855, Courbet se encuentra en el apogeo de su arte. Pinta libremente lo que ve, se fía de su sensibilidad. Así nace el arte moderno, fundado sobre la sensación visual. Abandona la temática campesina y su plástica evoluciona: el dibujo se hace expresivo por la simplificación y la estilización, introduce medios tonos a la manera veneciana de Tiziano y del Veronés, pero preserva las sombras espesas y oscuras, formadas por colores mezclados y terrosos. Suaviza la factura con una pasta más fluida e introduce las veladuras *(Las señoritas de las orillas del Sena, Retrato de Proudhon)*. A lo largo de su carrera alterna temas de placer (los paisajes, las mujeres...) y temas «comprometidos» (moralizadores, políticos). Según Champfleury, tras su encarcelamiento, sus cuadros se impregnan de simbolismo *(La mujer de la ola)*. Los últimos años ofrecen una producción de calidad irregular.

Entierro en Ornans
1850. Óleo sobre tela, 315 × 668 cm, París, Museo de Orsay

Esta obra provoca un escándalo en el Salón de 1850. La crítica e incluso sus amigos encuentran «vulgares» o incluso «feos» a los personajes. Courbet afirma su posición «realista, es decir, amiga sincera de la realidad verdadera». Su intención es sacar la belleza y el heroísmo que residen en el mismo seno de la existencia cotidiana. Altera los fundamentos sociales, religiosos y estéticos.
Se atreve a reagrupar sobre un mismo lienzo a burgueses y campesinos. Ofende a la Iglesia al abandonar las representaciones tradicionales de los santos, del cielo, del paraíso o del infierno, conservando tan sólo la cruz. Courbet se burla también del orden académico al escoger un formato inmenso, habitualmente reservado a la pintura histórica y que él aplica a esta escena costumbrista. El artista desafía al «ideal de belleza» y rubrica «el entierro del romanticismo». «El realismo es la negación del ideal». Es «el arte democrático», declarará en 1861. Invita al espectador a entrar en el tema, desde el lugar que ocupa al contemplarlo. El estilo es concreto, «infantil» en el sentido baudelariano; es moderno en los contornos negros y expresivos de los rostros, en las oposiciones de los tonos, en el dominio de los tonos oscuros y marrones, y en la factura vívida.

El sueño, llamado también *Las durmientes*, o *Pereza y lujuria* o *Las amigas*
1866. Óleo sobre tela, 1,35 × 2 m, París, Museo del Petit Palais

El turco Jalil-Bey, rico oriental, encarga dos obras a Courbet: ésta y *El origen del mundo*
(1866, París, Orsay). Las dos figuras, dos desnudos de «serrallo», eróticas, voluptuosas,
rivalizan con las Venus y las Dánae de los venecianos. La obra, suntuosa, es más alegórica
que prosaica. Sin embargo, predomina un sentimiento de sensualidad. Courbet destaca
en el refinamiento de la puesta en escena, los tonos delicados de la naturaleza muerta,
el simbolismo del collar de perlas roto, signo de la falta, y del cáliz, objeto del
arrepentimiento.

OBRAS CARACTERÍSTICAS
Courbet es autor de más de 1 050 lienzos.

El hombre del perro negro, 1842, París, P.P.
Retrato del artista, llamado *El hombre de la pipa*, 1849 ¿?, Montpellier, Fabre
Entierro en Ornans, 1850, París, Orsay
Los campesinos de Flagey volviendo de la feria, 1850, Besançon, B.A.
Las bañistas, 1853, Montpellier, Fabre
Las cribadoras, 1854, Nantes, B.A.
¡Buenos días, señor Courbet!, llamado *El encuentro*, 1854, Montpellier, Fabre
El taller del pintor, llamado *Alegoría real*, 1855, París, Orsay
Las señoritas de las orillas del Sena, 1856, París, P.P.
Las fuentes del Loue, 1864, Hamburgo, K.
Retrato de Proudhon en 1853, 1865, París, P.P.
El sueño, llamado también *Las durmientes*, o *Pereza*, o *Las amigas*, 1866, París, P.P.
La remesa de corzos en el arroyo de Plaisir-Fontaine Doubs, 1866, París, Orsay
La mujer de la ola, 1868, Nueva York, M.M.
La fuente, 1868, París, Orsay
Manzanas y granadas en una copa, 1869, Londres, N.G.
El mar tormentoso, llamado *La ola*, 1870, París, Orsay
Autorretrato en Sainte-Pélagie, 1874, Ornans, M. Courbet
Gran panorama de los Alpes, 1877, Cleveland, M.A.

BIBLIOGRAFÍA
Reyero, Carlos, *Courbet*, Historia 16, Madrid, 1993; Faerna García-Bermejo, José Maria, *Gustave Courbet*, Polígrafa, Barcelona, 1995; Fried, Michael, *El realismo de Courbet*, Ediciones Antonio Machado, Madrid, 2003.

El realismo, el impresionismo, el postimpresionismo, el simbolismo y el modernismo (1849-1904)

La revolución de 1848 abre este período en Francia. *Courbet participa en ella activamente y crea el frontispicio del diario *Le Salut public*. Jefe de filas del realismo, resulta tan molesto para las convenciones de la sociedad burguesa como *Daumier. Los academismos, presentes en todos los países, experimentan una sacudida: Manet, el mentor de la modernidad, anima a los impresionistas *Monet, Renoir, etc., lo mismo que a los solitarios *Degas y *Cézanne. El japonesismo marca a numerosos artistas en la década de 1860 y más todavía a los que abren otras vías estéticas en los decenios de 1870 y 1880: los postimpresionistas *Van Gogh, *Toulouse-Lautrec y, más tarde, el neoimpresionista *Seurat y el simbolista primitivista *Gauguin. Los pintores franceses ya no se contentan tan solo con París para trabajar, sino que se instalan en Barbizon (cerca del bosque de Fontainebleau), en las costas normandas (Honfleur, Étretat...), en Bretaña (Pont-Aven, Le Pouldu) y en el sur de Francia (Antibes, Cagnes-sur-Mer, Arles, Saint-Tropez, sobre todo).

El desarrollo de las ciencias y de las técnicas

Los grandes descubrimientos. En 1859, el británico Darwin publica *El origen de las especies*, primera teoría científica de la evolución de las especies: con ella destruye la idea del hombre creado por Dios a su imagen sobre la que reposaba el humanismo. Pervertida y extendida al dominio social, la obra de Darwin se utiliza para favorecer el elitismo racial. En medicina, Pasteur inventa la vacunación preventiva y la pasteurización, y afirma que la generación espontánea no existe (1860-1864). El botánico austríaco Mendel descubre las leyes de la herencia y funda la genética (1865). A los vehículos de vapor (1891) le suceden los automóviles con motor de explosión (1894). El Automobile-club de Francia (1895) presume de organizar el primer Salón del automóvil (París, 1901). Louis Lumière inventa el cinematógrafo (1895). El mismo año, el alemán Röntgen descubre los rayos X. El austríaco Freud publica *La interpretación de los sueños* (1900).

La «alianza posible y deseable entre la ciencia y el arte». A este deseo de Pasteur en 1860 se unen las primeras tentativas de cooperación entre ciencias físicas y arte establecidas desde el fin del siglo XVIII. El físico Charles estudia los efectos de la luz sobre los barnices. Las investigaciones sobre el ultravioleta y el infrarrojo de A. L. Bayle sirven para estudiar los dibujos y las pinturas. A la pregunta de Arago en 1839, «¿puede la fotografía servir a las artes?» responden positivamente tanto el pintor Delaroche como el crítico y poeta Baudelaire. Niepce y Daguerre utilizan al comienzo sus invenciones para reproducir obras de arte antes de producir paisajes y retratos. *Delacroix, Degas y Bonnard recurren a la fotografía antes de pintar: fotografías de desnudos, del mundo de la danza o de escenas de la vida, o los caballos en movimiento de Muybridge. El retrato fotográfico se colorea naturalmente gracias a Ducos de Hauron (1869).

Las aplicaciones de la ciencia al arte se generalizan a finales del siglo XIX. Los rayos X permiten efectuar las primeras radiografías de cuadros (1888). El análisis del movimiento que Marey realiza en las *Cronofotografías de un hombre en movimiento* (1894, París, Biblioteca nacional) encontrará su eco en los futuristas, entusiasmados con los automóviles y la velocidad, y posteriormente en *Duchamp.

Los artistas tenían la costumbre de practicar una química empírica. A partir de ese momento, los científicos intervienen. Las informaciones contenidas en la *Química aplicada a las artes* (1818) de Chaptal, permiten a la industria, a finales de siglo, producir numerosos colorantes y tintes. En 1810, Goethe había propuesto su *Teoría de los colores*, reflexión sobre el color y la luz con la que se identificaban el romántico *Friedrich y el nazareno Overbeck... En 1839, Chevreul demuestra en *De la ley del contraste simultáneo de los colores* [...], que «poner un color sobre una tela [...] es también colorear con el complementario el espacio alrededor». Esta percepción, lo mismo que la *Introducción a una estética científica* de Henry (1886) interesan a los coloristas Van Gogh y Seurat.

UN MUNDO EN PLENA RECOMPOSICIÓN

Las mutaciones políticas, económicas y sociales. El desarrollo de la industrialización y de los mercados comerciales y financieros afecta a todos los países: Gran Bretaña ostenta el primer lugar, seguida de Alemania, mientras que Francia se recupera de su retraso hacia 1880. La burguesía triunfa. Gran Bretaña, dirigida por la reina Victoria (1837-1901), organiza en Londres en 1851 la primera Exposición universal en el Crystal Palace; este edificio, concebido por el arquitecto Paxton, símbolo de la potencia y de la modernidad del país, se opone a la solemnidad de la pintura victoriana, que no reconoce ni a los prerrafaelitas, ni a los simbolistas... Si bien Gran Bretaña posee un gran imperio colonial y una gran extensión de mercados, el país se debilita a partir de 1870 al sufrir la competencia, sobe todo, la alemana.

Al término de un largo proceso, Bismarck concluye la unidad política de los estados alemanes en el seno del Reich (1871) tras haber vencido a Francia. Desarrolla su marina mercante, palanca de su potencia. El poder apoya la pintura académica. Se inicia el declive de la Austria de Francisco José I, apartada de la unidad alemana. Hungría vuelve a ser un estado autónomo en el seno de Austria-Hungría (1867) tras la derrota de Austria frente a Prusia. Polonia se ve sometida por Prusia en 1863 con ocasión de su tentativa de revuelta: los incitadores se refugian en la Galitzia austríaca.

España, empobrecida por las guerras de independencia, se recupera con dificultades.

Italia, fragmentada y en guerra, se ve unificada en 1871: el norte se industrializa y, en Florencia, se constituye la reacción pictórica antiacadémica de los *macchiaioli.*

En Rusia, la política reformadora de Alejandro II permite a su sucesor Alejandro III favorecer la industrialización. Ya entonces el pintor realista y nacionalista Repin querrá educar al pueblo como lo hará el *proletkult* cincuenta años más tarde. El imperio ruso conquista casi toda el Asia central (1864-1885).

Guillermo III, rey de los Países Bajos, garantiza la paz y la prosperidad (1849-1890), y la libertad de los artistas (J. Israels, Toorop). Noruega, país de Munch, permanece unida a Suecia hasta 1905. Suiza, neutra desde 1815 y con una economía fuerte, inspira a Böcklin para sus paisajes oscuros. En Estados Unidos, Lincoln no puede evitar la guerra de Secesión, una de cuyas apuestas es la abolición de la esclavitud, decretada en 1871.

En Londres, Marx, teórico del «socialismo científico» que sucederá al socialismo de Fourier, Owen y Proudhon, crea la I Internacional (1864-1876). La II Internacional se constituirá en 1889.

La evolución cultural. En Gran Bretaña, el novelista Wells se da a conocer con *La guerra de los mundos* (1898), crítica del mundo victoriano. Shaw, escritor y hombre de teatro, despliega una intensa actividad a favor del socialismo y de la crítica de arte defendiendo a los artistas innovadores. Conrad convierte el viaje en una búsqueda iniciática. El poeta irlandés Yeats, alimentado por el simbolismo, mezcla el folklore inglés con el misticismo.

La Prusia hegemónica y militarista da nacimiento en literatura al realismo de Fontane y Raabe, al simbolismo esotérico y religioso de Stefan George y luego a los dramas y a las novelas expresionistas de Wedekind, Heinrich y Thomas Mann. El filósofo Nietzsche pone en cuestión el pangermanismo en nombre de la libertad individual. Los «jóvenes hegelianos», como Ludwig Feuerbach, se comprometen con la dialéctica y optan por posiciones materialistas y ateas. Marx critica este materialismo mecanicista y afirma la necesidad de una transformación radical de la sociedad. En música, Wagner extrae de un romanticismo impregnado de mitos germánicos la materia de una renovación. Brahms, residente en Viena, una romanticismo y pureza musical. En Austria, el declive del imperio alienta diversas tenencias: los escritores Hofmannsthal y Trakl se preguntan sobre la vida, el declive de la sociedad y la muerte; Rilke está dominado por el sentimiento de un dios que debe venir para dar un sentido a la vida; Kraus juzga con ferocidad la vida austríaca (revista *La llama,* 1899). El deseo de renovación se expresa en Viena con la arquitectura Jugendstil. Bruckner y Mahler abren la vía al serialismo y a la atonalidad, mientras que aparece el psicoanálisis. Húngaro de nacimiento, el pianista virtuoso Liszt vive en París. El movimiento intelectual «Joven Polonia», creado hacia 1890, busca una identidad nacional desmarcada de la germanidad, del intelectualismo y del materialismo; está representado por la novela naturalista de Gabriela Zapolska y la poesía lírica y metafísica de Kasprowicz.

En España, Blasco Ibáñez recibe el sobrenombre de «Zola español». La corriente literaria del costumbrismo de Estébanez Calderón describe los «usos y costumbres» del país. Los músicos Albéniz y Granados son testimonios de un nacionalismo musical.

En Rusia, Chernishevski publica en 1855 las *Relaciones estéticas del arte y de la realidad* en las que defiende el paso de la comunidad campesina a la comunidad socialista. Dostoievski, Tolstói y Chéjov son las grandes figuras del realismo literario y Blok se distingue por su poesía simbolista. Chaikovski, cosmopolita y lírico, influenciado por los músicos franceses, y el grupo de los Cinco introducen nuevas corrientes musicales.

A partir de 1860, el «verismo» italiano, en literatura (de Roberto), en pintura (Fattori) y en música (Puccini) domina frente al lirismo de D'Annunzio. El compositor de ópera Verdi triunfa. El prestigio intelectual de Noruega es considerable a partir de 1850 gracias a los escritores expresionistas y nacionalistas Ibsen y Björson.

La literatura americana se ilustra con escritores tan diversos como Hawthorne (*La letra escarlata*, 1850), Melville (*Moby Dick*, 1851) o Twain (*Las aventuras de Tom Sawyer*, 1878). Whitman persiste como el gran nombre de la poesía norteamericana. En el dominio de la arquitectura, Sullivan «inventa» el rascacielos (1890-1891). Los pintores Homer, Eakins, Ryder y sobre todo Whistler, Mary Cassat, Sargent «inauguran» la pintura norteamericana.

LOS AVATARES DE UNA FRANCIA REPUBLICANA

Revolución, combates y desilusiones. Desde 1842, Sue describe la miseria de los bajos fondos parisinos *(Los misterios de París)*. El pintor realista Meissonier inmortaliza el nacimiento de la II república con *Barricada, recuerdo de 1848*. Victor Hugo pronuncia un discurso sobre la miseria en 1849 y, después del golpe de estado de Luis Napoleón Bonaparte, el 2 de diciembre de 1851, expresa su oposición en *Napoleón el pequeño* (1852). Su Gavroche, en *Los miserables* (1862), morirá en las barricadas cantando al progreso socialista. Flaubert traduce en *La educación sentimental* (1864-1869) sus desilusiones amorosas, el fracaso de la revolución de 1848 y de la sociedad. Proudhon, socialista mutualista, está vinculado a Courbet, quien pinta su retrato. El prefecto Haussmann organiza, entre 1853 y 1870, la renovación de París: se abren los grandes bulevares, se organiza la distribución del agua y de las alcantarillas, así como los espacios verdes. Manet (*Las Tullerías*) y Monet (las estaciones) pintan este París moderno, mientras que Daumier describe al pueblo de los barrios insalubres. Lesseps inaugura el canal de Suez en 1869. La derrota francesa frente a Prusia provoca la proclamación de la III república, el 4 de septiembre de 1870.

Diversidad cultural. La literatura y la poesía francesas, de Lamartine (nacido en 1790) a Jarry (nacido en 1873), dan muestras de una gran vitalidad. Baudelaire en *Las Flores del mal* (1857) celebra, según sus propias palabras la «fiesta del cerebro». Su conciencia estética, su gusto por la novedad, hacen de él un gran poeta y un crítico de arte con talento. Se vincula a Banville, opuesto a la poesía realista y precursor del Parnaso (1866). En este cenáculo dedicado a la contemplación de lo bello se reunían Gautier, Leconte de Lisle, Heredia y, luego, Verlaine, autor de las *Fiestas galantes* (1869), pintado por Carrière, y Mallarmé, esbozado por Manet (1876). Mallarmé se convertirá en simbolista con *Una tirada de dados nunca abolirá el azar* (1897) y en príncipe de los poetas a la muerte de Verlaine. Se opone al «desorden de todos los sentidos» que Rimbaud, inmortalizado por Fantin-Latour en *Un rincón de la mesa* (1872) defiende en las *Iluminaciones* (1884). Isidore Ducasse, «conde de Lautréamont», practica el exceso y la parodia de estilo presurrealista en *Los cantos de Maldoror* (1869), después de que Flaubert describiera en *Madame Bovary* (1851-1856) las costumbres y la realidad social de la provincia. Julio Verne introduce la ciencia ficción en *De la Tierra a la Luna* (1865), ilustrado por Doré. Zola, amigo de Cézanne y de Manet, anuncia el naturalismo con *Los Rougon-Macquart* (1871-1893). Las obras de numerosos artistas escritores como Maupassant, Daudet, Huysmans, France, George Sand... revelan la diversificación del naturalismo. El historiador republicano Michelet, profesor del Collège de France, rechaza el imperio, apoya las revoluciones y participa en la fundación de la III república. El positivismo de Auguste Comte es aplicado a la historia por Fustel de Coulanges. La historia religiosa y racionalista de Renan (*Vida de Jesús*, 1863), y el saber enciclopédico de Taine, para quien la obra de arte es el producto de un tiempo y de un medio (*Filosofía del arte*, 1882), colaboran en la renovación. Pero Bergson se opone al positivismo (*Ensayo sobre los datos inmediatos de la conciencia*, 1889). En música, Gustave Charpentier traduce en gran medida la aspiración realista que Gounod, Bizet (quien domina el teatro lírico), Saint-Saëns o Chabrier, amigo de Manet. Si la opereta triunfa bajo el segundo imperio con Offenbach, las melodías de Fauré y las nuevas sonoridades de Debussy inauguran la música moderna.

LA HEGEMONÍA FRANCESA EN PINTURA

El hito de la década de 1850: del romanticismo al realismo. Los cuadros de Delacroix, presentes en la Exposición universal de 1855, demuestran el triunfo del romanticismo. La práctica del paisaje al aire libre, propugnada desde 1830 por los pintores de Barbizon Théodore Rousseau, Daubigny o Millet, se prolonga, marca la escuela de La Haya (Países Bajos) y, sobre todo, inspira a Courbet. Éste inicia y dirige desde 1848 un gran movimiento innovador: el realismo. Este término, empleado por el pintor en 1855 en su *Manifiesto del realismo*, designa un estilo de pintura que lleva los temas de la vida cotidiana al rango de cuadros históricos. Propone una visión objetiva y simple de la vida contemporánea. Daumier, Millet, Meissonier se inscriben en esta tendencia, lo mismo que las fotografías de Marville. Courbet inventa, con la «Exhibición de cuarenta cuadros», presentada al margen de la Exposición universal de 1855, la primera retrospectiva de un artista en vida.

El realismo se expresa en Bélgica en la escuela de Tervueren con Dubois, un amigo de Courbet. El americano Whistler introduce en Gran Bretaña el paisaje francés realista. En Frankfurt, Courbet apoya la obra de Thoma, y Leibl admira al «maestro». El arte del berlinés Menzel procede de un realismo académico nacionalista. En Austria, Wasmann y Waldmüller se concentran en el campesinado. Los *macchiaioli*, pintores florentinos «tachistas», como Fattori, captan en la década de 1860 la vida contemporánea y rural, los paisajes, los retratos, en una gama de tonos mates y en un claroscuro acentuado. Hacia 1870, el ruso Repin, del grupo nacionalista y realista itinerante de los Peredvijniki, «Los ambulantes», funda un «arte ruso».

Prerrafaelitas y japonesistas. Los británicos Hunt, Rosetti y Millais, hostiles al academicismo victoriano, cargan sus pinturas con alusiones políticas. Nostálgicos del pasado y nacionalistas, estos «prerrafaelitas» toman como temas lo religioso, la alegoría, las leyendas medievales o las obras literarias, y como modelo el arte gótico y los pintores italianos anteriores a Rafael.

A partir de 1860, tras el tratado de comercio entre Estados Unidos y Japón, los artistas descubren los libros y las estampas japonesas de Hokusai (*Hokusai manga*, 1814-1848) y de Hiroshige. La estética de la estampa japonesa introduce en la pintura formatos desacostumbrados, encuadres singulares como las composiciones en grandes diagonales, descentradas o truncadas, y los motivos vistos en plano general. Los artistas se apropian también de las formas ligeras contorneadas de negro, los empastes vivos y mates, el abandono del modelado y del claroscuro.

El arte oficial y los compradores. En Francia, la pintura oficial, llamada también «art pompier» refleja la enseñanza de las academias de arte, basada en el desnudo de la antigüedad grecorromana, el arte de los maestros del renacimiento, el rigor clásico de *David y el idealismo de *Ingres. Cabanel, Gerôme y Bouguereau entre otros siguen esta vía. Los temas tratados, vacíos de contenido y sentido, se convierten en triviales. En una composición equilibrada, de dibujo perfecto en lo que respecta a la línea y el detalle, de factura lisa, las pinturas históricas y los retratos mundanos resultan dulzones, y los lánguidos desnudos, idealizados y convencionales. Napoleón III avala este arte: el estado compra *El nacimiento de Venus* (Cabanel, 1863). La burguesía se deleita y los pintores académicos encuentran un maná en los encargos de retratos. Aunque Ingres, Flandrin o Winterhalter viven bien de este modo, su ambición les lleva hacia la pintura histórica, mientras que Carolus-Duran y Bonnat pondrán más tarde su talento al servicio del retrato mundano. El ideal pictórico del alemán Anselm Feuerbach se inspira en el arte ecléctico de Couture. En cuanto al retratista americano Sargent, célebre en París y luego en Londres a partir de 1884, permanece fiel al arte victoriano.

Los artistas enfrentados con el arte oficial: la revuelta de los «rechazados». Courbet se opone a las reglas dictadas por la Academia de bellas artes: el artista niega la jerarquía de los géneros, no respeta la conveniencia según la cual un campesino y un notable no deben ser vistos con igualdad, y no vacila en expresarse por medio de un realismo a veces brutal, a grandes pinceladas. Manet, por su parte, escandaliza al jurado y al público al exponer sus primeras telas, pintadas mediante masas y manchas, en colores o negros lisos y amplios, sin modelado, como en las estampas japonesas. En 1863, cuando el jurado descarta 3 000 de las 5 000 obras presentadas, los artistas se rebelan: Napoleón III cede y abre el Salón de los rechazados, separado del Salón oficial pero situado en el mismo edificio. Manet, Monet, Whistler, Pissarro, Jongkind, Fantin-Latour y Cézanne destacan entre los autores que allí exponen. Esta «secesión» marca el principio del fin del reino de la omnipotencia de la Academia, creada dos siglos antes.

1863 es un año-bisagra: muere Delacroix y se presenta la *Olimpia* de Manet, lo mismo que *El baño turco* de Ingres o la *Venus* de Cabanel. Gustave Doré ilustra el *Don Quijote* de Cervantes. La sección de paisaje histórico en el concurso del premio de Roma se ve suprimida. Es también el año del nacimiento de Signac, futuro neoimpresionista, Sérier, el futuro «nabi de barba rutilante», y Munch, el futuro simbolista-expresionista, mientras que el arquitecto Viollet-le-Duc inicia la restauración del castillo de Pierrefonds.

El impresionismo: un éxito internacional. Los paisajes campestres, de tradición francesa y británica, libres de toda temática histórica, se afirman con las obras de Corot, Daubigny, Boudin y Jongkind. Su sensibilidad hacia las variaciones lumínicas y atmosféricas, como el trabajo de Courbet, llaman la atención de los futuros impresionistas. Las fotografías de las orillas del mar hechas por Le Gray prefiguran también las investigaciones impresionistas. Aparte de algunos artistas realistas, todos los defensores de la renovación pictórica pasarán por un período impresionista. A Monet, jefe de filas del movimiento desde 1862, le acompañan Renoir, Pissarro, Sisley, Berthe Morisot, Bazille... Intentan captar el movimiento, la naturaleza, la modernidad, la atmósfera fugitiva en cuadros pintados al aire libre. Aplican con rapidez pequeñas pinceladas variadas, de colores puros, primarios y complementarios, sobre un lienzo aprestado en blanco, con pincel fino o ancho, las cuales, vistas desde una distancia, recomponen el motivo. Apartados de los circuitos oficiales y tratados de «embadurnadores», exponen en 1874 en el taller del fotógrafo Nadar. Manet, que no se reconoce como impresionista, no está presente. Sin embargo, Cézanne y Degas les permanecerán fieles, más por su presencia que por su estética. Hasta 1886 se suceden otras siete exposiciones impresionistas. En 1884 el Salón de los independientes nace y admite todas las tendencias.

El impresionismo se difunde por toda Europa y Estados Unidos. La norteamericana Mary Cassat vive en Francia y su compatriota Whistler introduce en Gran Bretaña el paisaje impresionista que es del gusto de Wilson Steer, sensible al arte de Renoir y de Monet, El paisajista escocés MacTaggart se ve influenciado por este movimiento, lo mismo que el alemán Liebermann, fundador de la Secesión berlinesa (1890), y el paisajista Stanislawski, de la «Joven Polonia». Los rusos Lévitan y Serov se desmarcan del academicismo ruso y el segundo tiende hacia el impresionismo. Los impresionistas italianos de Nittis y Zandomenegh (amigo de Degas y de Renoir) se instalan en París, mientras que Reycend reside en Turín.

El postimpresionismo: el neoimpresionismo, los nabis, la escuela de Pont-Aven y el japonesismo. En 1886, los impresionistas se separan. Entre 1886 y 1891, Seurat racionaliza la estética impresionista ayudándose de las obras científicas y elabora el divisionismo. Los pintores Pissarro, Luce y Signac adaptan el neoimpresionismo a todos los temas. El estilo se difunde en Bélgica (Van Ryselberghe) y en Italia (Pelizza da Volpedo) a partir de 1887.

Hacia 1888, con la presentación del cuadro-manifiesto de Sérusier, *El talismán*, algunos pintores empiezan a darse entre ellos el nombre de «nabis» («profetas» en hebreo). Bonnard desarrolla un línea influenciada por el arte japonés, Vuillard un intimismo grácil, M. Denis, «el nabi de los bellos iconos», renueva el arte sacro en un tono simbolista y clama que «hay que recordar que un cuadro [...] es esencialmente una superficie plana recubierta de colores reunidos en un cierto orden». Al flamenco Verkade se le conoce como el «nabi de los obeliscos». También se unen al grupo el danés Ballin, el húngaro Rippl-Rónai y el suizo Vallotton.

La escuela de Pont-Aven se constituye también en 1888. Gauguin, Anquetin, Émille Bernard y el neerlandés Meyer de Haan se instalan en el pueblo de Pont-Aven (Finistère). Practican un arte sacro puro y poético, inspirado en la Bretaña salvaje y «primitiva», que alía el divisionismo y el sintetismo: la figura se contorna en negro, como en las estampas japonesas, y el color plano rechaza los detalles.

Tras haber alimentado el interés de artistas como Manet o Degas, las estampas japonesas se ponen muy de moda entre 1876 y 1895. Van Gogh se habría apropiado de la pincelada con varilla, Toulouse-Lautrec habría tomado prestado los temas eróticos y Bonnard sus motivos a cuadros.

El éxito del naturalismo y las reacciones: simbolismo y modernismo. Bajo la III república triunfa el arte de Courbet, lo mismo que el naturalismo, emanación del realismo que tiende hacia el academicismo. A partir de 1880, Bastien-Lepage o Raffaeli aplican a los hechos sociales una observación «científica» en una factura que se aproxima al impresionismo. Su contemporáneo Y. Macgregor, del grupo escocés de los Glasgow Boys, y el joven neerlandés I. Israels pintan sobre estos mismos temas, pero con una estética cercana a Manet. En los años 1890-1910 Cottet, cautivado por la Bretaña, pertenece a la «banda negra»: toma prestada de Cézanne la solidez de sus personajes.

Oponiéndose al naturalismo burgués y al positivismo, una corriente artística se desarrolla entre 1886 y 1890: el simbolismo. Se encarna en las mujeres idealizadas y alegóricas que habitan los paisajes serenos de Puvis de Chavannes o que constituyen las heroínas legendarias que pueblan las visiones de Moreau. El británico Burne-Jones prolonga el arte de los prerrafaelitas. Dos pintores suizos destacan: Boöcklin, seducido por el arte germánico, y Hodler, más atraído por el paisaje francés. El arte desesperado de Munch crea formas retorcidas que tejen un vínculo con el expresionismo, mientras que el arte *naïf* del «aduanero» Rousseau lo tiene con el primitivismo y el simbolismo.

Si el simbolismo vuelve al sueño, éste se convierte, en un fin de siglo decadente, en pesadilla y anuncia los inicios del expresionismo.

El modernismo (*Jugendstil* en Alemania, *Art nouveau* en Francia, *Modern Style* en Gran Bretaña), incluye todas las artes, incluida la arquitectura, en una visión global. Integra por este motivo las artes decorativas y el mobiliario con la pintura. *Klimt domina este arte tras la formación de la Secesión de Berlín en 1897. Sus decoraciones antiacadémicas y simbolistas evolucionan hacia un arte decorativo, rico en símbolos poéticos, femeninos y eróticos, realzado de oro y plata. El neerlandés Toorop comparte esta estética, lo mismo que el británico Beardsley y el alemán Eckmann.

Una socialidad nueva para los artistas y nuevas redes para el arte. Las bellas artes dejan de ser el paso obligado de la enseñanza artística. Los pintores se forman también en talleres privados: el taller Gleyre, el de la academia suiza, el de la academia Julian. Los cafés se convierten en lugares de reunión en los que se habla de arte. A finales de la década de 1840, Courbet frecuenta la *brasserie* Andler-Keller con sus amigos Baudelaire, Daumier, Corot, Duranty y Castagnary. Proclama su derecho a pintar «lo vulgar y lo moderno». En sus inicios, Manet frecuenta el café Tortoni, donde coincide con escritores como Théophile Gautier y Musset. Desde que el Salón oficial empieza a rechazar la vanguardia (1859), el café Momues se convierte en el refugio de estos pintores. A finales de la década de 1860, Manet, Monet, Renoir, Pissarro, Sisley, Degas y Cézanne, el fotógrafo Nadaar y Zola se reúnen en el café Guerbois, el llamado «café de las viseras verdes», en donde se inventa el impresionismo. Tras 1875, escogen el café Nouvelle Athènes, en donde se encuentran Manet y sus amigos y más tarde Degas y sus discípulos italianos, los poetas del Parnaso y los simbolistas. En 1889, los pintores de Pont-Aven, Gauguin, Émile Bernard y Anquetin exponen en el café Volpini, situado en el recinto de la Exposición universal.

Los impresionistas, privados de los circuitos de venta oficiales y de los encargos burgueses, encuentran acogida entre los marchantes de arte como Durant-Ruel. Vollard se interesa por Cézanne, Gauguin, Bonnard, Van Gogh... Sin embargo, los artistas llevan una existencia difícil hasta el fin de siglo. Los coleccionistas se multiplican: Caillebotte, pintor y amigo de los impresionsitas, Bruyas, amigo de Courbet, los industriales y banqueros Schneider, el duque de Morny, los Rothschild, los Rouart o los Camondo Las publicaciones menudean: *L'Artiste*, *L'Événement*, *La Gazette des beaux-arts*, *L'art moderne*...

El arte suscita debates estéticos. Los críticos apoyan con pasión a «sus» artistas. Baudelaire admira a Delacroix y apoya a Manet, «pintor de la vida moderna». Se alza contra el paisaje «género inferior [...], culto necio de la naturaleza». En la fotografía no ve más que a una sirviente de la pintura y afirma que es «el refugio de todos los pintores frustrados». Burty se opone a esta concepción y aplaude la entrada de la fotografía en el Salón de 1859 al lado de la pintura. Zola hace el elogio de Courbet en *Mis odios* (1866) y de Manet, Monet, Sisley y Pissarro en *Mis salones* (1866-1868). Los hermanos Goncourt rechazan a los impresionistas. Gautier admira los retratos de Ingres, detesta el realismo de Courbet, «el *Watteau de lo feo*», y se decanta por el academicismo de Clouture por lo que tiene de educativo. Duranty milita por la renovación, como Duret, quien en su *Crítica de vanguardia* (1885) insiste sobre «la cualidad intrínseca de la pintura en sí».

Entre 1849 y 1904, esencialmente bajo el empuje francés, los artistas reivindican una verdadera libertad pictórica. Las artes dan pruebas de interferencias estilísticas y de oposiciones brutales. Las corrientes artísticas y los talentos singulares se multiplican. Las tensiones entre las vanguardias y las academias conducen al éxito de la novedad estética en todos los países: «He querido», escribirá Gauguin a Maurice Denis en 1899, «establecer el derecho de atreverse a todo. [...] Hoy en día vosotros los pintores podéis atreveros a todo, y lo que es más, eso ya no sorprende a nadie». Este período anuncia una era nueva, la del arte moderno, iniciada por Munch para el expresionismo, por Gauguin, Toulouse-Lautrec, Van Gogh y Seurat para el fauvismo, y por Cézanne para el cubismo.

Manet

Manet adopta una actitud resueltamente moderna al expresar su sensación visual inmediata de la vida contemporánea. Sus composiciones estructuran el espacio y los volúmenes. Su conocimiento de la estampa japonesa engendra la ingenuidad de sus perspectivas, de los empastes de colores francos y de negro. Los cuadros al aire libre son una prueba de su talento impresionista. Sus últimas creaciones, naturalistas, tienen una factura nerviosa y sintética muy personal.

RECORRIDO BIOGRÁFICO

• Nacido en una familia de la alta burguesía francesa, Édouard Manet (París 1832-*id.* 1883) fracasa por dos veces en las pruebas de entrada a la Escuela Naval antes de obtener de su padres la autorización para consagrarse a la pintura.

• De 1850 a 1855 trabaja en un taller de arte oficial de T. Couture y, después, a solas, copiando las obras de los antiguos maestros en el Louvre y en los museos de Europa. Admira a *Velázquez, *Rembrandt, *Hals, *Tiziano y *Delacroix por la veracidad de lo que pintan.

• En 1859, animado por Delacroix, propone al Salón *El bebedor de absenta* (París, Orsay), que es rechazado. En 1862 aparece la primera representación de la modelo favorita del pintor, Victorine Meurent: *La cantante de las cerezas* (Boston, M.F.A.). *La música en las Tullerías* (1862, Londres), obra moderna, *La merienda campestre* (1862, París), expuesto en el Salón de los rechazados, lo mismo que *Olimpia* (*id.*), expuesta en 1865, provocan un escándalo. Antiacadémico, Manet estrecha su amistad con Ch. Baudelaire y É. Zola, y comparte sus ideas artísticas, mientras que ellos le apoyan en su trabajo: «La palabra arte no me gusta, lo que quiero es que se haga vida» (Zola, 1866). Fiel a la visión baudelariana, pinta la sociedad tal como es, tal como se muestra. La traduce sobre la tela tal como la capta, fiel a los elementos del presente, sin convención y en una plástica moderna. Desprecia el historicismo y la aproximación arqueológica de la que tanto gustan los pintores académicos. El rechazo del *Pífano* (1866, París) por el jurado del Salón de 1866, lo mismo que su exclusión de la Exposición universal de 1867 llevan al artista a exponer 50 lienzos en un pabellón independiente cercano al de *Courbet, mientras que Zola decide tomar públicamente partido por Manet en *L'Événement*. El pintor aparece como jefe de filas del grupo de artistas independientes que se reúnen en el café Guerbois: *Degas, C. Pissarro, A. Renoir, F. Bazille y *Monet.

• Entre 1862-1870, aborda temas muy diferentes. España está de moda e inspira numerosos cuadros del artista, como *Lola de Valencia* (1862, París, Orsay) y *Un matador de toros* (1866-1867, Nueva York, M.O.M.A.). Pero Manet realiza también naturalezas muertas, como los *Pescados* (1864, Chicago, A.I.) o *Un jarrón de peonías* (*id.*, París, Orsay); escenas religiosas como *Cristo muerto y los ángeles* (1864, Nueva York, M.O.M.A); temas de la historia contemporánea como *La ejecución del emperador Maximiliano* (1867, Boston, M.F.A.); o momentos simples de la vida como *El balcón* (1868-1869, París, Orsay) y *En el jardín* (1870, Shelburne [Vermont], M.). Esboza el *Retrato de Zacharie Astruc* (1866, Bremen, Kunsthalle), crítico de arte, el *Retrato de Émile Zola* (1868, París) y el *Retrato de Berthe Morisot* (1870, Providence [Rhode Island], M.A.; 1872, col. part.).

• En 1872, en Argenteuil, se acerca estilísticamente al arte de sus amigos Monet y Renoir, tanto por los temas como por la paleta más clara. Pinta al aire libre *El ferrocarril* (1872-1873, Washington, N.G.), *El buen bock* (1873, Filadelfia), obra bien acogida en el Salón, *En la playa* (1873, París, Orsay), *Monet en su barca a la orilla del Sena* (1878, Munich) y *Argenteuil* (*id.*, Tournai, B.A.). Su amistad con Mallarmé queda sellada desde 1873. Manet realiza su retrato (1876, París), de un gran parecido según sus amigos («Toda el alma resumida», según el mismo Mallarmé). En este cuadro «brilla la amistad entre dos grandes espíritus» (G. Bataille, 1955). En 1874 decide continuar solo su camino y rechaza exponer con sus amigos en casa del fotógrafo Nadar: por este motivo no figura en la primera exposición «impresionista»; adem'as encuentra ese término poco apropiado para sus obras. Se siente más cercano al naturalismo de Zola, que expresa en *Nana* (1877, Hamburgo, K.), *La sirvienta de bocks* (1878, París, Orsay) o *La lectora* (1889, Chicago).

• En 1881, Manet recibe por fin una medalla en el Salón y la Legión de honor. Debilitado, utiliza cada vez con más frecuencia el pastel, proceso menos fatigoso que el óleo. Sus últimas obras maestras ponen en escena *El bar del Folies-Bergère* (1881-1882, Londres) y *Claveles y clemátides en un jarro de cristal* (1882, París). Muere de gangrena en 1883.

«Un día se reconocerá el lugar que ha ocupado», declara Zola en 1880. En cuanto al crítico J.-A. Castagnary, afirma: «Su lugar está marcado en la historia del arte contemporáneo. El día en que se quiera escribir sobre la evolución o las desviaciones de la pintura francesa del siglo XIX podrá pasarse por alto a M. Cabanel, pero habrá que tener en cuenta a Manet». Por su modernidad, Manet es el precursor de *Gauguin, *Van Gogh y *Toulouse-Lautrec, y más adelante de *Matisse y del fauvismo, hasta el arte abstracto.

INFLUENCIAS Y CARACTERÍSTICAS PICTÓRICAS

A Manet le gustan los formatos medianos y grandes que le permiten representar a sus personajes a tamaño natural. Pone en escena la vida urbana contemporánea, los temas realistas de la vida cotidiana: las sirvientas de los bares, los actores, la multitud y los temas españoles. Realiza también retratos, marinas, cuadros de historia contemporánea, algunos cuadros religiosos y naturalezas muertas; pocos paisajes, aunque sean tema predilecto de los impresionistas.

Admira a Velázquez, se inspira en el naturalismo de Zola, en la «modernidad» sugerida por Baudelaire: «Ése será el pintor, el verdadero pintor que nos haría ver lo grande que somos con nuestras corbatas y nuestras botas de charol». Descubre la estampa japonesa y luego se deja tentar por el impresionismo de Monet y de Renoir.

• Hasta 1871, Manet pinta a los personajes de su época. Expresa la sensación visual que queda aniquilada por la representación tradicional de una exactitud casi fotográfica. Tras los pasos de Baudelaire, si visión moderna retiene los elementos del presente y rechaza la ficción académica: «Solamente hay verdad si desde el primer momento haces lo que ves. Me horroriza todo lo que es inútil», declara. Pinta lo que ve y no lo que sabe *(La música en las Tullerías)*.

• Zola le reconoce el mérito de pintar por masas, por manchas, siempre en una nota más clara que la realidad. Como en las estampas japonesas, aplica sus colores en grandes zonas uniformes, sin modelado, sin el degradado del modelo clásico. El negro, prohibido para los impresionistas, ocupa un amplio lugar en su obra. Los negros y los blancos, la sombra y la luz se enfrentan directamente, sin transición, sin tonos medios: «Estuvo a punto de suprimir los medios tonos. El paso inmediato de la sombra a la luz era su búsqueda más constante. Las sombras luminosas de Tiziano le entusiasmaban» (A. Proust, 1897).

• Los críticos juzgan su técnica cercana al fresco como un «abigarramiento». Las amplias zonas de colores lisos y francos, subrayados por la yuxtaposición de zonas negras, expresan el volumen y la forma. Manet reduce la tercera dimensión, aplana los volúmenes mediante contrastes violentos de sombra y de luz y despierta el sentimiento dramático *(Olimpia, El pífano)*:

UN GRAN MAESTRO

◆ A Manetse le reconoce en vida su valor artístico, ya sea por los escándalos o las alabanzas que provoca.

◆ Su independencia estética y la novedad de su pintura le convierten en estandarte de los artistas de vanguardia, apasionado por la modernidad y por la libertad artística, en oposición al arte académico de un Cabanel.

◆ El artista es innovador al representar la vida urbana contemporánea y al pintar como los impresionistas al aire libre.

◆ Domina una técnica cercana al fresco. Manet dispone a los personajes y objetos sobre una tela blanca, basta, recubierta de una capa de imprimación muy ligera. A continuación extiende con la brocha una materia fluida y grasa. Antes de que la pintura se seque trabaja los tonos medios y los colores. El fondo lo realiza después y de ahí los violentos contrastes de colores. Cada capa constituye de este modo un esbozo y el conjunto forma una imagen compuesta.

◆ El pintor introduce el estilo de las estampas japonesas, descubiertas por Baudelaire: composiciones audaces, amplias zonas de colores lisos. Destaca en el arte de la oposición sombra-luz *(Olimpia)*. Posee una factura libre y rápida que en ciertos retratos anula el tema *(La lectora)*.

Manet

«La concisión en arte es una necesidad y una elegancia», proclama. «En una figura, hay que buscar la gran luz y la gran sombra, el resto vendrá naturalmente.»

• Entre 1872 y 1874, en Argenteuil, la paleta de colores oscuros y contrastados de sus inicios se hace más clara. Crea sus obras más luminosas y más impresionistas: paisajes del campo y de las orillas del Sena pintados al aire libre, con capas de color divididas, de factura libre y ligera, con luz modulada (*Argenteuil*).

• Desde 1875 vuelve al arte de sus inicios, pero la paleta sigue siendo clara. La unión de las formas delimitadas por las zonas oscuras y de luz, y las composiciones cadenciadas por líneas estructurantes y «esquemáticas» construyen su creación plástica. La pincelada amplia, viva y sintética concreta una impresión visual, inmediata y fugitiva, que provoca la anulación del tema (*La lectora*).

OBRAS CARACTERÍSTICAS

Manet pinta alrededor de 450 obras.

La música en las Tullerías, 1862, Londres, N.G.
La merienda campestre 1862, París, Orsay
Olimpia, 1863, París, Orsay
Pescados, 1864, Chicago, A.I.
El pífano, 1866, París, Orsay
Retrato de Émile Zola, 1866, París, Orsay
El balcón, 1868-1869, París, Orsay
El buen bock, 1873, Filadelfia, M.A.
Monet en su barca a orillas del Sena, 1874, Munich, N.P.
Retrato de Mallarmé, 1876, París, Orsay
La lectora, 1879, Chicago, A.I.
El bar del Folies Bergère, 1881-1882, Londres, C.I.
Claveles y clemátides en un jarro de cristal, 1882, París, Orsay

La lectora
1879. Óleo sobre tela, 61,7 × 50,7 cm, Chicago, Art Institute

En algunas zonas de las obras tardías del pintor, «la factura libre, rápida, produce un efecto decorativo casi abstracto que destaca muy eficazmente los campos de un negro intenso, relativamente unidos, creados por el sombrero y las vestiduras [...], los objetos representados son difíciles de identificar [...]. La factura del cuello de tul de la joven ilustra la exuberancia de ejecución tan apreciada por Manet, que ha indicado los pliegues diáfanos del tejido mediante pinceladas rápidas y relativamente secas...». C.S. Mofert, 1983). Esta obra mezcla elementos de la técnica impresionista con técnicas tradicionales.

Manet se acerca a la abstracción mediante la casi abolición del sujeto, la ausencia de identificación del modelo. Este cuadro es el término opuesto a *Olimpia*. Solamente la crítica los relaciona: *La lectora* disgusta por la libertad del oficio pictórico, *Olimpia* sorprende por la interpretación del tema, que se juzga como blasfema.

◀ *La música en las Tullerías*
1862. Óleo sobre tela, 76 × 116 cm, Londres, National Gallery

Pintado en la época de Napoleón III, este cuadro muestra el «espectáculo de la vida elegante» (Baudelaire), como eco al libro del poeta, *El pintor de la vida moderna*. Manet trata como «género noble» un tema del género humano. Los personajes en primer término son auténticos retratos: Manet con sombrero de copa, inclinado, Baudelaire y amigos del artista (Offenbach, Champfleury, Fantin-Latour, Schjoll, T. Gautier) cerca del tronco del árbol.

Las sillas, los sombreros y los lazos de los vestidos de los niños introducen las curvas; los troncos de los árboles, los sombreros de copa y las chaquetas de los hombres constituyen las verticales. Los colores claros de las amplias manchas de color se ven realzados por algunas notas más vivas.

Este cuadro escandaliza a los contemporáneos de Manet por su técnica que «caricaturiza» los rostros, esboza las vestiduras y por la «manía del artista de ver con manchas» (Babou, 1867). Zola replica que el espectador debe situarse «a una distancia respetuosa. Él [Babou] habría visto entonces que estas manchas vivían, que la gente hablaba, y que este lienzo era una de la obras características del artista, aquella en la que más ha obedecido a sus ojos y a su temperamento». En este sentido, La música en las Tullerías sería el primer cuadro de la pintura moderna.

BIBLIOGRAFÍA

Daix, Pierre, *La Vida de pintor de Édouard Manet*, Argos Vergara, Barcelona, 1985; Cachin, Françoise, *Manet*, Planeta, Barcelona, 1991; Wilson-Bareau, Juliet (ed.), *Manet por sí mismo correspondencia y conversaciones: pinturas, pasteles, grabados y esbozos*, Plaza & Janés, Barcelona, 1993; Carr-Gomm, Sarah, *Manet*, Debate, Madrid, 1996.

Degas

Pintor, pastelista y escultor singular, Degas, aristócrata reaccionario, cultivado y cáustico, intransigente y orgulloso, describe la vida parisina cotidiana, mundana y laboral. Pone en escena el movimiento en encuadres ambiciosos y variados. La línea propia de Ingres se armoniza en su obra con el color, primero discreto y más tarde deslumbrante, a pinceladas finas o anchas, con rayas al pastel, que se hace frío bajo iluminaciones artificiales.

RECORRIDO BIOGRÁFICO

• Edgar Degas, nacido de Gas (París 1834, *id.* 1917), artista francés, es hijo de un banquero melómano y aficionado a la pintura. Inicia estudios de derecho y después entra en Bellas Artes en 1855 y en el taller de L. Lamothe, pintor académico e influenciado por Ingres. Rápidamente, Degas prefiere formarse en solitario en el Louvre.

• Sus primeras obras son los retratos de familia: *Autorretrato* (h. 1854, París, Orsay); *René de Gas en el tintero* (1855, Northampton, S.C.). De 1856 a 1860, Degas reside en Italia, en Roma y Florencia. Copia sobre todo a los maestros antiguos, se afirma como retratista clásico: *La familia Bellelli* (la de su tía, 1859, París, Orsay) y, después, en París, *Thérèse de Gas* (h. 1863, *id.*), *Degas y Évariste de Valernes* (h. 1864, *id.*), *La mujer de los crisantemos* (1865, Nueva York, M.M.). Se ejercita también en los temas históricos: *La hija de Jefté* (1861-1864, Northampton, S.C.).

• Sus frecuentaciones mundanas, su amistad tumultuosa con *Manet, a quien había conocido en 1862, las reuniones en el café Guerbois y luego en el Nouvelle-Athènes, en donde se reúnen los futuros «impresionistas», le confortan en su búsqueda de un arte renovado. Expresa su visión nueva de lo real en las carreras: *El desfile*, llamado también *Caballos de carreras delante de las tribunas* (h. 1868, París); y en el mundo de la ópera: *Retrato de Mlle. Eugénie Fiocre en el ballet «La Source»* (h. 1867, Nueva York, Brooklyn M.), *La orquesta de la Ópera* (h. 1868-1869, París), *El centro de danza en la Ópera* (1872, *id.*), *El examen de danza* (*id.*).

• En el transcurso de un breve viaje a Nueva Orleans, pinta *El despacho del algodón en Nueva Orleans* (1873, Pau). De vuelta a París, retoma la temática de las bailarinas: *La clase de danza* (h. 1875, París, Orsay); *Bailarina con un ramillete en la mano* (1877, *id.*); *La bajada del telón* (1880, col. part.); *Bailarinas entre bastidores* (1890-1895, Saint Louis [Missouri]). Más cerca de la estética realista promovida por É. Zola, L. E. Duranty, Manet y Cézanne que de la de *Monet y sus amigos pintores, es sin embargo solidario con los impresionistas, pues expone en su Salón desde 1874 hasta 1886 (menos en 1882), despreciando desde 1870 el Salón oficial, aunque no lo excluyeran de él.

• Observa sin piedad a la mujer bañándose y arreglándose: *Mujeres peinándose* (1875-1876, Washington), *La salida del baño* (1885, Nueva York, M.M.), *La bañera* (1886, París, Orsay), *Mujer peinándose* (1887-1890, *id.*), *La bañista* (1890, Nueva York, M.M.), *Mujer secándose el cuello* (1890-1895, París). No es más indulgente cuando se interesa por los cafés: *La absenta* (1876, París), *Café-concierto de los Ambassadeurs* (1876-1877, Lyon), *Cantante de café* (1878, Cambridge). Pinta el mundo del trabajo: *Planchadora a contraluz* (h. 1874, Nueva York, M.M.), *Lavanderas cargando con la colada* (1876-1878, Standford), *Las planchadoras* (1884, París), *En la modista* (1882, Nueva York).

• En 1878, Degas se interesa por el circo y continúa realizando retratos «nobles», como el *Retrato de Duranty* (1879, Glasgow, A.G.). Prosigue con su observación de las mujeres, teñida de misoginia, y se interesa por las prostitutas: *La fiesta de la patrona* (*id.*, París. M. Picasso).

• A partir de 1886, Degas sólo expone en los locales de los marchantes de arte: Durand-Ruel, Valadon, A. Vollard... Replegado sobre sí mismo, el artista sólo frecuenta a algunos amigos (los pintores G. Moureau, Bonnat, J. Tissot, *Gauguin, el escultor A. Bartholomé, el poeta S. Mallarmé) y a sus mecenas. Degas realiza entre 1890 y 1893 pinturas al pastel de paisajes y marinas.

• En 1905, tras quedarse ciego, se consagra a la escultura, que ya practicaba desde 1868. La sordera fue la siguiente afección que acabó por apartarle del mundo.

Degas influencia a *Toulouse-Lautrec, Mary Cassatt, S. Valadon, los realistas académicos franceses y belgas, y al nabi P. Bonnard. Inspira a los simbolistas (O. Redon) y a los fauvistas (É. Vuillard y R. Dufy), aunque no los aprecie en absoluto.

INFLUENCIAS Y CARACTERÍSTICAS PICTÓRICAS

Aparte de los retratos y de algunos paisajes, Degas pinta la vida pública cotidiana y parisina: carreras de caballos, espectáculos de danza, músicos en la Ópera y en el teatro, escenas de café, mujeres laboriosas... Pero sobre todo se interesa por el universo íntimo de la mujer, ya sean bailarinas entre bastidores o mujeres lavándose.

Efectúa sus composiciones, de técnica compleja, sobre lienzos de todos los formatos, sobre papel, sobre cartón o sobre monotipo de formato pequeño o mediano.

Sus obras entran con él en vida en las colecciones del Louvre y son adquiridas por numerosos coleccionistas privados: P. Valpinçon, É. de Valernes, D. Halévy.

París y sobre todo Montmartre cuentan más que sus viajes a Italia, España, Nueva Orleans y a provincias (Trouville, Boulogne, el Midi).

Degas copia a *Durero, *Holbein, *Poussin, *Rembrandt. Admira a los maestros florentinos y venecianos, a *Ingres y a *Delacroix. Aprecia el naturalismo y la vida urbana descrita por Zola y pintada por Manet. De los maestros de la estampa japonesa, Utamaro y Hokusai, retiene la libertad de expresión, la intrusión en la intimidad y sobre todo el encuadre descentrado, así como la silueta vista de espaldas. Aprecia las fotografías de É. J. Marey y de E. Muybridge.

• En sus inicios, junto al pintor Lamothe, Degas adquiere el gusto por el dibujo clásico que le permite captar la idea, la inmediatez y el movimiento. La influencia de Ingres se lee en la fuerte presencia de los personajes, la preponderancia de la línea y el refinamiento del color, en su gusto por la simplicidad de las composiciones y de los tonos dominantes negros y marrones, realzados por manchas vivamente coloreadas (La familia Bellelli).

• En sus temas históricos busca «el espíritu de Mantegna con la inspiración y los colores del *Veronés», afirma, y admira la coloración de la obra de Delacroix. Su modernidad pictórica se expresa en la finura de las líneas dispuestas en capas ligeras. Mezcla la pintura al óleo con gasolina para obtener un tono suave y mate, transparente u opaco.

• Tras 1868, Degas afirma su gusto por el naturalismo, la «modernidad baudelariana» y los temas insólitos, sin mentalidad ni preocupación de orden social. Se apega a la composición, al juego de las formas y del movimiento humano. La influencia japonesa de la composición se ve acentuada por las miradas hacia arriba o hacia abajo de sus personajes, por las oposiciones que chocan, por los contraluces. En algunos casos se acercan, en la repartición del espacio, a

UN GRAN MAESTRO

◆ Con Degas en vida, se le expone en el Salón del Louvre y participa en las exposiciones impresionistas. Sus contemporáneos reconocen su singularidad, pero su celebridad es restringida.

◆ Defensor del realismo, Degas ofrece una visión del mundo moderno gracias a su temática y a su plástica. Se sitúa «entre *Ingres y *Delacroix, y más allá de *Cézanne» (M.-M. Aubrun, 1999).

◆ Degas pinta temas nuevos: El pedicuro (1873, París, Orsay), Interior o La violación (h. 1874, Filadelfia, col. McIlhenny), prostitutas, carreras de caballos, las bambalinas del mundo del espectáculo. Capta actitudes y gestos insólitos e inéditos, el movimiento, muestra una realidad sin maquillar, sin énfasis.

◆ Apasionado por la técnica, investiga en los efectos del fresco italiano, la perfección del arte de los maestros holandeses, la veladura veneciana. Adapta la técnica a su propio genio; mezcla la pintura al óleo y al pastel con gasolina. Renueva la técnica del pastel, es el primero en utilizarlo sobre monotipo, y sobre todo asocia el pastel al gouache desleído en aguada. Es un innovador al combinar el crayon coloreado al pincel, inventa la humidificación del pastel mediante el vapor de agua hirviendo y la superposición de capas de pastel fijadas. Pinta al óleo sobre telas sin imprimación.

◆ El pintor inventa nuevos encuadres, en planos recortados, en picado, en contrapicado. Levanta la línea de horizonte, vuelve del revés la perspectiva, multiplica el plano general y los escorzos elípticos... Crea oposiciones, contraluces, una luz artificial que sugiere un nuevo espacio y que proyecta manchas de color sorprendentes.

◆ Degas es el último artista que trabaja con fervor en su taller: «Enseguida me aburre contemplar la naturaleza».

Degas

la toma de vistas fotográfica. Construye muy meticulosamente sus temas, les da un encuadre sutil, a menudo descentrado, que aumenta la impresión de movimiento o de desequilibrio *(La orquesta de la Ópera)*.

• Degas se muestra refractario a la técnica impresionista. Prefiere la representación del movimiento a la percepción luminosa, la anotación fugitiva de una actitud, analizada, descompuesta, recompuesta, a veces con la ayuda de la fotografía. Inunda sus escenas con una luz fría, artificial, que acentúa las formas. El pastel, pigmento seco, opaco y rico en materia, de ejecución rápida, es muy apropiado a su arte.

• En la década de 1870, Degas practica sobre todo el arte del pastel sobre monotipo, para traducir lo efímero, lo fugaz. Superpone las capas y las rayas atrevidas de pastel, de tonos tan pronto vivos como matizados, yuxtapuestos a un negro intenso. Este pigmento le permite retomar fácilmente su trabajo: «Ningún arte es tan poco espontáneo como el mío».

• Degas despoja sus temas de lo pintoresco y de lo anecdótico. Sus bailarinas desarrollando sobre el escenario arabescos aéreos en equilibrios insólitos son representadas también entre bastidores, agotadas, deterioradas, con el cuerpo distendido, casi desprovistas de gracia. Tampoco hace concesiones a la hora de pintar el aseo de las mujeres. Los tonos se hacen deslumbrantes y las telas monocromas se ven animadas por capas de color puro. Las rayas del pastel hacen que la carne sea a veces azul, verde, violeta, rosa y anaranjada, trazan un cuerpo borroso bajo una iluminación fría.

• Sus paisajes al pastel (1890-1893), fijados como un decorado, anulan la forma y sugieren la atmósfera, en una composición sobria y rayada febrilmente.

• Con el cambio de siglo, impedido por su vista deficiente, Degas simplifica la composición de sus pasteles, modela más las formas mediante rayas de color, densas y rápidas, acentúa las sombras coloreadas (*Bailarinas*). Este realista, ilusionista del encuadre, no es académico en el sentido estricto, del mismo modo que no es ni naturalista ni impresionista.

La orquesta de la Ópera
Hacia 1868-1869. Óleo sobre tela, 56,5 × 46 cm, París, Museo de Orsay

Degas pinta a su amigo D. Dihau, fagot en la Ópera, en el foso de la orquesta, rodeado de otros músicos. La composición, y sobre todo el encuadre, tan originales, nos remiten a Daumier y a la estampa japonesa. Una rampa en la parte inferior del cuadro delimita el foso, y Degas invita al espectador a entrar en la obra captando su mirada por la voluta del contrabajo situado en primer plano. En la parte superior del cuadro, el pintor muestra su audacia al cortar los cuerpos de las bailarinas en movimiento, vestidas con tutús de tonos claros, vaporosos y esbozados con ligereza, iluminados de manera fría y violenta, mientras que en el primer plano los músicos, estrictamente vestidos, de un negro uniforme, inmóviles, están inmersos en la penumbra.

BIBLIOGRAFÍA

Milner, Frank, *Degas*, Libsa, Madrid: Libsa, 1992; Roquebert, Anne, *Edgar Degas*, Polígrafa, Barcelona, 1999; Schneiders, Timm, *Edgar Degas*, Editors, Barcelona, 2000.

Mujer secándose el cuello
1890-1895. Pastel sobre cartón, 62,2 × 65 cm, París, Museo de Orsay

«Hasta este momento, el desnudo siempre se había representado en posturas que suponían un público. Pero las mujeres son seres sencillos y honestos que simplemente se ocupan de sus quehaceres físicos. Las muestro sin coquetería, como animales que se limpian.» Degas rechaza la belleza ideal del desnudo femenino académico en beneficio de las posturas naturales e íntimas. La mujer se peina y se despeina, se lava, se frota o se seca, como en este pastel vista de espaldas, con la cara oculta, en este interior sobrio. El virtuosismo del pastelista estalla: los tonos sutiles de preciosas armonías alcanzan toda su densidad bajo la iluminación fría que proyecta sombras coloreadas y un reflejo verde en los cabellos. El artista lleva aquí hasta el extremo la técnica de las líneas verticales, pero también ha sabido crear cuerpos de factura más dulce, como en *La bañera*.

OBRAS CARACTERÍSTICAS
La obra de Degas cuenta con más de 2 000 pinturas y pasteles.

La familia Bellelli, 1859, París, Orsay
Degas y Évariste de Valernes, h. 1864, París, Orsay
El desfile, llamado también *Caballos de carreras ante las tribunas*, h. 1868, París, Orsay
La orquesta de la Ópera, h. 1868-1869, París, Orsay
El despacho del algodón en Nueva Orleans, 1873, Museo de Pau
La clase de danza, h. 1875, París, Orsay
Mujeres peinándose, 1875-1876, Washington, Phillips Coll.
La absenta, 1876, París, Orsay
Café-concierto de los Ambassadeurs, 1876-1877, Lyon, b.A.
Lavanderas cargando con la colada, 1876.1878, Standford, col. Howard J. Sachs
Cantante de café, 1878, Cambridge [Mass.], F.A.M.
En la modista, 1882, Nueva York, M.M.
Las planchadoras, 1884, París, Orsay
Mujer peinándose, 1887-1890, id.
Bailarinas entre bastidores, 1890-1895, Saint-Louis [Missouri], City A.M.
Mujer secándose el cuello, 1890-1895, París, Orsay

Claude Monet

Monet, el maestro del impresionismo, estudia el paisaje al aire libre para percibir la sensación atmosférica en el mismo instante. Desea fijar la fugacidad de la luz en la naturaleza y su movilidad, los reflejos acuáticos, las nubes, pero también en el entorno urbano. Escoge los colores primarios y sus complementarios, puros y deslumbrantes, y los fragmenta directamente sobre la tela. Colorea las sombras. La pincelada es fluida, espesa o ligera, horizontal o vertical.

RECORRIDO BIOGRÁFICO

• Claude Monet (París 1840-Giverny 1926), pintor francés, conoce al paisajista al aire libre E. Boudin en 1858: allí nace su vocación. Sus padres, tenderos de Le Havre, le animan. En París, frecuenta en 1859 la academia suiza, en donde conoce a C. Pissarro. En el Salón del Louvre admira a los paisajistas A. Daubigny, Corot y T. Rousseau. De 1861 a 1862 cumple su servicio militar en Argelia. Tras una estancia en Le Havre con Boudin y J. B. Jongkind, entra en el taller del pintor académico C. Gleyre. Allá establece amistad sober todo con F. Bazille, A. Renoir y A. Sisley. En 1863, Monet parte junto con Bazille a Chailly, cerca de Barbizon. Pintan los paisajes en la tradición de Daubigny, N. Diaz y J.-F. Millet. El mismo año descubre la obra de *Manet. En 1864, Monet se encuentra en Honfleur con Boudin y Jongkind. Pasa el verano en Sainte-Adresse, en casa de sus padres. En Chailly inicia una *Merienda campestre* (1865, París y Moscú) en el espíritu de Manet, pero pinta en la naturaleza. *Courbet le prodiga consejos y una ayuda financiera.
• Monet expone en el Salón de 1865 *La desembocadura del Sena en Honfleur* (Estados Unidos, col. part.) y *La punta de La Hève* (Londres, col. part.) y, después, en 1866, vistas del bosque de Fontainebleau y el *Retrato de Camille Doncieux* (Suiza, col. part.), su futura mujer. Estas obras tienen éxito y puede liberarse de la tutela de Courbet para proseguir sus investigaciones plásticas en *Mujeres en el jardín* (1866, Paris), *La vista de la iglesia de Saint-Germain-l'Auxerrois* (1867, M. de Berlín), *El muelle del Louvre* (*id.*, La Haya, Gm.). En Sainte-Adersse, las marinas, las figuras y los jardines le inspiran: *La terraza en Sainte-Adresse* (*id.*, Nueva York). Problemas en la vista le llevan a interrumpir su actividad.
• Vuelve a pasar por problemas financieros. En 1868 expone en Le Haver marinas como *La playa de Sainte-Adresse* (1867, Chicago, A.I.), *La urraca* (h. 1868-1869, París). En Fécamp, pinta *Madame Gaudibert* (1868, París, Orsay), interiores, naturalezas muertas y *El almuerzo* (*id.*, Frankfurt, S.K.). En Bougival esboza, como Renoir, el restaurante *La Grenoullière* (1869, Nueva York). En otoño de 1869, volvemos a encontrarlo en Étretat y en Trouville: *La playa de Trouville* (1869-1870, Londres; París; Marmottan); *El hotel de las rocas negras* (*id.*, París, Orsay).
• Estalla la guerra de 1870: se desplaza a Londres y descubre a los paisajistas ingleses y a *Turner. Pinta *El Parlamento de Londres* (1871, Londres, col. Astor). Vuelve a Francia por los Países Bajos e inmortaliza *Los molinos de Zaandam* (1871, Estados Unidos, col. part.).
• De 1872 a 1878 reside en Argenteuil, en donde vuelve a encontrarse con Manet, Renoir, Sisley y Caillebotte, y crea *Impresión, sol naciente* (1872, París). Esta obra constituye el manifiesto del movimiento impresionista. Las *Regatas en Argenteuil* (1872 y 1874, París), *Las amapolas en Argenteuil* (1873, *id.*) y *El desayuno* (*id.*, *ibid.*) confirman esta nueva tendencia.
• Como Daubigny, instala su taller en una gabarra y recorre el Sena: *La barca-taller* (1874, Otterloo, K.-M.); *El puente de Argenteuil* (*id.*, Munich y París, Orsay); *El verano, las amapolas* (1875, Suiza, col. part.; Estados Unidos, col. part.). Destaca la presentación por parte del galerista P. Durand-Ruel de *Madame Monet en vestido japonés* (1876, Boston, M.F.A.).
• De vuelta a París, coloca su caballete ante *La estación de Saint-Lazare* (1877, París, Cambridge [Mass.] , F.A.; Chicago, A.I.); inaugura así las series. Pinta también *La Rue Saint-Denis* (1878, Ruán, B.A.) y *La Rue Montmartre* (*id.*, París, Orsay).
• Instalado en Vétheuil y en Poissy de 1878 a 1883, Monet inmortaliza sus vistas del Sena, del campo florido, del mar, de los precipicios de Dieppe y de Pourville. Su mujer muere en 1879.

• En 1883, Monet se establece en Giverny y después descubre la costa Azul y su luz: *Bordighera* (1883, Chicago, A.I.). Vuelve a Étretat y a Belle-île: *Étretat, mar agitada* (*id.*, Lyon) y *Tempestad, costas de Belle-île* (1886, París, Orsay y Marmottan). En 1886 participa en la última exposición expresionista, aporta algunos *Campos de tulipanes* (París, Orsay) de los Países Bajos y crea la *Mujer de la sombrilla* (París). Monet reside en Antibes: *Saint-Jean-Cap Ferrat* (1888, Boston, M.F.A.). Con la exposición junto a Rodin, en 1889, en la galería Petit, obtiene un gran éxito.

• Monet adquiere en 1890 una casa en Giverny. En su jardín florido hace construir un pequeño puente japonés sobre un estanque repleto de nenúfares. Lo pintará sin descanso. Produce la serie de *Los almiares* (1890-1891, París, Orsay) y de *Los álamos* (1891, Londres, T.G.). Vuelve a casarse en 1891. Trabaja en la serie de *La catedral de Ruán* (1892-1893, París y Washington, N.G.) y pinta Normandía. Los inviernos londinenses de 1900 a 1903 le inspiran *El Támesis* (París, Orsay) y *El Parlamento de Londres* (1904, *id.*). Presente en Venecia en 1908 y 1909, inmortaliza *El palacio ducal* (Nueva York, Brooklyn M.) y *El gran canal* (Boston, M.F.A.).

• *Los nenúfares* obtienen un gran éxito en 1909. Profundiza en el tema en su jardín-taller: *Nenúfares en el crepúsculo* (1910, Zurich, Kunsthaus); *Los nenúfares* (1914-1918 y 1920-1926, París); *La casa de Giverny* (1922, París, Marmottan). Tras una operación de cataratas retoma el trabajo, pero finalmente fallece en 1926.

Monet comparte su deseo de emanciparse de los imperativos plásticos de su tiempo con C. Pissarro, É. Manet, A. Sisley, B. Morisot y P.-A. Renoir. Su arte tiene émulos en Europa y en Estados Unidos. *Gauguin, *Van Gogh, *Seurat destacan entre los que encuentran en él la inspiración para su arte. Monet será el precursor del paisaje abstracto y de la abstracción lírica.

INFLUENCIAS Y CARACTERÍSTICAS PICTÓRICAS

A Monet le agradan los paisajes de las orillas del Sena y del mar, las catedrales de París y de Ruán, la estación de Saint-Lazare, el campo y su jardín de Giverny, pero realiza también algunos retratos y naturalezas muertas. Se expresa en el óleo sobre tela, en pequeños y medios formatos que se hacen inmensos con los *Nenúfares*. Reserva el óleo sobre madera para sus decoraciones.

Apreciadas por un pequeño número de aficionados, las obras de Monet entran en las colecciones de sus amigos, pintores (Courbet, Caillebotte), y de mecenas, marchantes de arte y críticos (E. Hoschedé, I. de Camondo, Zola, Durand-Ruel, G. Petit, T. Van Gogh y T. Duret).

Monet conoce la estética de *Delacroix, el arte de Turner, el trabajo con la naturaleza de Boudin y Jogkind y las estampas japonesas, de las que es coleccionista.

Monet reside principalmente en Le Havre, en París, en Argenteuil y en Giverny, y se desplaza a lo largo del Sena, de Fontainebleau a Ruán, pasando por Ville-d'Avray, Bougival, Vétheuil, Vernon... Recorre las costas normandas, de Deauville a Dieppe: Trouville, Honfleur, Sainte-Adresse, Étertat, Fécamp... Descubre la Costa Azul: Bordighera, Antibes. Pasa temporadas en Argelia y Londres, y también en Holanda y Venecia.

• Los primeros cuadros de Monet toman sus paisajes sombríos y melancólicos de la escuela de Barbizon. Posteriormente se ve influenciado por Manet y Courbet: trabaja en amplias pincela-

UN GRAN MAESTRO

◆ Admirado por sus conocidos, la gloria de Monet tarda en llegar, pero puede vivirla. Más tarde, en la década de 1950, los abstractos le designan como su maestro: su éxito y notoriedad continúan inigualados.

◆ Monet descarta las reglas tradicionales del arte. La Academia le califica de «emborronador», el crítico L. Leroy de «impresionista».

◆ Se consagra al paisaje apacible, adornado por las flores (nenúfares, iris, amapolas, tulipanes). No utiliza ningún pretexto histórico o mitológico.

◆ Pinta al aire libre. Fracciona directamente sobre la tela el color puro que sale del tubo y que el ojo recompone en imagen.

◆ Monet abandona la perspectiva y el punto de vista frontal en beneficio de algunos planos superpuestos o de encuadres múltiples, en picado o en contrapicado. Deja de lado el contorno por lo borroso, los grises y negros por los colores que yuxtapone. Abandona el claroscuro y el tono local en provecho de las sombras coloreadas. Su pincelada compleja y diversa evoluciona desde el «clasicismo» hacia las primicias del arte no figurativo, de la abstracción.

◆ La fuerza cromática de sus *Nenúfares* apela ya más a la sensación que a la emoción.

Claude Monet

das de colores espesos, vigorosos y espontáneas *(Merienda campestre)*. Entiende la lección de C. Corot, que se aleja del academicismo, mientras que Boudin y Jongkind le inician en la pintura al aire libre. Sus obras, pintadas sobre el motivo, se hacen espontáneas y luminosas. En 1866, Monet realiza sus primeras obras maestras: capta la realidad cambiante del aire y de la luz. Se fía de sus ojos, de su intuición creadora, de la «impresión de lo que yo, sólo yo, habré sentido», afirma, sin programa ni codificaciones estéticas. Aparecen así los tonos puros fragmentados, colocados directamente sobre la tela, los reflejos luminosos y las sombras coloreadas que circulan y envuelven a los personajes en actitudes naturales *(Mujeres en el jardín)*.

• En 1870, el arte de Turner le inspira paisajes brumosos. En Argenteuil, Monet fija sobre la tela el instante atmosférico, la impresión de movimiento, el aleteo de lo vegetal y del agua. La pincelada se hace más fluida, más discontinua. Las composiciones estructuradas y construidas alrededor de puntos luminosos centrales garantizan la unidad de la obra *(Impresión, sol naciente)*.

• Monet aprecia la armonía del rojo y del verde, las pinceladas horizontales para sugerir las aguas, los bastoncillos verticales para la hierba, el follaje y la capa ligera para las vibraciones. La ejecución es rápida y fragmentada, el trazo puede ser, en una misma pintura, fluido o espeso.

• Se apasiona por las series: los temas se toman en diferentes momentos del día. Los capta en una percepción visual fugitiva: «Escarbo mucho, me obstino en una serie de efectos diferentes», afirma, buscando «lo instantáneo, sobre todo el envoltorio, la misma luz extendida por todas partes». La materialidad de la pasta prevalece sobre la realidad del objeto. Monet alcanza el apogeo de su arte cuando se produce la ósmosis del motivo, de la sensación y de la técnica.

• Sus últimas obras son testimonio de sus ensoñaciones vegetales y acuáticas, de la proliferación de las glicinas, de los nenúfares y de los reflejos del agua. Monet pinta en una libertad total. La imagen se deforma en una materia viviente, convulsa y abstracta.

Impresión, sol naciente
1872. Óleo sobre tela, 48 × 63 cm, París, Marmottan

«En abril de 1874 había enviado a la exposición del boulevard des Capucines algo que había hecho en Le Havre, desde mi ventana, con el sol entre el vaho y en primer plano algunos mástiles de navíos que despuntaban... Me pidieron el título para el catálogo, y como no podía realmente pasar como una vista de Le Havre les dije: "Pongan Impresión". De ahí surgió lo de impresionismo, y las bromas se sucedieron.» «Son impresionistas en ese sentido, porque no reproducen el paisaje, sino la sensación que el paisaje les produce» (J.-A Castagnary, 1874). La perspectiva sugerida, los contornos borrosos y los volúmenes evanescentes rozan la abstracción. En cambio, la barca negra, el círculo rojizo del sol y su reflejo en el agua, en oposición de tonos, proporcionan referencias, lo mismo que, más sutilmente, el puerto lejano y sus grúas, los barcos y el humo de las fábricas. El cielo, la bruma y el agua constituyen el color, rosa-violeta-azulado. La libertad del oficio se lee en la fluidez de las aguas lejanas y la pasta espesa capta el reflejo del sol.

Reflejos verdes, sala I, pared 3 (este), ciclo de los Nenúfares o Grandes decoraciones
1920-1926. Óleo sobre tela, 2 paneles de 2 × 4,25 m, París, Orangerie de las Tullerías

El «jardín de agua» de Monet está invadido por los nenúfares. Este término, ya indisociable del
nombre del pintor, califica sus obras acuáticas y florales realizadas entre 1899 y 1926. Monet propone
en 1918 a Clemenceau, entonces presidente del consejo, hacer donación al estado de dos paneles
decorativos. La donación fue establecida el 12 de abril de 1922, formada finalmente por veintidós
pinturas, realizadas entre 1920 y 1926.
Monet crea un universo sin principio ni fin, sin horizonte ni orillas, bañado por el cielo y el agua,
«a la vez transparencia, iridiscencia y espejo» (P. Claudel, 1927). «Es incómodo y a la vez placentero
sentirse rodeado de agua por todos lados sin que te toque» (el marchante de arte R. Gimpel).
Si bien el espectáculo del color, la creación pura, abstracta y lírica, ocultan el tema, el nenúfar queda
como fuente de inspiración y motivo real.
Esta serie gigantesca se convierte en una obsesión para el artista, que trabaja en ella hasta su muerte.

OBRAS CARACTERÍSTICAS
Monet pinta centenares de lienzos, de los que 400 son capitales.
Merienda campestre, 1865, Moscú, Pushkin y París, Orsay
Mujeres en el jardín, 1866, París, Orsay
La terraza en Sainte-Adresse, 1867, Nueva York, M.M.
La urraca, h. 1868, París, Orsay
La Grenoullière, 1869, Nueva York, M.M.
La playa en Trouville, 1869-1870, Londres, T.G. y París, Marmottan
Impresión, sol naciente, 1872, París, Marmottan
Regatas en Argenteuil, 1872 y 1874, París, Orsay
Las amapolas en Argenteuil, 1873, Orsay
El puente de Argenteuil, 1874, Munich, N.P. y París, Orsay
La estación de Saint-Lazare, 1877, París, Orsay
Étertat, mar agitada, 1883, Lyon, B.A.
La mujer de la sombrilla, 1886, París, Orsay
La catedral de Ruán, 1982-1893, París, Orsay y Washington, N.G.
El estanque de los nenúfares. Armonía rosa, 1900, París, Orsay
El Parlamento de Londres, 1904, París, Orsay
Los nenúfares, 1914-1918 y 1920-1926, París, Orangerie de las Tullerías

BIBLIOGRAFÍA
Spraccati, Sandro, *Monet, la vida y la obra*, Mondadori-Grijalbo, Barcelona, 1992; Sagner-Düchting, Karin,
Claude Monet, 1840-1926: una fiesta para la vista, Taschen, Colonia, 1993; Rapelli, Paola, *Monet*, Electa,
Madrid, 1999; Wildenstein, Daniel, *Monet o el triunfo del impresionismo*, Taschen, Colonia, 2003.

Cézanne

Cézanne construye desde la soledad —forma artística de proceder en la que se inspirará el cubismo. A la «brutalidad» de sus inicios le suceden el dominio y el equilibrio, y luego la armonía formal y coloreada, garantía de la unidad de la obra. «Trató a los objetos como trató al hombre [...]. Los toma y los ofrece al color. Les impone una forma reducible a fórmulas abstractas, a menudo matemáticas [...] que se llama la imagen» W. Kandinsky, 1910).

RECORRIDO BIOGRÁFICO

• Paul Cézanne, pintor francés (Aix-en-Provence 1839-id. 1906), entabla amistad desde el colegio con E. Zola, que le anima a pintar. En 1859 decora el Jas de Bouffan, la casa de campo de su padre, antiguo sombrerero convertido en banquero, y de su madre, obrera en la fábrica paterna.

• Presente en París en 1861, se forma en la academia suiza y frecuenta el Louvre. En 1863, sigue la polémica entre el arte oficial y los nuevos pintores: *Courbet, *Manet, *Delacroix.

• Su primer período «romántico» revela obras oscuras, como *El padre del artista* (1860-1863, Londres, N.G.), *Retrato del tío Dominique* (1866, Nueva York) o *Retrato de Achille Emperaire* (id., París, Orsay). Cézanne muestra su afición por las escenas eróticas o macabras, empastadas o brutales: *La orgía* (1867-1872, col. part.), *El rapto* (1867, Cambridge, King's College). Compone naturalezas muertas: *Panes y huevos* (1865, Cincinatti, A.M.), *Naturaleza muerta de la olla* (1869-1870, París). Pasa la guerra de 1870 en L'Estaque: *La nieve fundida en L'Estaque* (h. 1870, Zurich), y después pinta *La avenida de los castaños en Jas de Bouffan* (h. 1871, Londres, T.G.).

• En 1873, en Auvers-sur-Oise, con Hortense Fiquet, la compañera con la que acaba de tener un hijo, Cézanne aborda su período «impresionista» junto a C. Pissarro y *Van Gogh. Trabaja en la pincelada y en el color para la *Vista de Auvers* (hacia 1873, Chicago). Expone *Una Olimpia moderna* (1873, París), inspirada en Manet, y *La casa del colgado* (id.) en la primera exposición impresionista (1874), en donde es objeto de burlas, como ocurrirá en 1877, con ocasión de la segunda exposición del grupo, la última en la que expondrá junto a ellos. Da ritmo a los objetos y a las figuras en el espacio: *Naturaleza muerta de la sopera* ((h. 1873-1877, París); *Naturaleza muerta del jarrón y de las frutas* (h. 1877, Nueva Cork, M.M.); *Madame Cézanne con falda rayada* (id., Boston); *Madame Cézanne acodada* (1873-1877, Ginebra, col. part.); *Autorretrato* (h. 1875, París, col. part.) y los retratos de V. Chocquet. Los cuerpos voluptuosos y esbozados de las *Bañistas* (1874-1875, Nueva York) precisan su relación con el espacio y el color.

• En la madurez de su arte, el artista rinde visita en 1884 a sus amigos Zola, *Monet y Renoir en L'Estaque, después de haber conocido a A. Monticelli en Marsella. Se distancia de los impresionistas: *El puente de Maincy* (1879-1880, París), *Nieve fundente en Fontainebleau* (1879-1882, Nueva York, M.O.M.A.). El aire vibra alrededor de sus *Tres bañistas* (1879-1882, París).

• Se interesa por la geometría y por los volúmenes de las formas y de la composición, los organiza en sus vistas de *La montaña de Sainte-Victoire* (1885-1887, Londres; Nueva York, M.M.; París, Orsay), del pueblo de Gardenia (1886, Merion, B.F.), de las *Rocas en L'Estaque* (1882-1885, São Paulo).

• En 1886, su padre muere y le deja una confortable fortuna. Rompe con Zola y se aísla. Unos pocos iniciados apoyan su obra: los marchantes de arte J. Tanguy y A. Vollard, los críticos J. K. Huysmans, Zola...

• Las *Cinco bañistas* (1885-1887, Basilea) y el *Gran bañista* (id., París) ofrecen una síntesis de su trayectoria artística: los personajes se funden, formal y plásticamente, en la naturaleza del entorno.

• Cézanne produce sus principales lienzos a partir de 1888-1890. Sus construcciones revelan una base y una materialidad que articulan formas geometrizadas: *El jarro azul* (1889-1890, París), *La mesa de cocina* (1888-1890, id.), *Manzanas y naranjas* (h. 1899, id.). Sus personajes están fuertemente anclados en su decorado, como el *Arlequín* (1888-1890, Washington, N.G.), *La mujer de la cafetera* (h. 1890, París) o la serie de los *Jugadores de cartas*, pintada entre 1890 y 1896 (Merion; París; Orsay, Nueva York, M.M.; Londres, C.I.). Sin embargo, el sueño está presente en *El camarero del chaleco rojo* (1890-1895, Zurich, Fondo E.G. Bührle) o el *Retrato de Ambroise Vollard* (1899, París), uno de los retratos más geométricos realizados por el artista.

• Los colores delicados suavizan *La montaña Sainte-Victoire* (h. 1890, París) y *El lago de Annecy* (1896, Londres, C.I.), mientras que los paisajes de Provenza dan pruebas de un rigor de construcción cada vez más marcado: *La casa Maria* (h. 1895, Forth Worth, Kimbell A.M.); *La cantera de Bibémus* (*id.*, Essen, F.M.), *El gran pino* (h. 1898, São Paulo, M.A.).

• Cézanne participa en la Exposición universal de 1889 y luego expone en Bruselas en 1890. La retrospectiva de su obra, organizada por Vollard en 1895, es un éxito. Por fin le llega el reconocimiento, culminado en el Salón de otoño de 1903.

• Sus últimos lienzos exaltan la forma geométrica y el color: *Los bañistas* (1900-1905, Merion, B.F.; Londres, N.G.); *Las grandes bañistas* (1906, Filadelfia), las vistas del Château-Noir, los cráneos, los últimos *Sainte-Victoire* (1904-1906, *id.*; Moscú; Zurich, Fund. E.G. Bührle); *La dama de azul* (1900-1904, San Petersburgo) y el *Retrato de Vallier* (1904-1906, Washington, N.G.). En 1905, Vollard presenta las acuarelas de Cézanne. Las retrospectivas se suceden. La visión de Cézanne marca considerablemente a los nabis, entre ellos a É. Bernard, a los fauvistas y sobre todo a los cubistas. Su arte se impone como fundamento de la estética pictórica moderna y contemporánea.

INFLUENCIAS Y CARACTERÍSTICAS PICTÓRICAS

Cézanne se apega al paisaje, al retrato y a la naturaleza muerta. Las manzanas y fruteros, los bañistas y las bañistas, la montaña de Sainte-Victoire y L'Estaque son sus temas predilectos. Pinta una gran cantidad de retratos de su mujer, lo mismo que autorretratos. El artista trabaja sobre diferentes soportes, sobre lienzo o papel, al óleo, a la acuarela, con ceras, y en formatos variados.

Sus principales compradores son el conde Doria, V. Chocquet, I. de Camondo, S. Courtauld, A. Pellerin, sus amigos pintores y los marchantes, como A. Vollard.

En diferentes momentos de su carrera, Cézanne se ve influenciado por los españoles, como Ribera, los italianos *Tiziano y Giorgione y los franceses Delacroix, Courbet, *Daumier y Manet. Toma prestados de éstos elementos formales y el ritmo que pone al servicio de su estilo. En Auvers-sur-Oise trabaja junto a Pissarro.

Cézanne dató muy raramente sus obras: la última cronología de sus obras, establecida en 1995, la divide en decenios.

UN GRAN MAESTRO

◆ Cézanne topa con el desprecio y la incomprensión de sus contemporáneos hasta la década de 1890.

◆ El artista se desmarca de los impresionistas. Elabora una nueva visión de las formas, geométrica, coloreada, precubista.

◆ Cézanne hace famosa la montaña Sainte Victoire y L'Estaque. Renueva el tema de la mujer en el baño y hace de él un tema de construcción grandiosa y moderna.

◆ Desarrolla en su obra tardía un arte específico del color: «Su método era singular [...]. Empezaba por la sombra y seguía con una mancha que recubría con una segunda más desbordante y, luego, con una tercera, hasta que todos estos tonos, haciendo pantalla, modelasen, coloreando, el objeto. [...] Todas estas modulaciones tenían una objetivo fijado por adelantado en su intención. Procedía [...] hasta que los colores encontrasen su contraste en la oposición» É. Bernard, 1907).

◆ Sus composiciones desprecian las reglas de organización tradicionales: el punto de fuga puede ser inexistente, y el mismo paisaje puede aparecer bajo diferentes ángulos. Cézanne rechaza el «trompe-l'oeil», combina volúmenes devueltos a una superficie plana con la ilusión de una tercera dimensión. Una sabia geometría une entre ellos a los objetos hasta llegar a la interpenetración.

◆ Modula los colores hasta el infinito. El blanco ofrece sus múltiples reflejos. Las gradaciones de colores aseguran el paso de uno a otro motivo. La factura puede ser espesa, incluso costrosa, o fluida, a veces irregular. El aspecto voluntariamente inacabado de las últimas obras del artista participa de su voluntad de alcanzar el «abstracto formal».

Cézanne

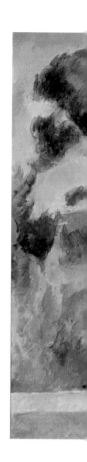

• La década de 1860 se ve marcada por las maneras «atemorizadas» del artista, que traducen los desbordamientos y las angustias del pintor. Sobre fondo oscuro compone naturalezas muertas rudas, en las que incluye unos pocos utensilios de uso corriente, banal, iluminadas de manera idéntica, que evocan los bodegones españoles. La pasta coloreada, la pincelada dinámica, amplia, a menudo empastada, dan forma a los objetos mediante pequeñas superficies que recuerdan al arte de Ribera y de Daumier. Los retratos a cuchillo, como en Courbet, prolongan el trazo fragmentario, impulsivo y rico en asperezas de Manet. Los paisajes y los desnudos, de la misma vena plástica, tienen un modelado redondo, una forma ligera, cercanos a la voluptuosidad de un Delacroix.

• Alrededor de 1870, la forma se hace menos brusca, el color se armoniza, el trazo se sosiega. En estos años «impresionistas» sustituye al trabajo reflexivo por la impresión inmediata. Sin embargo, estructura sólidamente sus paisajes, de donde toda presencia humana está ausente; los puebla de árboles «magníficos y severos, que tienen la edad de un dios y una solemnidad de monumentos» (J. y E. Goncourt, 1871), en colores oscuros que matiza para mostrar la sombra y la luz.

• En Auvers-sur-Oise, a mediados de la década de 1870, aconsejado por Pissarro, Cézanne pinta al aire libre las masas de verdor, las estructuras cúbicas de las poblaciones. Hace más clara su paleta, pinta sus lienzos con una ligereza y una alegría muy alejadas de la fluidez y del color atmosférico de *Monet o de la pintura «picada» de Pissarro: «Cézanne *aplicaba placas*», afirma el crítico G. Coquiot en 1919. Sus retratos, extranjeros al impresionismo, pertenecen ya a su período «constructivo». Al contrario que en sus autorretratos oscuros y terrosos, añade algunas capas de blanco a los retratos. La sombra de color puro procede de su nueva plástica.

• En el período «constructivo» de la década de 1880, la estructura casi geométrica hace que emerja lo esencial. Cézanne construye paisajes vistos desde diferentes ángulos. Dispone rítmicamente planos sintéticos, lineales u ondulantes, distribuidos con parsimonia o profusión según las obras. En las naturalezas muertas a veces parecen desorganizados o desequilibrados. Los trazos largos, verticales u oblicuos, construyen el espacio. La línea interrumpida y temblorosa sugiere el movimiento. El color se hace autónomo y la forma cada vez más simple se pone a su servicio. Las bañistas, figuras mudas, monumentales y piramidales, tomadas en posturas elaboradas, se funden progresivamente en el paisaje, sólido y compacto. Los trazos son menos visibles, más cortos, más oblicuos y apretados. Cézanne preserva la geometría para escapar a la abstracción. Aunque el artista declare: «Soy el primitivo de un arte nuevo [...] en las antípodas del modelado», su arte da prueba de una ciencia de la pintura que está fuera de lo común.

• En la segunda mitad de la década de 1880 los paisajes, entre ellos la primera serie de los *Sainte-Victoire*, los bañistas y algunos retratos afirman una serenidad y una grandeza nuevas. Cézanne se acerca a su deseo de «pintar como Poussin, pero del natural». Las formas dominantes son masivas y dan prueba de una reflexión esencial aplicada al volumen y al espacio que hace insignificante el detalle. El trazo y los colores presentan una unidad formal perfecta, hasta disolver ciertos retratos melancólicos en el color.

• Las obras de madurez (década de 1890), del período llamado «sintético», confirman la solidez de sus composiciones y la presencia imponente de personajes, verdaderas fuerzas de la naturaleza, decididos y silenciosos, inamovibles y graves, a los que Cézanne, más que pintar, observaba con simpatía cuando posaban. La preparación clara, visible, participa de la modulación de los colores. La materia pictórica, densa y opaca, se hace a veces ligera como una acuarela, inacabada como un esbozo.

Aunque muchas veces vuelva a los trazos acerados de sus inicios, «la cristalización de las formas está completamente concluida. Los planos se encabalgan y se interpenetran para formar una construcción plástica de ex-

La montaña Sainte-Victoire
Hacia 1890. Óleo sobre tela, 62 × 92 cm, París,
Museo de Orsay

El nombre de Sainte-Victoire provendría de la victoria de
Cayo Mario sobre los bárbaros (siglo V a. C.). Cézanne pinta
este paisaje una veintena de veces, en dos períodos, de 1882
a 1890 y de 1901 a su muerte.

En primer plano se sitúa un murete, un gran pino y un
bosquecillo: en el centro el artista coloca el valle, los tejados
en ocre, el acueducto y los planos de las parcelas; al fondo
construye la montaña y la meseta del Cengle. La grandiosidad
y la calma emanan de esta composición y de su pincelada
estructurada, muy alejada de la estética impresionista.

Las formas volumétricas del primer plano, la montaña
enorme a lo lejos, relegan a un segundo plano los demás
elementos del cuadro.

Cézanne se esfuerza en conseguir una construcción densa
y rigurosa del espacio. El trabajo no consiste en «figurar»,
sino en componer, en formar con una estructura sólida este
«bello motivo», diciéndolo con sus palabras, que ahora pinta
para él mismo. La «ley de la armonía» y la «lógica de las
sensaciones organizadas» se revelan en la geometría interior
de la naturaleza, en la organización del trazo en manchas
firmes que concurren a la movilidad del conjunto y en el
juego de contrastes sutiles entre los tonos cálidos y fríos
(verdes, azules, ocres y malvas) que se funden en una
luminosidad suave y dorada.

Esta obra, presentada en el Museo de Orsay en otoño de 2000,
proviene de la colección privada del empresario A. Pellerin.

trema complejidad. Cada uno se relaciona estrechamente con todos los demás. No solamente las formas se reducen a los contornos rectilíneos muy simples, sino que además el color se sistematiza, por así decirlo» (R Fry, 1926).

• Cézanne modula a partir de este momento su cromatismo para pintar lo que siente, esa naturaleza omnipotente, arbolada, rocosa, acuática o montañosa. Sus imponentes «retratos de árboles», sus pinos y naturalezas muertas opulentas, vistas en plano cercano, invaden el espacio de la tela.

• Los objetos y los frutos, yuxtapuestos o superpuestos, se confunden a veces en los trazos modulados y coloreados, matizados y graduados hasta el infinito, que hacen visible la preparación clara a través de las finas capas de pintura. El artista crea una dialéctica formal entre la estructura desequilibrada de los otros objetos que reequilibran la composición. Esta construcción del espacio, propia de Cézanne, será desarrollada posteriormente por los cubistas.

• Entre 1900 y 1906 sigue depurando su estilo. Los fondos se hacen poco visibles. Los últimos retratos, indiferentes, inexpresivos y anónimos, muestran una materia casi costrosa de tan trabajada.

• En los paisajes sin profundidad acentúa la simplificación geométrica y la imbricación de casas, rocas y árboles. «Tratad a la naturaleza mediante el cilindro, la esfera y el cono, ponedlo todo en perspectiva», le dice al nabí É. Bernard. La segunda serie de *La Sainte Victoire*, vista bajo ángulos que siempre varían ligeramente, transmite una luminosidad cambiante: «En el mismo momento en que se suceden estas variaciones, su ejecución se hace más apasionada, esa montaña se disuelve en un torrente de pinceladas enérgicas, se integra en el aire que la rodea y al que dan forma esas mismas pinceladas» (T. Reff, 1978). El artista alterna con gran libertad las capas coloreadas espesas y las capas finas y líquidas. «Las sensaciones coloreantes que reproducen la luz son en mi caso un motivo de abstracción que no me permite cubrir el lienzo, ni tampoco intentar la delimitación de los objetos», afirma Cézanne.

OBRAS CARACTERÍSTICAS

El catálogo de Cézanne comprende alrededor de 900 pinturas y 400 acuarelas.

Retrato del tío Dominique, 1866, Nueva York, M.M.
Naturaleza muerta de la olla, 1869-1870, París, Orsay
La nieve fundida en L'Estaque, h. 1870, Zurich, Fondo E.G. Bührle
Vista de Auvers, h. 1873, Chicago, A.I.
Una «Olimpia» moderna, 1873, París, Orsay
La casa del colgado, 1873, París, Orsay
Naturaleza muerta de la sopera, h. 1873-1874, París, Orsay
Autorretrato sobre fondo rosa, h. 1875, París, Orsay
Bañistas, 1874-1875, Nueva York, M.M.
Madame Cézanne con la falda a rayas, h. 1877, Boston, M.F.A.
El puente de Maincy, 1879-1880, París, Orsay
Tres bañistas, 1879-1882, París, P.P.
Las rocas de L'Estaque, 1882-1885, São Paulo; M.A.
La montaña Sainte-Victoire, 1885-1887, Londres, N.G.
Cinco bañistas, 1885-1887, Basilea, Km.
El gran bañista, 1885-1887, París, Orsay
La mesa de cocina, 1888-1890, París, Orsay
El jarro azul, 1889-1890, París, Orsay
La mujer de la cafetera, h. 1890, París, Orsay
La montaña Sainte-Victoire, h. 1890, París, Orsay
Los jugadores de cartas, 1890-1896, Merion, B.F.
Manzanas y naranjas, h. 1899, París, Orsay
Retrato de Ambroise Vollard, 1899, París, P. P.
La dama de azul, 1900-1904, San Petersburgo, Ermitage
La Sainte-Victoire, 1904-1906, Moscú, Pushkin
Las grandes bañistas, 1906, Filadelfia, A.M.

Las grandes bañistas
1906. Óleo sobre tela, 2,08 × 2,51 m, Filadelfia, Philadelphia Museum of Art

Cézanne trabaja encarnizadamente sobre el tema de los bañistas y las bañistas: pintó numerosas obras entre mediados de la década de 1870 y el fin de su vida. Tres de entre ellas, de formato muy grande, fueron realizadas al final de su vida. La versión que se conserva en Filadelfia (probablemente inacabada) sería la más trabajada de las tres y sin duda es la última.

Cézanne tiene presente la estética de Giorgione, *Tiziano,*Rubens, *Poussin y, en lo que concierne a las bañistas, de *Watteau, Boucher, *Fragonard, *Courbet…

Unas mujeres desnudas se reúnen sobre una playa de arena, al lado del río. Hablan, acarician una forma blanquecina que según algunas versiones sería un perro; una de ellas nada. En la otra orilla se levantan otros dos personajes. Los oblicuos de los troncos de los árboles forman una bóveda cuyos arcos se reúnen fuera del cuadro. Ciertos cuerpos, de formas esenciales y «primitivas» coinciden con estas curvaturas.

En el centro del cuadro, Cézanne abre un espacio a la lejanía: una misma alineación central une al perro, a la nadadora, a los personajes de la otra orilla y el «*château*».

Los cuerpos «geometrizados», el ritmo y la orientación de los trazos, los tonos sobrios y armoniosos, azul-verde, ocre y malva, funden a los personajes en el paisaje. El pintor deposita capas ligeras y opacas que no recubren la capa de una imprimación blanca, fuente de la luminosidad y de la ligereza. Su búsqueda de la imagen y no del tema o del motivo, de una forma matemática casi abstracta, caracteriza el estilo de Cézanne y anuncia el cubismo.

BIBLIOGRAFÍA

Götz, Adriani (ed.), *Paul Cézanne : dibujos*, Gustavo Gil, 1981; Kendall, Richard (ed.), *Cézanne por sí mismo : dibujos, pinturas, escritos*, Plaza & Janés, Barcelona, 1989; Düchting, Hajo, *Paul Cézanne 1839-1906, la naturaleza se convierte en arte*, Taschen, Colonia, 1992; Howard, Michael Eliot, *Cézanne*, Libsa, Madrid, 1992; *Cézanne*, (catálogo de exposición), Electa, Madrid, 1995; Shiff, Richard, *Cezanne y el fin del impresionismo*, La Balsa de la Medusa, Madrid, 2002.

Gauguin

Gauguin, artista independiente y marginal, es un rebelde impregnado de misticismo. Tras unos inicios impresionistas, da origen al sintetismo y al cloisonismo antes de establecer relaciones estrechas con el simbolismo. Preconiza la vuelta a las fuentes, a un primitivismo extraído de las tradiciones ancestrales y del exotismo; se expresa por obras vivamente coloreadas, encantadoras, de títulos «bárbaros», de factura «bruta», pobladas de divinidades y de mitos bretones o tahitianos.

RECORRIDO BIOGRÁFICO

• Paul Gauguin (París 1848-Atuona, islas Marquesas, 1903), pintor francés, parece marcado por sus ascendientes peruanos y por el saint-simonismo de su abuela, que forman un terreno abonado propicio para su imaginación. En 1851 su padre, periodista, huye del golpe de estado y muere en Panamá. Su familia vuelve a Perú. Escolar en Orleans a partir de 1855, Gauguin prosigue sus sueños de evasión. De 1865 a 1868 se enrola en la marina mercante, y luego en la militar. En 1871 se convierte en agente de cambio y después se casa con una danesa, Mette Gad, en 1873.
• Establece amistad con C. Pissarro, compra telas impresionistas, pinta *El Sena en el puente de Iéna* (1875, París, Orsay). Presenta un lienzo al Salón oficial de 1876 y después se une a los impresionistas, con los que expondrá desde 1879 a 1886: *Sotobosque en Normandía* (1884, Boston), *Autorretrato con el amigo Carrière* (h. 1886, Washington, N.G.). Desde 1883 se consagra enteramente a la pintura. En 1885 experimenta el fracaso familiar y la miseria. Al año siguiente presenta 19 telas a la octava exposición impresionista.
• El artista realiza una primera estancia en Pont-Aven, en Bretaña, en donde conoce a É. Bernard (verano de 1886) y pinta *El baile de las cuatro bretonas* (1886, Munich). En 1887 parte hacia la Martinica, en donde conoce la potencia del color.
• En 1888 Gauguin vuelve y elabora en Pont-Aven *La visión tras el sermón* (Edimburgo), obramanifiesto en la que afirma, según dice, la «simplicidad rústica y supersticiosa».
• Presente a continuación en Arles junto a *Van Gogh, pinta los *Alyscamps* (*id.* París, Orsay), *La bella Ángela* (1889, *id.*) y *Ancianas de Arles* (1888, Chicago, I.A.). Los dos hombres se enfrentan y Van Gogh hiere a Gauguin, que vuelve a París y participa en las exposiciones «de los XX» en Bruselas, y en la del café des Arts, propiedad de Volpini, en el seno de la Exposición universal, en París.
• Una tercera estancia en Pont-Aven y en los alrededores, en Pouldu, en 1889 y 1890, refuerza sus convicciones estéticas. Pinta el *Retrato de Marie Derrien* (1890, Chicago, A.I.), *El Cristo amarillo* (1889, Buffalo [N.Y.], Albright-Knox A.G.), *Autorretrato con el Cristo amarillo* (1889-1890, París) y *Cristo en el huerto de los olivos* (1889, West Palm Beach, N.G.). Inmortaliza a las *Recogedoras de varech* (*id.*, Essen, F. M.) y a *Las pequeñas bretonas frente al mar* (*id.* Tokio, M. nacional de arte occidental). *La naturaleza muerta del abanico* (*id.* París, Orsay) es propia de Cézanne, mientras que su *Autorretrato* (*id.*, Washington, N.G.) es sintético y «expresionista». Su *Pérdida de virginidad* (llamado también *El despertar del tiempo*, 1890-1891, Norfolk, The Chrysler M.) conforta la estima que tienen por él los simbolistas y los nabis. Pero las penurias perjudican su trabajo.
• En 1891 vende sus obras en subasta y embarca hacia Tahití, el 4 de abril. Polinesia le fascina: Gauguin cree haber encontrado el Edén: *Tahitianas en la playa* (1891, París, Orsay); *La comida* (*id.*); *Te faaturuma* (*La boudeuse*, 1891, Worcester, A.M); *La orana Maria* (*Ave Maria*, h. 1891-1892, Nueva York); *Arearea* (1892, París, Orsay). La cultura polinesia y la lujuria de los colores tropicales le inspiran *Manau Tupapau* (*El espíritu de la muerte acecha*, Arearea *id.*, Nueva York, M.O.M.A.) y *Hina te fatou* (*La luna y la tierra*, 1893, Nueva York, M.O.M.A.). El artista consigna sus impresiones en sus cuadernos.
• De nuevo sin recursos, enfermo, vuelve a Francia en 1893. Sus cuadros son agresivos y nostálgicos: *Otahi* (*Sola*, 1893, París, col. part.), *Annah la javanesa* (1893, localización desconocida), *Mahana no Atua* (1894, Chicago); *París bajo la nieve* (*id.*, Amsterdam, M.N.V. Gogh).
• Vuelve a Tahití en marzo de 1895. Aislado, endeudado, enfermo, deprimido, transtornado por la muerte de su hija Aline y del bebé nacido de su relación con la tahitiana Pahura, el hombre del *Autorretrato cerca del Gólgota* (1896, São Paulo) se hace preguntas melancólicas sobre la

vida y el destino humanos: *Nevermore* (1897, Londres, C.I.), *Te reriora* (*El sueño, id.*), *¿De dónde venimos? ¿Qué somos? ¿A dónde vamos?* (*id.,* Boston). En febrero de 1898 sobrevive a un intento de suicidio.

• A partir de 1898 recibe el apoyo financiero de coleccionistas, pero vive en una situación precaria a causa de la lucha jurídica con las autoridades civiles y religiosas de la isla, hostiles a su pintura y a sus desnudos. Aun así crea *Faa Ihehie* (*Pastoral tahitiana*, 1898, Londres, T.G.), *Dos tahitianas* (*Los senos de las hojas rojas*, 1899, Nueva York, M.M.), *Tres tahitianos* (*Conversación, id.,* Edimburgo, N.G.).

• En 1901, Gauguin se encuentra muy debilitado, se instala en Atuona, en la isla Marquesa de Hiva-Hoa: *...Y el oro de sus cuerpos* (1901, París), *La llamada* (1902, Cleveland, M.A.), *Jinetes en la playa* (*id.,* París, col. Niarchos) y *Cuentos bárbaros* (*id.,* Essen). En los últimos años de su vida se dedica a esculpir, a hacer grabados, a escribir cartas y ensayos, como *El espíritu moderno y el catolicismo*, y más tarde *Antes y después*. A su muerte, veinte de sus lienzos de desnudos de nativas de las Marquesas son destruidos por el obispo de Hiva-Hoa.

La obra del Gauguin pintor, escultor y ceramista encuentra un eco considerable en toda Europa: en E. Munch, P. Modersohn-Becker, F. Hodler, pero también *Picasso en sus inicios, los fauvistas como A. Derain y R. Dufy, y los expresionistas E. L. Kirchner, A. von Jawlensky, M. Pechstein.

INFLUENCIAS Y CARACTERÍSTICAS PICTÓRICAS

Gauguin extrae la inspiración de lo cotidiano. Reproduce a sus personajes en su entorno paisajístico o en su interior. Realiza retratos y autorretratos, escenas religiosas, algunos paisajes y naturalezas muertas. Los formatos varían, pero las telas medianas son las más abundantes. El pintor se beneficia del apoyo de algunos coleccionistas como É. Schuffenecker, Fayet y de los marchantes Vollard y T. Van Gogh.

Gauguin admira el color de *Delacroix y la línea de *Rafael y de *Ingres. Empieza refiriéndose a F. Bonvin y a S. Lépine, y luego, a su regreso de Martinica, a *Degas y *Cézanne. Pissarro le anima a interesarse, junto a É. Bernard, en las investigaciones pictóricas del grupo de Pont-Aven y en el simbolismo de P. Puvis de Chavannes. En Arles trabaja con Van Gogh. Pero afirma: «Todo lo que he aprendido de los demás me ha molestado. Por lo tanto puedo decir que nadie me ha enseñado nada [...]. Mi centro artístico está en mi cerebro [...], soy fuerte porque los demás no me derrotan nunca y porque hago lo que está en mí».

Bretaña, Martinica y sobre todo Polinesia son sus tierras predilectas.

• En sus primeras obras, Gauguin pinta las orillas del Sena, en tonos claros, según el gusto del paisajista Lépine. Los tonos muy cercanos producen una armonía sorda y fundida. De Pissarro adquiere la habilidad pictórica de las pequeñas pinceladas apretadas. Degas es su maestro para las escenas realistas de interior (*Suzanne cosiendo*, 1880, Copenhague, M.C.G.). De su atracción hacia las artes decorativas extrae su sentido de lo ornamental.

UN GRAN MAESTRO

◆ Incomprendido en vida, aparte de los pintores de Pont-Aven, de los nabis y de unos pocos coleccionistas, a Gauguin se le redescubre en 1949, con ocasión de la exposición en L'Orangerie para conmemorar el centenario de su nacimiento.

◆ Es «el primero en tomar conciencia de la ruptura necesaria para que nazca el mundo moderno, el primero en evadirse de la tradición latina [...] para encontrar entre los cuentos bárbaros y los dioses salvajes el impulso original; también fue el primero en osar, lúcidamente, transgredir e incluso repudiar la realidad exterior al mismo tiempo que el racionalismo. Le enseñó al arte moderno lo que es la creación libre» (R. Huyghe, 1949).

◆ Gauguin pinta la naturaleza salvaje, la fuerza, la inocencia y la libertad de los seres libres de las convenciones de la sociedad burguesa, ya fueran bretones o polinesios. Sus «desnudos» castos, universales, a veces andróginos, son innovadores. Asocia sobre un mismo cuadro la calidad objetiva y la imaginaria. Crea escenas religiosas transpuestas según la estética polinesia.

◆ Sus composiciones son insólitas: a veces relega la figura humana a un segundo plano y juega con las diferencias de escala.

◆ Impone el color plano rodeado por azul de Prusia o por negro, lo que se convierte en un procedimiento del *«cloisonisme»;* abre la pintura a la confrontación de colores puros, yuxtapuestos en manchas lisas (*La visión tras el sermón*).

Gauguin

• En Pont-Aven (1886) abandona el impresionismo por una pintura, escribe, de «la *sensación*. Todo está ahí, en esta palabra». Es una pintura depurada, poética y sagrada más que realista: «Amo la Bretaña. Allí encuentro lo salvaje, lo primitivo. Cuando mis zuecos resuenan sobre este suelo de granito, oigo el sonido sordo, mate y poderoso que busco en la pintura» *(El baile de las cuatro bretonas)*. Rechaza la pintura oficial y el mundo grecorromano, se refiere al arte popular, a la edad media, al *cloisonisme* característico de la estampa japonesa. P. Puvis de Chavannes es para él «lo griego, mientras que yo soy un salvaje, un lobo». El primero pone por delante la idea, el símbolo descifrable, mientras que Gauguin exclama: «¡Primero la emoción, la comprensión después!»

• De la experiencia en Martinica (1887) nace su gusto por la cerámica, un dibujo conciso y un color saturado o puro, muy alejado de la realidad de la naturaleza.

• En Arles (1888) su preocupación por el equilibrio y la armonía se oponen al tormento de Van Gogh: «Él es un romántico, mientras que yo me veo más bien transportado a un estado primitivo. Desde el punto de vista del color [...] detesto el manoseo de la factura» *(Ancianas en Arles)*.

• En Pont-Aven (1889 y 1890), el pintor manifiesta su libertad y la confianza en su arte, marcado por la forma propia de Cézanne, el arte primitivo, la tradición bretona *(Autorretrato del Cristo amarillo)*.

• En Tahití, satura sobre la tela los colores lujuriosos. La fuerza de las tradiciones polinesias, la belleza indolente de las mujeres le recuerdan los amplios ritmos clásicos de los bajorrelieves egipcios, de las Vírgenes primitivas italianas, de las manchas lisas de color de las estampas japonesas. Sus desnudos de Oceanía se hacen intensos, libres de toda connotación sexual, y ocupan un lugar cada vez mayor en su obra. Esta nostalgia de un mundo perdido alimenta su gusto por el simbolismo. Introduce motivos florales y figuras totémicas que comportan símbolos sexuales o religiosos. «La línea es el color», escribe entonces, «el puro color. Hay que sacrificarle todo. La intensidad del color indicará la naturaleza del color.» La forma y el color dan a sus cuadros una fuerza vital, espiritual y emocional *(Arearea)*.

• En París (1893) su obra se tiñe de nostalgia. La tentación impresionista *(París bajo la nieve)* y los vestigios de la experiencia de Pont-Aven resurgen.

• En Tahití y en Atuona (1895-1903) la fragilidad física se transparenta en sus obras. Los colores palidecen y a veces vibra la factura. La pobreza le obliga a utilizar con avaricia la pintura. En un refinamiento de armonías coloreadas que mezclan los verdes, los violetas y los rosas, sus tahitianas y sus autorretratos llevan la marca de sus desilusiones *(¿De dónde venimos? ¿Qué somos? ¿Adónde vamos?)*

BIBLIOGRAFÍA

Stevenson, Lesley, *Gauguin*, Libsa, Madrid, 1992; Vance, Peggy, *Gauguin: grandes maestros de la pintura*, Debate, Madrid, 1993. Sweetman, David, *Paul Gauguin, biografía de un salvaje*, Paidós, Barcelona, 1998; Gauguin, Paul; Morice, Charles (ed.), *Noa Noa, la isla feliz*, Terra Incognita, Palma de Mallorca, 2004; Solana, Guillermo (ed.), *Gauguin y los orígenes del simbolismo*, Nerea, Madrid, 2004.

▲ *Vairumati*, 1897. Óleo sobre tela, 73 × 94 cm, París, Orsay

Esta joven Eva polinesia toma bajo el pincel del maestro una dimensión mítica. Gauguin la describe
así: «Era alta y el fuego del sol brillaba en el oro de su carne, mientras que todos los misterios
del amor se adormecían en la noche de sus cabellos». El cabezal de cama suntuosamente esculpido
y dorado recuerda al respaldo de un trono y aureola a la joven, acentuando la referencia a la
diosa-madre, fuente de toda vida.
La dimensión totémica de este cuerpo, de piernas y brazos fuertes y rígidos, se une a la sensualidad
del rostro y del busto, de esencia clásica y occidental. La decoración de madera del lecho, la postura
y los gestos rituales de las dos mujeres del fondo recuerdan a los bajorrelieves de Borobudur
(Java, Indonesia). El ave blanca que tiene en sus garras un lagarto simboliza el ciclo eterno del deseo,
de la posesión y de la muerte, alegoría del paraíso perdido.

OBRAS CARACTERÍSTICAS

La obra de Gauguin cuenta con alrededor de 460 pinturas.

Sotobosque en Normandía, 1884, Boston, M.F.A.
El baile de las cuatro bretonas, 1886, Munich, N.P.
La visión tras el sermón o *La lucha de Jacob con el ángel*, 1888, Edimburgo, N.G.
Les Alyscamps, 1888, París, Orsay
Autorretrato del Cristo amarillo, 1889-1890, París, Orsay
Tahitianas en la playa, 1891, París, Orsay
La orana Maria, h. 1891-1892, Nueva York, M.M.
Mahana no Atua, 1894, Chicago, A.I.
Autorretrato cerca del Gólgota, 1896, São Paulo, M.A.
Vairumati, 1897, París, Orsay
¿De dónde venimos? ¿Qué somos? ¿A dónde vamos?, 1897, Boston, M.F.A.
...Y el oro de sus cuerpos, 1901, París, Orsay
Cuentos bárbaros, 1902, Essen, F.M.

◀ *La visión tras el sermón* o *La lucha de Jacob con el ángel*
1888. Óleo sobre tela, 73 × 92 cm, Edimburgo, National Gallery of Scotland

A propósito de este cuadro característico de la escuela de Pont-Aven, Gauguin declaró: «Creo que
conseguí una gran simplicidad rústica y supersticiosa en esas figuras. Todo el conjunto es muy severo.
Para mí, en este cuadro, el paisaje y la lucha no existen más que en la imaginación de las gentes que
rezan, después del sermón. Por este motivo se da el contraste entre las personas naturales y la lucha
en su paisaje, no natural y desproporcionada».
La ausencia de profundidad, las líneas decorativas y los colores puros simplifican la representación.
Gauguin «*cloisonne*» las cofias bretonas y el tronco del manzano que atraviesa la tela en diagonal.
El sol se convierte, sintéticamente, en una mancha lisa de rojo bermellón. La influencia de la estampa
japonesa se lee en el manzano, en la perspectiva elevada del suelo visto en vertical, en las figuras
recortadas a medio cuerpo y en la postergación del motivo principal a un segundo plano.

Van Gogh

La obra de Van Gogh se extiende tan sólo a lo largo de diez años. Unida íntimamente a los aconteceres de su vida, lleva la marca de una personalidad atormentada e inestable, así como de los lugares en los que reside. La búsqueda desesperada de una ósmosis entre el color, el dibujo y la forma, en un paroxismo de sentimientos, invade sus telas.

RECORRIDO BIOGRÁFICO

• Vincent Van Gogh (Groot Zundert, Brabante, 1853-Auvers-sur-Oise 1890), pintor neerlandés, hijo de un pastor protestante y sobrino de un marchante de cuadros, muestra desde la infancia problemas psíquicos y disposición para el arte. Empleado para la galería Goupil de 1869 a 1876, en La Haya, Bruselas, Londres y París, descubre el arte de L.-F. Millet. Un fracaso amoroso y su búsqueda de lo absoluto lo llevan hacia el apostolado. Su fanatismo le vale una desautorización de la Iglesia. En agosto de 1880 vuelve a tomar el lápiz para consagrarse al arte.
• Presente en Holanda de 1880 a 1885, en La Haya y en Etten, en donde viven sus padres, Van Gogh dibuja asiduamente, practica la acuarela, estudia escenas de calle y pintura con A. Mauve, su primo, pintor conocido por aquel entonces. Representa con simpatía y realismo al pueblo trabajador del norte de los Países Bajos y de Nuenen, en el Brabante, tema que vuelve a encontrar en la literatura de É. Zola o Ch. Dickens y en la pintura de Millet: *Campesina espigando, de espaldas y de perfil* (1885, Otterloo, K.-M.), *Comiendo patatas* (*id.*). Lleva a cabo también algunos paisajes otoñales.
• En la ciudad de Amberes, en donde reside desde noviembre de 1885 a febrero de 1886, Van Gogh descubre el arte de *Rubens y las estampas japonesas de A. Hiroshige y de K. Utamaro. Inaugura la serie de los autorretratos, como *La calavera del cigarrillo* (1886, Amsterdam, M.N.V. Gogh), humorística y macabra.
• Cuando llega a París en febrero de 1886, descubre el color veneciano y el de *Delacroix. De paso en el taller del naturalista F.-A. Cormon conoce a *Toulouse-Lautrec. Su hermano Théo le presenta a Pissarro, que le prodiga consejos, y después a *Seurat, P. Signac y *Gauguin. Frecuenta a *père* Tanguy, el comerciante de colores al que retrata (1887, París, Rodin). Aprecia las obras de *Cézanne y de A. Monticelli.
• Su obra evoluciona, tanto en los retratos (*La italiana*, 1887, París; *Retrato del artista, id.*) como en las escenas de género (*Interior de restaurante*, 1887, Otterloo, K.-M.).
• En 1888, con el anuncio de la boda de Théo, Vincent parte hacia Arles. La luz mediterránea le entusiasma: *El puente de Langlois* (1888, Otterloo), *El llano del Crau* (*id.*, Amsterdam, M.N.V. Gogh). Comparte con Gauguin el deseo de superar tanto el impresionismo como el postimpresionismo y le invita a reunirse con él en el Midi. La influencia de Gauguin y de su concepción del color se leen en *El paseo* (1888, San Petersburgo, Ermitage) y *El salón de baile en Arles* (*id.* París). Pero ciertos cuadros de Van Gogh revelan una factura más personal: *La arlesiana* (1888, París, Orsay y Nueva York, M.M.), *Retrato de Eugène Boch* (*id.*, París), *El cartero Roulin* (*id.*, Boston, M.F.A). Pinta paisajes: *El Crau visto desde Montmajour, Arles* (*id.*, Amsterdam, M.N.V. Gogh), *El sembrador* (*id.*, Otterloo, K.-M.), *Las espigas verdes* (*id.* Jerusalén, M. de Israel), la serie de los *Girasoles* (*id.*, Amsterdam, Londres...); *Viñedo rojo en Arles* (*id.*, Moscú), la única presente en una exposición en vida del artista. Crea algunas escenas nocturnas como *Café, noche* (*id.*, Otterloo, K.-M.), *El café de noche* (*id.*, New Haven, Yale University A.G.), *La noche estrellada* (*id.*, París), *Los descargadores* (*id.*, Lugano, T.B.) y la célebre *Habitación en Arles* (1889, París). La experiencia de vida artística en común se interrumpe con la crisis del 24 de diciembre de 1888, cuando Van Gogh intenta matar a Gauguin y después se mutila la oreja: *Autorretrato con la oreja cortada* (1889, Londres).
• Van Gogh reside en Saint-Rémy-de-Provence de enero a mayo de 1889. Se le hospitaliza y luego, a petición propia, se le interna, y sufre accesos de demencia. Sin embargo, el color inflama tanto sus paisajes como sus retratos: *Dos arbustos tras una barrera* (Amsterdam, M.N.V.

Gogh), *Sotobosque* (*id.*), *Los álamos* (Munich, N.P.); *Los campos de trigo* (Otterloo, K.-M.), *El campo de olivos* (*id.*), *La noche estrellada* (Nueva York, M.O.M.A.), *Los iris* (Malibú, J.P. Getty M.), *Autorretrato* (París), *Retrato de Trabuc, inspector jefe del asilo Saint-Paul* (Soleure [Suiza], K.M.), todos ellos datados en 1889; *La siesta* (1890, París, Orsay).

• En verano de 1890, en Auvers-sur-Oise, Van Gogh se ve acogido y cuidado por el doctor Gachet. Prosigue su experimentación pictórica: *La iglesia de Auvers* (1890, París), *Campos en Cordeville, en Auvers-sur-Oise* (*id.*), *Retrato del artista* (*id.*), *Retrato del doctor Gachet* (*id.*), *La escalera de Auvers* (*id.*, Saint Louis, C.A.M.) Pinta nuevos ramos de flores. Théo le anuncia su próxima partida hacia los Países Bajos y Vincent vuelve a sentirse abandonado. Su angustia se manifiesta en sus últimas obras, *El campo de trigo con cuervos* (*id.*, Amsterdam) y *Árboles, raíces y ramas* (*id.*). El 27 de julio de 1890, se dispara en el pecho y muere el 29 por la mañana.

Van Gogh aporta al fauvismo y al expresionismo la fuerza de su color. La correspondencia con su hermano Théo, que será su apoyo moral y financiero a lo largo de toda su vida, es un documento inigualable para seguir el recorrido del artista.

INFLUENCIAS Y CARACTERÍSTICAS PICTÓRICAS

Pintor de retratos, sobre todo autorretratos y paisajes, Van Gogh deja también escenas populares que representan a campesinos y tejedores, escenas de interior (en el restaurante, en el café, en su habitación, en el hospital psiquiátrico), composiciones florales y naturalezas muertas. Sus óleos sobre tela son de formato pequeño y mediano.

Théo y el doctor Gauchet coleccionan sus cuadros, la pintora belga Anna Bloch le compra la única obra que vendió en su vida: *Viñedo rojo en Arles.*

Sus encuentros y los lugares de sus estancias tuvieron un impacto directo sobre su arte. En los países Bajos, Van Gogh recibe la influencia de *Hals, *Rembrandt y del realista A. Mauve. En Amberes, el color de Rubens le impresiona. En París descubre los temas realistas de Millet y de *Daumier, lo mismo que el arte de coloristas como el *Veronés y Delacroix. Está familiarizado tanto con el impresionismo como con el neoimpresionismo o el japonesismo, o el sintetismo, y con pintores de Pont-Aven lo mismo que con Cézanne, Gauguin, Monticelli y Toulouse-Lautrec, que le revelan los recursos del color, que se ven reavivados por la luz provenzal.

• En sus inicios, Van Gogh contraría a su genio al escoger pintar con realismo, como Millet y Daumier, a los humildes. Dibuja del natural, escoge una paleta oscura con negro amarronado o betún y una brocha para distribuir los empastes pronunciados y expresivos. El claroscuro lo realiza a imitación de sus compatriotas Hals y Rembrandt. Doscientos cuadros (escenas de género, paisajes, naturalezas muertas) datan de este período *(Comiendo patatas).*

• En París tiene lugar la metamorfosis de su arte. El descubrimiento del color veneciano, del de Rubens, del impresionista y postimpresionista le incitan a hacer más clara su paleta. Si bien los paisajes siguen teniendo la discreción de un Corot *(El Moulin de la Galette),* los ramos y los personajes integran la vivacidad de los colores. La estampa japonesa le enseña la libertad de la disposición, la simplicidad del tema, la asociación del dibujo con el color liso, franco y deslumbrante. El neoimpresionista Signac le muestra por el contrario el trabajo de la pincelada fragmentada *(La italiana).* Sus obras se hacen más vivas, la materia más densa, el color más rico, la luz más sutil *(Interior de restaurante).*

• En el Midi, en Arles y luego en Saint-Rémy, Van Gogh busca la luz coloreada que permitirá superar el impresionismo, demasiado alusivo para él, y el neoimpresionismo, demasiado puntillista, para reencontrar la unidad formal, desarrollar la expresión, el simbolismo de la forma y del color.

• El trabajo comunitario con Gauguin y la influencia de la técnica de la estampa hacen que sature sus fondos de color: los mezcla con trazos discontinuos de obediencia neoimpresionista.

UN GRAN MAESTRO

◆ Pintor marginado e incomprendido, artista «maldito», Van Gogh no obtiene ningún éxito comercial en vida. Solamente sus amigos próximos y su hermano le animan.

◆ Van Gogh supera en su trayectoria el impresionismo y el neoimpresionismo. Su estética demuestra una fuerza singular que mezcla las experiencias de la vida con la pintura.

◆ Da una nueva densidad al color, nuevos ritmos al trazo, un acento expresionista todavía desconocido.

Van Gogh

Llega a la madurez de su arte cuando crea armonías de amarillos, verdes, azules y malvas, de una densidad cromática y de una vibración luminosa inigualadas, y afirma un virtuosismo y una fuerza casi gestual del trazo. La materialidad confiere al sujeto una presencia táctil *(Los girasoles)*. Utiliza poco los tonos cálidos, busca, según escribe, «los tonos rotos y neutros para armonizar la brutalidad de los extremos». Esta evolución del trazo se manifiesta sobre todo en *El campo de olivos* y *La noche estrellada*: «Al brillo del colorido de Arles le sucede [...] en telas convulsivas de una gama menos sonora, el del grafismo y la pincelada cuyos trazos discontinuos y sinuosos imprimen [...] movimientos idénticos a los de la locura» (R. Fohr, 1999).

• Instalado en la región parisina, en Auvers-sur-Ose, Van Gogh crea unas noventa telas, sus últimas obras maestras, en la angustia de nuevas crisis. Su estilo es atormentado, nudoso y caótico, y los tonos a menudo son fríos y opacos (*La iglesia de Auvers* y *Campos en Cordeville*).

• La cuarentena de retratos que realizó aporta luz sobre la evolución de su trayectoria artística: del claroscuro al color intenso y luego saturado; del oficio «sosegado» a uno más animado y luego colérico; del estilo realista al neoimpresionista hasta la tendencia expresionista y fauvista.

La italiana
1887. Óleo sobre tela, 81 × 60 cm, París, Museo de Orsay

Si Van Gogh tiene la preocupación de representar lo humano y su propio retrato, en este cuadro se ocupa de un tema de moda, el de la mujer sola, sentada en un café. Tiene los rasgos de una antigua modelo, Agostina Segatori, que lleva el café del Tambourin, en el boulevard de Clichy. La había conocido frecuentando a los impresionistas y los divisionistas. Como en el retrato contemporáneo del *père* Tanguy, Van Gogh une la modernidad a sus impulsos creativos. Sitúa este retrato en un espacio pictórico reducido, sin perspectiva.
El fondo amarillo, surgido de la técnica de la mancha de color puro y opaco de las estampas, demuestra una factura rigurosa, «pre-fauvista». Esta mujer estilizada parece prisionera del cuadro y del respaldo de la silla, ambos asimétricos, que equilibran la composición. Van Gogh utiliza rayas oblicuas para construir las vestiduras de Agostina y estrías verticales y horizontales que acentúan la pose frontal, casi hierática, del modelo.
El pintor reserva el rojo y verde para la cara, con el propósito, según escribe, de «expresar las terribles pasiones de la humanidad».

Campos en Cordeville, en Auvers-sur-Oise
Junio de 1890. Óleo sobre tela, 73 × 92 cm, París, Museo de Orsay

Poco antes de su suicidio, el pintor sigue admirando estas casas «gravemente» bellas y el espectáculo de la naturaleza. Las pinta utilizando colores atenuados y fundidos entre ellos. Los verdes y los azules violáceos dominan. La casa parece desaparecer bajo la exuberancia del verde. La factura arremolinada, atormentada y convulsiva, rica en empastes, deja que se transparente la tela desnuda.
Esta expresividad exaltada y febril, legible también en los retratos realizados durante la misma época, se acompaña de un frenesí por pintar: alrededor de un lienzo al día durante los últimos tiempos de su vida.

OBRAS CARACTERÍSTICAS
La obra de Van Gogh cuenta entre 700 y 850 pinturas, según los historiadores del arte
Comiendo patatas, 1885, Otterloo, K.-M.
El Moulin de la Galette, 1887, París, Orsay
La italiana, 1887, París, Orsay
Retrato del artista, 1887, París, Orsay
El puente del Anglois, 1888, Otterloo, K.-M.
El salón de baile en Arles, 1888, París, Orsay
Retrato de Eugène Boch, 1888, París, Orsay
Viñedo rojo en Arles, 1888, Moscú, Pushkin
Los girasoles, 1888, Amsterdam, M.N.V. Gogh
La noche estrellada, 1888, París, Orsay
La habitación de Arles, 1889, París, Orsay
Autorretrato con la oreja cortada, 1889, Londres, C.I.
Campo de olivos, 1889, París, Orsay
Autorretrato, 1889, París, Orsay
La iglesia de Auvers, 1890, París, Orsay
Retrato del doctor Gachet, París, Orsay
Campos en Cordeville, en Auvers-sur-Oise, 1890, París, Orsay
Campo de trigo con cuervos, 1890, Amsterdam, M.N.V. Gogh

BIBLIOGRAFÍA
Vedovello, Franco, *Van Gogh: la vida y la obra*, Mondadori-Grijalbo, Barcelona, 1992; Macquillan, Melissa, *Van Gogh*, Destino, Barcelona, 1993; Metzger, Rainer; Walther, Ingo F., *Vincent van Gogh. La obra completa: pintura*, Taschen, Colonia, 1997; Tortelo, Anna, *Van Gogh*, Electa, Madrid, 1999; Gogh, Vincent van, *Cartas a Théo*, Paidós, Barcelona, 2004.

Seurat

Seurat, fundador del neoimpresionismo, se inspira en las teorías científicas sobre el color para elaborar el divisionismo. Trabaja las líneas de composición y la expresión del trazo con el fin de crear una «pintura óptica» en donde la tradición sirva de trampolín a la imaginación creadora.

RECORRIDO BIOGRÁFICO

• Georges Seurat, pintor teórico francés (París 1859-*id*. 1891) estudia en la escuela de bellas arte junto a H. Lehmann, discípulo a su vez de *Ingres. Recibe una formación clásica y lee los escritos so bre el color de C. Corot, de *Delacroix y del químico M. E. Chevreul (*De la ley del contraste simultá neo de los colores*, 1829). En 1879, la cuarta exposición impresionista provoca en él una «conmoción inesperada». Entre 1881 y 1883 se ve influenciado por los temas de la escuela de Barbizon y por la técnica impresionista. El jurado académico de bellas artes acepta en el Salón del Louvre de 1883 *El re trato de Aman-Jean* (Nueva York, M.O.M.A.).

• De todos modos, su primera obra importante, *El baño en Asnières* (1884, Londres) es rechazada. Seurat ha empezado ya a simplificar las formas. En 1884, entabla amistad con P. Signac, pintor que se conver tirá en el teórico del divisionismo, y recibe el apoyo de C. Pissarro. En *Un domingo de verano en la Gran de Jatte* (1886, Chicago) aplica la técnica de la «división» de colores en toques puros y complementario que forman una «pintura óptica». Al escándalo que provoca el cuadro en los círculos académicos y en el público en general responde con su entusiasmo el poeta simbolista É. Verhaeren, lo mismo que el interés de críticos como F. Fénéon y G. Kahn. Seurat expone en Nueva York de la mano de Durand-Ruel, en París, de la de Martinet, y consigue un importante éxito. En 1886 participa en la última exposición im presionista y expone en el Salón de los independientes: *La Grande Jatte, Las modelos* (1888, París, Orsay) *El desfile del circo* (*id.*, Nueva York), *El chahut* (1890, Otterloo) y *El circo* (1891, París). Seurat pinta tam bién paisajes: *Grandcamp* (1885, Londres, T.G.) y marinas: *Honfleur* (1886, Otterloo, K.-M.).

• La *Introducción a una estética científica* de Charles Henry (1886) establece las relaciones entre la expresión de la línea y del color. Desde entonces, Seurat trabaja sobre la calidad de los trazos, la re lación entre ellos y sus proporciones en la composición. Seurat muere súbitamente en 1891.

Su corta vida, la teoría que estableció, el método y las laboriosas investigaciones que siguió, expli can las pocas pinturas que llevó a cabo. El arte de Seurat influenciará a sus amigos puntillistas, co mo Signac, Pissarro, M. Luce o Ch. Angrand, y también a los expresionistas, a los seguidores de fauvismo, del cubismo, del futurismo, el movimiento De Stijl y la Bauhaus.

INFLUENCIAS Y CARACTERÍSTICAS PICTÓRICAS

Seurat representa paisajes de campo, vistas marinas, escenas junto al agua, retratos y algunos des nudos. Le gustan las diversiones populares, los desfiles, el circo, los conciertos. Sus investigaciones le llevan a escoger formatos cada vez mayores.

Se interesa en los escritos teóricos sobre el color, se impregna del arte de la antigüedad y de los maes tros clásicos como *Piero della Francesca, Ingres, P. Puvis de Chavannes, de los paisajes de la escuela de Barbizon y del oficio de los impresionistas. Dibuja a modelos vivos.

UN GRAN MAESTRO

◆ El valor artístico de Seurat se le reconoce en vida: su obra suscita la controversia.
◆ El artista rompe con el impresionismo e inventa el divisionismo, llamado también neoimpresionismo.
◆ Su búsqueda científica se concentra en los colores puros y complementarios, las líneas de composición y la factura. Seurat coloca directamente sobre la tela colores puros que trabaja en toques divididos y «orientados» La mezcla es exclusivamente óptica. Abandona la perspectiva y la profundidad tradicionales.
◆ Seurat demuestra que la ciencia puede exaltar el talento, y que la agudeza visual desarrolla el buen hacer.

BIBLIOGRAFÍA

Russell, John, *Seurat*, Thames and Hudson, Londres, 1985; Tilston, Richard, *Seurat*, Libsa, Madrid, 1991; Grenier Catherine, *Seurat : catálogo completo*, Akal, Madrid, 1992.

El circo
1891. Óleo sobre tela
1,85 × 1,52 m,
París, Museo de Orsay

Esta obra maestra inacabada
asocia la trayectoria teórica
y la virtuosidad plástica de Seurat.
Da pruebas de su dominio
científico del color y de las líneas
de composición.
El espectador del cuadro se ve
proyectado al centro de la pista,
junto al clown que lanza el
movimiento del carrusel.
Seurat piensa la composición
en términos de líneas, sin efectos
de perspectiva ni de profundidad.
La yuxtaposición de colores puros
y complementarios en los que
dominan el amarillo y el violeta
hace vibrar el juego de sombras
y de la luz. Las pinceladas se
orientan en líneas, en curvas
y en arabescos.
En este cuadro destaca un
inteligente juego de oposiciones:
líneas verticales, horizontales y
curvas; colores primarios y sus
complementarios; realismo
del tema e irrealismo
de la escena; calma de los
espectadores estáticos y alegría de
los actores móviles de expresivas
mímicas; pobres en lo alto de las
gradas y ricos abajo. Todo vive,
todo resulta decorativo y
magistral en esta tela orquestada
con sabiduría.

OBRAS CARACTERÍSTICAS

Seurat no realizó más que una treintena de obras.

El baño en Asnières, 1884, Londres, N.G.
Un domingo de verano en la Grande Jatte, 1886, Chicago, A.I.
El desfile del circo, 1888, Nueva York, M.O.M.A.
El chahut, 1890, Otterloo, K.-M.
El circo, 1891, París, Orsay

• En sus inicios, Seurat se impregna de las teorías sobre los colores. Dibuja meticulosamente a lápiz negro Conté sobre papel Ingres para obtener un claroscuro en degradado o en contraste, en el mismo espíritu que los paisajes de Barbizon. Seurat simplifica las formas de sus personajes, inspiradas en Ingres o en P. Puvis de Chavannes hasta obtener una silueta sólida e imponente que recuerda a las de Piero della Francesca. La influencia impresionista se lee en la elección del tema, en la claridad de la luz, en la pincelada ligera pero ancha, entrecruzada y arrastrada.
• En 1884 aplicará al color y a la línea su arte matemático. Utiliza tonos puros yuxtapuestos según la teoría de los complementarios y un contraste que ignora la profundidad. Más tarde armoniza las líneas de la estructura con el color para conseguir construir un «sistema lógico, científico y pictórico», según explica. Se define como un «impresionista-luminista» en busca de una «fórmula de pintura óptica». En *Más allá del impresionismo* (1886) Fénéon define la técnica de Seurat: «En lugar de triturar las pastas sobre la paleta [...] el pintor colocará sobre el lienzo toques que reproduzcan el color local, es decir, el que tomaría dicha superficie en la luz blanca [...]. Este color, no acromatizado en su paleta, queda acromatizado indirectamente sobre la tela, en virtud de las leyes del contraste simultáneo, mediante la intervención de otra serie de toques [...] que se efectúan no por rayaduras del pincel, sino por la aplicación de mínimas capas colorantes». Con un propósito decorativo, Seurat pinta a veces el reborde de la tela y el marco del cuadro en una gama de tonos opuestos a la del cuadro. La aplicación pictórica de su teoría sobre el color vivirá su apogeo a partir de 1888.
• Hasta 1890-1891 Seurat no conseguirá la expresión emocional y simbólica de las líneas y de los colores. Las comas, las rayaduras, los bastoncillos coloreados siguen las formas y las direcciones de los elementos pintados. Las curvas, los arabescos, las diagonales dan una impresión de movimiento y de alegría. Las horizontales y las verticales sugieren la tranquilidad.

Toulouse-Lautrec

Toulouse-Lautrec, feo y deforme pero vital, excéntrico, generoso, epicúreo y libertino, vive dolorosamente su deficiencia. Físicamente aparte, describe con lucidez y pasión esa otra marginalidad que es la vida nocturna. Su factura vigorosa, de trazos encabalgados o yuxtapuestos, y su técnica, a veces mixta, son singulares. Los colores vivos y audaces caracterizan su obra.

RECORRIDO BIOGRÁFICO

• Henri Marie Raymond de Toulouse-Lautrec Monfa, llamado Henri de Toulouse-Lautrec (Albi 1864-Malromé, Gironde, 1901), pintor francés, es de origen aristocrático, nacido de un matrimonio entre primos hermanos. Pasa su infancia en París y en la región de Aube, se le educa en la pasión del caballo y de la caza, en la exaltación del coraje y de la gloria, pero también en el placer del dibujo.
• En 1878, enfermo de una afección de los huesos incurable, trabaja con asiduidad y libremente la pintura y el diseño. Se forma junto al pintor de animales R. Princeteau y ya muestra la alegría y la modernidad que serán características de su obra: *Artillero ensillando a su caballo* (1879, Albi, M. Toulouse-Lautrec), *Un dog-cart* (1880, *id.*), *Alphonse de Toulouse-Lautrec Monfa conduciendo su mail-coach en Niza* (un retrato de su padre, 1881, París).
• La influencia de Manet y de los impresionistas es sensible en *El joven Routy en Celeyran* (1882, Albi, M. Tolouse-Lautrec), en *Madame la condesa Adela de Toulouse-Lautrec* (1883, *id.*), un retrato de su madre, y en *Autorretrato* (h. 1883, *id.*).
• En 1882 entra en la escuela de bellas artes, en el taller de L. Bonnat, y luego en el de Cormon. Hace amistad con É. Bernard., L. Anquetin y sobre todo con *Van Gogh: *Van Gogh* (1887, Amsterdam, M.N.V. Gogh). Su oficio «académico», manifiesto en *Carmen Gaudin*, en donde representa a la cantante conocida como Rosa la Rouge (1884, Williamstown), evoluciona hacia una gran libertad de ejecución en el *Retrato de madame Lily Grenier* (1888, Nueva York, col. W.S. Paley). El mundo del circo le fascina: *En el circo Fernando: la amazona* (*id.*, Chicago). En 1888, participa con éxito en la exposición llamada «de los XX» en Bruselas. La marca de Degas es sensible en el naturalismo de *La bebedora* (1889, Albi, M. Toulouse-Lautrec), *La lavandera* (1889, col. part.) o en *Justine Dieuhl sentada [...]* (1891, París).
• Hacia 1890, Lautrec se acerca a Renoir y a los nabis. Gracias a ellos conoce a los hermanos Natanson, fundadores de la *Revue blanche*. Celebra los cabarets de Montmartre: *El baile del Moulin de la Galette* (1889, Chicago, A.I.); *En el Moulin-Rouge, el baile* (1890, Filadelfia); *En el Moulin-Rouge* (1892, Chicago, A.I.). Frecuenta Le Chat Noir y las salas de *café-concert* como l'Alcazar, la Scala... y los lupanares: *El diván* (1893, São Paulo), *En el salón de la rue des Moulins* (1894, Albi). Frecuenta estos lugares todas las noches, como testigo y como cliente, en compañía de su primo, el doctor Tapié de Celeyran. Muestra su aprecio por las cantantes (Nini Peau-de-Chien, Rosa la Rouge), conoce a bailarinas de cancán como Grille d'Égout, Rayon d'Or, Nini Patte-en-l'Air, Trompe-la-Mort, la Mélinite (Jane Avril), y también y sobre todo a La Goulue y al bailarín Valentin le Désossé («el deshuesado»). En su pintura magnifica todas estas mujeres: *En el Moulin-Rouge, entrada de La Goulue* (1892, Nueva York, M.O.M.A); *En el Moulin-Rouge: la salida de la cuadrilla* (*id.*, Washington); *Jane Avril entrando en el Moulin Rouge* (*id.*, Londres, C.I.), *Jane Avril bailando* (h. 1891-1892, París); *Jane Avril saliendo del Moulin-Rouge* (1892, Hartord, W.A.). En cambio, es despiadado cuando retrata a los espectadores-*voyeurs* o a los proxenetas. Pinta con rigor y autenticidad *La mujer del boa negro* (1892, París), *Monsieur Boileau* (1893, Cleveland), *Monsieur Delaporte* (1893, Copenhague, N.C.G.), *El doctor Tapié en el pasillo del teatro* (1894, Albi, Toulouse-Lautrec) y *Oscar Wilde* (1895, Beverly Hills, col. C.H.L. Lester). Sus litografías, ejecutadas a partir de 1891, tienen un éxito enorme.
• La galería Boussod y Valadon organiza su primera exposición en 1893. En 1895 colabora en las maquetas de los decorados del teatro de l'Œuvre, del Théâtre-Libre, y pinta la barraca de La Goulue en la Foire du Trône, sobre el tema de *La danza morisca* (1895, París, Orsay).
• Se interesa por las cantantes y las actrices: *Yvette Guilbert saludando al público* (1894, Albi), *May Belfort* (1895, M. de Cleveland). El mundo del circo le sigue fascinando: *En el Moulin-Rouge: la clown Chao-U-Kao* (*id.*, Winterthur), *La clown* (*id.*, París, Orsay). Las bailarinas se contor-

sionan bajo su pincel: *Marcelle Lender bailando en «Chilpéric»* (1896, Nueva York, col. Whitney), *La troupe de Mlle. Églantine* (*id.*, col. part.). Como Degas, se ve atraído hacia la intimidad femenina: *Mujer peinándose* (1891, París, Orsay), *Mujer que se estira la media* (1894, Albi, M. Toulouse-Lautrec), *La toilette* (1896, París), *En el aseo* (1898, Albi, M. Toulouse-Lautrec). Inmortaliza a una amiga prostituta, abandonada sobre una cama: *Seule* (1896, París, Orsay).

• Viaja: a Londres, Bélgica y España en 1896, a los Países Bajos en 1897.

• La vida nocturna le arrastra hacia el alcoholismo. En 1899 se ve obligado a seguir una cura de desintoxicación tras una primera crisis de *delirium tremens.* Dibuja y pinta frenéticamente sus últimas obras maestras: *En el Rat-Mort* (1899, Londres, C.I.); *La inglesa del Star* (la cantante *Miss Dolly, id.*, Albi. M. Toulouse-Lautrec); *La modista* (1900, Albi) o la tragedia lírica *Messalina* (*id.*, Zurich, col. Bührle). Afectado de parálisis, vende su taller parisino y vuelve con su madre al castillo de Malromé, en donde muere a la edad de treinta y siete años.

Toulouse-Lautrec y los nabis (É. Bernard, Anquetin...) comparten la estética de las manchas de color uniforme. Lautrec influencia a Gauguin, anuncia el modernismo y el fauvismo, por la audacia del color, y a los expresionistas por la violencia expresiva nacida de su drama personal. La libertad del tema, del tono y de la línea anuncia el arte moderno. Sus parodias y sus mistificaciones son presagios del movimiento dadá. Tras la muerte del artista, su madre lega al museo de Albi las pinturas, los dibujos, los grabados y los carteles.

INFLUENCIAS Y CARACTERÍSTICAS PICTÓRICAS

Lautrec es fiel a las mujeres de la noche: bailarinas, actrices, cantantes, clowns, prostitutas... Las representa solas o en el ambiente de los cabarets y de los burdeles, exhibidas en la parte frontal de la escena o abandonadas a ellas mismas entre bastidores. Pinta también al público de los bares, de las carreras de caballos, de los conciertos y de los bailes, a sus amigos y algunos autorretratos. Pinta sobre todo lienzos, madera o cartón, en formatos variados.

Trabaja para La Goulue, para los teatros... El marchante Théo Van Gogh y su amigo Joyant venden diversas obras suyas.

Lautrec efectúa una carrera parisina. Aunque se forma en bellas artes, le atraen las obras de *Manet, el impresionismo, Van Gogh, Renoir y los nabis. Aprecia también el arte de Degas y las estampas japonesas de Hiroshige, de Utamaro y de Hokusai.

• En sus inicios, Lautrec manifiesta la vivacidad de la libertad de su factura en sus «retratos» de caballos en movimiento (*Caballo blanco «Gazelle»*, 1881, Albi, M. Toulouse-Lautrec) Se deja seducir por la modernidad de Manet, por los colores claros, el trazo vibrante de los impresionistas. Construye sólidamente sus lienzos simplificando los planos . El hieratismo propio de Cézanne inmoviliza sus retratos y sus autorretratos, aunque se reflejen en un espejo o vuelvan la espalda, retomando a veces el estilo hispano-holandés entonces de moda. Sus cuadros puntillistas o de rayaduras vigorosas proceden de la técnica de Van Gogh. En cambio, su formación académica junto a Bonnat y Cormon derivan en tonos más oscuros y en un oficio más sosegado (*Carmen la pelirroja*, 1881, Albi, M. Toulouse-Lautrec).

UN GRAN MAESTRO

◆ Toulouse-Lautrec se hace famoso en 1895, principalmente como ilustrador y cartelista. Su talento como pintor se le reconoce tras la muerte, en una retrospectiva presentada en 1902 en la galería Durand-Ruel.

◆ Este «genio urbano» (J. Cassou, 1968) se diferencia radicalmente de todos los estilos y movimientos de su época, tanto por la elección de los temas como por el oficio y el colorido.

◆ Lautrec crea escenas de los placeres nocturnos. Inmortaliza a las bailarinas de cancán, a las prostitutas y los elementos propios de su entorno, proxenetas y consumidores libidinosos.

◆ Crea sus obras en unos cuantos trazos o pinceladas rabiosas, tanto transparentes como opacas. Su audacia en las armonías de tonos vivos y de sombras coloreadas lo convierte en el precursor del fauvismo y del expresionismo.

◆ Lautrec utiliza todas las técnicas: pintura, pastel, dibujo y grabado. Le gustan los paneles de madera sin preparar y el cartón espeso y basto, marrón o gris, que en algunas zonas absorbe la pintura fluida y ofrece un fondo de materia a la obra. Traza el contorno de la formas al óleo o con disolvente, ejecuta los personajes al óleo, a veces con realces de guache claro. Sus carteles constituyen obras maestras por su espíritu y audacia.

Toulouse-Lautrec

• Artista independiente, Lautrec se aleja de los estilos de su época. Describe el microcosmos nocturno, festivo y marginal, sin curiosidad ni voyeurismo, sin ningún discurso moralizante, social o humanitario. «Todas las noches voy al bar para trabajar», escribe. Pinta el ritmo endiablado del cancán, las piernas que se levantan en arabescos que permiten ver los encajes de las enaguas. Pinta a las prostitutas, impúdicas y cansadas, transfiguradas por el artificio del maquillaje. En el cabaret o en el bar, pinta rápidamente las siluetas masculinas en busca de los placeres. Sus representaciones femeninas, aunque sean realistas, son más indulgentes y magnifican a la mujer. Como Degas, su guía para las escenas de género parisinas y por su afición a los temas modernos *(La lavandera)*, su sentido aguzado de la observación y de la filosofía le permiten captar a sus modelos del natural, en la inmediatez de su ser, sea cual sea su medio social. «He intentado hacer realidad, no ideal», afirma. «Solamente existe la figura, el paisaje no es ni debe ser más que accesorio».

• El encuadramiento japonizante de Lautrec es original y arbitrario: grandes líneas de fuga dan profundidad a sus cuadros y favorecen los vacíos dinámicos. Los ángulos particulares ponen en evidencia los primeros planos. El artista se concentra en la fuerza expresiva del dibujo, de trazo agudo, rápido, expresivo y sugerente, a expensas del modelado. El color sonoro, en el que se mezclan naranjas, rojos, rosas y violetas, y gamas de verdes y azules violáceos, puede convertirse a veces en «mate y suntuoso, a veces embarrado, casi sucio, según el caso» (G. Gefroy, 1893). A menudo lo aplica en manchas lisas, en la línea del japonesismo, o en amplias pinceladas, y toma vida bajo la iluminación cruda de las bombillas del escenario. La luz fría saca a los personajes de la sombra y acentúa los rasgos de los rostros siguiendo la vena humorística de Daumier *(Jane Avril)*. En sus autorretratos, Lautrec demuestra su ironía e incluso un agudo sentido de la caricatura.

• Sus últimas obras, estructuradas sobriamente mediante grandes líneas verticales u oblicuas, se colorean con tonos estridentes *(Messaline)* o por el contrario luministas, en contraste con un fondo oscuro *(La modista)*.

En el Moulin-Rouge, el baile
1890. Óleo sobre tela, 115 × 150 cm, Filadelfia, colección McIlhenny

A la izquierda del cuadro, el bailarín Valentin le Desossé dirige a una bailarina, una pelirroja fuerte y con los cabellos recogidos en un moño: quizás se trate de La Goulue en una actuación en público. Esta mujer había creado un número derivado del *french cancan* llamado «Cuadrilla naturalista»: se ponía la pierna por detrás de la cabeza acababa el movimiento con un *grand écart* acompañado de un grito estridente. A la derecha, al fondo, percibimos a los amigos de Toulouse-Lautrec: los pintores M. Guibert, F. Gauzi y M. Desboutin, el fotógrafo P. Sescau. Al fondo, de frente, se reconoce a Jane Avril, otra célebre bailarina, musa del pintor, mientras que en primer plano se alza una elegante dama.
Lautrec construye una perspectiva profunda que arrastra la mirada a lo largo de la horizontal central y de la diagonal de la derecha. El movimiento de los bailarines se opone a la actitud estática del público. Los colores vivos y los tonos terrosos bajo una iluminación fría contrastan con los abrigos rayados de negro y con los oscuros sombreros de los hombres.

OBRAS CARACTERÍSTICAS

Lautrec pinta alrededor de 675 obras y realiza carteles y litografías.

Autorretrato, h. 1880, Museo de Albi
Alphonse de Toulouse-Lautrec Monfa conduciendo su mail-coach en Niza, 1881, París, P.P.
Madame la condesa Adèle de Toulouse-Lautrec, 1883, Albi, M. Toulouse-Lautrec
Carmen Gaudin, 1884, Williamstown [Mass.], S and F. Clark A.I.
En el circo Fernando: la amazona, 1888, Chicago, A.I.
En el Moulin-Rouge, el baile, 1890, Filadelfia, col. McIlhenny
Justine Dieuhl sentada en el jardín de M. Forest, 1891, París, Orsay
En el Moulin-Rouge: la salida de la cuadrilla, 1892, Washington, N.G.A.
Jane Avril bailando, h. 1891-1892, París, Orsay
La mujer del boa negro, 1892, París, Orsay
El diván, 1893, São Paulo, M.A.
Monsieur Boileau, 1893, Cleveland, M.A.
En el salón de la rue des Moulins, 1894, Albi, M. Toulouse-Lautrec
Yvette Guilbert saludando al público, 1894, Albi, M. Toulouse-Lautrec
En el Moulin-Rouge: la clown Cha-U-Kao, 1895, Winterthur, Museos O. Reinhart
La toilette, 1896, París, Orsay
En el Rat-Mort, 1899, Londres, C.I.
La modista, 1900, Albi, M. Toulouse-Lautrec

BIBLIOGRAFÍA

Le Targat, François, *Toulouse-Lautrec,* Polígrafa, Barcelona, 1988; Devynck, Danièle; Bozal, Valeriano, *Toulouse-Lautrec,* Arte y Ciencia: Fundación Joan March, Madrid, 1996; Tobien, Felicitas, *Toulouse Lautrec,* Editors, Barcelona, 2003.

El arte moderno y los inicios del arte contemporáneo (1905-1965)

El arte del siglo xx refleja los trastornos sociales, las rupturas políticas e ideológicas, los progresos científicos y técnicos, la explosión del pensamiento concerniente al hombre en la sociedad (socialismo, comunismo) y en su relación consigo mismo (psicoanálisis).

Desde el fin del siglo xix está presente el detonante de los movimientos del siglo xx: *Van Gogh y *Cézanne anuncian respectivamente el fauvismo y el expresionismo en un caso, el cubismo en el otro. Pero tanto el cubismo como la abstracción (que sobre todo *Manet y *Monet han dejado entrever), marcan fracturas irreversibles.

Mientras *Gauguin (muerto en 1903), huyendo de la «civilización», vuelve a las fuentes de una humanidad «primitiva», el mundo industrial, la velocidad y el movimiento fascinan a pintores como *Léger, a los futuristas italianos (Severini), y luego rusos (Lariónov), aunque este modelo de sociedad subleva a los artistas dadá.

Como otro signo de los tiempos, se inicia un movimiento hacia Estados Unidos. El Armory Show presenta en Nueva York, en 1913, además de a los pintores norteamericanos de vanguardia (Max Weber y Dove entre otros), a los artistas europeos, desde finales del siglo xix hasta *Duchamp *(Desnudo bajando por una escalera)*. Esta última obra levanta un escándalo. La provocación prosigue con las creaciones dadá (Picabia) y luego con las surrealistas, impregnadas por el psicoanálisis (*Ernst, *Miró). El exilio hacia Estados Unidos, que se inicia con los totalitarismos, se refuerza con la segunda guerra mundial. Concierne a la mayor parte de los grandes pintores europeos. Su influencia será determinante para el nacimiento de la futura gran pintura americana, de *Pollock a *Warhol.

LA REVOLUCIÓN CIENTÍFICA Y TÉCNICA

Tras sus primeros trabajos sobre los quanta, en 1905, Einstein formula en 1914 las bases de la teoría de la relatividad, de donde surgirán sus investigaciones sobre el átomo y la energía nuclear. A comienzos de siglo se crean las radiocomunicaciones. Se generaliza el automóvil en serie, desde unos cuantos miles hacia 1910 a alrededor de 400 millones a mediados de siglo. La aeronáutica se desarrolla: Blériot atraviesa el canal de la Mancha en avión en 1909 y C. Lindbergh sobrevuela el Atlántico en 1927, año de la llegada del cine hablado. Investigadores europeos y americanos ponen a punto la técnica del radar en la década de 1930. El estadounidense Du Pont de Nemours comercializa el nilón en 1938. Redescubiertas en 1900, las leyes de Mendel sobre la transmisión de caracteres hereditarios conducen a la identificación de la doble espiral del ADN (1953), lo que inaugura la biología molecular y la genética. Los progresos de la astrofísica colocan a la Unión Soviética a la cabeza de la conquista espacial con el satélite *Sputnik* (1957), seguido por el vuelo de un hombre en el espacio en 1961. Finalmente, los ordenadores empiezan a ponerse a punto bajo la forma de «calculadoras» (*computers*).

EUROPA DESGARRADA (1905-1939)

El capitalismo industrial, comercial y financiero hace que Occidente experimente una expansión fulgurante que despierta las reivindicaciones obreras y estimula los movimientos revolucionarios. El desarrollo económico de Alemania y de su fuerza naval, y la carrera de armamentos en la que se implican todas las potencias crean en Europa, tras las guerras balcánicas (1912-1913), una tensión explosiva. La primera guerra mundial, que opone la Triple alianza (Alemania, Austria-Hungría, Italia y, después, Turquía) a la Triple entente (Francia, Gran Bretaña, Rusia y, luego, Japón y Estados Unidos) cuesta la vida a 8 millones de personas. La crisis económica de 1929, nacida del crac de Wall Street, la Bolsa de Nueva York, debilita a todas las democracias europeas.

Una Francia laica y luego socialista. El *affaire* Dreyfus moviliza a los republicanos contra el conservadurismo ultracatólico, nacionalista y antisemita. Francia sale victoriosa de la guerra gracias a la intervención americana. La crisis económica sacude al país. En las elecciones de

1936 gana el Frente Popular (alianza comunistas-socialistas), lo que permite reformas sociales considerables. En 1939, Hitler arrastra a Francia y Gran Bretaña a una nueva guerra mundial.

Gran Bretaña en la tormenta. El partido laborista nace en 1906. Lloyd George firma la entente cordial con Francia en 1904 y luego la triple entente anglo-franco-rusa en 1907. La disminución del poder de los lords viene acompañada por leyes sociales importantes. Tras la primera guerra mundial el país conoce un fuerte crecimiento. Churchill reinstaura la paridad de la libra con el dólar (1925). En 1931, la crisis golpea con toda su fuerza esta economía floreciente, lo que provoca una gran miseria social. Chamberlain por Gran Bretaña y Daladier por Francia firman en 1938 con Hitler y Mussolini los acuerdos de Munich, que validan la ocupación de Checoslovaquia. No declararán la guerra a Alemania hasta después de la invasión de Polonia en septiembre de 1939.

La emergencia de los Estados Unidos. En 1890, los estados de la Unión se extienden del Atlántico al Pacífico. Tras la guerra de Secesión, una fuerte inmigración favorece la recuperación económica. En abril de 1917, Estados Unidos entra en guerra contra Alemania. La ayuda que proporcionan a los aliados relanza su propia producción industrial y agrícola. Al final de la guerra, el presidente Wilson no puede hacer ratificar por parte del Senado ni el tratado de Versalles ni la entrada de Estados Unidos en la Sociedad de naciones (creada en 1920). En la década de 1920 prosigue la política proteccionista, se frena la inmigración y se instaura la prohibición. La crisis bursátil del 24 de octubre de 1929 (el «jueves negro») en Wall Street provoca el cierre de empresas y el paro. Roosevelt, nuevamente elegido presidente, lanza en 1933 una política económica más dirigista: el New Deal. A partir de 1937, apoya las democracias europeas.

La ascensión de los totalitarismos

Si el imperialismo colonial caracterizaba al siglo XIX, el nacimiento de estados totalitarios europeos marca al siglo XX. La primera guerra mundial, desastrosa para Rusia, cristaliza el descontento y conduce a la toma del poder por parte de los bolcheviques. En Alemania e Italia, perdedoras de la guerra, el deseo de revancha contribuye al nacimiento del nazismo y del fascismo. Algo más tarde se instaurará el franquismo en España, con la complicidad y la ayuda eficaz de los regímenes mussoliniano y hitleriano. Bajo éstos, el arte y la cultura se verán directamente sometidos a las necesidades del poder.

Rusia, del impulso revolucionario al realismo socialista. Tras la creación de los soviets en el frente en 1917, Lenin lidera la revolución de octubre. El poder pasa a manos de los socialistas y luego a las de los bolcheviques en 1918. Lenin firma la paz con Alemania. Stalin le sucederá en 1924. La mayoría de los artistas (*Maliévich, el inventor del suprematismo, *Kandinsky, Lissitski, Chagall) participan en el esfuerzo revolucionario. Sin embargo, Tamara de Lempicka, futura figura del Art déco, y Bakst, pintor decorador, huyen de la revolución. Desde 1912, poetas y escritores como Maiakovski, Burliuk y Jliébnikov son seducidos por la modernidad y apoyan a Maliévich. Lenin dirige el arte al pueblo: en 1919 se presenta la «Décima exposición estatal: creación abstracta y suprematista». Pero la presión política se hace demasiado fuerte: desde 1922, Stalin condena la vanguardia. Numerosos artistas (Kandinsky, Chagall) parten de la Unión Soviética para ir a vivir a Francia y Alemania. Otros se «pliegan» de mejor o peor grado a las consignas: Maliévich vuelve a la figuración, Lissitski divide su tiempo entre Alemania y Moscú. El *proletkult* («cultura del proletariado»), proyectado en 1922, se prolongará hasta la década de 1970. Los que lo aceptan, como el pintor oficial y académico Guerásimov, son pocos.

Escritores como Pasternak o Solzhenitsin participan en el impulso revolucionario hasta la década de 1930, mientras que el sistema de los campos de concentración se refuerza: Solzhenitsin y Chamalov sobrevivirán al Gulag, mientras que el poeta Mandelstam sucumbirá en él. El novelista Shólojov defiende el realismo socialista. El compositor Stravinski llega a París en 1909 con los ballets rusos de Diaghilev y con el bailarín Nijinski, que huye Estados Unidos, mientras que en la Unión Soviética las obras de Prokófiev y Shostakóvich son criticadas por el estalinismo. El cine soviético, sin embargo, produce obras maestras con Eisenstein y Pudovkin.

La Italia fascista. Tras la primera guerra mundial, Mussolini, utilizando a antiguos combatientes, organiza un nuevo partido, el «fascio», y marcha sobre Roma con sus partidarios, los «camisas negras» en octubre de 1922. Se convierte en *duce* en 1925. Quince años antes, Marinetti, autor del *Manifiesto futurista* (1910) había afirmado: «Un automóvil de carreras [italiano] es más bello que *La victoria de Samotracia*». Su nacionalismo le conduce a unirse al fascismo de Mussolini (*Futurismo y fascismo*, 1924). En 1922 se crea el movimiento Novecento, cuyo arte neoclásico responde al clima del régimen: el pintor de Chirico se une también a él, renegando de sus primeras realizaciones metafísicas, de sus arquitecturas pobladas de maniquíes intemporales anunciadoras del surrealismo. Si el escritor d'Annunzio sostiene el fascismo en sus discursos nacionalistas, el joven Moravia manifiesta desde 1929 una inquietud existencial y luego, amenazado por el régimen, huye. Buzzatti (*El desierto de los tártaros*, 1940) traduce un sentimiento de angustia, de absurdidad y de irrealidad que conduce a la muerte silenciosa. Castelnuovo-Tedesco, compositor neorromántico, huye en 1939 para escapar a la política antisemita de Mussolini.

La Alemania nazi. Tras la primera guerra mundial, se funda la república de Weimar (1919-1933) y sus diputados, elegidos por sufragio universal, intentan levantar el país a pesar de las condiciones draconianas del tratado de Versalles y de la crisis económica de 1929. La agitación política hace que la joven república tiemble. Hitler, después de haber organizado a los «camisas pardas» y las SA (*Sturmabteilung*, «secciones de asalto»), se convierte en canciller del Reich el 30 de enero de 1933 y abre los primeros campos de concentración para los oponentes. La mayor parte de los artistas dejan el país Algunos intentan «negociar» con el régimen, como Nolde o Mies Van der Rohe. Sin éxito. Se confiscan 650 obras de vanguardia para presentarlas en 1937 en la exposición «El arte degenerado»: los expresionistas Nolde, *Kirchner y Schmidt-Rottluff, Kandinsky, Jawlensky, Marc, Macke, Kokoschka y Schiele, los artistas dadá Schwitters o Grosz, los de la Bauhaus, los de la Neue Sachlichkeit (Nueva Objetividad), Dix, Beckmann, a todos se les pone en el «índice».

La música de principios de siglo, representada por Mahler, Berg y Schoenberg, creador del dodecafonismo, se opone a la de Wagner, que se convierte en la música oficial. Richard Strauss, que en 1933 tiene sesenta y nueve años, se compromete con el nazismo, aunque apoye al escritor Zweig, que ha abandonado Austria. Kafka y Rilke son criticados por el poder, lo mismo que Thomas Mann, Musil o Brecht, que huyen. Al cine de Murnau, en el que se mezclan expresionismo, romanticismo y realismo social, y a los trabajos experimentales del cineasta plástico Fischinger sobre la abstracción fílmica les sucede una producción generalmente mediocre, de la que se distingue Leni Riefenstahl, que glorifica al aparato nazi, o Harlan, de quien *El judío Süss* (1941) expresa el antisemitismo. Los grandes cineastas alemanes (Murnau, Preminger, Pabst, Lang, Ophuls, luego Sirk) y austríacos han huido, lo mismo que la fotógrafa Gisèle Feund.

La España franquista. En 1923, bajo el reinado de Alfonso XIII, Primo de Rivera instaura la dictadura. Sin embargo, en las elecciones de 1931, la república sale victoriosa. El Frente popular gana las elecciones de 1936, pero el general Franco desencadena la guerra civil: el «caudillo» ejercerá el poder en exclusiva desde 1939 a 1975.

*Picasso, instalado en París desde 1904, manifiesta su compromiso antifascista (*Guernica*, 1936, que sólo volverá a España, a petición del pintor, tras la instauración de la monarquía parlamentaria; *Mujer llorando*, 1937). El surrealista Miró toma posición a favor de las fuerzas republicanas y se exilia en París. Otro surrealista, Dalí, lector de Freud, crea con oficio académico una obra semialucinatoria que se basa en el método «crítico-paranoico». Sus excentricidades, sus declaraciones a favor de los regímenes franquista y hitleriano, lo mismo que su mercantilismo, le enfrentan definitivamente con Breton en 1941.

Entre los poetas, aparte de Jiménez, las llamadas «generación del 98» y «generación del 27» reúnen a Unamuno, Lorca, Aleixandre, Alberti, todos ellos republicanos. Lorca es fusilado en 1936, mientras que J. R. Jiménez sale de España. Gómez de la Serna parte hacia Argentina. Segovia, figura legendaria de la guitarra, se exilia en 1938. El compositor Falla, primero neutro o con buena voluntad hacia los nacionales, parte del país en 1939. En el cine, Buñuel (*El perro andaluz*, 1928, realizada con Dalí) opta por México, mientras que Bardem intenta abrir una brecha en la censura franquista a la que Carlos Saura desafía.

EL ARTE MÁS ALLÁ DE LAS NACIONALIDADES.

Artistas sin fronteras. Los pioneros de la vanguardia simbolizan esta mundialización. El franco-cubano Picabia trabaja en Alemania en el momento del dadaísmo, en Francia con los surrealistas y en Estados Unidos con el francés Duchamp. El ruso Kandinsky crea el grupo expresionista alemán Der Blaue Reiter, descubre la abstracción en Munich. Es acogido por los surrealistas en París, en donde el neerlandés *Mondrian crea su primera actividad abstracta e inventa el neoplasticismo. Este último funda De Stijl en los Países Bajos, se desplaza a Londres y luego a Nueva York.

Maliévich trabaja en Rusia y en Berlín, el español Picasso inventa el cubismo en París con el francés *Braque. La primera guerra mundial separa a los artistas: entre los movilizados (Léger, Ernst), algunos caen heridos (Braque) o muertos (Macke, Marc), o enferman de depresión (Kirchner); otros prosiguen su trabajo en el extranjero (Picasso en Roma, Duchamp en Nueva York).

La escuela Bauhaus en Alemania. Tras la primera guerra mundial, prosigue la internacionalización: entre 1919 y 1933, la Bauhaus acoge a los artistas eminentes de la época: los rusos —el abstracto lírico Kandinsky y el constructivista Lissitski—, el suizo *Klee, el neoplástico y luego elementarista neerlandés Van Doesburg, y el húngaro Moholy-Nagy .

El arte abstracto suprime definitivamente toda referencia nacional. La pintura figurativa deja que todavía sean perceptibles los rastros culturales de los países: el expresionismo alemán, su sentido del drama, su violencia descriptiva, prolongados por la Neue Sachlichkeit, siguen situándose en la línea de *Grünewald. El fauvismo francés muestra preocupaciones puramente cromáticas, en la filiación de los coloristas *Rubens y *Delacroix. El arte de Picasso, poderoso y dramático, de «tradición» española, se diferencia del armonioso y equilibrado del francés Braque. En el dominio del arte abstracto, el lirismo de Kandinsky, la «otra realidad» de Kupka, el «rayonismo» de Bissière, el expresionismo abstracto de Rothko o de Joan Mitchell son extranjeros a todo nacionalismo o particularismo, lo mismo que el arte de *Dubuffet, el espacialismo de Fontana, el cinetismo de Vasarely, el minimalismo de Newman o el arte del *graffiti* de Basquiat.

EL ARTE ENTRE 1905 Y 1939

El dominio del color: el fauvismo y el impresionismo. 1905 marca el nacimiento del fauvismo en el Salón de otoño de París. *Matisse, mentor del movimiento, está rodeado por Rouault, Vlaminick, Dufy, Derain, Van Dongen y Braque...
Los paisajes torturados del simbolista noruego Munch, habitados por personajes sufrientes, trazan también una unión con el naciente expresionismo. Surgidos de las secesiones alemanas y austríacas, los grupos Die Brücke (El puente) y Der Blaue Reiter (El caballero azu») se crean respectivamente en Dresde en 1905 y en Munich en 1913. El primero lo funda Kirchner, quien describe la sociedad burguesa de Berlín. El segundo lo dirigen Jawlensly, pintor de figuras hieráticas, y Kandinsky, a quien se une Mark, célebre por sus caballos azules.

La dominación de la forma: el cubismo. En París, en 1906, Cézanne anuncia el arte cubista. Esta revolución formal la dirigen Picasso, Braque y luego Gris, que destaca en las naturalezas muertas con recortes. Ya no se trata de representar la realidad tal como la ves, sino de mostrar simultáneamente sus diferentes facetas, de cara, de perfil y de tres cuartos.

La influencia de estos movimientos. Mientras que el cubismo roza la abstracción en su fase analítica, sin arriesgarse jamás, el futurismo italiano celebra la mecánica e inspira a los pintores Boccioni, Severini y Russolo, que hacen el elogio de la velocidad de la vida urbana. Al mismo tiempo, en Moscú, el primitivismo ruso, conducido por Lariónov, Goncharova y el pintor poeta Burliuk, busca su inspiración en la cultura rusa y el folklore. Estos artistas crean una asociación de la vanguardia rusa, el «valet de carreau», que expone en 1910 las obras de fauvistas, expresionistas y cubistas, con lo que junto a las suyas se encuentran las de Exter, Maliévich, Kandinsky, Jawlensky y Lentulov. A partir de 1911, el futurista Marinetti seduce a los rusos tales como Burliuk y Lentulov. Lariónov funda el «rayonismo» (*Manifiesto del rayonismo*) en 1913: organiza sobre sus telas haces no figurativos de color y luz. Léger inaugura un arte de la forma y del color en amplias manchas; Robert Delaunay pinta *Ventanas* (1912) en las que las formas descompuestas incorporan el color y el movimiento. Esta estética inspira a los pintores abstractos americanos de la década de 1920.

El nacimiento de la abstracción, lírico y geométrico. Mientras que Picasso y Braque reivindican la figuración, Kandinsky, Mondrian y Maliévich presentan sus primeras obras abstractas. Como presintió desde 1908 Worringer en su libro *Abstracción e intuición*, la abstracción pura resulta de «una necesidad instintiva, la abstracción geométrica». En 1910, respondiendo a «una necesidad interior», Kandinsky pinta su *Primera acuarela abstracta*: su abstracción no es geométrica, sino lírica. En 1915, Mondrian concibe la *Composición oval* y Maliévich realiza *Cuadrado negro sobre fondo blanco*, justificando la intuición de Worringer.

La «escuela de París». Entre 1903 y 1930, más de sesenta pintores judíos de Europa central llegan a París, centro internacional de arte. Entre ellos Marcoussis, Soutine, Sonia Terk-Delaunay, Kisling, Chagall, Pascin, Mané-Katz, Kikoïne, Krémègne, Survage... Se instalan en Montmartre y en Montparnasse y forman la «escuela judía de París», que en 1920 se convertirá en la «escuela de París», a la que se unen Modigliani y el japonés Fujita, y después Weissberg, Janco, Atlan... Cada uno de ellos tiene un estilo propio y moderno. Frecuentan a Picasso, Braque, Utrillo, Derain, Van Dongen, Gris, los poetas Apollinaire, Jacob Cendrars, Cocteau y Reverdy, y escultores como Orloff, Lipchitz o Zadkine, contemporáneos de Brancusi.

De la subversión al poder del inconsciente: Dadá y el surrealismo. En 1916, el movimiento dadá, creado por escritores antimilitaristas, como Tzara, nace en Zurich. En el *Manifiesto dadá 1918*, Tzara, indignado por la guerra, dinamita los valores burgueses, lanza un llamamiento a la subversión y al escándalo. Los dadaístas Picabia, Duchamp, Man Ray, Ernst y Schwitters se reencuentran tras la guerra en Berlín, Colonia, Hannover, París, Nueva York, y son partidarios de una expresión pura, sin lógica. El surrealismo prolonga al dadá y le sucede. Breton publica en 1924 su *Manifiesto del surrealismo*, seguido en 1928 de *El surrealismo y la pintura*. Alrededor del «papa» se reúnen los escritores Aragon, Soupault, Bataille, Desnos, Eluard, Artaud, los pintores salidos del dadá y nuevos artistas como Masson, Magritte, Tanguy, Miró, Dalí y el fotógrafo Brassai. En la línea de *La interpretación de los sueños* (1900) de Freud, al que Breton visita en 1921, el inconsciente se convierte para los surrealistas en la fuente de la «belleza convulsiva».

La vuelta del realismo. Se produce en la década de 1930 aunque las vanguardias pictóricas se mantienen. A veces social, a veces «mágico», este realismo agrupa por una parte a Pignon, Fougeron, Gromaire, y por otra a Balthus o Delvaux... En escultura, el arte de Germaine Richier, Laurens, Lipchitz y Zadkine oscila entre abstracción y figuración, mientras que Bourdelle y Maillol permanecen como clásicos.

EL ARTE FRENTE A LA SEGUNDA GUERRA MUNDIAL

La guerra moderna. Frente al nazismo, el poder soviético, debilitado por las purgas de 1936, duda sobre qué alianzas llevar a cabo y firma el pacto germano-soviético (agosto de 1939). Hitler, que desea la «gran Alemania por mil años», ocupa Francia e intenta aplastar Gran Bretaña, que ofrece una encarnizada resistencia. En junio de 1941 se vuelve contra la Unión Soviética. En diciembre de 1941 Japón hunde la flota norteamericana en Pearl Harbor: Estados Unidos entra en guerra. Los aliados (Gran Bretaña, Unión Soviética, Estados Unidos, China) se enfrentan con los países del Eje (Alemania, Italia, Japón, Hungría, Eslovaquia). Se ponen en funcionamiento todas las técnicas modernas, hasta las armas nucleares sobre Japón (agosto de 1945). Este conflicto provoca la muerte de alrededor de 50 millones de personas.

Reflejos de los horrores. El arte de los pintores se carga de angustia y de tristeza (Picasso, *Le charnier*; Braque, *El billar*; Gruber, *Job*; Olivier Debré, *El muerto de Dachau*; Fautrier, *Los rehenes*; Music, *Dachau 1945*), a veces opone alegría o misticismo a la desesperación (Miró, *Constelaciones*; Newman, *el nombre*). En 1941, Goebbels, ministro de la propaganda alemán, organiza un viaje a Alemania de pintores y escultores franceses. Destaca la participación en él de Dunoyer de Segonzac, Van Dongen, Vlaminck y Derain.

Sobre la escena literaria se afirman los resistentes: Cohen, Aragon, Malraux, Sartre, Camus... Varèse o Messiaen se inscriben en la escena musical. Ciertos escritores, como Céline, Brasillach, Drieu La Rochelle colaboran con los alemanes: el primero se exiliará, el segundo será fusilado, y el tercero se suicidará.

Nueva York, nuevo centro artístico. Un gran número de artistas europeos escogen el exilio: Ernst, Léger, Klee, Masson, Mondrian, Dalí, Matta destacan entre los que se reúnen con Picabia, Duchamp y los artistas de la Europa del este en Nueva York. Desde 1942 se desarrolla el expresionismo abstracto, apoyado por Peggy Guggenheim en su galería, Art of This Century; reúne a pintores de origen europeo como Gorky, de Kooning o Rothko, y los americanos Gottlieb, Kline o Guston.

DE LA POSGUERRA A LA DÉCADA DE 1960: LA PREEMINENCIA AMERICANA

Las características artísticas tradicionales (pintura, escultura, grabado, fotografía) desaparecen progresivamente en beneficio de la noción de «artes plásticas» que mezcla todas las posibilidades y todos los materiales.

La situación política. Al día siguiente de la guerra el mapa de Europa queda profundamente modificado. La parte oriental de Alemania pasa a estar bajo control soviético, lo mismo que Polonia y la casi totalidad de los países balcánicos. Estados Unidos mantiene la ocupación de las islas japonesas hasta 1952. Las tensiones entre occidente y la Unión Soviética conducen a la «guerra fría» y más tarde al levantamiento del muro de Berlín (1961). Las grandes potencias reconocen la creación del estado de Israel en mayo de 1948. Los comunistas de Mao Zedong expulsan a las tropas de Chang Kai-shek y crean la República popular china en 1949. En Marruecos es «pacífica», lo mismo que en Tunicia y en África negra. En el cuadro de la Commonwealth, las posesiones británicas acceden a la independencia. Las de Portugal tardan más. La guerra de Corea (1950-1953) enfrenta a las tropas estadounidenses con las chinas. Los americanos sustituyen a los franceses en 1954 para apoyar a Vietnam del sur y evacuan el país en 1973 al cabo de una guerra que constituye una demostración de fuerza en contra de los designios de Estados Unidos. El tratado de Roma da paso al nacimiento de la Comunidad económica europea (1957).

El triunfo del expresionismo abstracto. Constituye el arte mayor de este período. A las aportaciones de la segunda generación (Noland o Louis) se añaden las de las mujeres artistas: Helen Frankenthaler y sobre todo Joan Mitchell y, en el dominio de la escultura, Louise Nevelson. *Pollock crea la *action painting* (pintura «gestual»). A los formatos de talla humana de las pinturas europeas se opone el gigantismo americano aplicado al arte.

El neodadaísmo. Siempre desde Estados Unidos, Rauschenberg y Johns desarrollan una estética neodadá: el primero, mediante sus *combine paintings* (ensamblado de materiales de desecho) se refiere a Schwitters, mientras que el segundo se concentra en los símbolos americanos, sobre todo en la bandera. Fiel a Dadá, Twombly dispone sobre sus telas garabatos, desperdicios, salpicaduras coloreadas. Es el «temblor del tiempo», según Barthes.

El pop-art toma como objetivo la sociedad de consumo y revela sus mecanismos: producción en serie, utilización de las técnicas propias de los *comics*, imaginería consumista... Son aspectos que marcan entre 1955 y 1970 el arte de Warhol, Lichtenstein, Wesselmann, Kitaj, Rosenquist.

El arte europeo, entre figuración y abstracciones. Múltiples tendencias se expresan en Europa. Mientras que Picasso, Braque, Matisse, Ernst y Miró prosiguen con su obra, Bonnard y Villon pintan paisajes y escenas intimistas, y Bissière paisajes abstractos. El arte abstracto de Maria Elena Vieira da Silva y de Louise Bourgeois, pintora una, escritora la otra, se impone. Giacometti, pintor y escultor, figura ejemplar de la independencia, crea obras figurativas en donde el espacio roe la materia y la forma, mientras que Buffet crea cuadros «miserabilistas». En 1948, artistas como Jorn, Alechinsky y Appel forman el grupo *Cobra*. Producen arte fantástico, arte primitivo, arte instintivo en obras vívidas, entre abstracción y figuración. En el curso de una trayectoria truncada, De Stäel opta por una «figuración completamente empastada», cercana al arte de Van Gogh, mientras que Poliakoff introduce una abstracción suave y geométrica. Se califica de «informales» a algunos artistas, como Wols y Fautrier, o abstractos como Mathieu, Hartung, Soulages, Francis y Riopelle, o «de calígrafos zen» a otros como Tobey, Degottex y Bissier. Dubuffet experimenta sin cesar nuevos materiales e inventa figuraciones insólitas, mientras que Tàpies se concentra únicamente en la materia. Únicos en su estilo, *Bacon y Lucian Freud, anclados en el existencialismo, muestran los tormentos y la soledad de la condición humana.

La diversificación de las tendencias. El arte cinético u óptico, la fotografía artística o plástica, la «deconstrucción» del cuadro (soportes-superficies), la tecnología (vídeo, cibernética, ordenadores), el arte conceptual... Son tendencias que van surgiendo. La vuelta a la figuración se manifiesta con los nuevos realistas y el New Realism, y con la figuración narrativa, el Minimal Art, el hiperrealismo, el Graffiti Art o las nuevas figuraciones... Hacen su aparición las instalaciones y las *performances*.

La destrucción de las referencias antiguas efectuada en el siglo xx provoca el surgimiento de una multiplicidad de experimentaciones creadoras. Los materiales diversos, duraderos o perecederos, los *happenings*, los embalajes, las producciones mixtas, todo ello ha abierto nuevos horizontes al arte que no deja de cuestionarse ni de plantear preguntas a la sociedad. Pero la especulación comercial que caracteriza hoy al mercado del arte es un escollo para la supervivencia de una auténtica creación: es un hecho muy evidente en Japón y Estados Unidos, y que ahora afecta a Europa.

¿Qué nos reserva el arte del futuro? ¿Investigaciones plásticas, icónicas y semánticas? ¿Se creará por ordenador, o se elaborará a partir de sensibilidades y técnicas nuevas? ¿Se harán necesarias derivaciones o aniquilaciones para provocar un renacimiento? ¿Cómo es posible que el arte, el cual, según André Breton, «reengendra de alguna manera la magia que lo ha engendrado», sea lo que explica la historia del arte, que no se alimenta más que de los desechos materiales de esta magia: las obras?

Klimt

Solitario y tímido, Klimt es el fundador de la Sezession vienesa y el maestro del Jugendstil. Crea un arte simbolista, sensual y onírico en el que celebra a la mujer. Los motivos ornamentales, geométricos y decorativos, en manchas lisas de colores vivos, a veces sobre fondo de oro o plateado, y las curvas lineales estilizadas en un entrelazado de meandros son características de su obra.

RECORRIDO BIOGRÁFICO

- Gustav Klimt (Viena 1862-*id.* 1918), pintor austríaco, es hijo de un orfebre. Su familia, modesta, sufre las consecuencias de la crisis que afecta al Imperio austrohúngaro, en plena decadencia. De 1876 a 1881, Klimt sigue los cursos de F. Laufberger en la escuela de artes decorativas de Viena. Se asocia con su hermano Ernst y con F. Matsch para realizar encargos de decoración como el del palacio Sturany (1880, Viena), el teatro Reichenberg (1882-1883, Liberec) o el castillo real de Pelesch (1883, Rumania).
- Klimt empieza firmando obras de tradición clásica: *La fábula* (1883, Viena, H.M. der S.W.) y *El idilio* (1884, *id.*). El trío sigue con sus realizaciones para el teatro de Karlsbad (1886, Karlovy-Vary), y luego en el Burgtheater (1886, Viena), en donde decora el techo de las dos grandes escaleras. Klimt pinta la *Sala del antiguo Burgtheater de Viena* (1888, Viena). En el mismo estilo llevará a cabo en 1898-1899 dos dinteles para el salón de música del mecenas N. Dumba: *Schubert al piano* y la alegoría de *La música*, en donde el claroscuro académico cede su lugar a una luz neutra y sin sombra. En 1891 se convierte en miembro de la asociación de pintores vieneses.
- En 1894, dos años después del fallecimiento de su hermano Ernst, el ministerio de Cultura y de Instrucción le encarga, siempre con la colaboración de Matsch, tres alegorías (1894-1907, destruidas en 1945) para decorar el techo de la sala de fiestas de la Universidad de Viena: primero *La filosofía*, después *La medicina* y *La jurisprudencia*. *La filosofía* obtiene la medalla de oro en la Exposición universal de 1900 pero su erotismo, el ritmo impuesto por el artista a la caída de los cuerpos y la absorción física y mental de los personajes resultan chocantes para los miembros de la comisión gubernamental: Klimt se ve obligado a retirar su obra. La misma reivindicación de libertad y de verdad se expresa en *La jurisprudencia* y en *La medicina*: la primera es una parábola sobre la inutilidad del estado, la segunda sobre la impotencia de la ciencia. Ambas obras se inscriben en el mismo estilo simbolista que *El amor* (1895, Viena) y *La música* (*id.*).
- En 1897, el artista funda la Unión de los artistas figurativos de Austria, que pretende reformar la vida artística según los principios del Art Nouveau y a llevar al arte austríaco a un nivel internacional. Esta «Secesión vienesa» se produce en 1898 con la construcción de un edificio propio y de una nueva revista, *Ver sacrum*, abierta a los artistas simbolistas y prerrafaelitas. La *Sezession* propondrá, entre 1897 y 1905, diecinueve exposiciones, sobre el japonesismo, el postimpresionismo, etc. En la misma época, la renovación se produce en literatura (Hofmannsthal, Musil) y en música (Mahler). Freud teoriza sobre el inconsciente.
- En 1898, el pintor inmortaliza a *Sonja Knips* (1898, Viena), pinta *Aguas en movimiento* (h. 1898, col. part.) y aborda la temática del paisaje con *Jardín con gallinas en Sainte Agathe*, *Tras la lluvia* (1899, Linz, Neue Galerie der Stadt Linz), *La granja de los abedules* (1900, Viena), *El bosque de las hayas I* (h. 1901-1902, Dresde).
- El «estilo dorado» traduce estas nuevas visiones: *Judith I* (1901, Viena) y *Los peces rojos* (1901-1902, Soleure, col. part.). Pinta el friso de *Beethoven* (1902, Viena) y *El bosque de abedules* (1903, Linz) y *El peral* (*id.*, Cambridge [Mass.], F.A.M.). En ese mismo año, 1903, Klimt visita Ravena, en donde los mosaicos bizantinos le inspiran *La vida es un combate* (o *El caballero de oro*, 1903, loc. desc.) y el friso del palacio Stoclet en Bruselas (1905-1911). El «estilo dorado» se dilata en *La esperanza I* (1903, Ottawa, N.G.), *Las tres edades de la mujer* (1905, Roma, G.A.M.), *El beso* (1907, Viena), *Danae* (1907-1908, Graz, col. part.), para volverse «estilo plateado» en los retratos de *Fritza Riedler* (1906, *id.*) y de *Adele Bloch-Bauer* (1907, *id.*).
- En 1905 la *Sezession* se desintegra. Tras una visita a Florencia y a París (1909), Klimt realiza *La vida y la muerte* (1908-1911, Viena), expone *Judith II* (1909, Venecia, G.A.M.) y la *Mujer anciana* (*id.*, París, col. F. Landau). Pinta *El castillo Kammer sobre el Attersee* (1910, Viena, Ö.G.) y *La casa forestal en Weissenbach am Attersee* (1912, Estados Unidos).

• Tras 1910, su arte evoluciona hacia el expresionismo: *El sombrero de plumas negras* (1910, Graz), *La familia* (1909-1910, col. part.). En los últimos años de su vida, pinta *La joven* (1912-1913, Praga), retratos, como *Barbara Flöge* (1915, Viena, col. H. Donner), *Friederike Maria Beer* (1916, Nueva York) o *Johanna Staude* (1917-1918, Viena, Ö.G.), y paisajes como *El manzano II* (1916 ¿?, *id.*), *La avenida de las gallinas* (1917, destruido).

• En Rumania le impresiona la extraordinaria policromía del arte eslavo, de los mosaicos, de los frescos y de las telas. A su vuelta inicia *La cuna* (1917, Nueva York, col. part.) y *La desposada* (1917-1918, col. part.), obras que no puede acabar. Muere por un ataque de apoplejía. Klimt participa en múltiples exposiciones y recibe numerosos premios en toda Europa. Su influencia es significativa en Austria entre expresionistas como E. Schiele, R. Gerlst y O. Kokoschka.

INFLUENCIAS Y CARACTERÍSTICAS PICTÓRICAS

Klimt pinta la mujer plural, en su dimensión alegórica, mitológica y simbólica o en forma de retratos, a menudo mundanos. Celebra el paisaje en formatos variados, elabora frescos y mosaicos de muy gran formato, y retratos a veces cuadrados, en pie, a menudo de tamaño natural. Entre los clientes de Klimt se cuentan A. Lederer, N. Dumba, pero también el arquitecto O. Wagner, el gran duque L. de Hesse y el belga A. Stoclet.

El artista, que ha recibido una formación clásica, es sin embargo sensible a los artistas de la modernidad: F. Khnopff, J. Toorop, etc. En Ravena descubre los mosaicos bizantinos, en Londres a J. Whistler, en París el postimpresionismo y en Rumania la vivacidad del colorido en el arte.

• Klimt se forma en la pintura histórica, en la línea de los austríacos Laufberger, Makart o A. Romako. Sus primeras decoraciones, académicas y naturalistas, recuerdan el arte de *Carracci, de *Miguel Ángel y de los maestros del Quattrocento *(La fábula)*. El dúo Klimt-Matsch desarrolla la alegoría clásica. Klimt domina el «realismo fotográfico» (sala del antiguo Burgtheater de Viena).

• Posteriormente se orienta hacia el simbolismo *(El amor)*, representa el pensamiento por medio de elementos alegóricos: cabezas flotantes, colores tiernos, melancolía de la belleza. Los símbolos se multiplican: la esfinge como libertad del artista, la bola del diente de león para la difusión de nuevas ideas.

• Sus retratos clásicos, lánguidos o melancólicos, de bellas vienesas, recuerdan la factura vaporosa de J. Whistler y las composiciones prerrafaelitas de cabezas aureoladas con flores *(Sonja Knips)*. Las flores y cabezas semivisibles en el fondo de los cuadros poseen, en la línea del belga J. Khnopff, una fuerte carga simbólica.

• Los paisajes clásicos y naturalistas, más oscuros y sentimentales, se hacen impresionistas *(Jardines con gallinas)*.

• La modernidad no le lleva a separarse del gusto por los mitos clásicos. Klimt los reactualiza a la luz del naciente psicoanálisis. Sus obras llevan la marca de la dualidad entre Eros y Thanatos, la vida y la muerte, lo real y lo onírico. Sustituye la alegoría «idealizada» por la representación simbolista, introduce innovaciones formales: su estilización de las formas se acompaña de un espacio plano surgido del japonesismo, de los nabis, de Toorop. El artista destaca en la fase llamada «geometrizante» y dorada del *Jugendstil* (el friso de *Beethoven*): «El ornamento de Klimt se desarrolla, se enrolla, se repliega en espirales, serpentea, se embrolla, en un tor-

UN GRAN MAESTRO

◆ Klimt conoce el éxito en vida como decorador y después como pintor. Pasa luego por un largo eclipse antes de que el éxito popular y la difusión de su obra se hagan internacionales.

◆ Se aparta de la institución austríaca, nacionalista y académica, imponiendo el *Jugendstil*. Su intención es abolir la frontera entre pintura y artes aplicadas, elevar el arte decorativo al rango de las artes mayores. Realiza la síntesis del modernismo con el simbolismo.

◆ Klimt renueva la representación sensual y erótica de la mujer. Ilustra los temas tabú: el embarazo, el autoerotismo, la homosexualidad femenina.

◆ Este maestro de la decoración inventa el estilo geométrico, alternando círculos, rectángulos y triángulos, que pinta en manchas lisas coloreadas sobre un fondo de hojas de oro puro y de papel dorado pegado, que embellece con piedras y esmaltes.

bellino impetuoso que toma todas las formas, estrías relampagueantes y afiladas lenguas de serpiente, ornamentos entrelazados de viñas, cadenas ondulantes, velos que todo lo inundan, hilos tendidos» (L. Hevesi, 1909). Klimt pinta siluetas delicadas, de contorno firme y sin sombra, iluminadas de manera neutra y colocadas en composiciones asimétricas. Los cuerpos parecen flotar en el espacio y a veces se fusionan con el agua *(Aguas en movimiento)*. La distribución de los vacíos y plenos crea un ritmo de la obra. La decoración ornamental preciosista y lineal de donde apenas emergen las figuras humanas invade el espacio de la tela. Si bien las superficies doradas y los motivos sugieren el mosaico bizantino (el friso Stoclet, *El beso*), otras obras se acercan a iluminaciones muy coloreadas de la antigüedad tardía, del arte egipcio, micénico, céltico, se inspiran en los elementos curvilíneos de las estampas japonesas y en los arabescos puros del modernismo.

• Klimt elabora esbozos sobre cartón o pergamino, en aguada, mezclando acuarela, purpurina, plata, lápiz blanco de feldespato, plata y oro en hoja sobre un soporte de papel, a fin de que el proyecto se acerque lo más posible, técnicamente, a la ejecución definitiva (el friso Stoclet). Pinta también a la caseína sobre una lona embadurnada de estuco (el friso *Beethoven*). Los mosaicos, refinados, se enriquecen con esmaltes, piedra dura y vidrio coloreado.

• Sus retratos de mujeres se envuelven en motivos entrelazados y geométricos, en dorados y plateados, dispuestos en manchas lisas. Solamente las manos muy finas y el erotismo de los rostros sensuales, de cabellera abundante, remiten todavía a la realidad, en una factura rayada con finura, como en el caso de Khnopff *(Fritza Riedler)*.

• Los paisajes de inicios de la década de 1900 revelan un trazo puntillista inspirado en *Seurat *(El peral)*, una paleta coloreada en una intensidad semejante a la de *Van Gogh *(El bosque de hayas I)*. Después, Klimt eleva o rebaja la línea del horizonte hasta tal punto que el paisaje se presenta en toda su verticalidad, anulando el volumen *(El parque)*. Las composiciones fragmentadas, recortadas de manera lineal, son una demostración de disimetría y del encabalgamiento de las formas, de las materias, de los motivos y de los tonos.

• Pasado 1910 el pintor ya no realiza más decoraciones, abandona el fondo de oro. Sus retratos, de un colorido neutro, blanco plateado y ocre negro, o vivo, son pinturas de medio cuerpo. La factura de esbozo le acerca a Toulouse-Lautrec. Los retratos en pie se recargan de motivos decorativos coreanos o rumanos en los que dominan las coloraciones resplandecientes: naranja, rojo y rosa. A la perspectiva ascendente de efecto piramidal *(La cuna)* o en picado *(La joven)* se une un relajamiento de la precisión decorativa: las amalgamas de tejidos se desestructuran y la pasta se extiende más.

• Los paisajes reencuentran la profundidad. Introduce elementos rurales: una granja, casas, una superficie de agua o unas gallinas. Los motivos se hacen más abstractos, preexpresionistas.

OBRAS CARACTERÍSTICAS

El catálogo de la obra de Klimt cuenta con 208 números.

Idilio, 1883, Viena, H.M. der S.W.

La sala del antiguo Burgtheater de Viena, 1888, Viena, H.M. der S.W.

La filosofía, La jurisprudencia, La medicina, alegorías de la Universidad de Viena, 1894-1907, destruidas.

El amor, 1895, Viena, H.M. der S.W.

La música I, 1895, Munich, N.P.

La granja de los abedules, 1900, Viena, Ö.G.

El bosque de las hayas I, h. 1901-1902, Dresde, S.K., Gg. Neue Meister

Retrato de Sonja Knips, 1898, Viena, Ö.G.

Judith I, 1901, Viena, Ö.G.

Friso de *Beethoven*, 1902, Viena, Ö.G.

El bosque de abedules, 1903, Linz, Neue Galerie der Stadt Linz

Friso del palacio Stoclet, 1905-1911, Bruselas, *in situ*; estudios en Viena, Ö.G.

El beso, 1907, Viena, Ö.G.

Retrato de Fritza Riedler, 1906, Viena, Ö.G.

La vida y la muerte, 1908-1911, Viena, cl. Part.

La casa forestal en Weissenbach am Attersee, 1912, Estados Unidos, col. part.

El sombrero de plumas negras, 1910, Graz, col. part.

La joven, 1912-1913, Praga, Národní Galerie

Friederike Maria Beer, 1916, Nueva York, col. Beer-Monti

El manzano II, 1916 (¿?), Viena, Ö.G.

La desposada, 1917-1918, col. part.

El beso
1907. Óleo sobre tela, 180 × 180 cm,
Viena, Österreichische Galerie

Esta obra es característica del
Jugendstil por sus efectos de oro mate
y brillante y por los motivos
geométricos que envuelven a los
amantes. Sus cuerpos y volúmenes
desaparecen bajo el despliegue de los
motivos yuxtapuestos, fraccionados y
colocados en manchas lisas, como en
un mosaico: los círculos coloreados
que simbolizan el elemento
«femenino» y los rectángulos
«masculinos» se encuentran junto
al plateado, el negro y el dorado.
El oro del fondo centelleante aureola
a los personajes y los une. La lluvia
de triángulos caídos del vestido
femenino, la alfombra de flores sobre
la que la mujer, abandonada, con los
ojos cerrados, se arrodilla como en
un momento sagrado, mientras se
aferra al cuello del hombre, son
testimonios de la emoción amorosa.
El onirismo y lo irreal sumergen
al idilio realista que podría sugerir
la veracidad de los rostros y de las
manos, expresión de la tensión
de los cuerpos.

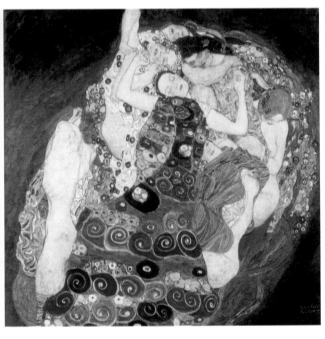

La joven
1912-1913. Óleo sobre tela,
190 × 200 cm, Praga, Národní
Galerie

Esta composición tan dinámica,
vista en picado y circular,
entremezcla cuerpos femeninos
lascivos, desnudos o vestidos
con ropas de estampados
rumanos, ricamente
decorada de círculos, e
spirales, flores y cintas
ampliamente pintadas.
Klimt utiliza el color puro
de *Matisse y el modelado de
las carnes.
La mirada de las mujeres
observa al espectador «voyeur»
que observa a la joven dormida
y adivina su cuerpo. La «idea»
parece aquí llevarlo más allá
de la preocupación
por la decoración *Jugendstil*,
omnipresente en las obras
anteriores.

BIBLIOGRAFÍA

Fliedl, Gottfried, *Gustav Klimt : 1862-1918: el mundo con forma de mujer*, Taschen, Colonia, 1989; Whitford, Frank,
Klimt, Destino, Barcelona: Thames and Hudson, Londres, 1992; Partsch, Susanna, *Klimt : vida y obra*, Libsa, Madrid,
1997.

Kirchner

Alto, delgado y seductor, el joven Kirchner, entusiasta y jovial, se convertirá en un ser atormentado y frágil. Este maestro del expresionismo crea un arte cargado de sinceridad, de emoción y de angustia, en sintonía con su época. Su obra se basa en el valor expresivo solamente del color, puro y saturado. Desarrolla formas simples y angulosas, de volúmenes planos, inspiradas en el grabado sobre madera.

RECORRIDO BIOGRÁFICO

• El pintor alemán Ernst Ludwig Kirchner (Aschaffenburg 1880-Frauenkirch, cerca de Davos, 1938) nace en el seno de una familia burguesa. Descubre en 1898, en Nuremberg, los grabados de Durero. En 1901 se inscribe en la Escuela técnica superior de Dresde, aprende grabado sobre madera, en el que demuestra una maestría precoz. En 1903-1904 completa su formación en Munich, junto a H. Obrist. Hacia 1904 se familiariza con el *Jugensdstil*. Admira la escultura africana y de Oceanía, el postimpresionismo y el fauvismo.

• En 1905, Kirchner obtiene su diploma de arquitecto, pero se consagra a la pintura: *Lago en el parque* (1906, col. part.). En Dresde funda el grupo Die Brücke (El puente) con los pintores E. Heckel, K. Schmidt-Rottluff y F. Bleyl, y redacta el manifiesto. Será la personalidad marcante del grupo hasta su disolución en 1913.

• El fauvismo le inspira *La carretera* (1907, Nueva York, M.O.M.A.) y *Calle de Dresde* (1908, *id.*). Su actividad artística es intensa: *Muchacha del gato: Fränzi* (1910-1920, Minneapolis, I.A.). El pintor inmortaliza a jóvenes modelos en sus desnudos: Dodo, Fränzi o *Marcella* (1909-1910, Estocolmo). En ocasiones se representa a su lado, en interiores (*Autorretrato con modelo*, h. 1910, Hamburgo), o al aire libre, a orillas del lago de Moritzburg: *Las cuatro bañistas* (1909, Wuppertal), *Desnudos jugando bajo los árboles* (1910, Munich), *Mujer semidesnuda del sombrero* (1911, Colonia).

• En Berlín, en octubre de 1911, Kirchner descubre el cubismo. Extrae su inspiración de la atmósfera urbana: *La habitación de la torre* (1913, col. part.), *Calle de Berlín* (1913, Nueva York), o *Cinco mujeres en la calle* (1913, Colonia). Le atraen los espectáculos de circo: *El jinete en el circo* (1914, Saint Louis, col. part.). El verano, los paisajes de la isla de Fehmarn suavizan su arte: *Muchachas en una playa* (1912, legado Kirchner), *Salida de la luna en Fehmarn* (1914, Düsseldorf). Continúa pintando la vida berlinesa, como demuestran *Las bailarinas* (1914, Turín), *La mujer en el espejo* (1912-1913, París) o *Desnudo femenino en la bañera* (1912, col. part.). Inmortaliza *La torre roja de Halle* (1915, Essen).

• Movilizado durante la primera guerra mundial, en 1915, Kirchner cae en la depresión. Los autorretratos son testimonio de la profundidad de esta crisis: *El bebedor* (1915, Nuremberg, Germanisches Nationalmuseum), *Autorretrato de soldado* (*id.*, Oberlin). En 1924 lleva a cabo una de sus obras maestras, los grabados en madera destinados a ilustrar *La maravillosa historia de Peter Schlemihl* (el hombre que ha perdido su sombra), de A. von Chamisso, escritor y sabio alemán de origen francés.

• En 1917, convaleciente, Kirchner se instala en Suiza. La calma reencontrada se refleja en sus paisajes alpinos y en los pueblos de montaña: *Noche de invierno bajo la luna* (1919, Detroit), *Davos bajo la nieve* (1923, Basilea), *La vida de la montaña* (1924-1925, Kiel, Kunsthalle).

• La inflexión del arte moderno hacia la abstracción lo desestabiliza, mientras que su reputación se consolida en Alemania. Su estilo es vacilante: *Un grupo de artistas* (1926, Colonia), *Dos desnudos en el bosque* (1927-1929, col. part.), *Pareja de amantes* (1930, col. part.). En 1931 es nombrado miembro de la Academia de bellas artes de Berlín. Antes ha recibido el encargo de confeccionar un mural para el Museo de Essen, proyecto sobre el que trabaja hasta 1934 pero que finalmente no se llevará a cabo, sin duda por el advenimiento del nazismo.

• Sus últimas obras son más serenas: *Pastores por la tarde* (1937, col. part.). Su exclusión de la Academia de bellas artes de Berlín y la confiscación, en 1937, de 639 de sus obras por los nazis, que incluyen su trabajo entre el «arte degenerado» explicarían su suicidio en 1938. Pintor, escultor, ilustrador, xilógrafo, litógrafo y grabador sobre cobre, maestro de la pluma, del lápiz, de la tiza, del carboncillo, de la acuarela y del óleo, Kirchner destaca en todas estas artes. Deja numerosos escritos bajo el pseudónimo de Louis de Marsalle. Influencia al movimiento expresionista abstracto Der Blaue Reiter (El caballero azul) y después a la Bauhaus.

INFLUENCIAS Y CARACTERÍSTICAS PICTÓRICAS

Los temas del desnudo, de la pareja y de la vida ciudadana inspiraron continuamente al artista. Pinta escenas de calle o de interior, de cabaret, de teatro o de circo, retratos y autorretratos. Los paisajes helvéticos son tardíos. Evoluciona del pequeño al gran formato.

Kirshner retiene la lección de «sociología» del pintor H. Obrist. Conoce el arte de *Klimt y del *Jugendstil*, el japonesismo, el neoimpresionismo de P. Signac, el postimpresionismo de *Van Gogh, el arte de E. Munch, de los nabis y de *Gauguin. Es sensible a la coloración fauvista de *Matisse y al geometrismo de *Cézanne. Los grabados alemanes, las esculturas africanas y de Oceanía y el arte medieval alemán son otras influencias destacables.

Berlín, la isla de Fehrman (mar Báltico), el lago de Moritzburg (cerca de Dresde) y Davos (en Suiza) alimentan su inspiración.

• En Munich, Obrist le aconseja «no dar una impresión de apresuramiento, sino una expresión profundizada de la esencia», y «aprehender el arte como una forma de vida intensificada y poética». Oponiéndose a sus contemporáneos, Kirchner quiere «renovar el arte alemán», expresar las neurosis individuales, la revuelta frente al malestar económico, a la guerra y luego a la ascensión del nazismo. Desde entonces, rechaza la representación despreocupada de la realidad en beneficio del «ardiente vigor» de la vida contemporánea y se aparta de las preocupaciones puramente plásticas de su época. «La renovación no debe enmarcarse exclusivamente en las formas, sino que debe dar lugar a un renacer del pensamiento» (Manifiesto del Blaue Reiter). Para hacerlo, el pintor declara en 1937: «era necesario que primero inventara una técnica para captar todo esto en el movimiento [...] mediante trazos rápidos y audaces [...]. En cuanto volvía a casa hacía mentalmente grandes dibujos, para aprender el movimiento, y encontraba nuevas formas en la exaltación y el apresuramiento de este trabajo que, sin copiar la naturaleza, restituía lo que yo quería restituir. A esta forma se le venía a asociar el color puro, tal y como lo producía el sol». Y a propósito de los neoimpresionistas añade: «Encontraba su dibujo débil, pero estudiaba el cromatismo fundado sobre la óptica, para llegar seguidamente a su contrario, es decir, a los colores no complementarios, y a dejar que el ojo se encargara de producirlos, de conformidad con la doctrina de Goethe. Esto hacía que los cuadros tuvieran más color. El grabado en madera [...] afirmó y simplificó mi forma, y con este bagaje llegué a Dresde».

• En Dresde, el arte medieval alemán, con su violencia, el encuadramiento innovador de las obras japonesas y la estética africana y oceánica le alejan definitivamente del academicismo. Intensifica este impulso puro y «primitivo» pintando del mismo modo que graba sobre madera, con lo que aporta efectos recortados y arcaicos.

• Hacia 1905, aplica a los colores puros y contrastados el toque neoimpresionista y luego fragmentado y apasionado de Van Gogh *(Lago en el parque)*. Se acerca a la pintura angustiada de Munch utilizando playas coloreadas, luminosas, saturadas y expresivas. La arquitectura espacial es firme y los personajes se tratan mediante siluetas planas, con una intención bidimensional. Aplica a sus pinturas la técnica del temple, diluye sus óleos con gasolina par conseguir capas finas de acabado mate. Extrae directamente los colores puros de frasco.

• En 1907 su trazo se hace más amplio, la forma se estira, la pasta coloreada y espesa desborda los volúmenes y anula el dibujo. Kirchner asocia a la potencia expresiva del color la intensidad emotiva del erotismo *(Jóvenes en una playa)*. Después accede a un modo más sintético desde 1909: el pincel sosegado construye la forma mediante un trazo largo. El color, dispuesto en manchas lisas, se contiene, constituye un eco del estilo decorativo de Matisse.

UN GRAN MAESTRO

◆ Aunque incomprendido, Kirchner adquiere cierta reputación estando en vida. Estuvo convencido, como en el caso de *Gauguin, de la posteridad de su arte.

◆ Artista de su tiempo, Kirchner opone su expresionismo afectivo a las preocupaciones exclusivamente plásticas y formales del impresionismo, del postimpresionismo y del fauvismo.

◆ Aporta al retrato «social» una nueva iluminación, pintando a las berlinesas burguesas, a mujeres casi mundanas y a cortesanas.

◆ Explora las nuevas posibilidades plásticas: su cromatismo se ve alimentado por una tensión y un erotismo mantenidos. Inventa una caligrafía original, «jeroglífica», y una gama de coloridos inéditos en grabados realizados al óleo.

Kirchner

- Su trabajo sobre madera favorece esta estética tensa, de líneas sobrias y recogidas (*Muchacha sentada: Fränzi*, 1910-1920, Minneapolis, I.A.). Sus paisajes suaves y los desnudos, de una gran simplicidad cromática, son herencias de los nabis y de Gauguin *(Las cuatro bañistas)*.
- En Berlín, de 1911 a 1914, Kirchner expresa su fascinación y su amargura entremezcladas y provocadas por la capital. Su pintura de la vida ciudadana burguesa, alimentada por la estética cubista, habla de la soledad o de la puesta en condición psicológica de las élites en vistas a un conflicto eventual, del malestar y de un erotismo crudo *(Mujer semidesnuda del sombrero)*. Recorre a una composición simple en friso, profundiza la forma, acentúa la caligrafía y pinta a las mujeres tanto con lirismo como revestidas de amplias disonancias cromáticas, inmovilizadas en una luz espectral, vistas según una perspectiva deformada, a veces caricaturesca. Rebaja el plano del cuadro hacia el espectador y encierra sus elementos figurativos en trazos someros, espesos, interrumpidos, como rotos. Alarga las formas, que se hacen angulosas, y restringe los colores escogidos.
- En 1913 escoge formatos mayores, abandona los tonos vivos del estilo propio de Die Brücke en beneficio de un cromatismo más dulce: «El ocre, el azul y el verde son los colores de Femharm, de las costas maravillosas que a veces recuerdan la lujuria de los mares del sur, de las flores» declara el artista en 1912.
- En 1915, a pesar de su sufrimiento, Kirchner prosigue sus investigaciones plásticas (*Autorretrato de soldado*), simplifica las formas, a partir de ahora más primitivas en el tratamiento de la cara y del desnudo femenino. Una vez recuperado, Kirchner pinta con ayuda de colores francos en el valle de Davos. Sus modelos, concebidos para tapicerías y realizados a partir de 1921, acentúan la esquematización de las formas y de las manchas lisas de color.
- Hacia 1923, sus cuadros, más serenos, encuentran una nueva armonía, ahora alejada de cualquier sentimiento de angustia, entre figuración, construcción espacial más tradicional y colorido límpido, saturado de luz. Las formas angulosas ceden el lugar a formas sosegadas *(La vida de la montaña)*. De 1926 a 1929, evoluciona tímidamente hacia la abstracción lírica: «Entreveo la posibilidad de un nuevo tipo de pintura. La liberación de las superficies. Es el propósito hacia el que siempre he tendido». Después, su arte tardío tiende hacia una síntesis entre el arte decorativo y el expresionismo.

OBRAS CARACTERÍSTICAS

Kirchner deja más de 2000 obras pintadas y grabadas, entre las cuales se cuenta un millar de cuadros y decoraciones para casas y capillas.

Lago en el parque, 1906, col. part.
Calle en Dresde, 1908, Nueva York, M.O.M.A.
Las cuatro bañistas, 1909, Wuppertal, Von der Heydt Museum
Marcella, 1910, Estocolmo, Moderna Museet
Desnudos jugando bajo los árboles, 1910, Munich, S.M.K.
Autorretrato con modelo, h. 1910, Hamburgo, K.
Mujer semidesnuda con sombrero, 1911, Colonia, Museo Ludwig
Muchachas en una playa, legado Kirchner
Mujer en el espejo, 1912-1913, París, M.N.A.M.
Calle de Berlín, 1913, Nueva York, M.O.M.A.
Cinco mujeres en la calle, 1913, Colonia, Wallraf-Richartz Museum
Salida de la luna en Fehmarnk, 1914, Dusseldorf, Km.
Las bailarinas, 1914, Turín, col. part.
La torre roja en Halle, 1915, Essen, F.M.
Autorretrato de soldado, 1915, Oberlin, Allen Memorial Art Museum
Noche de invierno bajo la luna, 1919, Detroit, I.A.
Davos bajo la nieve, 1923, Basilea, Km.
Un grupo de artistas, 1926, Colonia, Museo Ludwig
Pareja de amantes, 1930, col. part.
Pastores por la tarde, 1937, col. part.

BIBLIOGRAFÍA

Ketterer, Roman Norbert; Manteuffel, Claus Zoege, *E. L. Kirchner: drawings and pastels*, Cromwell, Londres, 1995; Lloyd, Jill; Moeller, Magdalena (eds.), *Ernst Ludwig Kirchner: the Dresden and Berlin years*, (catálogo de exposición), Royal Academy of Arts, Londres, 2003; Wolf, Norbert, *Kirchner*, Taschen, Colonia, 2003.

Autorretrato con modelo
Hacia 1910. Óleo sobre tela, 1,50 × 1 m, Hamburgo, Kunsthalle

Esta escena de taller traduce la aspiración del pintor a la
tranquilidad, lejos de la civilización pervertida. Sin embargo,
la expresión de los rostros sigue siendo triste, como si subsistiera
un eco de las agresiones del mundo exterior. Las formas cerradas
y recortadas, propias del grabado en madera, recuerdan la práctica
del pintor en la materia. La expresión plástica del rojo y la
armonía rechinante entre el malva y el naranja de la bata animan
violentamente el cuadro y suscitan la emoción: «Aceptamos todos
los colores que directa o indirectamente traducen el impulso
creador puro», afirma el pintor.

Matisse

Hombre discreto y artista completo, Matisse, creador del fauvismo, se impone como un maestro de la línea y del color puro. Expresa también la alegría y la plenitud con la ayuda de matices armoniosos, puros, o de acordes sutiles, esbozados, en colores lisos o entrelazándose en ricos arabescos, con un agudo sentido de la decoración y de lo monumental. Matisse acaba su carrera realizando papeles guaches de tonos puros, recortados y pegados.

RECORRIDO BIOGRÁFICO

• El pintor francés Henri Matisse (Le Cateau-Cambrésis 1869-Niza 1954) debería haber sucedido a su padre tras sus estudios de derecho en París en 1887-1888. Pasante de abogado en 1889, comienza a pintar: se inscribe en la academia Julian de París en 1892 y en los cursos de la escuela de artes decorativas, en donde conoce a A. Marquet. G. Moreau se fija en él en 1895 y lo acepta directamente en su taller, sin que le sea necesario pasar el concurso de la escuela de bellas artes. Frecuenta a G. Rouault y a C. Camoin.

• Sus primeros lienzos, pintados entre 1890 y 1904, evidencian las influencias de É. Bernard, de *Van Gogh, de C. Pissarro... Compone en Belle-Île *Tisserand breton* (1896, París, M.N.A.M.), *Naturaleza muerta de las dos botellas* (*id.*) y *El trinchante* (1897, col. Niarchos).

• En 1898, Matisse se casa, descubre las obras de Turner en Londres, la luz mediterránea en Corsa: *Paisaje corso* (1898, París, C. Grammont). De Toulouse trae la *Naturaleza muerta con olla de estaño* (1898, localización desconocida) y *Primera naturaleza muerta naranja* (1899, París, M.N.A.M).

• Descubre las innovaciones de *Gauguin, de *Cézanne y el arte japonés. Para vivir se presenta, con su amigo Marquet, al concurso para la decoración del Gran Palais con ocasión de la Exposición universal de 1900. Al año siguiente expone en el Salón de los independientes. A. Derain le presenta a M. De Vlaminck durante la retrospectiva de Van Gogh. *Notre-Dame al caer la tarde* (1902, Buffalo) es una prueba de su admiración por Cézanne.

• Su período fauvista, que se prolonga de 1905 a 1907, tiene sus orígenes en el verano de 1904, que pasa en Saint-Tropez en casa de Signac, el maestro del divisionismo: *La terraza de Signac en Saint-Tropez* (1904, Boston, Gardner M.) y, después, *Lujo, calma y voluptuosidad* (1905, París). En verano de 1905 se reúne con Derain en Colliure y abandona el puntillismo. *Marina* (1905, San Francisco, M.O.M.A.) y *La pastoral* (*id.*, París, M.N.A.M.), expuestas en una misma estancia con las obras de sus amigos, son calificadas de *fauves*, de «salvajes», en el Salón de otoño de 1905. El color puro domina en la *Ventana* (1905, Nueva York), *La mujer del sombrero* (*id.*, San Francisco, col. Walter A. Mass) y el *Retrato de madame Matisse* (llamado *La raya verde, id.* Copenhague). Matisse enriquece su experiencia por el contacto con estéticas tan diferentes como las de Gauguin, las del arte negro, las del expresionismo alemán (*La gitana*, 1906, Saint-Tropez, Annonciade). La mujer, presente en *El placer de vivir* (1905-1906, Merion [Penn.], B.F.) se convierte en un tema recurrente; Matisse la muestra a medio vestir o desnuda, lasciva como en el *Desnudo azul* (1906, Baltimore), pintado a su retorno de Argelia. Jefe de filas del fauvismo, a los ojos de los extranjeros se convierte en el mentor de la pintura francesa y abre una academia de pintura internacional. Publica *Notas de un pintor* (1908) y realiza *El trinchante rojo* (1908, San Petersburgo), *La música* (1909, *id.*) y *El baile* (*ibid.*)

• En 1911 divide su tiempo entre Moscú (para supervisar la instalación de *La danza* y de *La música* [San Petersburgo, Ermitage], encargados en 1909 por el coleccionista ruso Chtchukine) y España, y en 1912 y 1913 se desplaza a Marruecos. Su obra tan variada es expresionista en *La argelina* (1909, París, M.N.A.M.) y en el *Desnudo rosa* (*id.*, Grenoble, B.A.), cézanniana en la *Naturaleza muerta de las naranjas* (1912, París, M. Picasso) y en el *Retrato de la señora Matisse* (id., San Petersburgo, Ermitage), anunciadores de los colores lisos que caracterizarán a *La familia del pintor* (1911, id.), *La conversación* (*id.*) o *Los peces* (*id.*, Moscú). Su incesante investigación se expresa en el *Taller rojo* (*id.*, Nueva York), *Interior de las berenjenas* (*id.*, Grenoble), *La ventana azul* (1912, Nueva York, M.O.M.A.). Redobla su serenidad y simplicidad en los retratos (*Zora la marroquí, id.*, San Petersburgo, Ermitage; Moscú, Pushkin).

• De 1913 a 1917, Matisse experimenta diversas vías: la aportación oriental de los arabescos andaluces y de la luz marroquí con *Marroquí del Rif* (1913, San Petersburgo); la influencia cubista que engendra *La puerta-ventana de Colliure* (1914, París), *Peces rojos y paleta* (1914-1915, Nueva York, col. part.) o *Coloquíntidas* (1916, *id.*, M.O.M.A); y la etapa abstracta, representada por *La lección de piano* (1917, Nueva York). Pero también permanece fiel al realismo postimpresionista en *La lección de música* (*id.* Merion [Penn.], B.F.).

• A partir de 1918, la luz mediterránea de Cagnes y de Niza, en donde se instala en 1921, le inspira: *Interior en Niza* (1917-1918, Copenhague, S.M.F.K y 1921, París) o *Muchacha con gandoura verde* (1921, Nueva York). Matisse asocia el clasicismo monumental y el estilo decorativo: *Figura decorativa sobre fondo ornamental* (1925, París).

• De 1930 a 1938 diversifica sus técnicas (escultura, grabado, cartones de tapicería, diseño de decorados y de vestidos); viaja a Tahití (1930), San Francisco, Nueva York y a Merion, en donde realiza para el doctor Barnes *La danza* (1931-1932, Merion, y 1931-1933, París, M.N.A.M). Pinta numerosas variantes del *Desnudo rosa* (1935, Baltimore).

• En 1938 Matisse vive en Cimiez, y luego en Vence en 1943. Durante la guerra efectúa solamente pequeños formatos, como *La blusa rumana* (1940, París, M.N.A.M.). Dibuja, ilustra obras de Montherlant y prefiere las tijeras a los pinceles: *Jazz* (colección de 20 guaches recortados, 1943-1944, col, part.); *Polinesia, el cielo* (1946, París, M.N.A.M.)

• De 1947 a 1951, el artista trabaja en la edificación y decoración de la capilla del Rosario en Vence (vitrales, paneles de cerámica...).

• Los últimos lienzos de Matisse, como *Muchacha de blanco*, llamada también *La joven inglesa* (1947, col. part.) y *Gran interior rojo* (1948, *id.*) reflejan su evolución estética, lo mismo que sus guaches recortados, como *La cabellera* (1952, col. part.), realizados de 1950 a 1954. Matisse tiene numerosos alumnos extranjeros y su obra se impone por su diversidad durante toda la primera mitad del siglo xx. Las numerosas exposiciones que se suceden desde 1948 y la creación de los museos de Cateau-Cambrésis y de la villa de Arènes-de-Cimiez en Niza se deben a la importancia de su arte. Participa en el movimiento fauvista, con R. Dufy o Derain y Vlaminck, en el expresionismo con *Kirchner y A. von Jawlensky. *Picasso, *Léger o los Delaunay son sensibles en algún momento de sus carreras a su expresión mediante el color, a su estilo lineal y monumental.

UN GRAN MAESTRO

◆ Jefe de filas de los fauvistas desde 1905, Matisse conoce un éxito ininterrumpido, más en el entorno de los artistas y de los coleccionistas que del gran público. Estando aún vivo, el Salón de otoño le consagró una retrospectiva. Su notoriedad perdura, como prueban las numerosas exposiciones en Nueva York (1951 y 1992-1993), Washington (1977 y 1986-1987), Moscú y San Petersburgo (1990-1991), París (1970, 1993, 1999 y 2001).

◆ A Matisse se le reconoce como actor de primera fila de las vanguardias del siglo xx. Su arte rompe con la tensión pictórica de inicios de siglo y ofrece la belleza, el sosiego y una cierta alegría de vivir.

◆ Se interesa por la figura femenina, la representa como voluptuosa en un interior sutil y alegre, poblado de objetos lujosos, envuelta en una vegetación suntuosa. Sus ventanas abiertas sobre exteriores luminosos compensan la intimidad de sus interiores, en donde se expresa la exuberancia decorativa, repleta de arabescos de las alfombras y tapicerías, pacificada por los paseos silenciosos de los peces de colores.

◆ Matisse renueva el gran estilo lineal y monumental, retomando las audacias de las distribuciones de la estampa japonesa.

◆ Rehabilita los tonos francos, por reacción a los semitonos y a los colores bituminosos de los pintores académicos de su tiempo. Impone el movimiento y la expresión recurriendo a un color, vivo o mate, aplicado tanto en pinceladas como en liso, sobre tela o papel. Los rojos y los azules ocupan un lugar importante en su obra.

◆ Matisse domina y mezcla todas las técnicas en una síntesis personal: opone en un mismo cuadro pequeños toques puntillistas y amplias superficies lisas y coloreadas, mezcla sobre un mismo soporte el óleo y la aguada, etc., e inventa el collage de papeles previamente pintados en guache.

Matisse

INFLUENCIAS Y CARACTERÍSTICAS PICTÓRICAS

Matisse abandona el retrato o el autorretrato en provecho de la representación, más general, de la figura humana, esencialmente femenina. La muestra en su interior, vestida o desnuda. Entreabre las ventanas sobre paisajes en París, en Venecia, en Marruecos o en Tahití. Pinta escenas de interior, su propio taller, y algunas naturalezas muertas.

Sus óleos y guaches son de formatos variados, del más pequeño al enorme.

El galerista A. Vollard organiza la primera exposición personal del pintor ya en 1904. Los compradores son principalmente extranjeros: los rusos S. Chtchukine e I. A. Morozov, los norteamericanos G. y L. Stein, C. Y E. Cone y el doctor Barnes, el danés J. Rump, alemanes, suizos... Sembat se cuenta entre los pocos franceses que aprecian su arte.

Algunos lugares tienen un eco directo sobre el arte de Matisse: Córcega, Colliure, Marruecos y Argelia, Tahití, Niza. Se impregna del arte de Pissaro, del puntillismo de Signac y de *Seurat y de las experimentaciones postimpresionistas del nabí É. Bernard, de Cézanne, de Van Gogh y de Gauguin, entre otros. Se muestra sensible simultáneamente al japonesismo y a *Ingres por su clasicismo.

• Las obras de los años 1890-1904, esencialmente naturalezas muertas, se refieren al neoimpresionismo y a É. Bernard. Los paisajes de Matisse se acercan al estilo de Van Gogh. Ya sea un retrato o una escena narrativa, el claro cromatismo se acopla a la materia de las cosas más que al tema. Sin embargo, Matisse recuerda la temática de *Chardin (*El trinchante* de 1897) y aplica espesos empastes *(Naturaleza muerta con olla de estaño)*.

• Las luces de Córcega y Toulouse vivifican su cromatismo. Los tonos francos y saturados dan forma a figuras en principio sólidas y sobrias, que se hacen más suaves. En 1904 aborda la estricta técnica divisionista, «la lógica en lo puro» (Signac), para crear una visión arcádica de la felicidad *(Lujo, calma y voluptuosidad)*. Este breve paso por una pincelada rectangular en la que se ponen en juego colores puros y complementarios favorece la eclosión del fauvismo.

• De 1905 a 1907, el fauvista Matisse no conserva del puntillismo más que la pureza del color y se libera de la técnica oponiendo pequeñas pinceladas a amplios espacios con colores planos. Su alegría creadora se acompaña de una distribución atrevida, a veces japonizante, de una línea vigorosamente expresiva hecha de arabescos decorativos, y de una explosión del color en tonos puros, sin degradados, que excluye la sombra y el modelado. El ciclo de las grandes naturalezas muertas se abre con *Las alfombras rojas* (1906, Grenoble, B.A.). La factura se hace esbozada *(Retrato de madame Matisse)*. El fauvismo de Matisse se acerca incluso al expresionismo *(La gitana)*.

• El período pictórico que sucede al fauvismo es armonioso, sereno y feliz. Matisse reinventa la edad de oro *(El placer de vivir)*. «Quiero un arte equilibrado», dice en 1908, «de pureza, que no inquiete ni moleste, quiero que el hombre fatigado, agobiado, derrengado, experimente ante mi pintura la calma y el reposo.» Sus temas bucólicos, la pastoral, la bacanal o la escena mitológica, de figuras sacralizadas, expresan, como él afirma, «el sentimiento casi religioso [que él tiene] de la vida». La subjetividad le hace sobrepasar la realidad, el detalle, la totalidad: «Cuando ofrezco un fragmento atraigo al espectador mediante el ritmo, lo arrastro a seguir el movimiento de la fracción que él ve, de manera que tenga el sentimiento de la totalidad». Matisse privilegia el motivo, el objeto decorativo (tapicería mural, alfombras, vegetación, acuario, etc.) y el colorido, en detrimento de la búsqueda de la expresión, pero no de la emoción. El gran formato, la línea ondulante de los cuerpos y de los objetos, las guirnaldas de arabescos coloreados y las manchas de colores vivos presentan un equilibrio sutil entre rigor y subjetividad *(El taller rojo)*. Algunas naturalezas muertas conservan acentos cézannianos. Matisse se concentra en los interiores habitados y en las ventanas abiertas *(La conversación)*.

• La primera guerra mundial rompe su sueño. El pintor vuelve a las armonías oscuras y a las masas simplificadas. Abraza el cubismo *(La lección de piano)* y transpone los elementos realizados en motivos abstractos mediante un juego complejo de relaciones coloreadas y de formas geométricas puras. Introduce el negro y campos cromáticos que anuncian el expresionismo abstracto americano de la década de 1950 *(Puerta-ventana en Colliure)*. Paralelamente opera un retorno al realismo *(El turbante blanco de Laurette*, 1916, Baltimore, M.A.)

• En 1917, en Niza, la luz mediterránea reanima sus temas, despierta un cierto exotismo. Sus cuadros se llenan de palmeras, de odaliscas desnudas o a medio vestir. La decoración, inspirada en la cerámica musulmana, toma un espacio fundamental, lo mismo que la figura, tratada de manera clásica *(Figura decorativa sobre fondo ornamental)*. Matisse llega a la madurez de su arte aliando lo monumental, formal y coloreado, con lo decorativo.

Retrato de madame Matisse, llamado *La raya verde*
1905. Óleo sobre tela, 40,5 × 32,5 cm, Copenhague,
Statens Museum for Kunst

Esta obra se inscribe en la trayectoria fauvista, que exalta todos los
colores, admirados individualmente o en su conjunto.
Los colores yuxtapuestos crean una profundidad luminosa, fuera
de toda referencia a la realidad y a la perspectiva. Imponen
una nueva construcción plástica, una nueva musicalidad estética.
Matisse «subraya la impresión arbitraria que suscita a primera
vista la barra verde que divide el rostro de madame Matisse.
Impresión que no resiste el análisis. La raya verde marca limpiamente
la frontera que, sobre el rostro, separa la zona de sombra de la zona
de luz. La arista verde que representa la arista de la nariz [engendra]
una sucesión de oposiciones de planos coloreados [...]: la raya verde
entre la vertiente ocre y la vertiente rosa del rostro, la cabellera azul
entre el fondo verde y el fondo violeta, el cuello esmeralda entre el
hombro naranja y el hombro violeta... Se acabaron los combates, los
últimos y convulsivos cuerpo a cuerpo. Ahora son los colores, como
aliados tras la victoria, quienes se reparten el terreno conquistado»
(P. Schneider, 1982).

Matisse

• Tras 1928, Matisse domina perfectamente el arabesco dinámico, pintado o recortado en papel al que ha aplicado guache. Alía la concisión del trazo y el talento decorativo *(La danza, Desnudo rosa)*, «una forma de expresión del espacio y del movimiento mediante colores limpios» (Michel Hoog, 1968), cercano al «formalismo abstracto» (P. Schneider, 1993). Pone en escena motivos oceánicos de pura fantasía decorativa. La capilla de Vence revela una gran sobriedad de las formas, humana (santo Domingo), animal (pez) y vegetal (motivo geométrico), y de los colores, con el recurso al amarillo, al azul y al verde. La obra es luminosa, decorativa, y desprende una impresión religiosa: «No hay ninguna ruptura ente mis antiguos cuadros y mis recortes, solamente hay más absoluto, más abstracción», declara el artista en 1952. Sus papeles pegados respetan la integridad de la superficie, que implica la pureza de los colores, la franqueza del dibujo y la integración de la figura al fondo.
• Las últimas telas de Matisse prolongan todavía más su investigación sobre la línea y el color. Ofrece un último homenaje a la mujer, a la que ahora pinta en su plenitud.

Figura decorativa sobre fondo ornamental
1925. Óleo sobre tela, 131 × 98 cm, París, Museo nacional de arte moderno

La redundancia de los calificativos «decorativa» y «ornamental» expresa la intención de Matisse.
La figura escultural, tridimensional y realista, no desprovista de acentos exóticos, se despliega sobre un entorno bidimensional e irreal creado por el fondo decorativo. Los motivos florales y geométricos, que proliferan sobre la alfombra y en el papel pintado, son pesados, insistentes y heterogéneos: alfombra persa, espejo veneciano, papel barroco, vasija oriental… Como en la obra tardía de Klimt, el plano decorativo se confunde con el plano pictórico y cada objeto está amenazado de verse atrapado por la decoración. De este modo, la superficie del espejo no refleja nada y se ahoga en el azul de la pared.
La figura femenina sentada se opone por su tratamiento al fondo que la rodea: solamente la estilización excesiva de su cuerpo está en armonía con el exceso de decoración. En toda la obra de Matisse destaca la confrontación figura-fondo, objetivo-subjetivo en que la figura y el fondo, estilizados, se oponen a veces vivamente en sus colores (*Muchacha de blanco*, 1946).

268

La cabellera
1952. Papeles *guachés*, recortados y pegados
sobre papel blanco engrudado sobre tela,
110 × 80 cm, colección particular.

A partir de 1950, Matisse realiza
una serie de desnudos azules construidos
sin modelo. *La cabellera* se inscribe
en esta plástica nueva. El pintor recubre
amplias hojas de papel con guache antes
de recortarlas (sin recurrir a un trazado
previo) y de pegarlas después sobre
un soporte. Luego repasa el corte para
añadir o descartar. El artista «dibuja, pinta
y esculpe» con sus tijeras, «recorta el color
en vivo», según su expresión. Insufla un
volumen al cuerpo, sin recurrir al *trompe-l'œil*.
Los vacíos y los blancos se encargan de
articularlo y de inscribirlo en el espacio.
El color luminoso confiere profundidad
y poesía a estas obras casi abstractas que
remiten a un absoluto que toma vida
en las manos del artista.

OBRAS CARACTERÍSTICAS

Durante más de 60 años de carrera, Matisse realiza más de 1 000 obras pintadas,
aparte de los papeles pegados, las planchas de estarcir, los dibujos, las ilustraciones, los grabados, las esculturas, los vitrales, los vestidos, los cartones para tapicería y las cerámicas.

Naturaleza muerta de las dos botellas, 1896, col. part.
Naturaleza muerta de la olla de estaño, 1898, localización desconocida
Notre-Dame al caer la tarde, 1902, Buffalo [N.Y.], Albright-Knox A. G.
Lujo, calma y voluptuosidad, 1905, París, col. part.
Ventana, 1905, Nueva York, col. J.H. Whitney
Retrato de madame Matisse, llamado *La raya verde*, 1905, Copenhague, S.M.F.K.
El placer de vivir, 1905-1906, Merion [Penn.], B.F.
El desnudo azul, 1906, Baltimore, M.A.
El trinchante rojo, 1908, San Petersburgo, Ermitage
La danza, 1909-1910, San Petersburgo, Ermitage
Los peces, 1911, Moscú, Pushkin
El taller rojo, 1911, Moscú, Nueva York, M.O.M.A.
Interior con berenjenas, 1911, Grenoble, B.A.
La conversación, 1912, San Petersburgo, Ermitage
Marroquí del Rif, 1913, San Petersburgo, Ermitage
Puerta-ventana en Colliure, 1914, París, M.N.A.M.
La lección de piano, 1917, Nueva York, M.O.M.A.
Interior en Niza, 1921, París, M.N.A.M
Chica de la gandoura verde, 1921, Nueva York, col. Colin
Figura decorativa sobre fondo ornamental, 1925, París, M.N.A.M
La danza, 1931-1932, Merion [Penn.], B.F.
Desnudo rosa, 1935, Baltimore, M.A.
Polinesia, el cielo, 1946, París, M.N.A.M.
Capilla del Rosario, 1947-1951,
Gran interior rojo, 1948, París, M.N.A.M.

BIBLIOGRAFÍA

Wilson, Sarah, *Matisse*, Polígrafa, Barcelona, 1992; Guadagnini, Walter; Pomares, José Manuel, *Matisse: la
vida y la obra*, Mondadori-Grijalbo, Barcelona, 1993; Durozoi, Gérard, *Matisse*, Debate, Barcelona, 1996; Gilles, Neret, *Matisse*, Taschen, Colonia, 2002.

Braque

Braque, artista aplicado, reflexivo y discreto, de una gran sensibilidad pictórica, es, con Picasso, el fundador del cubismo. Elabora lentamente su arte, profundo y denso. Destaca en los *papiers collés* y en las naturalezas muertas de gran formato, lo mismo que en las series temáticas (billar, taller, pájaro...).

RECORRIDO BIOGRÁFICO

• El pintor francés Georges Braque (Argenteuil-sur-Seine 1882-París 1963) nació en una familia de artesanos instalada en Le Havre. Paralelamente a sus inicios como pintor decorador, que le sensibilizan con la materia, frecuenta a O. Friesz y R. Dufy en los cursos nocturnos de bellas artes.

• Llega a París en 1900, entra en la academia Humbert (1903) y en bellas artes, en el taller de L. Bonnat. Seducido por la pintura fauvista expuesta en el Salón de otoño de 1905, se une al grupo. Pinta *L'Estaque* (1906 y 1907, París, M.N.A.M.) y *La pequeña bahía de La Ciotat* (1907, *id.*).

• En 1907, tras haber visto la retrospectiva de *Cézanne, Braque se interesa por las formas geométricas del maestro. Conoce a *Picasso por mediación de Apollinaire y admira *Las señoritas de Aviñón*. Vuelve a tomar los pinceles: *Viaducto de l'Estaque* (1907, Minneapolis, I.A.; 1908, París, M.N.A.M); *Gran desnudo* (1907-1908, París). Las masas geométricas se despliegan en *Instrumentos de música* (1908, col. Laurens) o en *El puerto de Normandía* (1909, Chicago).

• Desde finales de 1909, Braque y Picasso trabajan en estrecha colaboración para elaborar el cubismo. Pasan un tiempo con el español J. Gris en Céret, en 1911, y luego pasan el verano de 1912 en Sorgues. La guerra los separará.

• El cubismo analítico (1909-1912) toma forma en las naturalezas muertas de Braque: *Mujer de la mandolina* (1910, Munich, N.P.), *El velador* (1911, París) y *El portugués* (*id.*, Basilea, Km.). La nueva técnica de los *papiers collés*, que aparece en el cubismo sintético (1912-1914), está presente en *Guitarra, papier collé* (1912, col. part.), *El espantapájaros* (1913, col. part.), en que un dibujo rápido se añade al *papier collé*, y en *El hombre de la guitarra* (1914, *id.*). *La música* (1917-1918, Basilea) marca el fin del cubismo sintético y de la colaboración entre Braque y Picasso.

• Herido en el transcurso de la guerra, Braque vuelve a ponerse a pintar en 1917, animado por J. Gris y el escultor H. Laurens. Sus naturalezas muertas afirman la profundización poética de sus invenciones cubistas: *Guitarra y clarinete* (1918, Filadelfia); *Guitarra y compotera* (1919, París, M.N.A.M.), *El bufete* (1920, Basilea), *Guitarra y vaso* (1921, París, .N.A.M.). Realiza algunas figuras humanas, como en la serie de las *Canéforas* (1922, *id.*) y naturalezas muertas como *La mesa de mármol* (1925, *ibid.*), *Naturaleza muerta del clarinete* (1927, Washington) o *El velador* (1929, *id.*). Dentro de la serie de los *Veladores*, compone *El mantel rosa* (1933, Provincetown, Chrysler A.M.). Sus obras confirman la madurez de su talento clásico y mesurado, de tradición francesa. Las primeras exposiciones de envergadura, organizadas en la década de 1930 en Berlín, Nueva York, Basilea, Londres y Bruselas, le rinden homenaje. En 1937 recibe el premio Carnegie después de *Matisse y Picasso.

• En vísperas de la segunda guerra mundial, Braque reintroduce la figura en *La mujer de la mandolina* (1937, Nueva York, M.O.M.A.), *El dúo* (*id.*, París, M.N.A.M.), *El pintor y su modelo* (1939, Nueva York, col. part.), *El modelo* (*id.*).

• Durante la guerra, el artista pinta la austeridad alimenticia en *Garrafa y pescados* (1941, París), *El pan* (*id.*), *Los peces negros* (1942, *id.*); y la muerte con *Vanitas* (1939, París, *id.*) y *Naturaleza muerta del cráneo* (1941-1945, col. part.). La serie de los *Billares* (1944-1949) muestra mesas de juego rotas. *La paciencia* (1942, Lausana) espera... En 1943, el artista empieza una serie de esculturas.

• Cuando llega la liberación, Braque, de salud frágil, pinta irregularmente. En 1948 recibe el gran premio internacional de la Bienal de Venecia. Emprende la serie de los *Talleres*: *Taller II* (1949, Düsseldorf, K.N.W), *Taller III* (1949-1951, Vaduz), *Taller IX*, (1952-1956, París, M.N.A.M.).

Reencontramos el ave que atraviesa estos cuadros en sus últimas obras: *El pájaro cuadriculado* (1952-1953, col. part.), *Los pájaros negros* (1956-1961, París). Braque realiza una decoración para el techo de la sala de los etruscos en el Museo del Louvre (1952-1953, París), así como cartones para los vitrales de la capilla de Saint-Bernard (Saint-Paul-de-Vence, Fund. Maeght). Artista completo, Braque es pintor, decorador, pintor ilustrador, escultor y litógrafo. Como sucede con Picasso, cuya fama de algún modo lo ahogó, su obra revoluciona la estética moderna y contemporánea.

INFLUENCIAS Y CARACTERÍSTICAS PICTÓRICAS

En su período fauvista, Braque pinta paisajes y algunos desnudos. El tratamiento de los volúmenes por Cézanne le inspira paisajes, desnudos y naturalezas muertas. En el período del cubismo analítico, da una importancia primordial a las naturalezas muertas de tema musical y a los personajes, a menudo músicos; abandona los paisajes. Cuando pasa al cubismo sintético, añade naturalezas muertas, en donde se inscriben instrumentos de música, vasijas y frutas.

Tras la primera guerra mundial y hasta su muerte, es fiel a esta temática, pero reintroduce la figura femenina. Pinta naturalezas muertas de pescados, series sobre el billar, el taller y los pájaros. La producción de Braque se divide entre los pequeños formatos y las composiciones más ambiciosas.

El marchante D. H. Kahnweiler expone en Francia las telas del artista. Al marchante neoyorquino L. Rosenberg le encantan todas sus grandes naturalezas muertas. J. Paulhan, los rusos Mechnianinov y J. Zubalov son otros compradores de sus obras.

Braque se deja influenciar por la estética fauvista de Matisse y de Derain, sigue a O. Friesz a Amberes. En París, L'Estaque y La Ciotat realiza obras en la línea del fauvismo y luego de Cézanne. En París, Céret y Sorgues, junto a Picasso, elabora el lenguaje del cubismo. Braque también es cercano a sus amigos Gris y Laurens.

• En Le Havre se aleja de la «atmósfera impresionista» en provecho del fauvismo. Es el último, en 1906, en adherirse al grupo parisino. Sus obras manifiestan una preocupación de organización de las formas, aliada a colores suntuosos *(L'Estaque)*. Ama esta pintura «pura», entusiasta y directa que él califica como «física» y «despojada de romanticismo».

• Durante el invierno de 1907-1908 aborda el cubismo. La influencia de Cézanne se lee en su dibujo geométrico, constituido por largos trazos superpuestos. Pero el colorido sigue siendo fauvista, los tonos rotos y luminosos *(Viaducto en L'Estaque)*. Más tarde Braque suaviza su paleta, emplea los tonos provenzales de Cézanne, el ocre, el amarillo, el verde y el gris. Tras la concepción del *Gran desnudo*, revelador de las influencias conjugadas de Cézanne *(Bañistas)*, de Matisse *(Desnudo azul)* y de Picasso *(Las señoritas de Aviñón)*, construye «formas reducidas a esquemas geométricos, a cubos» (L. Vauxcelles, 1908).

UN GRAN MAESTRO

◆ Rechazado en el Salón de otoño de 1908 pero coronado por el éxito en las exposiciones de la década de 1930 y en los premios de pintura, Braque es célebre, aunque para el gran público siempre será menos conocido que *Picasso.

◆ Como Picasso, Braque conmociona la pintura occidental del siglo xx por su elaboración común del lenguaje cubista, aniquilando la representación ilusionista del objeto e instaurando procedimientos plásticos innovadores.

◆ En 1908, el artista impone una visión analítica de los objetos *(Los instrumentos de música)*.

◆ Es el primero, antes de Picasso, en utilizar la técnica del *papier collé*. En colaboración con Picasso, crea el cuadro-objeto, utiliza técnicas mixtas y materiales como el aceite, la arena, el serrín y las limaduras de hierro.

◆ Pinta temas prosaicos como los veladores, el billar, las chimeneas y crea asociaciones temáticas personales: *Taller* atravesado por un pájaro…

◆ Auténtico genio de la composición, inventa construcciones complejas, monumentales y refinadas. Así lo demuestran sus abundantes naturalezas muertas de la década de 1920, de tonos oscuros sostenidos por una preparación mate, negra o gris, la serie de los dúos o de las mujeres solas de los años 1939-1945, o también la serie de los *Talleres*, pintada entre 1949 y 1956.

Braque

- En sus numerosos paisajes opone masas coloreadas: éstas se reconcilian en las modulaciones de tonos de los espacios intersticiales. «Lo que me ha atraído, lo que fue la dirección principal del cubismo», escribe, «es la materialización de este espacio nuevo que sentía». Braque descompone los elementos, los verticaliza: parecen aproximarse al espectador. Así reduce lo que él llama «espacio visual», en provecho del «espacio táctil» *(Puerto en Normandía)*. En la etapa siguiente, abandona el paisaje en provecho de la figura humana y sobre todo de la naturaleza muerta, «porque en la naturaleza muerta hay un espacio táctil, casi manual [...]».

- A partir de 1909, Braque y Picasso mezclan sus experiencias estilísticas en el cubismo analítico (1909-1912). Éste se caracteriza por una búsqueda de la realidad tangible de las cosas. La estructura del objeto prima sobre el color. Para lograrlo, Braque aplana los volúmenes a los tonos monocromos del beis y reduce los ángulos agudos. Conserva algunas curvas con el fin de garantizar la legibilidad del tema. La pincelada dividida, vibrante y unitaria desemboca en formas planas *(El velador)*.

- Pero rápidamente, con el riesgo de perder el sentido del cuadro, introduce elementos reales, evolucionando a un cubismo llamado «sintético» (1912-1914). Añade a las formas analíticas elementos concretos, pintados en *trompe-l'œil* (falsas maderas, cartas, cifras, clavos) y destinados a acentuar la materialidad y lo plano de la obra (*El velador* o *Naturaleza muerta con violín*). Estos elementos restituyen color a las obras. Es también el primero en imitar las venas de la madera con la ayuda del peine para pintar y en dominar la técnica del falso mármol. Más tarde realiza sus letras de imprenta en plancha de estarcir. Añade a su materia pictórica arena, serrín o limaduras de hierro, todos ellos materiales que desacralizan el oficio tradicional. De este modo, Braque pone definitivamente término a la reproducción ilusionista.

- La reflexión pictórica de Braque difiere entonces de la de Picasso. Braque reafirma sus preocupaciones de colorista, mientras que Picasso se interesa más por el espacio y la forma. En 1914, para contrarrestar el riesgo de caer en la abstracción, el artista reestructura los elementos constitutivos de la obra en una ocupación concentrada y casi volumétrica *(El hombre de la guitarra)*.

- Las naturalezas muertas en *papier collé* de los años de la posguerra son menos densas, menos innovadoras. Las composiciones pintadas privilegian una escritura pictórica y superponen tonos minuciosos y refinados, densos, acompasados, coloreados y decorativos *(El bufete)*. El pintor restablece los lazos con la figura, abandona el trazo en beneficio del arabesco amplio y voluptuoso, en la tradición clásica francesa de *Ingres, de *Courbet o de Renoir *(Las canéforas)*. Los *Veladores*, *Chimeneas* y naturalezas muertas en donde conviven un grano de uva y un instrumento musical tienen fuerza en su construcción y dinamismo en su formato vertical. La pasta rica y el colorido oscuro acrecientan la severidad y monumentalidad *(La mesa de mármol)*: el hecho «pictórico» y la autonomía plástica hacen que supere al objeto.

- A partir de 1928, la paleta se hace más alegre. Braque utiliza libremente una línea flotante y continua, que recuerda la línea ondulante de Picasso (*Naturaleza muerta con mantel rojo*, 1934, col. part.). Despliega su sentido de lo ornamental, coloreado, vivo y fantasioso. Vuelve a otorgar un lugar a la figura humana vista simultáneamente en su mitad de cara y en color, y de perfil como sombra china *(El modelo)*.

- Los cuadros pintados durante la guerra reflejan la austeridad de la época: el artista expresa mediante temas simples (*Los dos pescados negros*, 1942, París, M.N.A.M), a veces mórbidos *(Vanitas)*, en una composición de colores sombríos, de textura en ocasiones granulosa. La vida está en suspenso *(La paciencia)*. Braque vuelve la espalda a esta época (*El hombre del caballete*, 1942, París, gal. Louise Leiris).

- Desde la posguerra a su muerte, las obras de Braque son prueba de una evolución estilística homogénea y de su «poética pictórica». Desarrollan sobre todo el tema del *Taller*, atravesado por pájaros vivos y en vuelo, que a continuación representa solos y esquematizados.

BIBLIOGRAFÍA

Fauchereau, Serge, *Braque*, Polígrafa, Barcelona, 1987; Bueno Fidel, María José, Georges Braque, Polígrafa, Barcelona, 1995; Leymarie, Jean, *Braque: les ateliers*, Edisu, Aix-en-Provence, 1995; Bärmann, Matthias (et al.), *Braque: obra gráfica*, (catálogo de exposición), Fundación Bancaja, Valencia, 2002.

El velador o *Naturaleza muerta con violín*
1911. Óleo sobre tela, 116 × 81 cm, París, Museo nacional de arte moderno. Centro Georges-Pompidou

Esta obra data del período del cubismo analítico, en donde Braque y *Picasso trabajan conjuntamente, confrontando diariamente su progresión: «A pesar de nuestros temperamentos tan diferentes, nos guiaba una idea común», la de crear «un espacio nuevo» y plano.

En este cuadro, el lenguaje visual, muy estructurado y elaborado, no permite la legibilidad directa del tema. El espectador tiene que concentrar su atención para intentar recomponer el objeto, visto de abajo arriba. La parte inferior del violín y el traste están colocados sobre una mesa que se desliza hacia el plano del espectador. El pintor sugiere un desplazamiento progresivo de los objetos mediante planos oblicuos interrumpidos y por pequeños toques geométricos fragmentados y horizontales. El tono monocromo, gris-ocre, refuerza la desestructuración de la forma en planos fragmentados.

Braque

OBRAS CARACTERÍSTICAS

L'Estaque, 1906, París, M.N.A.M.

Gran desnudo, 1907-1908, París, col. Maguy
El puerto en Normandía, 1909, Chicago, A.I.
El velador o *Naturaleza muerta con violín*, 1911, París, M.N.A.M.
Guitarra, papier collé, 1912, col. part.
El hombre de la guitarra, 1914, París, M.N.A.M.
La música, 1917-1918, Basilea, Km.
Guitarra y clarinete, 1918, Filadelfia, M.A.
El bufete, 1920, Lichtenstein col. part.
La mesa de mármol o *Frutas sobre un mantel y vasija*, 1925, París, M.N.A.M.
Naturaleza muerta con clarinete, 1927, Washington, col. Phillips
El velador, 1929, Washington, col. Phillips
El pintor y su modelo, 1939, Nueva York, col. part.
El modelo, 1939, Nueva York, col, part.
La garrafa y los peces, 1941, París, M.N.A.M.
La paciencia, 1942, Lausana, col. Goulandis
El billar, 1945, col. part.
Taller III, 1949-1951, Vaduz, col. part.
Los pájaros negros, 1956-1957, París, Galería Maeght

El modelo ▲
1939. Óleo sobre tela, 1 × 1 m, Nueva York, colección particular

Durante los años 1936-1944 Braque pinta sobre todo figuras sobre el caballete. El pintor elige aquí un formato cuadrado para poner en escena a una mujer que dibuja un plano. Enhiesta y silenciosa, tiene el mismo valor de presencia que lo que la rodea en este interior cargado de motivos ornamentales y de objetos. Estos objetos, replegados sobre el plano del cuadro anulan el relieve. La luz y la sombra dividen verticalmente el cuerpo del *modelo*. Este claroscuro dibuja su cara a la vez de frente (visto a la luz) y de perfil (dibujado por la sombra). La trayectoria de Braque se sitúa en el prolongamiento de la estética cubista. El pintor juega con la antítesis: negativo-positivo, oscuridad-claridad, perfil-cara. Esta dualidad toma todo su sentido en esos años de conflictos que generan la desgracia y la esperanza, la guerra y la paz, la sombra y la luz. «Me parece igual de difícil», escribe el pintor, «pintar el entredós que las cosas. Este "entredós" me parece un elemento tan capital como eso que la gente llama "el objeto". Justamente, es la relación entre estos objetos y del objeto con el "entredós" lo que constituye el tema.»

◄ *La mesa de mármol* o *Frutas sobre un mantel y vasija*
1925. Óleo sobre tela, 130,5 × 75 cm, París, Museo nacional de arte moderno, Centro Georges-Pompidou

Esta naturaleza muerta monumental, vertical y compleja, es uno de los mayores logros de la década de 1920. La composición, el mármol en *trompe-l'œil* y el colorido oscuro asombran la vista. La construcción en planos yuxtapuestos muestra un vacío importante en la parte derecha, mientras que la gran placa de mármol verde, en eco de la pared, dispuesta en un oblicuo que el ojo prolonga hacia fuera de la tela, domina la parte izquierda de la composición. La naturaleza muerta la encabalga, se extiende hacia el primer plano para aumentar el efecto táctil de las peras y manzanas.
El colorido restringido y severo (marrón, verde, gris y negro) juega con asociaciones y equilibrios plásticos hábiles en las relaciones armónicas entre la vasija y el cristal, los mármoles y los frutos.
Un trazo blanco, realizado con un grueso pincel, rodea la naturaleza muerta, para marcar la distancia entre los objetos y volver a ofrecer luz. La composición y las manchas de color geométricas se inscriben en la filiación de los *papiers collés*. Braque alimenta íntimamente el volumen y el color.

Picasso

Artista emblemático del siglo XX, Picasso se impone por su arte revolucionario aliando la investigación cubista con la afirmación de una visión muy personal. Las rupturas estilísticas marcan su obra: períodos académico, «azul» y «rosa», cubismo,
clasicismo, surrealismo, vanguardia. Libera la imaginación y la técnica hasta
las puertas de la abstracción, pero se mantiene voluntariamente en el dominio
figurativo. Alterna violencia y poesía. Inagotable, experimenta vías nuevas
durante toda su vida, tanto temáticas como plásticas y técnicas.

RECORRIDO BIOGRÁFICO

• El español Pablo Ruiz Picasso, llamado Pablo Picasso (Málaga, 1881-Mougins 1973), de una
excepcional longevidad, atraviesa todo el siglo XX. Su padre es pintor y profesor de dibujo en
Málaga. Pablo vive en Barcelona y en 1895 entra en bellas artes. Firma entonces grandes telas
académicas. La vanguardia y el expresionismo le atraen. La miseria, personalizada en prostitutas y alcohólicos, así como el suicidio de su amigo Casagemas, le marcan.
• En 1900, en París, se une a *Matisse, Apollinaire y Max Jacob. Es a partir de 1901 cuando empieza a firmar con el apellido de su madre: Picasso. Habitado por el recuerdo vívido de los dramas que ha presenciado, Picasso realiza sus obras en tonos azulados; es la época azul
(1901-1904), con *Mujer con vaso de absenta* (1901, Glarus) o *El viejo judío* (1903, Moscú, Pushkin). De estos cuadros emana una profunda tristeza, la misma que invade los retratos de *Celestina* (1903) o de *Madre e hijo con toquilla* (*id.*, Barcelona, M. Picasso).
• Le sucede el período «rosa» (1904-1906): *Familia de saltimbanquis* (1905, Washington), *Niño y saltimbanqui sentado* (1906, Zurich, Kunsthaus), *Los dos hermanos* (1906, Basilea).
• A la vuelta de su estancia en Andorra, en verano de 1906, Picasso, influenciado por la obra
de *Cézanne inicia un cambio estilístico: *El harén* (1906, Cleveland, M.), *Retrato de Gertrude
Stein* (*id.*, Nueva York) y sobre todo *Las señoritas de Aviñón* (1907, *id.*), que marcan el inicio del
arte moderno.
• Su aventura cubista, que lleva a cabo conjuntamente con *Braque, se extiende de 1907 a
1914. El período cézanniano (1907-1909) se acaba con el *Retrato de Clovis Sagot* (1909, Hamburgo). El cubismo analítico (1909-1912) que le sucede descompone el *Retrato de D. H. Kahnweiler* (1910, Chicago) y el del *Mandolinista* (1911, Basilea, col. part.). El cubismo sintético
restablece los vínculos con la realidad: *Naturaleza muerta de la silla acanalada* (1912, París),
Botella de marc viejo, vaso y cristal (1913, *id.*); *Violín y guitarra* (*id.*, Filadelfia, A.M.) y el *Retrato de chica* (1914, París).
• Tras la primera guerra mundial, Picasso vuelve a un arte más inmediatamente legible. Crea decorados y vestidos para ballets: *Parade* (1917) y *Pulcinella* (1920) etc. Sus cuadros «ingrescos»
(*Tres mujeres en la fuente*, 1921, Nueva York), sus obras «pompeyanas» (*Mujeres de blanco*, 1923,
id.) y sus retratos «clásicos» —retrato de Olga Khoklova (1923, Grenoble), su esposa, y su hijo *Pablo, pierrot* (1925, París, M. Picasso)- son una pausa deliberada con relación a las experimentaciones de las vanguardias, salvo la obra cubista *Los tres músicos* (1921, Nueva York, M.O.M.A.).
• En 1925 Picasso es seducido por el surrealismo: *La danza* (1925, Londres), *Bañista sentada*
(1929, Nueva York), *Figura a la orilla del mar* (1931, París, M. Picasso).
• En 1932, conoce a Marie-Therèse Walter, cuya belleza le inspira *El sueño* (1932, Nueva York)
y *La musa* (1935, París). De 1930 a 1934, esculpe bustos y desnudos, trabaja el metal, animado por sus amigos, como el escultor español J. González.
• Presente en España en 1933 y 1934, Picasso se impregna de los temas taurinos, del Mino-
tauro, del que ejecuta los grabados. *Guernica* (1936, Madrid), su obra más famosa, es una prueba de su compromiso contra la guerra y el fascismo. Su sufrimiento se encarna en la *Mujer
llorando* (1937, Londres), un retrato de su compañera Dora Maar.
• Durante la segunda guerra mundial, la muerte es una obsesión en su obra: *Pesca nocturna
en Antibes*, (1939, Nueva York), *Naturaleza muerta con cabeza de buey* (1942, Düsseldorf), *Le
charnier* (1944-1945, Nueva York, M.O.M.A.).

• A finales de la guerra, Picasso conoce a Françoise Gilot. Se hace comunista y realiza *La masacre de Corea* (1951, París, M. Picasso). En 1949, *La paloma de la paz*, símbolo del movimiento pacifista, hace legendarios al hombre y a su compromiso. Los cuadros de familia expresan su felicidad: *La alegría de vivir* (1946, Antibes). En 1948, la familia Picasso se instala en Vallauris. Se desarrolla el gusto de Picasso por el tema taurino.

• En 1953, la pareja se separa. Instalado en Cannes en 1955, Picasso pinta *El taller de Cannes* (1956, París). En 1958 se casa con Jacqueline Roque, que le inspira numerosos retratos. Interpreta con audacia las obras más célebres de Courbet, *Delacroix, *Velázquez y *Manet. En Mougins, en donde reside hasta su muerte, pinta *Paisaje* (1972, París).

Artista en búsqueda permanente en todos los dominios, ya se trate de pintura, de escultura, de grabado, de cerámica o incluso de bricolaje, Picasso se convierte en uno de los grandes creadores del siglo XX y en el menos teórico de los pintores. Abre la vía al arte moderno y contemporáneo, del *collage* dadá a *Mondrian, de la escultura cubista a las nuevas figuraciones.

INFLUENCIAS Y CARACTERÍSTICAS PICTÓRICAS

En sus lienzos de la época «azul» o «rosa», Picasso pinta sobre todo a los personajes: niños, maternidades, retratos de mujeres y, luego, saltimbanquis, escenas de circo. Cuando aborda el cubismo, el artista retrata a sus amigos, a sus esposas o compañeras y a sus hijos, pero también pinta desnudos y paisajes. Las naturalezas muertas con instrumentos de música son su tema favorito cuando se trata de *papiers collés*. A partir de 1933 aparecen los temas taurinos. Los períodos clásico y surrealista, así como los que siguen, muestran su apego por la figura humana y al animal como símbolo.

El artista emplea múltiples formatos, técnicas y soportes. Trabaja principalmente al óleo sobre tela o sobre madera, pero también introduce texturas inéditas. Se expresa tanto a lápiz como al carbón o al pastel, en guaches y en tinta china, sobre papel o sobre cartón.

D. H. Kahnweiler y A. Vollard son sus primeros marchantes. Después se apresuran los coleccionistas y los galeristas europeos: Durant-Ruel, Metchianinoff, Berheim Jeune, L. Rosenberg, luego P. Rosenberg...

Picasso se hace preguntas sobre todas las formas de expresión heredadas de la historia del arte occidental, así como las de otras civilizaciones. Recuerda a los antiguos maestros de Cataluña y de España, y la escultura medieval. Está abierto también al expresionismo nórdico, al postimpresionismo francés y al arte italiano, y se apasiona por el arte «primitivo».

Aunque viaje a Andorra, Roma y España (1933 y 1934), reside sobre todo en París y el Mediodía francés.

• De muy joven se muestra sensible a E. Munch y a *Toulouse-Lautrec, *Gauguin, Puvis de Chavannes, a los nabis, al arte apasionado y monocromo de su amigo catalán I. Nonell. Asimila fácilmente el estilo de todos estos pintores.

UN GRAN MAESTRO

◆ Conocido universalmente desde 1949 por *La paloma de la paz*, Picasso es uno de los artistas más célebres y fecundos. Del mismo modo que *Miguel Ángel y *Leonardo da Vinci, con él cambia la trayectoria del arte.

◆ Picasso inventa una nueva plástica: el cubismo, que revoluciona el arte del siglo XX.

◆ Renueva sin cesar los temas tratados: sus naturalezas muertas se inspiran en el universo de los cafés y de la música, cuyo simbolismo renueva. El erizo de mar y el gato remiten a la muerte, el toro materializa la fuerza masculina y el caballo herido la feminidad *(Guernica)*. Las composiciones, las deformaciones impuestas a las figuras crean la emoción buscada por el artista.

◆ En sus cuadros, Picasso introduce *papiers collés* (diarios, etiquetas de botella) y materiales «vulgares», como la arena, el yeso o un pedazo de tela encerada para reproducir la rejilla de una silla. Crea así el precedente de los *ready made*. Compone el cuadro-objeto, en el que se asocia lo falso y lo verdadero. En escultura, ensambla objetos o su huella en el yeso y materiales diversos.

◆ Su estética nueva trata simultáneamente el mismo tema bajo diferentes ángulos, reduciendo los volúmenes a un conjunto de superficies planas que presentan múltiples facetas, descompuestas. Para el rostro, a menudo en forma de máscara primitiva, sigue el mismo tratamiento. Los desnudos, monumentales y rústicos, imponen dulzura o violencia, curvas o ángulos.

Picasso

• La época «azul» de Picasso (1901-1904) pone en escena figuras patéticas e inmóviles, hispanizantes, de un azul glacial *(Celestina)*. La época «rosa» (1904-1906) aparece menos oscura, más viva *(Los saltimbanquis)*. Luego el artista se interesa por la antigüedad: los cuerpos de sus personajes se hacen más espesos, adquieren monumentalidad *(Los dos hermanos)*.

• Su primera ruptura estilística de importancia aparece en 1906. El pintor tiende hacia un «primitivismo» formal y hacia una rusticidad que quedarán como marcas de su arte *(Retrato de Gertrude Stein)*. Sus formas se alimentan de la escultura ibérica y africana, pero también de Cézanne, fuentes de la revolución cubista que inauguran *Las señoritas de Aviñón*.

• El cubismo de Picasso (1907-1914) pone en juego su intelecto personal, excluyendo cualquier manifiesto estético: «El cubismo tiene sus fines plásticos. Sólo vemos en él una manera de expresar lo que nuestros ojos ven y lo que nuestros espíritus perciben, con todas las posibilidades que tienen, en su propia calidad, el dibujo y el color», declara el artista en 1925. Muestra lo que sabe de las cosas y no lo que ve. Reproduce la realidad suprimiendo la perspectiva, el modelado, el claroscuro y el color ilusionistas heredados del renacimiento, y deconstruye el volumen presentándolo simultáneamente bajo diferentes ángulos (cara, perfil, tres cuartos).

• Esta evolución estética, que se produce en estrecho acuerdo con la trayectoria de Braque, cuenta tres etapas sucesivas: el cubismo llamado «cézanniano» (1907-1909), surgido de la lección de Cézanne, el cubismo analítico o hermético (1909-1912) y luego el cubismo sintético (1912-1914).

• La concepción cézanniana de la forma de los objetos había simplificado los volúmenes reduciéndolos a sólidas geometrías que afloran en la tela, suprimiendo toda perspectiva. En su período cézanniano, Picasso utiliza los colores planos de tonos neutros para unificar lo lleno y lo vacío *(Naturaleza muerta de los jarros*, 1906, San Petersburgo, Ermitage).

• El cubismo analítico, que prolonga esta lógica, infla y rompe los volúmenes, los hace estallar en planos y en facetas (y en ángulos rotos) que se prolongan en un espacio analizado en sí mismo como un sólido que tiende a reducirse al plano del cuadro *(Retrato de D. H. Kahnweiler)*. La perspectiva desaparece, la paleta tiende a convertirse en monocroma, «la forma tiende a disolverse en su contrario y a cristalizarse en algunos signos cada vez más herméticos [...], la telas se reducen a indescifrables enigmas» (A. Femigier, 1968). Cuadros y esculturas presentan un encabalgamiento de facetas abiertas, en un tratamiento nuevo y continuo del espacio, del volumen y de la luz.

• Pero ante el riesgo de disolución de lo real, la búsqueda llevada a cabo por Braque y Picasso toma otra dirección y se convierte en un cubismo sintético que recompone el objeto en planos amplios, ya no en volúmenes. La realidad es reintroducida por la presencia de letras de imprenta pintadas o pegadas, por medio de fragmentos de diario *(Botella de marc viejo [...])* y de materiales brutos *(Naturaleza muerta de la silla acanalada)*. La guerra, que separa a Picasso y Braque, pone fin a este período *(Retrato de muchacha)*.

• En 1917, su gusto por la escultura antigua y por el clasicismo del renacimiento romano lleva a Picasso hacia una figuración más tradicional. Pasa por una época epicúrea y serena (1917-1924), tendente a la antigüedad y a Pompeya, poniendo en práctica un dibujo elegante y formas monumentales de inspiración épica *(Tres mujeres en la fuente)*. Concibe retratos ingrescos, de líneas sinuosas, de suntuosa reproducción *(Retrato de Olga Kokhlova)* y naturalezas muertas con bustos antiguos.

• En los años «surrealistas» (1924-1929) asistimos al desarrollo de una producción agresiva, que refleja las perturbaciones causadas por su relación tempestuosa con Olga. Picasso deja hablar a su inconsciente en una atmósfera convulsiva y onírica *(La danza)*. La figura femenina sufre la violencia de las deformaciones y de los colores. Las formas complejas, metáforas de la sexualidad, se mezclan.

• A comienzos de la década de 1930, el encuentro con Marie-Thérèse Walter y las odaliscas de Matisse le inspiran obras poéticas, sensuales y sosegadas *(El sueño)*. Realiza esculturas con objetos de desecho y grabados sobre temas crueles y misteriosos.

• Picasso deja sólidos manifiestos contra las monstruosidades de la guerra civil española y de la segunda guerra mundial en *Guernica* y *Le charnier*. Los retratos de Dora Maar, deformados, desequilibrados, dislocados, de extremidades infladas y monstruosas *(Mujer llorando)* traducen su horror a la guerra y al fascismo.

• De 1946 a 1953 inmortaliza la paz reencontrada y la felicidad familiar con Françoise Gilot. Sus obras creadas bajo el sol mediterráneo, en donde se expresan la robustez y la serenidad, se vinculan a una antigüedad idílica *(La alegría de vivir)*. Abandona la vena decorativa.

Las señoritas de Aviñón
1907. Óleo sobre tela, 2,45 × 2,35 m, Nueva York, Museum of Modern Art

Este cuadro es una obra fundamental del siglo XX: abre la vía del arte moderno.
El trabajo previo hasta la finalización de la tela es considerable: una veintena de
obras pintadas, una cuarentena de dibujos, 700 croquis preparatorios. Esta larga
gestión explicita el tema: las prostitutas de un burdel reciben a los clientes
(que no se muestran). Este cuadro, en el que cinco mujeres desnudas interpelan
al espectador-*voyeur* constituye la obra cubista más importante.
La tela presenta características cézannianas por la estructura que articula a los
personajes sobre la arquitectura del fondo. Los dos rostros de la derecha ilustran las
influencias ibéricas y africanas: simplificación de las formas, estilización de los ojos.
Las zonas de sombra de esta representación sin profundidad se ejecutan mediante
rayaduras. La estilización tan acentuada de las mujeres, a la derecha del cuadro,
deforma los rostros y los cuerpos.
Mediante estas innovaciones plásticas, Picasso intenta resolver un problema
pictórico: representar las figuras en el espacio sin recurrir a los procedimientos
tradicionales. *Matisse pasa por la oposición de los colores fauvistas, Picasso
por la descomposición de las formas. Aprehende los cuerpos desarticulándolos
y fragmentándolos: coloca una nariz de perfil en un rostro visto de cara, suprime
o desplaza partes del cuerpo humano: la boca se sitúa al nivel de la barbilla,
los ojos suben hasta la parte superior de la cara. Cada una de las señoritas está
aislada en su espacio, su frontalidad y en la estilización de su cuerpo.
Es el espectador quien restablece la unidad de la obra.

Picasso

• Los últimos veinte años, los «años Jacqueline» (1954-1973) le inspiran una producción abundante dominada por bellos retratos. Picasso vuelve a los temas que le gustan: el pintor frente a su modelo, el desnudo femenino, la pareja, el sexo, la tauromaquia. Al elaborar al final de su vida, y no al comienzo de su carrera, como suelen hacer los artistas, variaciones sobre las obras de *Rafael, *Ingres, Velázquez, Delacroix, Manet, *Poussin y *David, Picasso plantea qué lugar ocupa entre los grandes maestros.

Botella de marc viejo, vaso y diario
1913, carbón, *papiers collés* y alfileres sobre papel blanco, 63 × 49 cm, Museo Nacional de Arte moderno, Centro Georges-Pompidou

Tras el período analítico, Picasso introduce en sus obras materiales nuevos, incongruentes, los *papiers collés* o sujetos con alfileres, que eliminan la escritura subjetiva del pincel y aseguran de este modo incluso la identificación del tema: el diario, el mantel formado por un trozo de papel pintado, y el reborde con una moldura y una impresión. La intervención del pincel afirma la representación con una realidad reencontrada: la escritura manuscrita es informativa, el cuello de la botella tomado desde arriba, mientras que la misma botella aparece de cara. El trazado geométrico y la composición garantizan la llanura del soporte.

Obras características

La obra de Picasso comprende más de 16 000 realizaciones pintadas y dibujadas.

Mujer del vaso de absenta, 1902, Glarus [Suiza], col. Huber
Celestina, 1903, col. part.
Los saltimbanquis, 1905, Washington, N.G.
Los dos hermanos, 1906, Basilea, Km.
Retrato de Gertrude Stein, 1906, Nueva York, M.O.M.A.
Las señoritas de Aviñón, 1907, Nueva York, M.O.M.A.
Retrato de Clovis Sagot, 1909, Hamburgo, Kunsthalle
Retrato de D. H. Kahnweiller, 1910, Chicago, A.M.
Naturaleza muerta de la silla de rejilla, 1912, París, M. Picasso
Botella de marc viejo, vaso y periódico, 1913, París, M.N.A.M.
Retrato de muchacha, 1914, París, M.N.A.M.
Tres mujeres en la fuente, 1921, Nueva York, M.O.M.A.
Retrato de Olga Kokhlova, 1923, Grenoble. B.A.
La danza, 1925, Londres, T.G.
Bañista sentada, 1929, Nueva York, M.O.M.A.
El sueño, 1932, Nueva York, col. part.
La musa, 1935, París, M.N.A.M.
Guernica, 1936, Madrid, Museo nacional centro de arte Reina Sofía
La mujer que llora, 1937, Londres, T.G.
Retrato de Dora Maar, 1937, París, M. Picasso.
Pesca nocturna en Antibes, 1939, Nueva York, M.O.M.A.
Naturaleza muerta y cabeza de buey, 1942, Düsseldorf, K.N.W.
La alegría de vivir, 1946, Antibes, M. Picasso
Retrato de Jacqueline Roque, 1954, col. part.
El taller de Cannes, 1956, París, M. Picasso
Paisaje, 1972, París, M. Picasso

Retrato de Dora Maar
1937. Óleo sobre tela, 92 × 65 cm, París, Museo Picasso

Picasso representa a su compañera, con el cuerpo visto de frente y la cara tomada simultáneamente de tres cuartos y de perfil. Este retrato manifiesta una realidad física y psicológica, transcrita en el lenguaje cubista, con su estilización. Inmortaliza la violencia interior del modelo mediante la pose dinámica, las líneas agudas o rotas que esculpen una manos expresivas con uñas pintadas de rojo sangre y que construyen el vestido en una coloración muy viva. Este retrato se opone a otro, contemporáneo, de su excompañera, *Marie-Thérèse*, en el que expresa por sus curvas replegadas y su cabello rubio dulzura y voluptuosidad. Si bien la representación de Dora Maar parece en este caso respirar una cierta serenidad, no ocurre así, en el transcurso del mismo año con *Mujer llorando*, en donde simboliza el drama de la guerra, un eco del *Guernica*.

BIBLIOGRAFÍA

Warncke, Carsten-Peter, *Pablo Picasso: 1881-1973*, Taschen, Colonia, 1998; Brassaï, *Conversaciones con Picasso*, Turner, Madrid; Fondo de Cultura Económica, México D.F., 2002; Jackson, Rafael, *Picasso y las poéticas surrealistas*, Alianza, Madrid, 2003; Léal, Brigitte; Piot, Christine; Bernadac, Marie-Laure, *Picasso total: 1881-1973*, Polígrafa, Barcelona, 2003; Gidel, Henry, *Picasso*, Plaza & Janés, Barcelona, 2004.

Léger

El carácter campechano de Léger coincide con su reputación de artista trabajador, perseverante y confiado, y de observador minucioso. Desde sus primeras experiencias en un cubismo propio de Cézanne, descubre una fascinación por el mundo moderno, mediante los objetos industriales y una percepción de la realidad urbana y social que él convierte en monumental.

RECORRIDO BIOGRÁFICO

- Pintor francés, Fernand Léger (Argentan 1881-Gif-sur-Yvette 1955) es el hijo de un ganadero normando. De 1897 a 1899, en Caen, se forma en arquitectura y llega a París en 1900. Entra en la Escuela de artes decorativas (1903) y sigue libremente los cursos de L. Gérôme y después de G. Ferrier. Quedan pocas telas impresionistas o de aproximación fauvista que pertenezcan a este período. El pintor destruye, según sus propias palabras, los «Léger antes de Léger». Los cuadros de *Cézanne, en el Salón de otoño de 1904 y la retrospectiva de 1907 le revelan la importancia de los volúmenes.
- Entra en un período cubista con *Vasija sobre una mesa* (1909, Minneapolis, I.A.). Instalado en La Ruche, en París, se relaciona sobre todo con los Delaunay y los poetas Max Jacob, Apollinaire y Blaise Cendrars.
- Hacia 1910 encuentra su estilo: *Desnudos en el bosque* (1909-1910, Otterloo) en donde chocan y se imbrican los volúmenes, *La boda* (1911, París, M.N.A.M.) y *Los techos de París* (1912, Biot, M. F. Léger), en que puede percibirse la influencia de Delaunay. En *La mujer de azul* (*id.* Basilea) se hace evidente una cierta abstracción. Ese mismo año, el pintor expone en el local de Kahnweiler y participa en la exposición del «Valet de carreau» organizada por *Maliévich en Moscú. En 1913, en la academia Wassilief de Berlín, define su estética por la «intensidad de contrastes». Sus realizaciones como «contraste de formas» (1913, París y Nueva York) se acercan a la abstracción. Vuelve al arte figurativo al año siguiente: *Casa en el bosque* (1914, Basilea, Km.), *Naturaleza muerta con libros* (*id.*, col. part.) y *Mujer en rojo y verde* (*id.*, París, M.N.A.M.).
- Movilizado con ocasión de la primera guerra mundial, su mirada de pintor se detiene sobre el material de guerra. Representa a sus compañeros de regimiento como robots articulados mecánicamente: *El soldado de la pipa* (1916, Düsseldorf, K.N.W), *Partida de cartas* (1917, Otterloo). Gaseado en Verdún, es desmovilizado.
- Entre 1918 y 1923, en su período llamado «mecánico», el universo industrial le fascina tanto como las culatas, los obuses, los cañones: *Los discos* (1918, París), *En la fábrica* (1918, Nueva York, Sidney Janis Gal.), *La ciudad* (1919-1920, Filadelfia, M.A.). En 1919, Léger se casa con J. Lohy. Reintroduce la figura humana bajo los rasgos del *Remolcador* (1920, Grenoble, B.A.), de *El hombre del perro* (1920, col. part.), del *Mecánico* (1920, Ottawa). Pinta también escenas de interior: *El circo* (1918, París, M.N.A.M.), *El almuerzo* (1921, Nueva York) y *La lectura* (1924, París).
- En 1921, el artista entra en relación con *Mondrian y T. Van Doesburg. Su concepción estética será determinante para su *Composición mural* (1924, Biot, M. F. Léger). Trabaja con J. Delaunay para la exposición de las artes decorativas de 1925, realiza una pintura mural para Le Corbusier en el pabellón del *Esprit nouveau*. Crea también en 1923 los decorados y vestidos de diversos ballets, como *La creación del mundo*, sobre libreto de Blaise Cendrars.
- En 1924 Léger entra en un período «purista» que concluirá en 1927. Abre con A. Ozenfant un taller de difusión internacional. El purismo, asociado a la revista *L'Esprit nouveau*, de la que Le Corbusier es uno de los animadores, preconiza un lirismo del objeto y una gran sobriedad de las formas. Encuentra una expresión en *Ballet mécanique* de Léger (1924), primera película sin guión que muestra el objeto en un plano general. El artista prolonga este proceder en pintura con *Sifón* (1924, Buffalo), *Naturaleza muerta con brazo* (1927, Essen, F.M.) o *Composición de las tres figuras* (1932, col. part.).
- En 1931 y en 1935, Léger parte a Estados Unidos. Nueva York y Chicago acogen su primera exposición al otro lado del Atlántico.
- El Frente Popular, en 1936, le marca profundamente y le inspira grandes composiciones realistas destinadas a la fiesta de los sindicatos y, luego, para la Exposición internacional de 1937

en París: su optimismo se expresa en *Composición con dos loros* (1935-1939, París) y *Adán y Eva* (*id.* Düsseldorf, K.N.W.).

• Durante la segunda guerra mundial, Léger se exilia a Estados Unidos. Le viene a la memoria el baño de los estibadores en el puerto de Marsella: *Los buceadores sobre fondo amarillo* (1941-1942), *Los buceadores policromos* (1942-1946, Biot). Le seducen las noches neoyorquinas: *La danza* (1942, col. part.) y *Acróbatas y músicos* (1945, Saint-Paul-de-Vence, Fund. Maeght. Crea paisajes como *El bosque* (1942, París, M.N.A.M.) e inicia la serie de los ciclistas, como *La grande Julie* (1945, Nueva York) antes de decir *Adiós Nueva York* (1946, col. part.).

• Pasa el último decenio de su vida (1945-1955) en París. Su compromiso con la realidad cotidiana le lleva a militar en el partido comunista. En una serie elogia la vida obrera: *Los constructores* (1950, Biot); el ocio y el deporte: *Acróbatas en el circo* (1948, col. part.), *Les loisirs* (1948-1949, París), *La partida campestre* (1954, Saint-Paul-de-Vence, Fund. Maeght) y *La gran desfile* (*id.*, New York). En 1965 se publican sus escritos sobre arte bajo el título *Funciones de la pintura*. El arte de Léger anuncia el nuevo realismo. Su influencia se extiende al arte europeo y norteamericano, hasta el pop-art. En 1960 se inaugura un museo F. Léger en Biot.

INFLUENCIAS Y CARACTERÍSTICAS PICTÓRICAS

A Léger le gustan los temas urbanos, del trabajo y de las distracciones (fiesta, deporte), y glorifica el objeto industrial. Su obra valoriza o suprime los personajes, y constituye también un testimonio de su compromiso con la vida social y política (Frente popular, Partido comunista). El gigantismo y la urbanización le interesan. Atraído sobre todo por los grandes formatos, pinta tanto sobre lienzos como sobre paredes.

Más tarde le abren sus galerías D. H. Kahnweiller, L. Rosenberg y L. Carre (en 1945). Las familias francesas Gorgaud y Noailles, los norteamericanos A. E. Gallatin y N. Rockefeller, lo mismo que algunos escandinavos, figuran entre sus compradores.

En París, Léger descubre a Cézanne y, en el frente de Verdún, el impacto estético del objeto industrializado. La gestión artística de *Mondrian y de T. Van Doesburg (De Stijl), así como la de Le Corbusier, le confirman en su concepción de los decorados monumentales. Participa en las experimentaciones del purismo.

• Desde 1907, Léger asimila perfectamente la lección de Cézanne. Imbrica los planos con una gran preocupación de estructura y aplica al pie de la letra la lección del maestro: «Tratad la naturaleza en términos de esfera, de cilindro y de cono». Inaugura un estilo «tubista», geométrico y frío, que articula las formas en volúmenes o en colores planos. Estas formas, incrustadas, puramente plásticas y unificadas por una luz fría, se libran, como indica el artista, a una «batalla de volúmenes». Paralelamente, le interesa el orfismo de Delaunay *(La boda)*.

• A partir de 1913, Léger desarrolla un cubismo de acentos dinámicos, cercano al futurismo, apología del mundo moderno e industrial. Da importancia sobre todo a los colores planos geométricos rodeados de negro, rápidamente pintados y coloreados en pocos tonos *(Contraste de formas)*. Llamado a filas, transforma a los soldados en autómatas de color gris acero, bajo una iluminación glacial *(El soldado de la pipa)*, para después subrayar los contrastes de formas: los miembros se convierten en mecánicas desnudas y frías *(Partida de cartas)*. La guerra le revela la plasticidad del material militar: «Me impresionó», afirma, «la culata abierta a pleno sol de un fusil del 75». Esta fascinación alimenta su período mecánico (1918-1923). Desde entonces, su

UN GRAN MAESTRO

◆ Léger se hace famoso en Europa y Estados Unidos, y asiste en vida a exposiciones de sus obras en los grandes museos.

◆ Descubre la «estética de la guerra» (culatas, obuses) y de los objetos industriales (rodamientos, engranajes).

◆ Sus personajes acaban por parecerse a sus objetos mecánicos. Se concentra sobre la «intensidad de los contrastes» de formas y colores.

◆ Su visión monumental de lo cotidiano moderno y del mundo obrero propone un nuevo clasicismo.

◆ Las diferencias de escala que crea entre los objetos (*La Gioconda de las llaves*) y los planos generales anuncian la no-jerarquía de las imágenes del pop-art.

◆ Su dominio de la pintura mural, de la vidriera y de la cerámica permite que cuenten con él para numerosas realizaciones arquitectónicas.

entusiasmo por la belleza de las máquinas y de los objetos estalla en colores vivos (*Los discos*). Cuando asocia la figura humana a la máquina, pone por delante únicamente su dimensión plástica *(El mecánico)*, que él considera como «una batalla por el clasicismo» que opone «curvas a rectas, superficies llanas a formas modeladas, tonos locales puros a grises matizados».

• La monumentalidad de las «iluminaciones de paredes» (Léger) de su período siguiente saca su fuerza del neoplasticismo de Mondrian, que le lleva hacia composiciones abstractas.

• Su período purista es inseparable de la experiencia del cine: el *Ballet mecánico* de 1924 elimina a los personajes y capta en plano general los objetos desnudos, que se convierten casi en abstractos. Esta estética fragmentada y amplificada se prolonga en sus telas: las formas mecanizadas encajan en una composición estable y frontal, los contrastes coloreados se tratan en colores planos perfectos *(Naturaleza muerta del brazo)*. Mezcla también estos colores con el volumen en sus objetos vistos siempre en plano general *(Sifón)*. Conjuga el neoplasticismo, el rigor de la Bauhaus y el constructivismo ruso. La primacía del dibujo, la monumentalidad y el purismo participan de su clasicismo.

• A partir de 1928, Léger se concentra sobre la «intensidad de los contrastes», que encuentra una expresión nueva con *La Gioconda de las llaves*: la desproporción entre el manojo de llaves y el personaje simboliza la modernidad que todo lo invade y que se opone a un pasado obsoleto. Más tarde el movimiento y la naturaleza reemplazan al objeto. Formas ligeras que flotan en el espacio sustituyen a la frontalidad y el inmovilismo. Léger concibe unas composiciones circulares pobladas de personajes que él une entre ellos mediante una cuerda o una cinta *(La danza)*. Este mismo mecanismo de asociación de contrarios le hace oponer los elementos abstractos a las figuras.

• A finales de la década de 1930, Léger traduce su alegría y la libertad de los cuerpos en el espacio *(Composición con dos loros)*. En 1939, la víspera de su partida hacia Estados Unidos, ve en los estibadores que se divierten en las aguas del puerto de Marsella a unos atletas que giran arracimados en el espacio y anulan las últimas resistencias frontales y las referencias espaciales *(Buceadores [...], Acróbatas y músicos)*. Este nuevo aspecto de la obra se combina con una disociación del color y del dibujo, nacida de la impresión producida por las iluminaciones nocturnas de la ciudad *(El gran desfile)*.

• A partir de 1945, Léger desarrolla un arte accesible para todos en el que el hombre está presente por todas partes y en el que subraya el tema del ocio o del trabajo *(La partida campestre, Los constructores)*.

Los discos
1920. Óleo sobre tela, 2,40 × 1,80 m, París, Museo nacional de arte moderno, Centro Georges-Pompidou

Léger pone en escena un mundo de «máquinas implacables y bellas». En este período «mecánico» celebra el dinamismo y el ritmo de la realidad. Estos discos, deudores de la estética de los Delaunay, simbolizan la rueda, el engranaje, el mecanismo de una biela o de los paneles de señalización o publicitarios. Los tonos estridentes relejan, según el pintor, la manera en que los «industriales y comerciantes se enfrentan blandiendo el color como arma publicitaria».

Les Loisirs (Homenaje a Louis David)
1948-1949. Óleo sobre tela, 1,54 × 1,85 m, París, Museo nacional de arte moderno, Centro Georges-Pompidou

Las vacaciones pagadas inspiran a Léger para esta escena estructurada, sólida y compleja en que el juego de los brazos une a los personajes. El pintor transforma el cuerpo de los trabajadores en una «arquitectura de forma» dilatada, monumental, imponente y cuadrada. Les reserva el mismo tratamiento plástico, digno y poderoso que a una máquina o a un objeto, símbolos de la sociedad industrial. Léger rinde homenaje a Louis *David del mismo modo que Picasso se lo rinde a *Courbet o a *Velázquez. En este sentido, se sitúa en la continuidad clásica de David y de *Ingres.

OBRAS CARACTERÍSTICAS

Fernand Léger pinta 1 320 cuadros.

Desnudos en el bosque, 1909-1910, Otterloo, K.-M.
La mujer de azul, 1911, Basilea, Km.
Contraste de formas, 1913, París, M.N.A.M; Nueva York, M.O.M.A.
Partida de cartas, 1917, Otyterlo, K-M.
Discos, 1918, París, M.A.M de la Ville, palais de Tokyo;1920, París, M.N.A.M.
Mecánico, 1920, Otawa N.G.
El gran almuerzo, 1921, Nueva York, M.O.M.A.
La lectura, 1924, París, M.N.A.M.
Sifón, 1924, Buffalo [N.Y.], Albright-Konox A.G.
La Gioconda de las llaves, 1930, Biot, M. F. Léger
Composición de los dos loros, 1935-1939 París, M.N.A.M.
Los buceadores sobre fondo amarillo, 1941.1942, Nueva York, M.O.M.A.
Los buceadores policromos, 1942-1946, Biot, M. F. Léger.
La Grande Julie, 1945, Nueva York, M.O.M.A.
Los constructores, 1950, Biot, M. F. Léger
Les Loisirs (Homenaje a Louis David), 1948-1949, París, M.N.A.M.
La Grande parade, 1954, Nueva York, Guggenheim

BIBLIOGRAFÍA

Schmalenbach, Werner, *Léger*, Julio Ollero Editor, Madrid, 1991; Fauchereau, Serge, *Fernand Léger*, Polígrafa, Barcelona, 1994; *Fernand Léger* (catálogo de exposición), Museo Nacional Centro de Arte Reina Sofía, Madrid, 1997; *Fernand Léger* (catálogo de exposición), Fundació Joan Miró, Barcelona, 2002.

Kandinsky

Humano, simple, intuitivo, Kandinsky goza de la consideración de padre del arte abstracto y lírico. Extrae su inspiración de la «necesidad interior» y suprime al objeto figurado. Sus innovaciones se concretan cuando funda Der Blaue Reiter (El caballero azul) y las teoriza para luego enseñarlas en la Bauhaus. De su obra emana una espiritualidad enriquecida por las referencias eslavas y asiáticas. La libertad del color y de la forma traduce la vivacidad de sus emociones.

RECORRIDO BIOGRÁFICO

• Pintor francés de origen ruso, Vasili Kandinsky (Moscú 1866-Neuilly-sur-Seine 1944) recibe una educación burguesa. Aunque su sensibilidad le lleva hacia el dibujo, la pintura y la música, estudia derecho y economía y prosigue la carrera universitaria en Moscú.

• En 1889, con ocasión de un trabajo en la región de Vologda, un distrito lejano del nordeste del país, descubre la arquitectura campesina y el arte folklórico ruso. En 1895, durante una exposición de los impresionistas franceses en Moscú, queda fascinado por *El almiar de heno*, de *Monet. *Admira a *Rembrandt en el Museo del Ermitage. En 1896 decide consagrarse a la pintura.

• A finales de 1896, Kandinsky se inscribe en la escuela de A. Azbé, en Munich, y luego sigue los cursos de F. von Stuck en la Academia (1900): *Kochel. Cascada I* (1900, Munich). Decepcionado, en 1901 funda el grupo Falange (disuelto en 1904). Conoce a su compañera, la pintora G. Münter. *Vieja Ciudad II* (1902, París, M.N.A.M.), *Escenas rusas* (1904, col. N. Kandinsky) y *Pareja a caballo* (1906-1907, Munich, S.G.) pertenecen a este período. Efectúa también grabados de madera y coloreados.

• Huyendo del conservadurismo muniqués, el artista y su compañera recorren Europa (1903-1908) de Odessa a París pasando por Venecia e Italia antes de volver a Alemania. Kandinsky busca su camino.

• Kandinsky vuelve a Munich en 1909 y después se instala en Murnau. Aborda su búsqueda sobre la forma y el color: *Paisaje en la torre* (1908, París, M.N.A.M.), *La montaña azul* (1908-1909, Nueva York, Guggenheim), *Oriental* (1909, Munich). El artista funda con su amigo A. von Jawlensky la Nueva Sociedad de los artistas de Munich, a la que se incorporan otros artistas. Su primera obra abstracta es una acuarela (1910, París). Frente al rechazo por parte del jurado de la Nueva Sociedad a presentar en una de las exposiciones sus obras abstractas, crea la asociación Der Blaue Reiter (por el título de uno de sus cuadros de 1903), en la que participan F. Marc y los artistas de vanguardia. *De lo espiritual en el arte* (1911), teorización de sus experiencias pictóricas no figurativas de las series *Improvisación*, *Impresión* y de las diez *Composición* (1909-1913), recibe los ataques de la crítica.

• Sus pinturas al óleo revelan una profundización de su inclinación abstracta: *Paisaje romántico* (1911, Munich, S.G.), *Con el arco negro* (1912, París). En Berlín, expone sus telas en la galería Der Sturm (1912) y participa en el primer Salón de otoño (1913). Publica en alemán su autobiografía, *Mirada al pasado* (*id.*).

• En 1914 se declara la guerra; Kandinsky vuelve a Moscú en 1917 y comparte el entusiasmo revolucionario. Se casa con Nina Andreievskaia. Miembro de la sección artística de l comisariado para el progreso intelectual en 1918, enseña en la academia de bellas artes, crea museos en todo el país y funda en 1921 la academia de ciencias artísticas. Pinta poco: *Moscú II* (1916, Murnau, col. part.), *En el gris* (1919, París), *Trazo blanco* (1920 Colonia, Ludwig Museum), *Trama negra* (1922, París M.N..M.). La degradación de las circunstancias provoca su vuelta a Alemania.

• Llamado en 1922 por W. Gropius, director de la escuela de arte de la Bauhaus en Weimar, es nombrado profesor. Desarrolla su teoría pictórica en *Punto, línea, plano* (1926) y califica su obra, abundante, de «geometrismo lírico»: *Composición VIII* (1923, Nueva York), *Línea transversal* (*id.*, Düsseldorf, Km.), *Sobre el blanco II* (*id.*, París,M.N.A.M.), *Tensión tranquila* (1924, París), *Amarillo-rojo-Azul* (1925, París, M.N.A.M.) o *Algunos círculos* (1926, Nueva York). Realiza, con sus alumnos, las maquetas de las pinturas murales para la sala de música de la Jurifrei Kunstausstelung (exposición sin jurado) de Berlín (1922, reconstituidas en París, en el M.N.A.M. en 1977).

• En 1925, la Bauhaus se instala en Dessau. Kandinsky pinta y expone muy a menudo: *Cuadrado* (1927, París, col. Maeght), *Trece rectángulos* (1930, París), *Composición inestable* (1930,

París). Crea decorados y vestidos para la puesta en escena de la suite para piano *Cuadro de una exposición* de M. P. Músorgski (1928), cerámicas murales para la sala de música de L. Mies Van der Rohe (1931, Berlín) y participa en la exposición del grupo Círculo y cuadrado (1930).

• En 1933, los nazis clausuran la Bauhaus, confiscan lo que ellos denominan «arte degenerado» y ponen en venta pública 57 cuadros de Kandinsky. Éste se refugia en Francia tras haber pintado *Desarrollo en marrón* (1933, París, M.N.A.M.).

• Los surrealistas le acogen calurosamente en París. Pinta sus últimas obras: *Subida graciosa* (1934, Nueva York), *Entre dos* (*id.*, París, col. part.), *Medio acompañado* (1937, París). Durante la guerra, llevado por su «necesidad interior» crea la *Composición X* (1939), *Horizontal* (*id.*, Basilea, galería Beyeler), *Acuarela* (1940, col. part.), *Azul de cielo* (1940, París), *Tensiones delicadas* (1942, gal. Maeght), *Acuerdo recíproco* (1942, París), *Cinco partidas* (1944, col. part.). Su última obra se titula *El impulso temperado* (1944, *id.*).

El arte de Kandinsky, pintor, decorador, dibujante, grabador en madera y poeta es inseparable de su teoría. Este creador de la abstracción lírica abre un campo de exploración para el arte del siglo xx, sobre todo para la abstracción americana y francesa. Sus prolongaciones (pintura gestual, tachismo, caligrafía, *nuagisme*, etc.) se reagrupan bajo la denominación de «arte informal».

INFLUENCIAS Y CARACTERÍSTICAS PICTÓRICAS

Kandinsky pinta en sus inicios escenas populares y paisajes atravesados por caballeros azules. A continuación crea formas geométricas y sus infinitas variaciones, y luego inventa motivos estelares, amebianos, o animálculos imaginarios.

Produce acuarelas, croquis y diseños de pequeño formato y grandes telas pintadas al óleo, así como decoraciones murales.

Los coleccionistas se interesan en él desde el principio, o cuando adquiere un cierta notoriedad en la Bauhaus. La carrera de Kandinsky se desarrolla principalmente en Rusia (Moscú), en Alemania (Munich, Murnau, Weimar, Dessau, Berlín) y en París. Viaja a Venecia, Odessa, Tunicia y París, en donde descubre a *Cézanne, *Matisse y a Picasso, y luego el surrealismo. Trabaja junto a F. Marc y a *Klee, y más tarde en la Bauhaus.

El artista es sensible al arte popular ruso (imaginería, exvotos naïfs que le recuerdan a los iconos) y bávaro.

• En la Rusia campesina de 1889, el color vivo y «primitivo» de las imágenes populares y folklóricas que adornan las chozas rusas le da la sensación de «penetrar» en la pintura. En 1895, ante *El almiar de heno* de Monet, comprende que el tema ya no es «el elemento indispensable» del cuadro: «De pronto me encontraba por primera vez ante una pintura que representaba un almiar de heno, tal como lo indicaba el catálogo, pero no lo reconocía». Si bien sus primeras obras llevaban la marca del impresionismo, la pasta es más pesada *(Kochel. Cascada I)*. El fauvismo, con su colorido puro, le ofrece también una referencia artística. Su percepción innovadora choca con las concepciones clásicas de las escuelas muniquesas y con la pusilanimidad del grupo Falange.

• El viaje por Europa favorece su plenitud artística. A partir de croquis tomados del natural o sacados de sus recuerdos, compone telas resplandecientes inspiradas en la imaginería rusa. El

UN GRAN MAESTRO

◆ Aunque Kandinsky es célebre durante toda su vida, el carácter innovador de su obra no se ve reconocido plenamente hasta después de 1945, gracias a las donaciones de G. Münter y N. Kandinsky, y gracias también a las retrospectivas.

◆ Kandinsky es el pionero del arte abstracto. Rompe con la figuración y se convierte así en «uno de los mayores revolucionarios de la visión» (A. Breton).

◆ Su obra aborda, según los períodos, figuración, geometrismo y abstracción, según el grado de su «necesidad interior».

◆ Utiliza tanto la fluidez de la acuarela como el rigor geométrico del tiralíneas y del compás. Óleo sobre cartón, sobre tela y sobre cristal, acuarela, guache, tinta china, xilograbado, ilustración, temple sobre muro, etc., todas las técnicas se ponen al servicio de su inventiva.

◆ Kandinsky es el primero en utilizar el blanco como color en sus obras abstractas. Deja que las formas estallen. El color se desborda libremente.

◆ El artista da a los colores un valor simbólico y musical.

Kandinsky

color es tratado por sí mismo, por manchas *(Paisaje en la torre)* y a veces con referencias al modernismo, el Art nouveau o el Jugendstil *(Pareja a caballo).*

• En 1909, Kandinsky descubre fortuitamente, contemplando en la penumbra de su taller uno de sus cuadros puesto del revés, que el color refleja un «brillo interior» y que la presencia de los «objetos», de las formas «objetivas» y su rellenado mediante el color perjudican a la verdad de la obra. Desde entonces da más importancia al color puro y violento, convertido en elemento expresivo autónomo que responde a su «necesidad interior» de pintor y músico amigo de Schoenberg, de hombre sensible a la metafísica, a la antroposofía de R. Steiner y al pensamiento de H. Bergson.

• En 1910, realiza en acuarela su primer «salto a la abstracción». Necesitará un año más para transponerlo al óleo. Durante el primer período del Blaue Reiter (1911-1914), un sentimiento religioso anima su creación *(San Jorge)*. Paralelamente, la figura del caballero azul, símbolo del arte no objetivo y revolucionario, habita sus telas. En 1914 Kandinsky está en plena posesión de su arte.

• Su vuelta a Rusia durante el período revolucionario se traduce en obras apaisadas, de colores «mucho más vivos y amables» *(Moscú II)*. Su productividad restringida le permite precisar la teoría de una «ciencia del arte» que desarrollará en la Bauhaus.

• En la Bauhaus (1922-1933) crea un «geometrismo lírico»: «La nueva estética no puede nacer más que cuando los signos se convierten en símbolos», afirma; «la forma no es para mí más que un medio de alcanzar el objetivo [...], quiero penetrar en el interior de la forma». Para ello, se necesita representar «no solamente las apariencias exteriores de un objeto, sino sus elementos constructivos, sus leyes de tensión», es decir, el color puro, la composición de formas geométricas y el dinamismo de la línea *(Sobre el blanco II)*. Su lirismo muy libre *(En el gris)* se convierte en una geometría de los motivos abstractos *(Trama negra)*. El círculo, el triángulo y el cuadrado se cargan de espiritualidad *(Composición VIII)*. Las líneas horizontales suenan «frías y bajas», las verticales «cálidas y altas», las líneas angulares son «jóvenes», las líneas curvas «maduras». Las formas se asocian a un código de color: «La pasividad es el carácter dominante del verde absoluto» que corresponde «al sonido del violín en sordina», el rojo es «violento» y corresponde al redoble del tambor, el amarillo es «provocativo», el negro «angustioso», «el azul calma» y tiene «la profundidad del órgano». La línea expresa la tensión, el color un estado musical, una emoción (el calor, la alegría, el miedo...). Le da importancia al círculo, «dispensador de alegría».

• En las obras parisinas de su último decenio, el color vivo domina a la forma que se reduce y se convierte a veces en ideograma *(Subida graciosa)*. En contacto con los surrealistas, la geometría cede su lugar a formas libres y ligeras *(Azul del cielo)*.

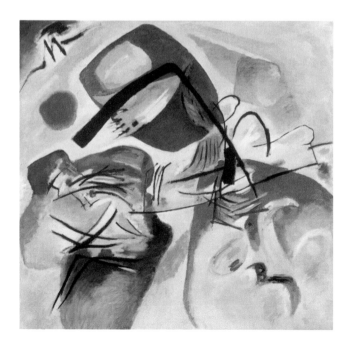

Azul de cielo
1940. Óleo sobre tela, 100 × 73 cm, París, Museo nacional de arte moderno, Centro Georges-Pompidou

Kandinsky expresa aquí toda su capacidad inventiva. Imagina seres multiformes, amebianos, larvarios o tentaculares que extrae de las profundidades de su inconsciente, de su «necesidad interior». Su contorno redondeado, ligero y flotante encierra tonos frescos y delicados. Suspendidos en el aire, evolucionan melodiosamente sobre un fondo azul, celeste, luminoso y ligero. El tratamiento meticuloso de los elementos se opone al fondo, elaborado con brocha, que vibra en la luz, recordando el estilo de las primeras obras abstractas del pintor.

◀ *Con el arco negro*
1912. Óleo sobre tela, 1,89 × 1,98 m. París, Museo nacional de arte moderno, Centro Georges-Pompidou

En 1912 Kandinsky lleva dos años sin ejercer la figuración. Basa su construcción sobre el «principio de la disonancia», que ofrece más posibilidades que «la geometría insistente» conocida hasta entonces (palabras de Kandinsky a Schoenberg, 1912). La música de las formas abstractas está en osmosis con las investigaciones de Schoenberg, que va a abolir la materia tonal. Percibe su obra como «lucha de sonidos, equilibrio perdido, "principio" vuelto del revés, redobles inopinados de tambor, grandes preguntas, aspiraciones sin objetivo visible, impulsos en apariencia incoherentes, cadenas rotas, relaciones quebradas reunidas en una sola, contrastes y contradicciones, ésta es nuestra armonía». Las formas objetivas, los elementos gráficos negros y los colores se liberan mutuamente, y cada uno conserva su propia trayectoria.

OBRAS CARACTERÍSTICAS

Kandinsky pintó más de 1 100 pinturas y 1 300 acuarelas. El M.N.A.M. de París posee más de 1.300 obras, todas ellas realizadas en técnica mixta.

Kochel. Cascada I, 1900, Munich, S.G.
Paisaje con torre, 1908, París, M.N.A.M.
Oriental, 1909, Munich, S.G.
Improvisación VII, 1910, Moscú, gal. Tretiakov
Primera obra abstracta (acuarela, 1910, París, M.N.A.M.)
Con el arco negro, 1912, París, M.N.A.M.
Composición VII, 1913, San Petersburgo, Ermitage
En el gris, 1919, París, M.N.A.M.
Composición VIII, 1923, Nueva York, Guggenheim
Tensión tranquila, 1924, París, col. part.
Algunos círculos, 1926, Nueva York, Guggenheim
Trece rectángulos, 1930, París, M.N.A.M.
Composición inestable, 1930, París, gal. Maeght
Subida graciosa, 1934, Nueva York, Guggenheim
Medio acompañado, 1937, París, col. part.
Composición X, 1939, col. part.
Azul de cielo, 1940, París, M.N.A.M.
Acuerdo recíproco, 1942, París, M.N.A.M.

BIBLIOGRAFÍA

Le Targat, François, *Kandinsky*, Polígrafa, Barcelona, 1986; Tío Bellido, Ramón, *Kandinsky*, Debate, Madrid, 1996; López García, Luis, *Kandinsky: los fundamentos del arte abstracto: la relación con las ciencias experimentales*, Metáforas del Movimiento Moderno, Madrid, 2001; *Kandinsky: origen de la abstracción*, (catálogo de exposición), Fundacion Juan March: Editorial de Arte y Ciencia, Madrid, 2003.

Maliévich

Solitario, Maliévich es una figura clave de la vanguardia rusa. Formado según la estética occidental (impresionismo, cubismo, futurismo...) llega a una abstracción geométrica, el «suprematismo», término ligado a su nombre. Las formas geométricas sobrias, abstractas y posteriormente figurativas, de tonos negros, o blancos, o vivamente coloreadas, caracterizan su arte.

RECORRIDO BIOGRÁFICO

• El pintor ruso Kazimir Severínovich Maliévich (Kíev 1818-Leningrado 1935) procede de una familia pobre de origen polaco. Su padre trabaja en una refinería de azúcar. Maliévich estudia durante cinco años en una escuela de arquitectura. En 1900, sigue los cursos de la Academia de Kíev, observa a los pintores de iconos, las decoraciones murales de los campesinos y ve los motivos «naturalistas» de los «ambulantes» rusos. Trabaja como dibujante industrial en el ferrocarril para conseguir los recursos necesarios para ir a Moscú.

• Allí llega en 1904, se forma en la escuela de pintura, de escultura y de arquitectura, y descubre la pintura francesa contemporánea y antiacadémica en las colecciones privadas rusas. Participa en la revolución fallida de 1905. A los primeros lienzos impresionistas como *Mujer de la flor* (1903, San Petersburgo, Museo Ruso) o *Retrato de un miembro de la familia del artista* (h. 1906, Amsterdam, S.M.), le suceden grandes guaches coloreados: *El reposo de la buena sociedad* (1908, San Petersburgo, Museo Ruso). La influencia fauvista y primitivista se aprecia en *El bañista* (1911, Amsterdam, S.M.), *Pelea en el bulevar* (*id.*) o en la terrosa *Campesina de los cubos y niño* (*id.*). El cubismo cézanniano se ve ilustrado por *Las bañistas* (1908, San Petersburgo, Museo Ruso), *El leñador* (1912, Amsterdam, S.M.), *Mujer de los cubos* (*id.*, Nueva York, M.O.M.A.) o *Segador sobre fondo rojo* (1912-1913, Moscú, gal. Tretiakov). El cubismo analítico deconstruye el *Retrato de Iván Kliune* (1913, San Petersburgo, Museo Ruso). Maliévich se adhiere al futurismo de F. T. Marinetti: *El afilador* (1912-1913, New Haven, Yale University, A.G.).

• A partir de 1910, participa con las vanguardias rusas en las exposiciones del «Valet de carreau» (1910), de «la Queue de l'âne» (1912) y de «la Cible» (1913). Sus obras son presentadas por *Kandinsky en la exposición del Blaue Reiter en 1912. La obra del poeta Jliébnikov le inspira *Estación de tránsito: Kuntsevo* (1913, Moscú, gal. Tretiakov). El cubofuturismo marca *Un inglés en Moscú* (1914, Amsterdam), *Eclipse parcial con Mona Lisa* (*id.*, San Petersburgo) y los decorados y vestidos para la ópera *La victoria sobre el sol* (1913, col. part.).

• En 1915, Maliévich se convierte en jefe de la vanguardia rusa. En San Petersburgo participa en la exposición «Tramway V», y luego en la última exposición futurista, «0,10», en donde presenta *Cuadrado negro sobre fondo blanco* (San Petersburgo). Publica el *Manifiesto del suprematismo*. Al año siguiente Maliévich expone sus teorías bajo el título *Del cubismo al suprematismo*. Lleva la abstracción a su extremo para encontrar la expresión perfecta, «suprema»: *Suprematismo* y *Supremus n.º 50* (1915, Amsterdam), *Autorretrato en dos dimensiones* (*id.*). Tras la elaboración de *Supremus n.º 58* (1916, San Petersburgo, Museo Ruso) y *Pintura suprematista* (*id.*), llega al radical *Cuadrado blanco sobre fondo blanco* (1918, Nueva York), que se hace eco de la filosofía nihilista en la que cree.

• Durante la revolución, Maliévich, simpatizante anarquista, enseña en la Academia de Moscú y luego en la de Vitebsk. Se opone al arte figurativo de M. Chagall. En 1922 participa en la primera exposición de arte ruso en Berlín. En 1927 se organiza una retrospectiva de su obra en Varsovia y Berlín. Las ediciones de la Bauhaus publican sus teorías suprematistas bajo el título de *El mundo sin objeto*.

• Entre 1923 y 1929, pinta *Cuadrado negro*, *Círculo negro* y *Cruz negra* (San Petersburgo). Obligado a volver a la Unión Soviética en 1927, cae en desgracia: su obra no se corresponde con la estética del arte oficial. En 1930 lo detienen y muchos escritos suyos son destruidos. En los ocho últimos años de su vida realizará más de 200 cuadros, efectuando una síntesis entre su período neoprimitivista-cubofuturista y el suprematismo. Vuelve a la figura con *El carpintero* (1927, San

Petersburgo, Museo Ruso) y *Primavera* (d. 1927, *id.*); pinta *En la dacha* (d. 1928, *ibid.*), *Presentimiento complejo* (llamado *Busto de la camisa amarilla*, h. 1928-1932, *ibid.*), *Paisaje de las cinco casas* (*ibid.*) y *El hombre que corre* (1932-1934, París, M.N.A.M.). Recurre a un realismo muy insistente, visible en *La obrera* (1933, San Petersburgo, Museo Ruso) o en su *Autorretrato* (*id.*) Maliévich muere de cáncer en 1935. Deja cuadros, escritos, pruebas de cerámicas suprematistas, *Planeites* y *Arquitectones*, «esculturas de arquitectura» suprematistas en yeso. Se convierte en símbolo del espíritu libre perseguido por el régimen estalinista. Su ataúd es suprematista y su tumba lleva la marca de su firma: un cuadrado negro. Anuncia el arte contemporáneo, sobre todo americano, de la década de 1960.

INFLUENCIAS Y CARACTERÍSTICAS PICTÓRICAS

Maliévich empieza por tomar prestados sus temas de la pintura occidental (bañistas, retratos impresionistas o simbolistas), y después se inspira en la vida rural y en los retratos y composiciones cubistas. Sus lienzos suprematistas se componen de formas geométricas: cuadrados, rectángulos, círculos, cruces. Al final de su vida vuelve al paisaje y al retrato figurativo, realista o suprematista.

Maliévich pinta al óleo, con mayor frecuencia sobre telas de dimensiones medianas.

La vida rural marca a Maliévich. En Kiev, el arte popular de los pintores de iconos y las decoraciones «primitivas» de las casas de campesinos le influyen. En Kursk aprecia a los «naturalistas» rusos Repin y Chichkin. En Moscú descubre el arte europeo de su época: el impresionismo, el modernismo, el neoimpresionismo, el simbolismo, el arte nabi, *Cézanne, el fauvismo, el cubismo, el futurismo, el expresionismo y la vanguardia rusa de Lariónov y Goncharova. La escritura de vanguardia y hermética del poeta V. Jliébnikov le anima a la abstracción. A partir de 1927 sufre la presión de la *proletkult* (cultura del proletariado).

• Las primeras obras de Maliévich revelan un recorrido prácticamente autodidacta que refleja la evolución de la pintura occidental de los treinta años precedentes, del impresionismo al futurismo. Maliévich asocia una inspiración más local, extraída de los iconos rusos, del arte «en bruto» campesino, con sus colores francos y sus formas simples, y de los primitivistas.

• Desde 1910, su arte se inscribe en la vanguardia rusa. El cubismo cézanniano, analítico, y el futurismo italiano tienen un gran impacto sobre su obra. Prosigue la exploración de la distancia entre el signo y la realidad introducida por los cubistas, intentando abolir la oposición entre la forma y el contenido, fundamento de la estética figurativa, para aislar los signos «puros». De este modo, crea el *zaum*, lienzo a-lógico, «ultrarracional», «transmental, transracional», bajo la influencia del poeta ruso Jliébnikov y de su metalengua *(zaum)* compuesta de palabras y sonidos nuevos libres y sobrios. Maliévich escoge trabajar sobre la forma más simple, el cuadrado, con lados de motivos figurativos y abstractos simples *(Eclipse parcial con Mona Lisa)*. Presenta asociaciones formales a-lógicas, pintadas o en *papiers collés*, de escalas diferentes *(Un inglés en Moscú)*. Momentáneamente se une al movimiento dadá inscribiendo una palabra o una frase en un cuadrado trazado sobre una hoja de papel *(Pelea en el bulevar)*. El telón de fondo del espectáculo *La victoria sobre el sol*, un cuadrado dividido oblicuamente en dos partes iguales, una blanca y la otra negra, le lleva hacia el suprematismo.

• Cuando aborda la abstracción, Maliévich prosigue el trabajo emprendido sobre la relación entre la forma, el color y el espacio. «Los pintores tienen que rechazar el tema y los objetos si

UN GRAN MAESTRO

◆ A Maliévich se le reconoce como maestro de la vanguardia rusa desde 1915. La exposición de 1927 en Berlín confirma su importancia artística.
◆ Pionero de la abstracción geométrica, como *Kandinsky y *Mondrian, es el inventor del suprematismo, signo del fin de la pintura: pinta el primer cuadro del arte moderno *(Cuadrado blanco sobre fondo blanco)*.
◆ Sus telas abstractas del «mundo sin objeto» llevan al comienzo el nombre de todo lo que muestran *(Cuadrado negro, Cuadrado rojo...)* antes de llevar un título *(Suprematista o Pintura suprematista)* y un número.
◆ Maliévich inventa el *zaum* en pintura.
◆ Después de 1927, sus lienzos figurativos conservan el mismo fundamento geométrico y de color que sus anteriores telas abstractas.

quieren ser pintores puros», afirma. Pone este precepto en práctica con *Cuadrado negro sobre fondo blanco*, obra suprematista, cuadro clave del arte moderno.

• Luego complica la ordenación de los rectángulos coloreados *(Supremus n.°58)* creyendo descubrir el grado cero del arte. Pone en escena formas geométricas simples (cuadrado, triángulo, círculo...), negras, blancas o de colores vivos o pastel antes de llegar a la armonía «suprema» de *Cuadrado blanco sobre fondo blanco* que confunde la forma y el espacio. Sólo un sutil matiz de la factura, algunas pinceladas, separan el cuadrado blanco del fondo blanco del cuadro. La luz juega de forma diferente sobre las dos texturas blancas y cambia ligeramente su tonalidad. «¡Bogad! ¡El abismo libre blanco, el infinito, ante nosotros!», exclama en 1919 el artista, apasionado de la aviación y del cosmos. «Me he transfigurado en el cero de las formas y he ido más allá del cero en la creación, es decir, hacia el suprematismo, hacia el nuevo realismo pictórico, hacia la creación no figurativa.» Para D. Vallier (1969), «la forma ha dejado de ser un signo del espacio para convertirse en una alusión al espacio, y el mismo cuadro, por su presencia material, no es más que una alusión a la pintura». Retrospectivamente, el pintor asociará este «abismo blanco» a la renovación social de la revolución rusa. Proseguirá esta investigación sobre la geometría y el color mínimos sobre fondo blanco hasta 1929.

• Obligado a volver a la Unión Soviética (1927) toma (¿por propia voluntad o por coacción?) un nuevo itinerario estilístico. Vuelve a sus inicios impresionistas *(Primavera)* y primitivistas *(En la dacha)*. Después asocia el suprematismo a la temática obrera preconizada por el poder socialista, simplifica las formas que él reviste de colores vivos, sin preocupación realista: rostro claramente dividido en dos mitades, una roja y la otra blanca, con cabellos rojos y naranjas *(Cabeza de campesino*, h. 1930, San Petersburgo, Museo Ruso), personaje reducido a una pira geometría *(Busto de la camisa amarilla)*, colosos en idéntica posición, la figura bicolor y las vestiduras sobriamente multicolores *(Los deportivos*, h. 1928-1932, San Petersburgo, Museo Ruso). Estas figuras aparecen a veces sin detalle: un óvalo hace de cara, una mano-manopla que carece de dedo.

• Sus últimos cuadros, muy figurativos *(La obrera)* se refieren al renacimiento *(Autorretrato)*. Siguen siendo suprematistas en la organización de los colores. Su firma, un cuadrado negro, recuerda que él es el «hombre del suprematismo».

Presentimiento complejo, llamado *busto de la camisa amarilla*
Hacia 1928-1932. Óleo sobre tela, 99 × 79 cm,
San Petersburgo, Museo Ruso

Al final de su vida, Maliévich vuelve al figurativismo, denominado a veces «suprematismo figurativo». Su personaje, autómata sin articulación, está moldeado en una sola pieza y constituido por volúmenes simplificados en extremo: un óvalo como cabeza, un cilindro para el cuello, una forma geométrica para el busto y dos largos tubos para los brazos. Solamente el cordón anudado en el talle tiene un acento realista y viene a significar que se presenta de cara. El coloso está inmóvil ante un paisaje tratado en colores planos. El amarillo, color de luz y de vida, no borra el silencio que emana de esta obra: ¿deberíamos reconocer la soledad del artista o la libertad amordazada por el régimen estalinista, que podría estar simbolizada por la sombra negra que empieza a invadir el rostro ausente, desprovisto ya de pensamiento?

Obras características

Maliévich pintó unos 1 000 cuadros

La victoria sobre el sol, 1913, telón de fondo para escenario, col. part.
Un inglés en Moscú, 1914, Amsterdam, S.M.
Eclipse parcial con Mona Lisa, 1914, San Petersburgo, Museo Ruso
Cuadrado negro sobre fondo blanco, 1915, San Petersburgo, Museo Ruso
Supremus n.º 50, 1915, Amsterdam, S.M.
Autorretrato en dos dimensiones, 1915, Amsterdam, S.M.
Suprematismo, 1915, Amsterdam, S.M.
Pintura suprematista, 1916, Amsterdam, S.M.
Cuadrado blanco sobre fondo blanco, 1918, Nueva York, M.O.M.A.
Cuadrado negro, 1923-1929, San Petersburgo, Museo Ruso
Cruz negra, 1923-1929, San Petersburgo, Museo Ruso
Presentimiento complejo, llamado *Busto de la camisa amarilla,* hacia 1928-1932, San Petersburgo, Museo Ruso
El hombre que corre, 1932-1934, París, M.N.A.M.

BIBLIOGRAFÍA

Fauchereau, Serge, *Malévich,* Polígrafa, Barcelona, 1992; Faerna García-Bermejo, José Maria, *Kasimir Malévich,* Polígrafa, Barcelona, 1995; Kohlhoff, Kolja; Simment, Jeannot, *Kasimir Malevich: vida y obra, Könemann,* Colonia, 2000; Drutt, Matthew (dir.), *Kazimir Malevich: Suprematism,* (catálogo de exposición), Guggenheim, Nueva York, 2003; Neret, Gilles, *Kasimir Malevich 1878-1935 y el suprematismo,* Colonia, 2003.

◀ *Suprematismo*
1915. Óleo sobre tela, 101,5 × 62 cm, Amsterdam, Stedelijk Museum

Maliévich pinta este cuadro el mismo año que *Cuadrado negro sobre fondo blanco.* Aquí las formas geométricas de diferentes dimensiones varían del trazo al color plano, se entrecruzan, se superponen o se evitan. Un trazo fino separa el cuadro en dos partes: el gran cuadrilátero negro, que se estrecha ligeramente en la parte alta, se escapa de su soporte por el ángulo derecho superior y parece seguir irresistiblemente a los pequeños trazos negros que se deslizan hacia el exterior de la tela, hacia el espacio, el vacío, la «nada». Las figuras de tonos puros de la parte baja, casi paralelas al plano del cuadro, parecen más estables. El artista empieza a trazar aquí «el mundo sin objeto».
Lo que sorprende en este cuadro «es la relación entre las formas y el espacio que las rodea, el intervalo que a la vez que las separa hace que graviten una hacia otra. Si hiciera falta probar esta presencia activa en el espacio, bastaría con aislar una forma, mirarla sóla para que se convirtiera en un plano inerte de algún tipo. Luego, de nuevo restituida a su entorno, esta forma revive, una tensión la recorre y atrapa la vista, la arrastra más deprisa, menos deprisa» (Dora Vallier, 1980).

Mondrian

Enteramente concentrado sobre un arte que construye paso a paso, Mondrian vive solo y modestamente. Este pionero de la abstracción busca un lenguaje plástico universal: en 1920 inventa el neoplasticismo, una abstracción geométrica. Elabora un sistema de planos, cruzados por verticales y horizontales ortogonales, ricas en variaciones: planos vivamente coloreados, agrisados y azulados o de fondo blanco; líneas grises o negras más o menos anchas, largas y numerosas, luego coloreadas.

RECORRIDO BIOGRÁFICO

• Pieter Cornelis Mondriaan, llamado Piet Mondrian (Amersfoort 1872-Nueva York 1944), pintor neerlandés, fue educado unos por padres de hondas creencias calvinistas. Su padre confecciona carteles. Su tío, pintor, pertenece a la escuela de La Haya, próxima a la de Barbizon. Mondrian se convierte en profesor de dibujo en 1892 y después se inscribe en la Academia de Amsterdam, en el taller de A. Allebé y los cursos nocturnos de 1895 a 1897. En 1899 se interesa por la teosofía, una filosofía que apunta al conocimiento de Dios por una profundización de la vida interior. Pinta paisajes como *El molino al borde del agua* (h. 1900, Nueva York, M.O.M.A.). Pasa una temporada en el Brabante: *Granja en Nistelrode* (1904, La Haya, Gm.).
• Pasa el verano de 1908 en Zelanda, en Domburg, y se ve influenciado por el fauvismo (*Molino al sol*, 1908, La Haya; *El árbol rojo*, 1908, *id.*) y por E. Munch (*El bosque cerca de Oele*, 1908, *id.*). Mondrian experimenta diferentes tendencias neoimpresionistas en series sobre las iglesias, las dunas, el mar y los árboles: *Duna* (1910, *id.*), *El árbol plateado* (1912, *id.*).
• Con otros pintores, como J. Toorop, funda el Círculo de arte moderno y expone en el Museo de Amsterdam, en donde descubre el cubismo, que le lleva a París: *Naturaleza muerta del bote de jengibre I* (1911-1912, *id.*).
• Se instala en esta ciudad en 1912. Expone en el Salón de los independientes, prosigue sus variaciones sobre la naturaleza muerta, el árbol y se apropia de la geometría cubista: *Manzano en flor* (1912, *id.*) y *Naturaleza muerta II* (*id.*). Suprime la tercera dimensión en *Composición n.º 7* (1913, Nueva York, Guggenheim) y *Composición oval* (*id.*, Amsterdam), y luego reintroduce el color en *Composición oval con colores claros* (*id.*, Nueva York, M.O.M.A.), *Composición n.º 9, fachada azul* (*id.*) y *Composición en azul, gris y rosa* (*id.*, Otterloo, K.-M.).
• De vuelta en los Países Bajos, en Domburg, en 1914, y bloqueado por la guerra, Mondrian reemprende sus antiguos temas seriados, pero esta vez los trata mediante los signos + y − (*plus, minus*): *Composición n.º 5* (1914, Nueva York), *Surtidor y océano* (1915, Otterloo) y *Composición* (1916, New York, Guggenheim). Conoce a T. Van Doesburg, que prepara con pintores como B. Van der Leck y G. Vantongerloo la revista de vanguardia *De Stijl* (octubre de 1917). Mondrian participa muy activamente, de 1917 a 1922: sus artículos constituirán la doctrina del grupo.
• En 1916, el descubrimiento de los planos unidos y de los colores puros de Van der Leck es decisivo en su evolución. Construye *Composición en azul B* (1917, Otterloo), *Composición n.º 3 con planos coloreados* (*id.* La Haya, Gm.), estrecha la estructura en *Composición. Rombo con líneas grises* (1918, La Haya) y pinta *Composición. Planos de color claro con líneas grises* (1919, Otterloo).
• La década de 1920 marca una inflexión. Mondrian vuelve a París. Expone su teoría del «neoplasticismo» en *Realidad natural y realidad abstracta* y la ilustra con *Composición con rojo, amarillo y azul* (1921, La Haya, Gm.; 1927, Houston), *Composición en el rombo con rojo amarillo y azul* (1921-1925, Washington) y *Composición n.º 2 con líneas negra* (1930, Eindhoven, Stedelijk Van Abbemuseum). Participa en exposiciones de grupo en París, Londres, Amsterdam, y La Haya. Se le consagra una exposición personal en el Museo de Amsterdam en 1922. Al año siguiente, el grupo De Stijl ocupa se instala en la galería de L. Rosenberg. Mondrian conoce allí a su futuro biógrafo, Michel Seuphor.
• Tras un desacuerdo con Van Doesburg, Mondrian abandona De Stijl en 1924. Participa en el grupo «Cercle et carré» en 1929, que en 1932 se convertirá en «Abstraction-Création». Crea *Composición con líneas amarillas* (1933, La Haya, Gm.), que anuncia sus últimas tendencias, y pinta *Composición* (1933, Nueva York), *Composición en azul y amarillo* (1936, Düsseldorf, K.N.W.) y *Composición en rojo, azul y blanco II* (1937, París).

• En otoño de 1938, en vísperas de la guerra, se refugia en Londres, y después se desplaza a Nueva York en 1940: *Place de la Concorde* (1938-1943, Dallas), *Trafalgar Square* (1940-1943, Nueva York, M.O.M.A.), *Composición Londres* (1940-1942, Nueva York, Buffalo, Albright-Knox A.G.). La galería americana Dudensing expone sus telas, entre ellas *New York City I* (1941-1942, París).

• Sus últimas obras reintroducen el color de manera significativa: *Broadway Boogie-woogie* (1942-1943, Nueva York) y *Victory Boogie-woogie* (1943-1944, La Haya, Gm.), inacabado. Mondrian muere el 1 de febrero de 1944 a causa de una neumonía.

Mondrian tiene numerosos discípulos estando en vida: T. Van Doesburg (hasta 1926), G. Vantongerloo y el francés J. Gorin. Su influencia es notable también en ciertos artistas de la Bauhaus. Deja numerosos textos teóricos.

INFLUENCIAS Y CARACTERÍSTICAS PICTÓRICAS

Las iglesias, los árboles, el mar, las dunas, los molinos de viento, los ríos alimentan las primeras obras de Mondrian, antes de transformarse en *Composición*. Nueva York le ofrece su arquitectura y su música. El artista pinta al óleo sobre formatos de dimensiones medianas.

El marchante de arte L. Rosenberg lo presenta; los coleccionistas de su obra, como K. Dreier, son poco numerosos.

Tras los Países Bajos (Amsterdam, la región del Brabante, Domburg, en Zelanda), Mondrian pinta principalmente en París y Nueva York.

La teosofía, el fauvismo de J. Sluyters, el arte de Munch, de *Van Gogh y de *Seurat juegan un papel en la evolución de Mondrian. Toma prestados elementos plásticos a J. Toorop. París le desvela el cubismo, B. Van der Leck sus planos coloreados.

• En sus inicios, hasta 1907, Mondrian pinta paisajes en la tradición de la escuela de La Haya y de los impresionistas (G. H. Breitner), y después de los fauvistas neerlandeses. Admira a Van Gogh y el divisionismo de Seurat. En 1942 escribirá: «Lo primero que cambió en mi pintura fue el color. Reemplacé el color natural por el color puro. Había llegado a la conclusión de que no se pueden representar los colores de la naturaleza sobre el lienzo». Hacia 1910, su paleta se aclara y el trazo se divide, recordando al arte de Toorop *(Duna)*.

• En 1912, la realidad del motivo empieza a borrarse en provecho de la reproducción subjetiva de la forma y del color. Su adhesión a la teosofía le hace buscar una materialización de la forma ideal, del Absoluto, de la Verdad universal. Comprende la importancia del cubismo cézanniano *(Naturaleza muerta con bote de jengibre I)*. Del cubismo analítico retiene la paleta monocroma ocre y gris, el cuadro oval y la difuminación de los contornos. Traza una multitud de verticales y de horizontales en tonos rosas, azul claro, marrón-amarillo, que sustituyen a los objetos *(Manzano en flor* y *Naturaleza muerta II)*. Abandona cualquier referencia realista y pasa a una abstracción casi total *(Composición oval)*.

UN GRAN MAESTRO

◆ Mondrian es famoso en vida en Europa y en Estados Unidos entre un pequeño grupo de aficionados al arte desde 1935. Aunque su gloria póstuma resulta inmediata –retrospectivas en Nueva York (1945), Amsterdam (1946) y Basilea (1947)–, el radicalismo de su arte permanece mal comprendido durante mucho tiempo.

◆ Pintor rompedor, Mondrian impone muy pronto en el siglo, en 1913, una construcción ejemplar de la abstracción geométrica como «elemento destructor», según sus propios términos, de la tradición pictórica del renacimiento. Propone una redefinición de la pintura fundada sobre una lectura universal.

◆ Mondrian quiere que «cada obra siga un paso más adelante» para llegar a «una nueva ejecución de la forma», más allá de la simple representación de la naturaleza.

◆ Se libera de los temas en beneficio de las *composiciones* seriadas. Sus temas, en principio sacados de la naturaleza, se convierten en construcciones geométricas ortogonales, de formas depuradas hasta el absoluto. La curva y los ángulos están prohibidos. Da mayor importancia al color puro y las relaciones entre color y no-color. Concibe algunas obras en blanco y negro. Inventa el neoplasticismo.

◆ La teosofía constituye uno de los propósitos fundamentales de su trayectoria estética: materializar el Absoluto.

Mondrian

- En 1914, el pintor reflexiona sobre la división de la tela y la repartición de los planos colo-reados con el fin de alcanzar el «lenguaje pictórico universal», el Absoluto. Excluye toda per-cepción «particular», cualquier identidad de la forma. Construye su lenguaje por medio de signos «más» y «menos» (+ y –) estructurados en un ritmo horizontal-vertical, principio univer-sal de lo masculino erigido y de lo femenino extendido, de lo espiritual y de lo material, según confesará más tarde *(Surtidor y océano).*
- De su reencuentro con Van der Leck en 1916, Mondrian retiene su técnica «exacta» por opo-sición a la aleatoria de los cubistas *(Composición en azul B).* Al año siguiente el artista organi-za la distribución de colores planos puros *(Composición n.º 3 con colores planos).* En 1918, sus planos vuelven a juntarse. Cada lado de los rectángulos se hace común a por lo menos dos co-lores planos. El artista hace más espeso y negro el trazo obtenido. El espacio resulta así menos segmentado y toma una dimensión sosegada, noble y «abierta» *(Composición en planos colore-ados con contornos grises).*
- El mismo año, Mondrian inaugura las composiciones en rombos en las que introduce un do-ble sistema de perpendiculares que determinan módulos. Los rectángulos flotan, no queda más «fondo». El pintor anula la oposición figura-fondo, pero el ritmo y la repetición son todavía «particularidades» que obstaculizan su deseo de absoluto *(Composición. Plano de color claro con líneas grises).* Nunca rompe las relaciones de oposición, ya que cada elemento está, según afirma, «determinado por su contrario», lo que constituye el fundamento mismo del neoplasti-cismo (1920). El mar no puede traducirse mediante una horizontal abstracta, ni el árbol por una vertical: es necesaria una dialéctica que garantice la neutralidad recíproca de la verticali-dad y de la horizontalidad y que aniquile cualquier «particularidad» (Y.-A. Bois, 1982).
- La traducción literal de «Niewe Beelding» (neoplasticismo) es la «nueva imagen» que Mon-drian aplica al mundo. Su correspondencia plástica pasa por una oposición entre los colores primarios planos (rojo, azul, amarillo) y los no-colores (negro, gris, blanco), entre la vertical y la horizontal, entre la pequeña dimensión y la dimensión mayor, entre la línea y la superficie coloreada *(Composición con rojo, marrillo y azul).*
- En 1932, Mondrian cuadricula su tela con la ayuda de dobles líneas negras, paralelas y cer-canas, que la atraviesan de uno a otro lado. Luego las colorea. No se encabalgan.
- En 1937, la cuadrícula y la trama apretada suceden al rombo y al cuadrado. El color se re-duce y se ve desplazado hacia el borde de la tela *(Composición en rojo, azul y blanco II).*
- A su llegada a Nueva York, en 1940, la ciudad de calles rectilíneas, en donde resuena el jazz, le fascina. Su motivo en cuadrícula se colorea con este ritmo musical, mientras que el fondo continúa siendo blanco y el negro desaparece totalmente *(New York City).* Posteriormente los pequeños cuadrados coloreados y de color gris claro se multiplican a lo largo de líneas bajo o sobre las cuales se deslizan o se superponen rectángulos coloreados *(Broadway Boogie-woogie).*

Obras características

Mondrian pintó 1 123 lienzos.

El bosque cerca de Oele, 1908, La Haya, Gm.
El árbol plateado, 1912, La Haya, Gm.
Naturaleza muerta con bote de jengibre I, 1911-1912, La Haya, Gm.
Manzano en flor, 1912, La Haya, Gm.
Composición oval, 1913, Amsterdam, S.M.
Composición n.º 5, 1914, Nueva York, M.O.M.A.
Surtidor y océano, 1915, Ottrerlo, K.-M.
Composición en azul B, 1917, Otterloo K.-M.
Composición. Rombo con líneas grises, 1918, La Haya, Gn.
Composición. Planos de color claro con líneas grises, 1919, Otterloo, K.-M.
Composición en el rombo con rojo, amarillo y azul, 1921-1925, Washington, N.G.
Composición con rojo, amarillo y azul, 1927, Houston, col. Menil
Composición, 1933, Nueva York, M.O.M.A.
Place de la Concorde, 1938-1943, Dallas, M.A.
New York City I, 1941-1942, París, M.N.A.M.
Broadway Boogi-woogie, 1942-1943, Nueva York, M.O.M.A.

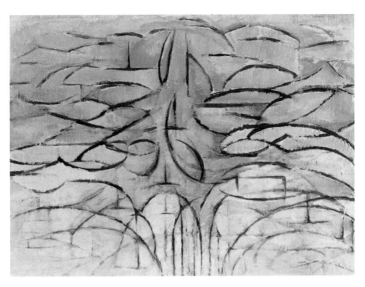

Manzano en flor
Hacia 1912. Óleo sobre tela, 78 × 106 cm, La Haya, Gemeentemuseum

Este árbol, del período cubista de Mondrian, ha perdido su valor de objeto real.
El artista renuncia a la forma descriptiva del lenguaje pictórico en provecho de una composición elíptica y centrípeta, recortada en curvas y en líneas puramente gráficas, planas y dinámicas que sustituyen a las ramas y ramificaciones tradicionales, y no en la perspectiva semiológica de *Picasso o de *Braque, sino para unificar el campo pictórico del cuadro. Los colores son característicos de las obras iniciales del artista.

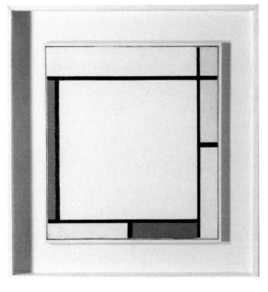

Composición con rojo, amarillo y azul
1927. Óleo sobre tela, 39,5 × 35 cm, Houston, colección Menil

Esta obra característica del neoplasticismo está rigurosamente estructurada. Revela la dialéctica propia de Mondrian: las líneas verticales y las horizontales negras se cruzan en ángulo recto. Los cuadrados de colores primarios –amarillo, azul y rojo– hacen eco al no-color teñido de gris azulado. El cuadrado central, perfectamente delimitado, se opone a los rectángulos de color, empujados hacia los bordes del lienzo.
El verde se excluye en esta tela, lo mismo que en el conjunto de la obra de Mondrian: este color representa la esencia misma de la naturaleza que el artista combate en su plástica con el fin de llegar a la forma absoluta. Según la teosofía, la representación de la naturaleza está en lo más bajo de la escala de valores.

BIBLIOGRAFÍA

Fauchereau, Serge, *Mondrian y la utopía neoplástica*, Polígrafa, Barcelona, 1994; López Bláz-quez, Manuel, *Piet Mondrian*, Polígrafa, Barcelona, 1995; *Mondrian 1872-1944: composición sobre el vacío*, Taschen, Colonia, 1995; Deicher, Susanne, Piet Mondrian 1872-1944: com-posición sobre el vacío, Taschen, Colonia, 2001.

Klee

La obra de Klee, «pintor-poeta», acuarelista y teórico inclasificable y auténtico, es indisociable de la música. La composición, la línea, el color, la mesura, el ritmo y las armonías concurren en una plástica que mezcla motivos geométricos, a menudo en tableros, referencia a los temas de la naturaleza y al cosmos. La delicadeza de su cromatismo claro no rechaza los tonos atrevidos.

RECORRIDO BIOGRÁFICO

• El pintor suizo Paul Klee (Münchenbuchsee 1879-Muralto-Lucerna 1940) pasa su infancia en Berna. Duda entre llevar una carrera de violinista (sus padres son músicos) o pintar. En 1900 se inscribe en la academia de Munich, estudia brevemente con F. Stuck. Viaja a Italia en los dos años siguientes. De vuelta en Berna, toca con la orquesta municipal para ganarse la vida. Paralelamente, produce sobre todo acuarelas, dibuja y graba.

• En 1905-1906, visita Berlín y sus exposiciones de arte contemporáneo. En París, explora el Louvre, después se instala con su esposa, la pianista L. Stumpf, en Munich, centro del Jugendstil, y expone con la Secesión muniquesa. Estudia los grabados de W. Blake, *Goya y J. Ensor, se interesa por *Van Gogh y por *Cézanne. En 1910, pinta *Muchacha de los cántaros* (Berna). Su primera exposición en el Museo de Berna es un éxito.

• En 1911, Klee conoce a los miembros del Blaue Reiter, como W. *Kandinsky y F. Marc, y descubre el cubismo. Ilustra el *Ensayo sobre la luz* de R. Delaunay y crea acuarelas: *En la cantera* (1913, Berna) y *Campo de batalla* (*id.*, Basilea, gal. Beyeler).

• Su viaje a Tunicia con A. Macke y F. Marc en abril de 1914, a Hammamet y a Kairouan, le revela el color: *Motivo de Hammamet* (1914, Basilea), *Saint-Germain, cerca de Túnez* (*id.*, París, M.N.A.M.).

• Estalla la guerra y es llamado a filas, con lo que se ve separado de sus amigos. Desmovilizado en 1918, redacta un ensayo sobre los elementos del arte gráfico, pinta acuarelas y dibuja. En 1920 publica escritos teóricos. Se le consagran monografías y la galería Goltz de Munich expone sus obras, entre ellas *Cacademoníaco* (1916, Berna), *Ángulos coloreados* (1917, Suiza, col. part.), *Bajo la estrella negra* (1918, Basilea, Km.), *Villa R.* (1919, *id.*). En noviembre de 1920, Gropius le invita a impartir sus enseñanzas en la Bauhaus, con lo que Klee se desplaza a Weimar. Trabaja a partir de motivos lineales trazados con regla —*Encadenamiento* (1920, Berna, Km., Fund. P. Klee), *Eros* (1923, Lucerna, gal. Rosengart)— o mantiene la irregularidad del trazo a mano alzada —*Análisis de diversas perversiones* (1922, París, M.N.A.M.), *Paisaje con niño* (1923, Grenoble, M.A.M.)— o incluso asocia ambas plásticas: *Lugar afectado* (1922, Berna), *Ventrílocuo gritón* (1923, Nueva York). Los colores se inscriben en esta geometría y sus «sonoridades» respectivas establecen un juego de correspondencias con los motivos simplificados de los árboles, de pájaros, de lunas, de cuerpos...

• Tras un viaje a Sicilia en 1924, sigue a la Bauhaus a Dessau (*Sonoridad antigua*, 1925, Basilea). Asocia íntimamente pedagogía y actividad creadora. Entre 1926 y 1931 viaja por Europa y por Egipto: *Villas florentinas* (1926, París), *Retrato de un acróbata* (1927, Nueva York, M.O.M.A.), *Gato y pájaro* (1928, *id.*), *Camino principal y camino secundario* (1929, Colonia, Km.). Cuando cumple cincuenta años, el M.O.M.A. organiza una retrospectiva de su obra.

• Cansado de la Bauhaus, Klee acepta en 1931 una cátedra de técnica pictórica en la Academia de Düsseldorf. En 1933 es destituido por los nazis, que clasifican dieciséis de sus obras como «arte degenerado». Vuelve a Berna, en donde, llevado por el impulso de un éxito cada vez mayor, prepara la gran exposición de 1935 que presentará de forma destacada sus *cuadros mágicos* y sus cuadros «divisionistas»: *En ritmo* (1930, París), *Pirámide* (1930, Berna, Km., Fund. P. Klee), *Medidas individualizadas de los estratos* (*id.*), *Ad Parnassum* (1932, Nueva York), *Fleuri* (1934, Winterthur, Km.) y *La luz de las aristas* (1935, Berna, Km., Fund. H. y M. Rupf).

• Klee sufre esclerodermia y sus ataques se van haciendo cada vez más frecuentes. La angustia aflora en su obra: *Miedo* (1934, Nueva York, col. Rockefeller). Su vocabulario «primitivista» toma prestados elementos de los dibujos de niños y del sueño. De 1937 a 1939, el laberinto y el jeroglífico invaden sus cuadros: *Leyendas del Nilo* (1937, Berna), *Combate armonizado* (*id.*, Berna, Km., Fund. P. Klee), *Puerto y veleros* (*id.*, París).

• La segunda guerra mundial y el acercamiento de la muerte le inspiran *Explosión de miedo III* (1939, Berna), *Ángel todavía femenino* (*id.*) y *La muerte y el fuego* (1940, *id.*). Estas imágenes funestas se acompañan de visiones más serenas, de motivos alegres y ligeros como *La bella jardinera* (1939, *id.*) o *Flora en la roca* (1940, *ibid.*).

Si bien Klee extrae en parte su inspiración de la historia de su época, la singularidad de su propio universo impregna su obra. Su enseñanza teórica y su pedagogía se ven íntimamente ligadas a su actividad como dibujante, grabador y pintor. Su hijo Félix publicó su *Diario*. En 1946 se crea la Fundación P. Klee, que ofreció en depósito las obras del artista al Museo de Berna en 1952.

INFLUENCIAS Y CARACTERÍSTICAS PICTÓRICAS

Los temas de Klee cubren un campo infinito que va desde los motivos figurativos (personajes, paisajes terrestres, acuáticos y celestes) a las formas geométricas sobrias o polimorfas (flechas, cruces, estrellas, puntos, líneas, tableros, tramas, paralelas, oblicuas, laberintos) y a las escrituras (pictogramas, ideogramas y jeroglíficos).

Sus obras, en acuarela o guache, tienen un formato que a menudo se limita a la hoja de papel. Sus óleos y pasteles, sobre tela o sobre papel de diario, son de dimensiones medianas o grandes.

A Klee le apoyan las galerías alemanas Thannhauser y Golz en Munich, Flechteim en Berlín y las galerías parisinas D. H. Kahnweiler, Vavin-Raspail y Louis Simon. Numerosos coleccionistas y museos adquieren sus obras.

Berna, Berlín, Munich, Weimar y luego Dessau son sus residencias principales. Recorre Italia. En París, descubre a *Rembrandt, *Leonardo da Vinci y Goya, mientras que ignora a la vanguardia. En Berlín le impresionan Van Gogh, Cézanne y *Matisse. Se une al Blaue Reiter y se interesa por el cubismo. Su estancia en Tunicia le aporta la revelación del color.

• Desde sus inicios, se aparta tanto de la tradición clásica como del arte de su tiempo para privilegiar el equilibrio de la línea y del color que él utiliza en degradados de rosa y verdes oscuros que desbordan el trazo. Le gustan los efectos monocromos, recorre a un forma de simbolismo. El dibujo y la acuarela delicadamente coloreada se inscriben en la tradición del Blaue Reiter. Sus óleos, poco numerosos antes de 1914, muestran una libertad de expresión, un equilibrio de la composición y una armonía de tonos que toma tímidamente prestados de Van Gogh y de Delaunay, de Cézanne y del cubismo *(En la cantera)*.

• En Tunicia la impresión es muy intensa: «El color me agarra, ya no tengo ninguna necesidad de perseguirlo», escribe el artista. Piensa en el color como un equivalente del espacio, del movimiento, del tiempo y de la música. Abandona las reglas tradicionales del paisaje e integra a su cromatismo caluroso vibraciones plásticas *(Motivo de Hammamet)*. La guerra frena su impulso, pero el recuerdo del colorido de Tunicia alimenta su imaginación y lo lleva hacia una libertad formal, rica de fantasía *(Cacademoníaco)*.

• A partir de 1920, Klee elabora progresivamente construcciones geométricas en donde la forma se alza hacia una expresión pura, subjetiva e intuitiva, animada por la finura cristalina, vibrante y transparente de la acuarela *(Gradación de cristal)*. Ejecuta con regla motivos geométricos, paralelas *(Encadenamiento)*, ángulos agudos *(Eros)* o vistos en perspectiva. Crea a mano alzada un grafismo insólito y aéreo, de una escritura intensa, manteniendo la irregularidad poética y vibrante del trazo *(Análisis de diversas perversidades)*, o mezcla ambas estéticas: sobre un fondo geométrico en el que se inscriben sus investigaciones sobre el cromatismo, dibuja motivos curvados *(Lugar afectado)*.

UN GRAN MAESTRO

◆ Klee accede a la notoriedad muy rápidamente. Se consagró en 1935, y el gran público lo descubre en 1960. Sus retrospectivas más recientes son las del M.N.A.M. de París en 1985 y la del M.O.M.A. de Nueva York en 1987.

◆ Si bien el arte de Klee se inscribe en la vanguardia, este maestro de la acuarela permanece al margen de ella: «Aquí abajo, soy inasequible [...]» (epitafio extraído de su *Diario*).

◆ La originalidad y la extrema diversidad de su lenguaje temático, la variedad de sus fuentes de inspiración, la riqueza del dibujo y de las formas, la singularidad de su expresión cromática, su reflexión sobre el formato, las innumerables técnicas mixtas y de materiales hacen de él un inventor prolífico.

Klee

• «El arte no reproduce lo visible, lo hace visible», escribe Klee. No representa servilmente la naturaleza ni se aleja de ella totalmente. Sus imágenes hacen surgir las formas nacidas de asociaciones y «de otras verdades latentes que abundan». La musicalidad se expresa al son de grafismos y al ritmo de las líneas, puntuada por acordes coloreados armoniosos y armónicos, mesurados y en mesura. Si bien el dibujo permanece como instrumento mayor de su reflexión y no pierde jamás su autonomía, el color ocupa un lugar central, fundado sobre los tonos «terrestres, intermediarios y cósmicos». Los primeros son naturalistas e intuitivos, los segundos se remiten a los siete colores del arco iris y los últimos se inscriben en el círculo de los seis colores fundamentales completados por el blanco y el negro.

• Su iniciación a la tapicería le inspira el fraccionamiento y la repetición del motivo que conducen a un «divisionismo» compuesto por un mosaico de colores en el que cada tesela sería un trazo, irregular y de tono próximo al de su vecina *(Ad Parnassum)*. La textura de la tapicería le sugiere empastes plásticos en tablero *(En ritmo)*.

• Klee también sabe romper la estructura geométrica y volver a lo figurativo *(Gato y pájaro)*, aligerar la geometría descomponiendo la simetría *(Camino principal...)* o mitigando con una ejecución más «manual» el contorno de las formas geométricas *(Villas florentinas)*. Cuando se acerca a la abstracción, el título del cuadro sigue siendo concreto *(Sonoridad antigua)* y sus disposiciones geométricas sirven de soportes temáticos *(Jardín de un castillo*, 1931, Nueva York, M.O.M.A.).

• Después de 1935, a pesar de estar enfermo y debilitado, Klee vuelve a sus búsquedas formales y rítmicas de la Bauhaus. Confronta el color y los motivos poniendo en escena planos coloreados geométricos de medidas diversas y trazos o redondeados oscuros que los subrayan *(Puerto y veleros)*, mudándose a veces en una escritura jeroglífica *(Leyendas del Nilo)* o que recuerdan el alfabeto poético de su juventud. De este modo, afirma que «escribir y dibujar en el fondo son lo mismo».

• Sus obras tardías traducen su angustia, su tristeza y la muerte a través de los personajes trágicos de rasgos figurativos «primitivos» que provienen del dibujo infantil. Esta economía extrema de medios impregna también el tratamiento plástico de sus últimos temas, oposición vigorosa y simbólica al hitlerismo *(Explosión de miedo III)* o visión sosegada y feliz en la proximidad de la muerte *(Flora en la roca)*.

Villas florentinas
1926. Óleo sobre tela, 49,5 × 36,5 cm, París, Museo nacional de arte moderno, Centro Georges-Pompidou

Sobre una capa espesa, Klee prepara un tablero e inscribe motivos incididos o dibujados. Sus fondos geométricos, aquí irregulares, recuerdan sus acuarelas tunecinas. La gama de rosas desgastados y de amarillos ocre, suave y poética, evoca las armonías coloreadas de las villas florentinas. La interpenetración entre los rectángulos coloreados y las curvas y los trazos grabados evita toda simetría. Sus trazados hacen que se alternen elementos próximos al pictograma o al ideograma con representaciones «figurativas»: Klee proyecta las fachadas de las villas sobre el plano del cuadro, pero preserva algunos puntos de vista perspectivos en las escaleras.

Puerto y veleros
1937. Óleo sobre tela, 80 × 60,5 cm,
París, Museo nacional del arte
moderno, Centro Georges-Pompidou

En este cuadro ejecutado algunos
años antes de su muerte, los planos
de colores arbitrarios y difusos,
blandos y suaves, animan el fondo
en un efecto de pastel. La finura del
grafismo, metáfora de la ligereza de
los veleros, flota en este espacio más
cósmico que acuático. Sin embargo,
los triángulos coloreados de las velas
están claramente contorneados.

OBRAS CARACTERÍSTICAS

El catálogo de las obras de Paul Klee cuenta con más de 9.000 títulos,
de los que 5 000 son hojas de dibujo.

Muchacha de los cántaros, 1910, Berna, col. F. Klee
En la cantera, 1913, Berna, col. F. Klee
Motivo de Hammamet, 1914, Basilea, Km.
Cacademoníaco, 1916, Berna, Km., Fund. P. Klee
Gradación de cristal, 1921, Basilea, Km.
Lugar afectado, 1922, Berna, Km., Fund. P. Klee
Eros, 1923, Lucerna, gal. Rosengart
Ventrílocuo gritón, 1923, Nueva York, M.M.
Sonoridad antigua, 1925, Basilea, Km.
Villas florentinas, 1926, París, M.N.A.M.
Gato y pájaro, 1928, Nueva York, M.O.M.A.
En ritmo, 1930, París, M.N.A.M.
Ad Parnassum, 1932, Nueva York, M.O.M.A.
Leyendas del Nilo, 1937, Berna, Km., Fund. H. y M. Rupf
Puerto y veleros, 1937, París, M.N.A.M.
Explosión de miedo III, 1939, Berna, Km., Fund. P. Klee
Flora en la roca, 1940, Berna, Km., Fund. P. Klee

BIBLIOGRAFÍA

Jardí, Enric, *Paul Klee*, Polígrafa, Barcelona, 1990; Naubert-Riser, Constance, *Klee*, Debate, Madrid, 1996;
Casanova, María (coord.), *Paul Klee*, (catálogo de exposición), IVAM Centro Julio González, Valencia, 1998;
Partsch, Susanna, *Paul Klee 1879-1940*, Taschen, Colonia, 2000; Ferrier, Jean-Louis, *Paul Klee*, Lisma, Madrid, 2001.

Duchamp

Duchamp, marginal, libre y cultivado, pesimista e irónico, procede, tras una corta reverencia al espíritu de su época, a dinamitar los valores artísticos asimilando objetos cotidianos a sus obras. Sus obras dadá, desconcertantes, enigmáticas, absurdas y poéticas, hacen que tiemble la concepción misma del arte.

RECORRIDO BIOGRÁFICO

• Marcel Duchamp (Blainville, Seine-Maritime, 1887-Neuilly-sur-Seine 1968), artista francés, pertenece a una familia burguesa que contará con otros dos grandes artistas: sus hermanos Jacques Villon y Raymond Duchamp-Villon.

• Duchamp empieza a pintar en 1902, estudia en París de 1904 a 1905 en la academia Julian. Su arte se sitúa entonces entre neoimpresionismo (*Paisaje en Blainville*, 1902 Milán, col. A. Schwarz), fauvismo y cubismo (*Mujer desnuda en una bañera*, 1910, col. part.), y simbolismo (*Retrato del doctor Dumouchel*, 1910, Filadelfia; *El paraíso*, 1910-1911, *id.*). *Cézanne está presente en *Partida de ajedrez* (1911, *id.*), *Matisse en *Muchacho y muchacha en primavera* (*id.*, Milán, col. A. Schwarz).

• En 1911, en Puteaux, conoce en casa de sus hermanos a los que *Braque denomina «cubisteurs»: A. Gleizes, R. de La Fresnaye y J. Metzinger. Duchamp crea *Sonata* (1911, Filadelfia, M.A.), *Yvonne y Magdaleine desmenuzadas* (*id.*) y *Retrato* (llamado *Dulcinea, id.*).

• A partir del cubismo futurista de F. Kupka y de la cronofotografía de É. J. Marey, compone *Retrato de los jugadores de ajedrez* (*id.*), *El molinillo de café* (*id*, Londres), *Muchacho triste en un tren* (*id.*, Venecia), *Desnudo bajando una escalera n.º 1* (1911, Filadelfia, M.A.) y sobre todo *Desnudo bajando una escalera n.º 2* (1912, *id.*), rechazado en el Salón de los independientes y después expuesto en el Armory Show de nueva York en 1913, en donde suscita un escándalo. *La casada* (1912, *id.*) y *El rey y la reina rodeados de desnudos rápidos* (1912, *id.*) poseen en su conjunto la misma inspiración cubifuturista. Una adaptación teatral de las desoxidantes y anticipadamente surrealistas *Impresiones de África* (1911-1912) de R. Roussel le subyuga. Bibliotecario en Sainte-Geneviève (1912-1914), reflexiona sobre la cuarta dimensión y su implicación en arte.

• La ruptura artística se produce cuando Duchamp tiene 25 años: pinta sobre cristal *Glissière contenant un moulin à eau (en métaux voisins)* (1913-1915, Filadelfia) y monta la caja de los *3 Stoppages-étalon* (1913, Nueva York, M.O.M.A.), en que se anuncian los *ready made* que inventará en 1916. Sus pinturas son provocativas: *La broyeuse de chocolat* (1914, *id.*), *Réseaux de stoppage* (*id.*, Nueva York), *Neuf moules mâlics* (1914-1915, París).

• Declarado inútil para el servicio en filas en agosto de 1915, se reúne con F. Picabia en Nueva York e implanta el dadá. Trabaja en *El gran vidrio*, llamado *La mariée mise à un par ses célibataires, même* (1915-1923, Filadelfia). La agresividad de *Fuente*, un urinario expuesto como obra en 1917, marca la evolución del *ready made*. Duchamp firma en 1918 su última pintura sobre lienzo, *Tu m'* (New Haven).

• Los *ready made* pintados como *L.H.O.O.Q.* (1919, Filadelfia), versión bigotuda de *La Gioconda*, las experiencias sobre la percepción del relieve, *Rotativa placas vidrio* (*Óptica de precisión*, 1920, New Haven), y luego su pasión por el ajedrez, que constituye su medio de vida, movilizan su energía entre 1923 y 1934.

• En 1942, Duchamp comparte en Nueva York la vida de los exiliados surrealistas, A. Breton, *Ernst, A. Masson y Y. Tanguy. De 1946 a 1966 trabaja en la elaboración de una ensambladura: *Étant donnés: 1º la chute d'eau*,

2° le gaz d'éclairage (Filadelfia, M.A.). En 1955 adquiere la nacionalidad estadounidense.

Duchamp muere en Francia el 2 de octubre de 1968. Símbolo de la libertad absoluta, deja también escritos. Los *ready made* inspiran a los artistas del neodadaísmo, del nuevo realismo y del pop-art. Sus *Rotoreliefs* anuncian el arte óptico y cinético.

INFLUENCIAS Y CARACTERÍSTICAS PICTÓRICAS

En sus inicios, Duchamp cultiva el paisaje, el retrato, el desnudo, la escena de género. Entre 1912 y 1918, pinta obras eróticas, enigmáticas y discos ópticos coloreados. Se expresa en todos los formatos, sobre tela, cartón y vidrio.

La pareja de mecenas W. y L. Arensberg compra desde 1915 casi todas sus creaciones, que hoy se presentan en el Museo de Filadelfia.

Las primeras telas de Duchamp nacen del neoimpresionsimo, del simbolismo, de los nabis, del fauvismo, del cubismo y del futurismo. El artista vive en París y sobre todo en Nueva York.

• De 1902 a 1911 sus obras llevan la huella de Cézanne y de Matisse. Se siente próximo al simbolismo de O. Tredon. Su originalidad se expresa ya en la mano aureolada del *Doctor Dumouchel* y en las «distorsiones» del cuerpo, en los retratos «desmenuzados» de *Yvonne y Magdeleine*, en donde «desteoriza» la lección cubista.

• En línea directa con G. Balla, F. Kupka y el fotógrafo É. J. Marey, sus obras cubofuturistas se extienden hacia el movimiento, la abstracción y la mecanización de las formas. Con *Desnudo bajando una escalera* crea «una imagen estática del movimiento». Se distancia de la estética cubista y de los futuristas, que prohíben el desnudo, descomponiendo el «objeto» y el movimiento mediante láminas y tubos superpuestos.

• *Impresiones de África*, de R. Roussel, le entusiasma en 1911-1912 por su «locura de lo insólito». Las máquinas absurdas y los juegos de palabras son parte integrante del humor que se expresa en sus creaciones *(El rey y la reina rodeados de desnudos rápidos)*. La pintura «no debe ser exclusivamente visual o retiniana. También tiene que interesar a la materia gris». *Glisière [...], La broyeuse de chocolat* y *Les neuf moules mâlics* desorientan tanto por su carácter enigmático como por su título estrambótico.

• En 1918, Duchamp rechaza la «intoxicación de trementina» y clama *Tu m'*, título de su último lienzo. A partir de ese momento escoge el vidrio como soporte *(El gran vidrio)* y los *ready made* en tres y dos dimensiones: lápiz sobre una reproducción de *La Gioconda* (*L.H.O.O.Q.*, 1919), juego iconoclasta dadá confirmado por *Afeitada L.H.O.O.Q.*, que ataca a la pintura occidental. Se interesa por los efectos ópticos *(Rotativa placas vidrio)*. La pintura, de todos modos, seguirá siendo para él una fuente de inspiración paródica: en 1967-1968 creará dibujos y grabados erótico-humorísticos a partir del *Baño turco* de *Ingres o de la *Mujer con medias blancas* de *Courbet. Su obra, prueba de que «es el mirador quien hace la pintura», muestra los límites del arte.

UN GRAN MAESTRO

◆ Desde 1913, *Desnudo bajando una escalera* hace de Duchamp el francés más conocido de Nueva York. Tras su muerte, su notoriedad decrece entre el gran público.

◆ El artista rompe radicalmente con las reglas del arte. Su trayectoria intelectual y dadaísta apoya el «antiarte». Representa una revolución para el arte de la segunda mitad del siglo xx.

◆ El artista crea en una libertad total. Denuncia la estrechez de la dimensión «retiniana» de la obra, a expensas del intelecto y del erotismo. Inventa el *ready made* en pintura y sobre todo en escultura.

◆ Duchamp es innovador en la utilización de materiales insólitos: panel de vidrio, plomo, minio, polvo...

Duchamp

El gran vidrio ▶

llamado *La mariée mise à nu par ses célibataires, même*
(*La casada desnudada por sus solteros, incluso*)
1915-1923. Óleo, barniz, lámina de plomo, hilo de plomo, minio,
plateadura y polvo sobre dos paneles de vidrio montados sobre
aluminio, madera y cuadro de acero, 2,725 × 1,758 m, Filadelfia,
Museum of Art

Esta «maquinaria» inacabada, constituida por dos placas de
vidrio levantadas verticalmente una contra otra (y rota en el
transcurso de un traslado) se inspira en el espectáculo
de Roussel *Impresiones de África*, en donde abundan los ingenios
mecánicos y dadaístas. Atravesada por el deseo y el erotismo, esta
expresión «intelectual» representa la culminación de numerosos
años de investigaciones.

Duchamp ha trasladado en perspectiva sobre el vidrio, en la
parte inferior, sus primeros trabajos aislados: *La broyeuse de
chocolat* («La moledora de chocolate»), *Glissière [...]*, *Neuf moules
mâlics*, y en la parte alta ha incluido a la casada «como
proyección de un objeto de cuatro dimensiones». Los solteros
de *Neuf moules mâlics* se ven condenados a masturbarse, como
simboliza *La broyeuse de chocolat*, alegoría del placer solitario
del soltero, que «muele su chocolate a solas», mientras
que la casada, de velo flotante agujereado por cuadrados,
permanecería esperando el amor.

La obra sigue siendo enigmática. La casada puede comunicarse
con los solteros por medio del «buzón», «bisagra» entre los dos
vidrios. ¿Qué significan las perforaciones, los «impactos» a la
derecha del panel? ¿Por qué tantos solteros y ningún marido?
Si bien la composición continúa siendo una de las más
herméticas del siglo, el título también lo es, con la presencia de
ese *même*, que se pronuncia como *m'aime* (me ama) o *eux-
mêmes* (ellos mismos).

Duchamp hace notar que *La mariée*, en su riqueza conceptual,
se sitúa más allá de la pintura, el arte, y que «provoca» el
pensamiento. En este vidrio sintetiza también sus investigaciones
sobre el movimiento, el espacio y su proyección sobre el plano,
un arte diferente al retiniano.

OBRAS CARACTERÍSTICAS

Duchamp realizó pocas pinturas.

El retrato del doctor Dumouchel, 1910, Filadelfia, M.A.
Yvonne y Magdaleine desmenuzadas, 1911, Filadelfia, M.A.
El molinillo de café, 1911, Londres, T.G.
Desnudo bajando una escalera n.º 2, 1912, Filadelfia, M.A.
Glissière contenent un moulin à eau (en métaux voisins), 1913-1915,
Filadelfia, M.A.
La broyeuse de chocolat, 1914, Filadelfia, M.A.
Réseaux de stoppage, 1914, Nueva York, M.O.M.A.
Neuf moules mâlics, 1914-1915, París, M.N.A.M.
El gran vidrio, llamado *La mariée mise à nu par ses célibataires, même*,
1915-1923, Filadelfia, M.A.
Tu m', 1918, Filadelfia, A.M.
L.H.O.O.Q., 1919, Filadelfia, A.M.
Rotativa placas vidrio (Óptica de precisión), 1920, New Haven, Yale
University, A.G.

BIBLIOGRAFÍA

Tomkins, Calvin, *Duchamp*, Anagrama, Barcelona, 1999; Ramírez, Juan Antonio, *Duchamp: el amor y la muerte, incluso*, Siruela, Madrid, 2000.

Ernst

Artista innovador y subversivo, Ernst, el «Leonardo del surrealismo», domina el movimiento dadá y sobre todo el surrealismo. Su imaginación desbordante, su sentido de la absurdidad del mundo, su universo onírico y poético, alimentado por el romanticismo y por el imaginario germánico, sorprenden. Ernst, inventor incansable, renueva permanentemente sus medios de expresión: collage, *frottage*, calcomanía y raspadura son medios para crear un universo variado, colorido y fantasmagórico.

RECORRIDO BIOGRÁFICO

• Max Ernst (Brühl, Renania, 1891-París 1976), pintor y escultor francés de origen alemán, recibe de su padre, maestro y pintor aficionado, algunas nociones de pintura. En Bonn entre 1909 y 1912, estudia a Nietzsche y Freud, la historia del arte y de la literatura alemana. Admira al *Bosco, *Picasso y *Friedrich. La influencia de *Van Gogh es sensible en su *Paisaje con sol* (1909, col. Ernst) y su encuentro con H. Arp resulta determinante.

• En 1913 frecuenta el círculo Joven Renania, se une al expresionista A. Macke (*Crucifixión*, 1913, Colonia, Wallraf-Richartz Museum), y descubre el fauvismo y el cubismo. La síntesis de estas influencias aparece en *La inmortalidad* (1913-1914, Tokyo, Miami al.). Sus primeros grabados y telas, relacionadas con Die Brücke, se exponen en Berlín en 1913, con ocasión del primer Salón de otoño alemán, y después en Bonn y en Colonia. Movilizado, manifiesta su malestar en una acuarela, *Combate de peces* (1917, col. part.). Se casa: su hijo, Jimmy, se convertirá en pintor.

• Su encuentro con el dadaísta H. Arp en 1919 en Colonia constituye un momento crucial. Con el anarquista Baargeld, fundan la provocadora Centrale W/3. Ernst se orienta hacia un estilo más artístico. Crea litografías —*Fiat modes, pereas ars* (1919, Stuttgart, Staatsgalerie), *La gran rueda ortocromática que hace el amor a medida* (1919-1920, París) o también *Dadá Degas* (*id.* col. L. Aragon). Arp y Ernst crean las «fatagagas» (*fabrication de tableaux garantis gazométriques*, 'fabricación de cuadros garantizados gasométricos'), y fotocollages dadá: *El ruiseñor chino* (1920, col. part.), *El punching-ball* o *La inmortalidad de Buonarotti* (*id.*, Chicago). Dadá desaparece ese mismo año.

• En 1921, A. Breton invita a Ernst a exponer sus collages y P. Eluard le pide que ilustre sus obras. Ernst se instala en París y crea *El elefante Célèbes* (1921, Londres), *La pubertad cercana [...]: Las Pléyades* (*id.*, París, col, part.), *Œdipus rex* (1922, París), *Ubu imperator* (1923, París, M.N.A.M.), la *Pietà* o *La Révolution la nuit* (*id.*, Turín). Expone en el salón de los independientes en 1923 y se convierte en la principal figura del surrealismo en pintura. Realiza la célebre *Virgen castigando al niño Jesús* (1926) y construye cuadros-objetos. Explora el inconsciente más metódicamente: *Aux 100 000 colombes* (1925, col. part.), *Monumento a los pájaros* (1927, Marsella), *La alegría de vivir* (1927, Londres, col. R. Penrose), *El gran bosque* (1927, Basilea, Km.).

• En 1925, Ernst inventa el *frottage*: *El río amor* (1925, Houston, col. Menil), *Historia natural* (1926). En 1927-1928, aplica el procedimiento a la pintura y lo enriquece con raspaduras: *Coquillages* (1927, col. part.) y *Horda* (*id.*, Amsterdam, S.M.). Huellas y fotomontajes completan la panoplia de las técnicas utilizadas.

• En 1929, Ernst crea las novelas-collages como *La femme 100 têtes* (1929, ed. de l'Œil) y *Una semana de bondad* (1934, ed. J. Bucher). Los nazis le clasifican como «artista degenerado».

• En la década de 1930 se pasa a la escultura. En verano de 1934 se establece en Suiza, en casa de A. Giacometti. En 1936 presenta sus obras en la exposición neoyorquina «Fantastic Art, Dada, Surrealism».

• El pintor desarrolla un universo onírico, visionario e inquietante, a menudo constituido por elementos vegetales y minerales: *La ciudad entera* (1935-1936, Zurich), *Bárbaros marchando hacia el oeste* (1935, Nueva York, col. part.), *Paisaje con germen de trigo* (1936, Dusseldorf, K.N.W.), *El físico español* (1938, Chicago, col. part.). Visionario, pinta la guerra: *El jardín tragaaviones* (1935, Houston), *El ángel del hogar* (1937, Ginebra, gal. J. Krugier).

• En vísperas de la segunda guerra mundial, rompe con los surrealistas. Ciudadano alemán, la policía de Vichy le detiene durante la guerra, lo internan en el campo de Milles, cerca de Marsella, para ponerlo a disposición de las autoridades alemanas, pero finalmente consigue emigrar a Nueva York. Evoca este conflicto en *El antipapa* (1941-1942, Venecia, col. P. Guggenheim), *Europa tras la lluvia* (1940-1942, Hartford) y *La hechicera* (1941, Nueva York, col. part.).

• En Nueva York, en 1941, Ernst se casa con P. Guggenheim. Los jóvenes artistas americanos son sensibles a *Pintura para los jóvenes* (1943, Ginebra, Gal. Rugier), a *Muchacho intrigado por el vuelo de una mosca no euclidiana* (1942-1947, Zurich, col. Loeffler) y a la nueva técnica del *dripping* a la que recurre el artista en *Planeta enloquecido* (1942, Tel-Aviv).

• En 1943 conoce a Dorothea Tanning. Se abre para él un período fecundo y apacible. Ambos se instalan en las montañas de Arizona, en Sedona. Ernst crea *Euclides* (1945, Houston), *La hora azul* (1946-1947, col. part.) y *El regalo de los dioses* (1948, Viena).

• De vuelta a Francia en 1953, se instala en París, en Touraine (Huismes), y luego en Le Var (Seillans). Confecciona *Le Grand Albert* (1957, Houston, col. Menil), *Chiquillas cazando mariposas* (1958), *La boda del cielo con la tierra* (1962, *id.*), *La fiesta en Seillans* (*id.*, Marsella, Cantini), *El último bosque* (1960-1969, col. part.), etc. *Peces noctámbulos* (1972, París, col. part.) es uno de sus últimos lienzos.

Ernst deja sus *Escritos* teóricos. Su carrera fecunda y variada como pintor, grabador, escultor, poeta y ensayista le coloca entre los artistas más importantes del siglo xx. Sus técnicas interesan a la pintura gestual norteamericana (*Pollock), a los matieristas (*Dubuffet, A. Tàpies...) y a los tachistas (S. Francis, J.-P. Riopelle...).

INFLUENCIAS Y CARACTERÍSTICAS PICTÓRICAS

Ernst pinta sobre todos los temas, racionales o irracionales, alegóricos o metafóricos, los titula de forma coherente o desfasada: formas animales y fantásticas, humanas y humanoides, visiones panorámicas de formas, *configuraciones* terrestres y celestes.

Se expresa con mayor frecuencia en formatos medios y grandes mediante la pintura al óleo, en pequeño formato para las novelas-collage, el fotomontaje...

Algunos amigos como Eluard le hacen encargos. Los grandes museos europeos y americanos, lo mismo que las grandes colecciones privadas, adquieren sus obras.

Ernst se inicia en el arte en Bonn, adopta el dadaísmo en Colonia y luego el surrealismo en París. G. De Chirico, *Duchamp y F. Picabia le sirven inicialmente de inspiración. En Nueva York se impone su arte. Acaba sus días en Francia.

• Ernst se interesa por los maestros del pasado y por sus contemporáneos para superarlos mejor, y en los textos románticos y fantásticos alemanes, en la poesía vanguardista y en el inconsciente.

• En 1919, como maestro del dadaísmo, define el collage «como un compuesto alquímico de dos o más elementos heterogéneos que resulta de su acercamiento insospechado». Procede del mismo modo cuando se trata del fotocollage: los «fatagagas» (*La inmortalidad de Buonarotti*). Se le ocurre la idea al hojear catálogos de venta de objetos y de libros. Recorta las imágenes, las pega y las retrabaja. Sus collages humorísticos, oníricos y absurdos, recuerdan a veces la pintura metafísica de De Chirico. Así ocurre con la luz cruda, con las sombras inclinadas y con la muñeca-torso del *Elefante Célèbes*. Sus collages «maquínicos» remiten a Duchamp y a F. Picabia (*La gran rueda*). Trabaja también con fotografías e imágenes que retrofotografía a continuación para borrar los trazos del collage.

UN GRAN MAESTRO

◆ Ernst se hace famoso rápidamente y su arte es admirado. Su gran premio de pintura en la Bienal de Venecia de 1954 le vale un reconocimiento internacional. A partir de 1951, se le consagran numerosas retrospectivas: Berna, París, Nueva York, Estocolmo, Colonia, Zurich, Venecia, Amsterdam, Stuttgart y Londres.

◆ Faro del dadá en Colonia y del surrealismo en París, Ernst es uno de los pioneros e la nueva realidad.

◆ Crea un bestiario extraño y bárbaro, bosques enigmáticos, vegetales y vívidos o minerales y petrificados, ciudades devastadas y esculturizadas. Pinta la «iconografía del inconsciente». Los títulos, a menudo desfasados de la imagen, hacen más extraña su obra.

◆ Crea incesantemente nuevas técnicas: collage, collage fotográfico, «fatagaga», *frottage*, novela-collage, *dripping*. En Ernst, los temas se expresan por la técnica y la técnica, al convertirse en contenido, crea el tema (W. Spies, 1991).

Ernst

• En 1921, Ernst ya se interesa por «los medios de liberación total del espíritu», explora sus sueños y su inconsciente en obras oníricas, enigmáticas, de factura neutra y seca *(La pubertad próxima, La mujer titubeante)*. Pinta, como más tarde sugiere A. Breton a los artistas, en ausencia de cualquier control ejercido por la razón, fuera de toda preocupación estética o moral» *(Manifiesto el surrealismo*, 1924).

• En 1925, enriquece sus collages con *frottages* (*Río amor* e *Historia natural*): coloca una hoja de papel sobre una lámina rígida y la frota con una mina de plomo. «En un primer momento», afirma, «obtengo automáticamente mediante el *frottage* y otros procedimientos gestuales un fondo caótico. A continuación intento interpretar este caos mediante una intervención del espíritu, para darle formas y significados ambiguos, paranoicos, fabulosos, contradictorios, mediante una lógica invertida». El *frottage* crea huellas ricas en metáforas: un paisaje subyacente. Extiende este procedimiento a otros soportes. En los óleos sobre tela, efectuará una raspadura en la materia. Pájaros, seres imaginarios, monstruos y paisajes vegetales y minerales extraños *(La alegría de vivir)* que recuerdan a los de Friedrich, nacen de su pintura trabajada, rascada, triturada *(Horda)*.

• En 1929 concibe la novela-collage: a partir de grabados del siglo XIX, de cuentos maravillosos y de novelas negras, ilustra historias inquietantes con personajes imaginarios.

• La angustia de la guerra redobla sus creaciones de motivos fantásticos, crueles y bárbaros *(El jardín traga-aviones, Europa tras la lluvia)*. En Nueva York, utiliza el procedimiento de la calcomanía inventado por el surrealista O. Domínguez. De este modo aligera la materia pictórica. En 1941 inventa también el *dripping*: «Ate una lata vacía a un cordel», explica, «haga un agujero en el fondo de la lata, rellénela de un color bien fluido y deje que oscile al extremo de la cuerda, por encima de la tela puesta en plano. Dirija la lata mediante movimientos de la mano y con los brazos» *(Planeta enloquecido)*. Y luego añade: «Las gotas dibujan sobre la tela líneas sorprendentes. El juego de las asociaciones mentales puede entonces comenzar».

• A continuación aborda un período más sereno. El paisaje lujurioso, esponjoso y trágico cede su lugar a un arte más construido, a menudo animado por formas geométricas simples, en una atmósfera coloreada, alegre y más ligera *(El regalo de los dioses)*. Multiplica sus visiones cósmicas. El disco lunar *(La boda del cielo y de la tierra, El último bosque)* se repite como leitmotiv. A partir de 1965 recurre de nuevo al ensamblado de materiales.

BIBLIOGRAFÍA

Gimferrer, Pere, *Max Ernst*, Polígrafa, Barcelona, 1983; López Blázquez, Manuel, *Max Ernst*, Polígrafa, Barcelona, 1997; Quinn, Edward, *Max Ernst*, Polígrafa, Barcelona, 1997; Bischoff, Ulrich, *Max Ernst*, Taschen, Colonia, 2003.

El jardín traga-aviones
1935. Óleo sobre tela, 54 × 74 cm, Houston, colección Menil

Intuitivo y visionario, Ernst anticipa en este cuadro surrealista la declaración de la guerra.
Pone en escena un avión descompuesto e invadido por una vegetación mineral, fantástica y onírica.
Ésta tomará un lugar preponderante en los años siguientes, gracias a la técnica de la calcomanía.
Los tonos pastel parecen estar desfasados respecto al tema, pues evocan más la calma que el drama.
El placer de la vista prevalece sobre la fuerza del acontecimiento.

OBRA CARACTERÍSTICAS

Combate de peces, 1917, col. part.
La gran rueda ortocromática que hace el amor a medida, 1919-1920, París, M.N.A.M.
El elefante Célèbes, 1921, Londres, T.G.
La pubertad cercana [...]: las Pléyades, 1921, París, col. part.
Œdipus rex, 1922, París, col. part.
Pietà o *La révolution la nuit*, 1923, Turín, col. part.
La Virgen María castigando al niño Jesús, col. J. Krebs
Monumento a los pájaros, 1927, Marsella, Cantini
El gran bosque, 1927, Basilea, Km.
Coquillages, 1927, col. part.
La ciudad entera, 1935-1936, Zurich, Kunsthaus
El jardín traga-aviones, 1935, Houston, colección Menil
Europa tras la lluvia, 1940-1942, Hartford, Wasdswoth Atheneum
Euclides, 1945, Houston, colección Menil
El regalo de los dioses, 1948, Viena, Museo del siglo xx
Chiquillas cazando mariposas, 1958, col. part.
La boda del cielo y la tierra, 1962, col. part.
El último bosque, 1960-1969, col. part.
Peces noctámbulos, 1972, París, col. part.

◀ *El último bosque*
Óleo sobre tela. 1,14 × 1,46m, París, Museo nacional de arte moderno

El tema del bosque es una de las constantes en la obra de Max Ernst: bosque vegetal o mineral, rectilíneo o entrelazado, diurno o nocturno, siempre onírico y fantástico, poblado de especies extrañas, vegetales o animales, sobre todo de pájaros. Esta tela es característica del estilo del artista, que mezcla numerosas técnicas. La obra, con su surrealismo, se inscribe en la producción del inconsciente y deja sitio a lo aleatorio mediante los efectos del *frottage* o de la calcomanía. Pero también pone de relieve un proceso consciente mediante el trabajo lúcido que efectúa el artista con raspaduras y arañazos.

Miró

Redondo, alegre y discreto, Miró construye un universo onírico y poético poblado de seres biomorfos, de mujeres y de pájaros, en un espacio estrellado, aéreo y feliz. Este surrealista por excelencia crea una forma imaginaria y personal que alía los arabescos, el círculo y la línea a colores vivos y al negro.

RECORRIDO BIOGRÁFICO

• Joan Miró (Barcelona 1893-Palma de Mallorca 1983), pintor español, es el hijo de un maestro orfebre relojero. En 1907 se forma en el comercio y sigue al mismo tiempo los cursos de bellas artes en la Llotja de Barcelona. A los diecisiete años, escribiente en una droguería, cae enfermo por no poder consagrarse a su arte y parte en convalecencia a la masía de su familia en Montroig (Cataluña). En 1912, Miró frecuenta la Academia libre de F. Galí y hace amistad con el ceramista Ll. Artigas.

• El artista recibe la influencia de los impresionistas, de los fauvistas y de los cubistas, que exponen en Barcelona en 1912 y 1916: *Desnudo de pie* (1918, Saint Louis) y *La masía* (1921-1922, Washington, N.G.). El artista conoce al crítico M. Raynal, al pintor F. Picabia, y expone en la galería Dalmau (1918).

• A partir de 1920, Miró divide su tiempo entre Montroig y París. Vecino de taller de A. Masson, frecuenta a los poetas P. Reverdy, T. Tzara y M. Jacob, y asiste a las manifestaciones dadá. Aunque se mantiene al margen, se distancia de la realidad: *Desnudo del espejo* (1919, Düsseldorf, K.N.W.), *La granjera* 1922-1923, Nueva York). Su primera exposición parisina tiene lugar en 1921, en la galería La Licorne.

• Su encuentro con André Breton y el grupo surrealista en 1923 confirma su evolución hacia el onirismo poético: *Tierra labrada* (1923-1924, Nueva York), *El carnaval de Arlequín* (1924-1925, Buffalo), la muy simbólica *Maternidad* (1924, Londres, col. Penrose), *La siesta* (1925, París, M.N.A.M.) y *Perro ladrando bajo la luna* (1926, Filadelfia, M.A.), obra poética y humorística como *Personaje lanzando una piedra a un pájaro* (*id.*, Nueva York).

• El automatismo y la fantasía inventiva presiden los tres *Interior holandés* (1928, Nueva York; Venecia, col. P. Guggenheim; Chicago, col. Marx), inspirados por la pintura holandesa de *Vermeer, J. Steen... o en el *Retrato de Mrs. Mills en 1750* (1929, Nueva York, M.O.M.A.), según la obra de *Constable. Compone sobrios collages de texturas diversas: *Papier collé* (1929, col. part.).

• Desde 1929, año de su boda, a 1936, el artista prolonga sus estancia en Montroig. Expone en Nueva York, empieza a litografiar y a grabar (aguafuertes). Su fuerza y su lirismo estallan en el *Retrato de mujer sentada* (1932, Nueva York, col. part.), *Muchacha haciendo gimnasia* (*id.*, Küsnacht, col. E.C.Burgauer), «*Caracol mujer flor estrella*» (1934, Madrid, Prado), *Retrato de muchacha* (1935, Nueva York, col. Kiam). La serie de las *Pintura* (1933, Berna, K.; *id.*, Praga, Národní Galerie, *id.* Barcelona) y *El circo* (1934, col part.) son pruebas de esta misma inspiración.

• La guerra civil española será para Miró un verdadero trauma. Ya la había intuido en su serie de *Personajes* llamada «período salvaje», en donde pone en escena figuras monstruosas, con la boca abierta y dentada, que gesticulan: *Personajes ante la naturaleza* (1935, Filadelfia). En plena guerra civil, gritan la angustia del artista (*Tríptico*, 1937, Zurich, col. part.), e interpelan al observador en el cartel *Aidez l'Espagne* (*id.*, col. part.), que marca el apoyo de Miró a los republicanos. *El segador* (*id.*, desaparecido), una pintura mural concebida para el pabellón español de la Exposición universal de 1937 en París, o también la terrible *Cabeza de mujer* (1938, Los Ángeles), ilustran este drama de la guerra civil. Miró se refugia en una poesía aérea, desarraigada de la realidad: *La escala de evasión* (1939, Chicago).

• En 1940, Miró parte hacia París. Prosigue su obra mediante la exploración del sueño. En 1941 concluye en Palma de Mallorca y Montroig la serie de las *Constelaciones* (1941, Chicago), obra mayor empezada en Varengeville, centro histórico del surrealismo.

• Vuelve a Barcelona en 1942, trabaja sobre papel, hace litografía y cerámica con Artigas. Vuelve a sus temas predilectos (*Mujer y pájaros al salir el sol*, 1946, Barcelona: *Personajes en la no-*

che, 1950, Nueva York) y emprende una serie de lienzos sobre *El sol rojo* (1948, col. part.), antes de completar la serie de las *Pinturas* (1949, Basilea; 1953, Nueva York).

• A partir de 1954, Miró construye esculturas brutas o vivamente coloreadas, realiza paneles murales en cerámica como *El muro del sol* (1955-1956, París, Unesco) y, tras una estancia en Estados Unidos en 1957, el de Harvard (1960).

• En la década de 1960, el artista sigue desarrollando su temática y su exploración artística en todas las direcciones. Paralelamente, inicia en Mallorca tres telas inmensas, *Azul I*, luego *Azul II* y *Azul III* (1961, París), que siguen mezclando el sueño y el espacio cósmico. El artista sigue realizando constantes innovaciones sobre el plano plástico y técnico: *Pintura III* (1965, Barcelona, Fund. J. Miró), *Mujer y pájaro* (1967, París), *Mujer rodeada de un vuelo de pájaros en la noche* (1968, Barcelona, Fund. J. Miró), *Mayo 1968* (1973, *id.*), *Tela quemada* (1973, Barcelona, Fund. J. Miró).

Miró cultiva todas las artes: la pintura, la litografía, el aguafuerte, la escultura, la cerámica, la tapicería... La Fundación Maeght, en Saint-Paul-de-Vence, posee una vasta colección de su obra, lo mismo que la Fundación Miró, creada en 1975 en Montjuïc, en Barcelona. Debido al carácter tan personal de su universo plástico, el artista no ha tenido seguidor, pero interesa a los artistas contemporáneos.

INFLUENCIAS Y CARACTERÍSTICAS PICTÓRICAS

Pintor de la mujer, del pájaro y del mundo celeste, Miró pinta al óleo sobre tela, papel, cartón, madera, cobre, soportes a base de fibras de madera, de yeso, etc., en todos los formatos.

La galería Dalmau en Barcelona, la galería La Licorne en París y P. Matisse, marchante en Nueva York, defienden su obra.

En Barcelona, Miró descubre el arte francés, impresionista, naif, fauvista y cubista. En París se adhiere al surrealismo. En Amsterdam se fija en los interiores de los pequeños maestros holandeses y de Vermeer. Montroig, Ciurana, Prades, Varengeville y Palma de Mallorca son los lugares en los que principalmente se inspira.

• Entre 1916 y 1919, Miró pinta inspirándose en *Van Gogh, en el fauvismo, en el estilo ornamental de *Matisse *(Desnudo de pie)*, en el cubismo sintético. Mezcla las aportaciones formales del cubismo y el cromatismo del fauvismo. A partir de 1918, su oficio «detallista» introduce una sorprendente precisión en la representación del paisaje y de los detalles «surreales», y una variedad de formas no menos sorprendente. Este período culmina y finaliza en 1921-1922 *(La masía)*. Pero desde 1920 aparecen puros signos plásticos, a veces suaves, a veces crueles, anunciadores del surrealismo *(La granjera)*.

• En 1923 se embriaga de automatismo y crea un universo onírico, lírico y poético, mitad fantástico y mitad animal, gráficamente denso y coloreado, en el que se respira la felicidad y la ligereza. Miró se refiere a un «modelo puramente interior» (Breton, 1925), denso *(El carnaval de Arlequín)* o sobrio *(Maternidad)*. En *Tierra labrada*, versión surrealista de *La masía*, la precisión detallista de sus inicios cede el lugar a signos «abstractos» fundados sobre la metamorfosis de los elementos de la realidad.

• En la madurez de su arte, en 1924-1925, Miró explota una «figuración» muy personal *(El carnaval de Arlequín)* y luego abandona su pincel al lenguaje automático, al trazo aleatorio y ale-

UN GRAN MAESTRO

◆ Desde muy pronto, los surrealistas reconocen el talento de Miró: «El surrealismo le debe la más bella pluma de su sombrero» (A. Breton).

◆ Miró rompe con la figuración y la abstracción europeas. Opta por una forma de sueño ingrávido, mezclando formas geométricas, arabescos, signos enigmáticos e hibridaciones humanas o animales. Su imaginario se expresa libremente. Lo insólito, la dulzura, la poesía, a veces incluso la violencia, habitan sus lienzos.

◆ Miró experimenta técnicas y soportes: papel arrugado, tela quemada, soporte fundido, etc.

◆ Su universo pictórico, colorista y alegre en lo esencial, revela una incesante inventiva y una coherencia aliadas a una gran libertad estética.

gre, a la factura no acabada *(La siesta)*, para finalmente no dejar a la parte surrealista más que el onirismo de la forma *(Personaje lanzando una piedra a un pájaro)*. Transpone con una fantasía inventiva formas y colores de interior holandés o de retratos conocidos de los siglos pasados. Sus retratos imaginarios, construidos en colores planos y ondulantes muy brillantes, destacan sobre un fondo dividido en colores planos geométricos también muy vivos, entre los que el negro siempre tiene su lugar *(Mujer sentada)*. Estos «personajes» que se anclan en el suelo evolucionan en motivos biomórficos independientes en un espacio aéreo vibrante *(Pintura)*.

• La guerra civil española y la segunda guerra mundial influyen de manera muy diferente sobre su obra. La guerra civil le inspira monstruos femeninos patéticos, que gritan su dolor *(Cabeza de mujer)*. El negro invade los cuadros, la expresión es lírica y violenta, la inspiración es en ocasiones feroz. El conflicto de 1939-1945, en el que se redoblan los horrores de la guerra, le incita a huir mentalmente de la realidad y a refugiarse en un sueño más presente en el título de los lienzos que en los motivos y en la ejecución. Las figuras son tristes y atolondradas, la factura bruta convive con los colores planos perfectos sobre una tela en la que el artista deja emerger la textura o sobre un papel de fondo «ensuciado» con manchas o con aureolas negruzcas *(La escala de la evasión)*. Paralelamente, Miró huye hacia las *Constelaciones* de motivos aéreos, coloreados y poéticos, que celebran a la mujer, el pájaro y la noche estrellada, promesa de vida y de renovación.

• El artista se consagra a continuación a sus temas preferidos: mujeres, pájaros y cielos, tratados por él con alegría y ligereza *(Personajes en la noche)*. El disco solar rojizo está entonces casi siempre presente. Hacia 1953, las composiciones se hacen más sobrias, las figuras más simples y arcaicas, la factura más rústica *(Pintura)*. Esta búsqueda conduce a Miró, en 1961, a enriquecer su estética con las aportaciones plásticas del arte americano sobre grandes formatos monocromos (serie *Azul*).

• En sus últimas obras, llega a «asesinar la pintura», para retomar sus términos. Trabaja al óleo tanto como a la acuarela *(Pintura III)*, agrieta un muro blanco, concibe la materia por ella misma *(Mujer y pájaro*, luego *Mayo 1968)*, pinta sobre papel arrugado *(Mujer y pájaro)*, se expresa sobre tejido *(Mujer rodeada de un vuelo de pájaros en la noche)*. Llega incluso a quemar la tela *(Tela quemada)*.

Su trabajo renovado sin cesar lucha siempre contra la rutina visual y la usura de los signos, y preserva la dimensión onírica y poética.

Interior holandés I
1928. Óleo sobre tela, 92 × 73 cm, Nueva York, Museum of Modern Art

Miró se inspira en el *Tocador de laúd* de H. M. Sorgh, pequeño maestro holandés del siglo XVII al que descubre en un viaje por Holanda en 1928.No interpreta ni imita ese momento musical intimista de la obra de origen, sino que transpone cada detalle en su vocabulario fantástico y surrealista. El laúd es claramente identificable, lo mismo que el perro y el gato. En cambio, la abertura con paisaje del cuadro de Sorgh, a la izquierda, se convierte en un conjunto coloreado en el que se distingue una rama negra y una forma oval blanca, que simboliza la luz, perforada por un círculo rojo, transcripción de la espesa cortina. El mantel blanco se convierte en una forma blanca en el suelo, la mujer que escucha en el «pie» negro a la derecha... Los elementos de la composición, ondulantes y esbeltos, danzan al son del laúd «sonriente» y del colorido.

Azul III
1961. Óleo sobre tela, 2,70 × 3,55 m, París, Museo nacional de arte moderno,
Centro Georges-Pompidou

Última parte de un tríptico de gran formato, este cuadro inaugura la instalación de Miró en su nuevo taller mallorquín. El azul luminoso atravesado por la cola de un cometa y por una estrella negra es el fruto de su trabajo depurado de la década de 1950 y de su conocimiento del expresionismo abstracto, descubierto con ocasión de su viaje a Estados Unidos en 1957. Esta obra sintetiza con una remarcable economía de medios la trayectoria de Miró. Los temas preferidos del artista, la estrella, el cometa, el cielo infinito están presentes. El tratamiento plástico (color plano que simboliza la estrella, cometa rojiza voluntariamente borrosa, largo y ligero hilo de su cola) revela la variedad de la factura. El universo insondable, marcado de espiritualidad, se reproduce mediante estos azules inimitables, aplicados mediante ligeros frotamientos vibrantes.

OBRAS CARACTERÍSTICAS

En el transcurso de una carrera que cubre 65 años, Miró pinta miles de telas, guaches, dibujos y cerámicas.

Desnudo de pie, 1918, Saint-Louis, A.M.
La granjera, 1922-1923, Nueva York, col. Mme Marcel Duchamp
Tierra labrada, 1923-1924, Nueva York, Guggenheim
El carnaval de Arlequín, 1924-1925, Buffalo, Albrighjt-Knox A.G.
Personaje lanzando una piedra a un pájaro, 1926, NuevaYork, M.O.M.A.
Interior holandés I, 1928, Nueva York, M.O.M.A.
Retrato de mujer sentada, 1932, Nueva York, col. part.
Pinturas, 1933, Barcelona, Fund. J. Miró
Personajes ante la naturaleza, 1935, Filadelfia, M.A.
Cabeza de mujer, 1938, Los Ángeles, col. Winston
La escala de la evasión, 1939, Chicago, col. part.
Constelaciones, 1941, Chicago, A.I.
Mujer y pájaros al salir el sol, 1946, Barcelona, Fund. J. Miró
Personajes en la noche, 1950, Nueva York, col. part.
Pintura, 1953, Nueva York, Guggenheim
Azul III, 1961, París, M.N.A.M.
Mujer y pájaro, 1967 París, gal. Lelong
Mujer, pájaro, estrella, 1978, Barcelona, Fund. J. Miró

BIBLIOGRAFÍA

Joan Miró: 1893-1993 (catálogo de exposición), Fundació Joan Miró: Julio Ollero: Leonardo Arte, Barcelona, 1993; Penrose, Roland, Sir, *Miró*, Destino, Barcelona, 1993; Dupin, Jacques, *Miró*, Polígrafa, Barcelona, 2004; Erben, Walter, *Joan Miró: 1893-1983: el hombre y su obra*, Taschen, Colonia, 2004.

Dubuffet

Dubuffet lleva a cabo un trabajo solitario innovador anclado en las investigaciones del siglo xx. Crea una obra polimórfica organizada en ciclos, que evoluciona desde la búsqueda de texturas «brutas» a los abigarramientos multicolores de *L'Hourloupe* y a los bellos collages pintados para llegar, a pesar de un recurso permanente a la figuración, a un arte casi abstracto.

RECORRIDO BIOGRÁFICO

• Jean Dubuffet (Le Havre 1901-París 1985), pintor y escultor francés, proviene de una familia de negociantes en vinos. En 1916 se inscribe en los cursos nocturnos de bellas artes de Le Havre. En París, en 1918, frecuenta durante seis meses la academia Julian y luego trabaja por su cuenta. Establece amistad con A. Masson, F. Léger y J. Gris. Pinta *Lección de botánica* (1924, París, Fund. J. Dubuffet, Périgny-sur-Yerres). Duda entre la música, la pintura y la literatura. Viaja a Lausana y a Italia, trabaja en Argentina, y luego retoma la gestión del comercio familiar en Le Havre, en donde se casa. Luego pasa períodos en París y Bercy. Vuelve a la pintura en 1933, aborda la escultura en 1935, y abandona de nuevo los pinceles en 1937. Vuelve a casarse. Opta definitivamente por una carrera artística en 1942. Su amigo de la infancia G. Limbour le presenta a los escritores J. Paulhan, P. Eluard, P. Seghers, F. Ponge, al pintor J. Fautrier...

• Tras una agitada primera exposición en París, en 1944, emprende un primer gran ciclo de obras, como *Campagne aux ciclistes* (1943, París, M.A.D.), que él califica en 1945 como «arte bruto» por su aspecto deliberadamente primario. La serie de *Hautes Pâtes*, expuestas bajo el título de *Mirabolus, Macadam et Cie*, presenta de forma destacada la *Vénus du trottoir* (1946, Marsella). Sus retratos, «más bellos de lo que a ellos les parece», como *Pierre Matisse, retrato oscuro* (1947, París), escandalizan.

• Tras sus estancias en el Sahara, entre 1947 y 1949, ejecuta telas coloreadas, como *Árabe en el palmeral*, 1948), y una serie de *Paisajes grotescos*.

• De vuelta a París, conoce a A. Breton, crea la Compañía del arte bruto cuya primera exposición tiene lugar en 1949. Dubuffet realiza la serie de los *Corps de dames: Miss Araignée* (1950), *Gymnosophie* (*id.*, París, M.N.A.M.); y luego el personaje del *Métafizyx* (1950, *id.*), en el que, como para *Musique en pays boueux* (1950), utiliza materiales «vulgares» e insólitos, lo que provoca reacciones indignadas. De 1951 a 1955, Dubuffet aborda una tras otra las series *Tables paysagées* los *Paysages du mental* y las *Pierres philosophiques*, y luego *Lieux momentanés*, las *Pâtes battues* y las *Assemblages d'empreintes*. Pasa un tiempo en Nueva York, conoce a *Pollock, *Duchamp, Y. Tanguy.

• De 1953 a 1955, anima una veintena de cuadros con alas de mariposa: *Pequeños personajes y perro* (1953, París, M.A.D.) y *Jardin nacré* (1955, *id.*). En Auvernia, en verano de 1954, toma a vacas por modelos. Practica la litografía.

• Empieza la serie de las *texturologies*, como *Physique du sol (Texturologie XXIII*, 1958) y se interesa en el tema de la barba con *Barbe de lumière des aveugles* (1959, col. part.) o *As-tu cuei-lli la fleur de barbe?* (*id.*), un poema ilustrado y dibujado.

• En la línea del arte bruto, pinta *Messe de terre* (1960, París), llena de espiritualidad, y *Rue Pifre* (1961, col. part.).

• De 1962 a 1974, el artista crea con *L'Hourloupe* el segundo gran ciclo de su carrera: *Trotte la houle* (1964), *Banque des équivoques* (1963, París, M.A.D.). Desarrolla en la misma estética proyectos de arquitectura y escultura realizados en materiales modernos (poliéster, epoxi, chapas pintadas...). A partir de 1969, construye sus talleres en Périgny-sur-Yerres, y allí instala un entorno pintado, la *Closerie Falbala*.

• A la serie de las *Parachiffres* animadas por rayas impulsivas y frenéticas, sucede la de las *Mondanités, Lieux abrégés*. Luego Dubuffet se interesa por los ensamblados con la serie de los *Théâtres de mémoire* (1975-1979): *Vacances de Pâques* (1976, París, Fund. Dubuffet), *La vision tisserande* (*id*, col. part.)

• Los lugares de estas ensambladuras se convierten en ubicaciones más equívocas e indeterminadas. En 1981-1982, el artista realiza 500 pequeñas pinturas sobre papel, reagrupadas bajo el nombre de *Psycho-sites*, seguidas de *Sites aléatoires: Site avec 5 personnages* (1981, col. part.) y *Bras ballants* (1982, col. part.)

• En 1983, Dubuffet aborda una forma de abstracción con la serie de *Mires*, en la que la figura desaparece en provecho de trazos azules y rojos: *Mire G 131* (1983, París), *Le cours des choses* (*Mire G 174, Boléro, id.*). La serie de los *Non-lieux*, realizada sobre fondo negro, persigue este propósito y cierra su obra: *Non-lieux H 51* (1984, col. part.), *Ideoplasma XVI* (*id.*), *Parcours* (1985, *id.*). Artista tardío, este «deconstructor», escritor y poeta, se convierte en el detractor virulento de la cultura en *Prospectos para los aficionados de todo género* (1946), *Memoria para el desarrollo de mis trabajos a partir de 1952* o *Asfixiante cultura* (1968-1969. El Museo de las artes decorativas se benefició en 1967 de una importante donación del artista. Reacio a los grupos y a las escuelas, Dubuffet no ha tenido seguidores, pero sus innovaciones encuentran resonancias entre numerosos artistas, como A. Tàpies, W. de Kooning o A. Jorn.

INFLUENCIAS Y CARACTERÍSTICAS PICTÓRICAS

Dubuffet pinta cabezas y retratos, paisajes de campo, del Sahara y de París, y luego figuras humanas indiferenciadas y conceptuales. Pega alas de mariposa, celebra el sol y la materia, e incluso la barba. Trabaja por ciclos de duración variable.

Se expresa sobre formatos medios y grandes, al óleo sobre tela enriquecida a veces con materias añadidas e incididas, con pintura a la cola, con óleo sobre placa de estuco, con vinilo sobre tela, con acrílico sobre papel entelado, y también utiliza materiales comunes, a veces «desprestigiados», como alquitrán, grava, etc.

Dubuffet rechaza toda referencia al arte pasado y al de sus contemporáneos.

Las galerías Drouin en París y P. Matisse en Nueva York reconocen muy pronto su originalidad.

• Dubuffet inicia después de 1924 una obra pictórica colocada entre clasicismo y vanguardia. Combate el arte occidental, al que considera elitista, quiere pintar para todos, lo que le lleva a repensar el arte, su práctica y sus costumbres. Busca una expresión inédita.

• Desde 1944 renueva el vocabulario «figurativo» reivindicando un «arte bruto» (1945-1962) liberado de las convenciones pictóricas. Pinta temas de la vida cotidiana bajo un aspecto espontáneo y sorprendente, a veces feroz y destructor, con una candidez bárbara que recuerda a los dibujos de los niños, la expresión de los alienados, la brutalidad del graffiti y de los garabatos.

• Tras sus pequeñas pintura saharianas de 1948, de tonos violentos, Dubuffet acentúa la expresión arcaica y temible de los «retratos», «antipsicológicos, antiindividualistas» y de los cuerpos de personajes desnudos, modelados con una pasta espesa, incidida por trazos apresurados. En estos «insultos a la figura», en esta torpeza voluntaria, de tonos groseros y terrosos, Dubuffet no celebra ni la belleza ni la fealdad, sino la materia trabajada que crea el cuerpo desde el interior. Afirma que un pintor aficionado puede estar más dotado que uno profesional y que los criterios estéticos impuestos por las galerías, los museos y los críticos están superados. Defiende una deconstrucción coherente del arte.

• La utilización de alas de mariposa recompuestas en imágenes seductoras constituye una pausa poética, temática y plástica.

• Vuelve al arte bruto: éste, según explica, debe «nacer de la materia [...], alimentarse de las inscripciones, de los trazos instintivos. El gesto esencial del pintor es embadurnar. La espiri-

UN GRAN MAESTRO

◆ Las primeras obras de Dubuffet escandalizan a la crítica y al público. Pocos iniciados aprecian la novedad: los pintores Fautrier, A. Jorn, los escritores A. Breton, J. Paulhan. Posteriormente se dispensa a su obra una mejor acogida, sobre todo en Estados Unidos. Se celebran retrospectivas en los grandes museos en vida del artista: en París (1960, 1972-1973, 1981, 1991) y en Nueva York (1962, 1972-1973).

◆ Dubuffet hace tabla rasa con el arte occidental y combate tanto el tema como el material o la estética. Crea un arte de lo «mental». Para él, «el arte debe nacer del material». Por tanto, invierte el razonamiento artístico.

◆ Renueva el vocabulario «figurativo» y la plástica, imponiendo el «are bruto» anterior a la cultura, trabajando por ciclos y por series como *L'Hourloupe*.

◆ Utiliza materiales poéticos y prosaicos: alas de mariposa, alquitrán, asfalto, óxido, materiales usados... Mezcla los medios: pintura lacada y óleo...

tualidad tiene que tomar prestado el lenguaje del material». Así, el artista favorece la utilización de «materias despreciadas», insólitas e indignas como el alquitrán, la grava, la arena, el
carbón, los vidrios rotos, el óxido. Araña la materia, incide en ella, la rasca. Produce extraños
paisajes y «texturologías» de suelos o muros en materiales inestables, utiliza asfaltos y alqui-
tranes, monocromos y densos, muy cercanos a la materia bruta.

• En 1959, unas «barbas» vívidas y ancestrales, también ellas compuestas por materiales ensamblados, le absorben enteramente. El pintor les dedica un poema.

• La diversidad de su producción de arte bruto ha dado pie a diversas interpretaciones: ¿hay
que interpretarla como la representación de una memoria y de un inconsciente arcaicos, un
rastro del «estado salvaje», según Breton, o bien se trata de la expresión inédita y meditada
de un artista a quien le gusta, según G. Picon (1960) ser «insurreccional, ilegal, escandaloso»?
Es un replanteamiento absoluto de la cultura, de la *asfixiante cultura* (según el propio Dubuffet). El artista hace aparecer una realidad objetiva despojada de los usos culturales como la
propia del no-saber de los «artistas brutos».

• Con *Paris-Circus* y el ciclo intimidatorio de *L'Hourlope*, que le tendrá ocupado de 1962 a
1974, Dubuffet abandona el arte bruto y sus materiales por una forma aparentemente más cercana de la pintura. Si bien la figuración se hace más directa, dejando un lugar a objetos de lo
cotidiano tales como cafeteras, grifos y bicicletas, se desarrolla según un trazado sinuoso y
muy a menudo negro, dibujado como piezas de puzzle de rayas multicolores, luego tricolores,
sobre fondo blanco, a veces negro. Desarrolla esta proliferación de formas irregulares sobre la
tela en arquitecturas imaginarias, en esculturas y en entornos. La aplica incluso a un espectáculo, *Coucou bazar* (1971-1973), que hace contemplar como un «cuadro animado». El conjunto integra a veces a un personaje «antinaturalista» y celular.

• Al «sistema» de *L'Hourlope* se oponen los *Teatros de la memoria* (1975-1979), lugares mentales y visuales más que físicos o táctiles, que ofrecen obras recompuestas a partir de fragmentos recortados de telas antiguas, a imagen de «los recuerdos que surgen entremezclados
en el teatro de nuestros pensamientos». Estas partes se superponen y se ajustan en grandes
formatos, incluyendo «paisajes», personajes y formas.

• Los *Psycho-sites* y los *Sites aléatoires* (1981-1982), ideogramas de personajes arcaicos, vistos en pie, yerran en suspenso en un lugar indeterminado y vivamente coloreado: «Mi intención no es representar un objeto o un lugar, sino el pensamiento, hacer que éste se sienta»,
declara el artista.

• En cuanto a las *Mires* (1983), «punto de mira» de la vista y elemento reflejado por un espejo, excluyen a los personajes y a cualquier motivo figurativo en beneficio de un recorrido labe-
ríntico de líneas abstractas de grafismo violento, azules o rojas, sobre un fondo en colores
planos, amarillo o blanco. «Liberados de cualquier obligación y de obligaciones representativas,
los trazos enloquecen, los tonos se exacerban, las potencias informales se desencadenan», escribe Michel Thévoz. Los *Non-lieux* (1984) representan un paso más hacia este proyecto de lenguaje del pintor: sobre un fondo negro, líneas y curvas encabalgadas, predominantemente
blancas, están coloreadas con toques rojos y azules pintados con viveza.

La obra y la reflexión de Dubuffet ilustran este camino hacia el «punto cero» del arte, la «nada» meditada, un encaminamiento único en el pensamiento occidental.

OBRAS CARACTERÍSTICAS

Dubuffet crea miles de composiciones divididas en series y ciclos.

Vénus du trotoir, 1946, Marsella, Cantini
Pierre Matisse, retrato oscuro, 1947, París, M.N.A.M.
Árabe en el palmeral, 1948, col. part.
Miss Araignée, 1950, col. part.
Métafizyx, 1950, París, M.A.D.
Jardin nacré, 1955, París, M.A.D.
La física del suelo (*Texturología XXIII*), 1958, col. part.
Messe de terre, 1960, París, M.N.A.M.
Trotte la houle, 1964, col. part.
Vacances de Pâques, 1976, París, Fund. J. Dubuffet
Site avec 5 personnages, 1981, col. part.
Mire G 131, 1983, París, M.N.A.M.
Non-lieux H 51, 1984, col. part.

Le Métafizyx
1950. Óleo sobre tela, 116 × 89 cm, París,
Museo nacional de arte moderno, Centro
Georges-Pompidou

Ni vivo ni muerto, ni óseo ni carnal,
este ser arcaico, medio hombre y medio
monstruo, da «un poco de miedo y un
poco de risa». Así debe funcionar, según
Dubuffet, cualquier creación. Con esa
mueca, imponente, desgastado, este
personaje «bruto» es nudoso y complejo.
En su interior habita la materia terrosa
que el pintor sustituye por su carne, sus
huesos, sus músculos... Su cuerpo
arañado, cortado, sufriente, recuerda
el «salvajismo humano». Inspira cierto
malestar: «Pero es un malestar que me
gusta mantener», declara el pintor.
Dubuffet hace tabla rasa de la noción
estética de la belleza: afronta lo real
con la brutalidad de su verdad.

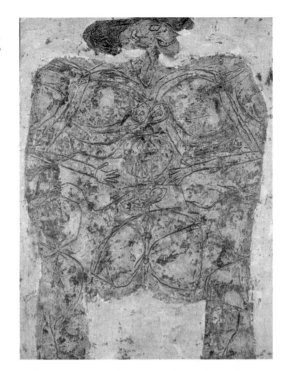

Trotte la houle
1964.Óleo sobre tela, 89 × 116 cm, colección particular

Esta obra pertenece al ciclo de *L'Hourloupe* (1962-1974) que significa el retorno a la pintura al óleo el artista,
a una construcción aparentemente más racional, organizada como un puzzle. El ensamblado se compone
de formas pintadas en colores planos irregulares, azul, blanco y rojo, y rayadas en diferentes direcciones
El negro y el rojo las rodean, y se integran sobre un fondo negro. En este laberinto en que el ojo se pierde,
el pintor quiere crear «un plano mental irreal y demencial y, por lo que a las referencias
y sugestiones respecta, lugares completamente indeterminados».

BIBLIOGRAFÍA

Jean Dubuffet (catálogo de exposición), Fundació Caixa d'Estalvis i Pensions de Barcelona, Barcelona, 1992; López
Bláquez, Manuel, *Dubuffet*, Polígrafa, Barcelona, 1996; *Los Dubuffet de Dubuffet* (catálogo de exposición), El Viso,
Madrid, 2000; *Jean Dubuffet* (catálogo de exposición), Centro Georges Pompidou, París, 2001; *Jean Dubuffet: hue-
lla de una aventura*, Fundación del Museo Guggenheim Bilbao, 2003.

Bacon

La cara de muñeco aunque de expresión atormentada del propio pintor, y el cuerpo y el rostro de modelos reales e imaginarios se ofrecen al arte torturado de Bacon en busca del «rastro que deja la existencia humana». La indiferencia y la soledad de la vida cotidiana, banal e íntima, estimula su visión de lo humano, que él capta en las situaciones más triviales y a la que impone deformaciones plásticas.

RECORRIDO BIOGRÁFICO

• Francis Bacon (Dublín 1909-Madrid 1992), pintor británico autodidacto, hijo asmático de un criador de caballos, es educado por un preceptor. Expulsado de casa por su padre, se instala en Londres en 1925 y pasa por Berlín y París en 1926-1927, en donde descubre el arte de *Picasso y el cine de L. Buñuel. Realiza algunas acuarelas. Decorador y creador de mobiliario, también pinta de vez en cuando desde 1929, antes de interrumpir su actividad pictórica durante diez años.

• En 1944 destruye un gran número de lienzos de ese período (no conserva más que una decena, entre ellos una *Crucifixión*) y decide consagrarse a la pintura: *Tres estudios de figuras al pie de una Crucifixión* (1944, Londres), que pone en escena a criaturas monstruosas y el *Buey desollado* de *Rembrandt, así como *Figura en un paisaje* (1945, *id.*). Su gusto por las series, sobre todo sobre el grito, se manifiesta desde 1944 en *Pintura* (1946, Nueva York, M.O.M.A.), en donde hace referencia a la guerra y a Mussolini, a quien presenta como dictador de rictus inquietante; y en numerosas cabezas, como *Cabeza VI* (1949, Londres), obra preliminar a *Estudio del retrato del papa Inocencio X de Velázquez* (1953, Des Moines). Este gusto por las series también está presente en numerosos desnudos, como *Estudio de desnudo agachado* (1952, Detroit, I.A.) o *Estudio para un retrato de Van Gogh III* (1957, Washington, Smithsonian Institution).

• Bacon se fija también en actitudes de la vida cotidiana (*Dos figuras en la hierba*, 1954, col. part.) y en figuras sentadas en sus numerosos retratos y cabezas, como en *Estudio para un retrato* (1953, Hamburgo, K.). Sus exposiciones se suceden: en la galería Hanover de Londres en 1949, en Nueva York en 1953, en la Bienal de Venecia en 1954, en la galería Rive Droite de París en 1957, en la Documenta de Cassel en 1959, etc.

• En la década de 1960, retoma y madura los temas recurrentes: *Estudio de Inocencio X* (1962, Humlebaek [Dinamarca], Louisiana M.), *Crucifixión* (1965, Munich), *Segunda versión de «Estudio para una corrida n.º 1»* (1969, Basilea, gal. Beyeler), *Segunda versión de «Pintura 1946»* (1971, Colonia, Ludwig C.).

• A partir de 1965, se interesa por los personajes en movimiento: *Según Muybridge. Estudio del cuerpo humano en movimiento. Mujer vaciando una copa de agua, y niño paralítico caminando a cuatro patas* (1965, Amsterdam, S.M.)

• El retrato sigue siendo una constante en su obra. Pinta a su amigo G. Dyer, a quien conoce en 1964 y con quien vive hasta el suicidio de éste en 1971: *Retrato de George Dyer hablando*, *G. Dyer en bicicleta* (*id.*, Basilea, Beyeler col.), *Retrato de G. Dyer en un espejo* (1968, Madrid, Fund. Thyssen-Bornemisza). Organiza en trípticos *Tres estudios para un retrato de Isabel Rawsthorne* (1968, Madrid, Fund. Thyssen-Bornemisza) y *Tres estudios de Lucian Freud* (1969, col. part.)
Siguiendo con su temática de desnudos o de personajes vestidos, modifica su encuadre en el espacio: *Desnudo acostado con una aguja hipodérmica* (1963, Suiza, col. part.), *Tres personajes en una habitación* (1964, París, M.N.A.M.), *Desnudo acostado* (1969, Basilea, gal. Beyeler), *Tres estudios de espalda de hombre* (1970, Zurich) y *Tres estudios de personajes sobre camas* (1972).

• No deja de fijarse en las impulsiones generadoras del desplazamiento, de la movilidad: *Cuerpos en movimiento* (1976, col. part.), *Personaje en movimiento* (1978, Los Ángeles, col. part.), *Surtidor de agua* (1979, col. part.; 1988, Londres, Marlborough I.F.A.), *Figura en movimiento* (1985, col. part.).

• De 1969 a su muerte, en 1992, realiza autorretratos. Citemos los de 1969 (col. part.), 1970 (col. part.), 1971 (París), *El autorretrato con el ojo herido* (1972, col. part.), los lienzos y los pequeños trípticos de 1973, 1974 (col. part.) y1976 (Ginebra, col. part.), y el tríptico de 1985-1986 (Londres, Marlborough, I.F.A.).
Bacon influye en la pintura italiana de las décadas de 1950 y 1960, y también sobre el nuevo figurativismo.

INFLUENCIAS Y CARACTERÍSTICAS PICTÓRICAS

Bacon reemprende temas iconográficos preexistentes: la Crucifixión, el retrato de Inocencio X, el acorazado Potemkin. Realiza numerosos desnudos en interior y retratos de sus amigos y de sí mismo. Los personajes están normalmente aislados o en pareja, raramente en trío. Representa también a algunos chimpancés, un perro (1952-1953), toros bravos (1969) y algunas pocas veces paisajes (antes de 1960).

Sus cuadros se presentan solos, en series o en trípticos profanos, en pequeño formato para los retratos en primer plano o en gran formato.

Al pintor le apoya el galerista F. Mayor y adquieren su pintura coleccionistas acaudalados, como M. Sadler y, desde 1946, A. Barr para el M.O.M.A. de Nueva York. La Marlborough Gallery de Londres celebra exposiciones suyas desde 1957 hasta su muerte.

Bacon es contemporáneo del expresionismo y del *minimal art*. El cubismo de *Picasso, el postcubismo del escultor Moore y también la fotografía, particularmente la descomposición del movimiento de E. Muybridge, las radiografías, el surrealismo cinematográfico de Buñuel y la lectura de libros de medicina vienen a completar sus fuentes de inspiración.

• Sus primeras obras demuestran una influencia cubista y postcubista en la ausencia de cualquier elemento anecdótico y emotivo *(Crucifixión)*: «Quiero que mi imagen sea muy ordenada», afirma. El surrealismo y la dimensión del gesto automático responden a su segunda exigencia.

• En 1945-1950, Bacon trabaja a partir de obras conocidas de *Grünewald, Rembrandt, *Velázquez, *Van Gogh o Picasso. Para empezar busca los rastros de la existencia humana en las representaciones, pintadas, fotografiadas o filmadas, hechas por los demás antes de arriesgarse a captarlas en su propio rostro y, luego, en el de sus amigos.

• Su estilo singular y su obsesión por representar la figura humana se afirman desde el comienzo de la década de 1950. Los personajes, físicamente torturados por su pintura, se hallan prisioneros por el odio o por el dolor físico, que a veces consiguen expresar por un grito *(Cabeza VI, Estudios de figuras al pie de una Crucifixión)*. Esta impresión de enclaustramiento se ve reforzada por las «jaulas» que «encierran al modelo para captarlo mejor», explica *(Estudio de desnudo agachado*, serie de los *Papas)*.

• En la década de 1960, su posición de observador neutro y objetivo se acentúa. Su capacidad de «borrar cualquier contexto sentimental» se ve favorecida por encuadramientos que colocan al pintor y al espectador no en el campo de la obra, sino lejos de ella, más arriba o más abajo.

• Su trabajo, que se centra en la figura, se une al de toda una generación de artistas en busca de una expresión violenta y sin piedad. Bacon destaca las posturas cotidianas de personajes banales o marginales (drogadictos, homosexuales, etc.). «Verdaderamente, para mí se trata de poner una trampa mediante la cual puedo captar un hecho en su punto más vívido», afirma el artista, que hace entrar en crisis a la realidad y que favorece la dramatización de lo co-

UN GRAN MAESTRO

◆ El éxito de Bacon no ha dejado de crecer desde 1950 y ha dado lugar a numerosas preguntas sobre el sentido de su trabajo.

◆ Hostil a la abstracción, que califica de decorativa, afirma que capta la vida y la realidad en una representación alejada de la tradición.

◆ Se mantiene fiel a la representación de posturas, precisas o imaginarias. Pinta temas íntimos y crudos, a veces chocantes, y personajes torcidos, que vomitan y defecan. Sus bocas abiertas, gritando la verdad frente a la imagen social disfrazada, son características de Bacon *(El papa Inocencio X)*.

◆ El artista utiliza encuadres poco habituales, fotográficos o cinematográficos, sobrealzados o contrapicados. Traza sobre el lienzo líneas de perspectiva que se convierten en la jaula del personaje pintado. Inventa el retrato en tríptico.

◆ Sus telas pintadas directamente sin dibujo previo no permiten ninguna modificación ni arrepentimiento. Si esto ocurre, pasa a formar parte integrante de la obra.

◆ El pintor ofrece una interpretación plástica inédita de la figura humana, con cuerpos truncados, agredidos, amputados, sometidos a insostenibles torsiones. Los rostros se ven desfigurados, torturados y en parte borrados. El estilo es brutal y desasosegante, el color vivo y ácido. Prefiere los tonos que van del rosa claro al violeta, del naranja al rojo. El pincel es ligero y rápido, la materia mate, el empaste granuloso.

◆ La obra de Bacon preocupa: hace que huyamos o que nos interroguemos.

tidiano. Bacon exhibe el cuerpo de sus personajes, infligiéndoles, a merced de los meandros torturados de su imaginación, toda clase de contorsiones a veces llevadas al límite del desmembramiento o de la disgregación. Pero capta esos cuerpos en posturas banales e íntimas: sentados, acostados, defecando o haciendo el amor *(Dos figuras en la hierba)*. La boca, abierta, ocupa un lugar fundamental. Es cruel en Mussolini, grita en esa madre inspirada en *La matanza de los inocentes* de *Poussin y aparece agonizante en la nodriza del *Acorazado Potemkin* de S. M. Eisenstein. Estas actitudes «primarias» le inspiran un acercamiento físico entre el hombre y el animal, perro o chimpancé.

• El espacio en que Bacon sitúa a sus personajes también es banal (una habitación, una cama, un baño), o indeterminado y vacío. Esta asociación entre la figura y su medio aumenta la ambigüedad y el malestar. El silencio resuena por todas partes, en la expresión de las figuras y en el abismo que separa a los personajes de los trípticos: no se comunican entre ellos.

• Por medio de su pincel maltrata los retratos de sus amigos y sus autorretratos, pintados de memoria o sacados de un documento. La materia pictórica «se come» el rostro o lo borra en parte como para destruir la cara y captar su reverso, como para penetrar en el interior del ser pensante, conservando su realidad física. Crea sorprendentes acordes entre el colorido y la expresión de los rostros de George Dyer, Isabel Rawsthorne, Lucian Freud, Henriettta Moraes, Michel Leris y en sus autorretratos.

• Utiliza el expresionismo con fines personales: deformación opresora y agresiva de la fisonomía tomada en el instante, del amor a la muerte; personaje invadiendo el primer plano; pincelada brutal que deja trazos vigorosos de empastes rugosos. El arte minimal se reencuentra desde 1962 en grandes colores planos en armonía con los temas.

• Hacia 1965 aborda el movimiento del cuerpo, deformado, desmenuzado, más que el cuerpo en movimiento *(Según Muybridge. Estudio del cuerpo humano en movimiento [...])*.

• A partir de 1970, crea un espacio alrededor de los personajes mediante vastos trípticos que tienen que mirarse no cuadro a cuadro, sino simultáneamente para percibir, de uno a otro panel, las diferencias que hacen palpable la verdad de los personajes, encuadrados de la cabeza a los pies, en busto o en planos más cercanos, con la cara a veces cortada. En los cuadros únicos, en ocasiones divide el fondo en tres partes y desdobla la imagen mediante un espejo. El contraste entre el colorido del suelo y el de la pared, plana o curvada, aumenta. El color, mejor dominado, se sitúa en la gama de rosas y naranjas, pero también en los tonos fríos, de azul, de gris y de beige.

OBRAS CARACTERÍSTICAS

Bacon crea alrededor de 600 pinturas.

Tres estudios de figuras al pie de una Crucifixión, 1944, Londres, T.G.
Cabeza VI, 1949, Londres, The Arts Council of Great Britain
Estudio del retrato del papa Inocencio X de Velázquez, 1953, Des Moines Art Center [Iowa]
Dos figuras en la hierba, 1954, col. part.
Tres personajes en una habitación, 1964, París, M.N.A.M.
Crucifixión, 1965, Munich, S.M.K.
Retrato de George Dyer hablando, 1966, col. part.
Tres estudios para un retrato de Isabel Rawsthorne, 1968, Madrid, Fund. Thyssen-Bornemisza
Tres estudios de Lucian Freud, 1969, col. part.
Autorretrato, 1969, col. part.
Segunda versión de «Pintura 1946», 1971, Colonia, col. Ludwig.
Autorretrato, 1971, París, M.N.A.M.
Tres estudios de personajes sobre camas, 1972, col. part.
Cuerpo en movimiento, 1976, col. part.
Tres estudios para un autorretrato, 1972, 1973 y 1979, col. part.
Figura en movimiento, 1985, col. part.

BIBLIOGRAFÍA

Peppiatt, Michael, *Francis Bacon: anatomía de un enigma*, Editorial Gedisa, Barcelona, 1999; Deleuze, Gilles, *Francis Bacon: lógica de la sensación*, Arena libros, Madrid, 2002; Ficacci, Luigi, *Francis Bacon: 1909-1992*, Taschen, Colonia, 2003; Sylvester, David, *Entrevista con Francis Bacon*, Nuevas Ediciones de Bolsillo, Barcelona, 2003.

Tres personajes en una habitación
(panel central)
1964. Tríptico, óleo sobre tela, cada
panel: 1,98 × 1,47 m, París, Museo
nacional de arte moderno, Centro
Georges-Pompidou

Utilizando una visión «panorámica»,
Bacon muestra a tres personajes
desnudos en una misma habitación.
Cada uno se dedica a una ocupación
banal y cotidiana, indiferentes
ante lo que hace al vecino.
Las figuras se sitúan en un espacio
más bajo con respecto a la mirada
del pintor y la del espectador,
como para reforzar este aislamiento.
La neutralidad afectiva y física se
refuerza mediante esta habitación
vacía y beis. Los desnudos deformados,
convertidos en «cuerpos sin órgano»
(G. Deleuze, 1981) revelan una plástica
tumultuosa en donde Bacon desarrolla
sus propios modos de figuración.
Contrastan con la sobriedad, tanto
formal como cromática, de su entorno.

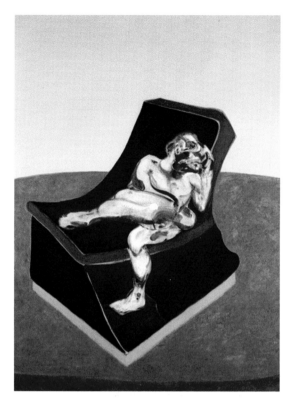

Autorretrato
1971. Óleo sobre tela, 35,5 × 30,5 cm,
París, Museo nacional de arte
moderno, Centro Georges-Pompidou

La violencia del gesto que ha guiado
al pincel ha desosado la mandíbula,
ha deformado la boca y ha hinchado
la cara. «Vuelve de muy lejos, la
cabeza de Bacon, borrada, gastada,
enmascarada, limpiada, cubierta
de círculos, de elipsis, de pastillas,
marcada con pústulas y comas.
Cada rasgo del rostro es una ilusión
adicional que viene a apilarse sobre
las precedentes. Un simulacro,
un accidente, o una minúscula
catástrofe más [...], aquí ya no es más
que un fantasma liberado de su propio
reflejo. Captar el misterio de la
apariencia en el misterio de la factura,
suspira Bacon.» (Ph. Murray, 1982.)

Pollock

Promotor del expresionismo abstracto y más particularmente de la *action painting* o pintura gestual, Pollock pinta lo que él es: un artista a la escucha de su inconsciente y carcomido por el alcohol. Desarrolla una técnica revolucionaria, el *dripping*, llenando sus telas de manchas y de derramamientos hebrosos y entremezclados, oscuros o coloreados.

RECORRIDO BIOGRÁFICO

• El pintor norteamericano Jackson Pollock (Cody, Wyoming, 1912-Springs, Long Island, 1956) es el quinto hijo de una familia pobre que se desplaza a California y Arizona al ritmo de los numerosos fracasos profesionales de su padre. Tras una difícil escolaridad en Riverside, cerca de Los Ángeles (1924-1928), estudia arte en la Manual Arts School (1928-1930) de Los Ángeles. Conoce al futuro expresionista abstracto P. Guston.
• En 1930, Pollock parte hacia Nueva York para encontrarse con su hermano Charles, estudiante de pintura, a quien debe su iniciación. Se inscribe en la Art Students League, en el curso de T. H. Benton, jefe de filas de la escuela regionalista. Conoce a los muralistas mejicanos J. C. Orozco, D. Rivera y D. A. Siqueiros, que están de viaje por Estados Unidos. En la misma época se interesa por la pintura europea. En 1935, el Federal Art Project le encarga grandes composiciones murales en el marco del programa Roosevelt de ayuda financiera a los artistas. En 1936, Siqueiros le invita a participar en su taller experimental: pintura con bomba de aire y con aerógrafo, y empleo de pinturas de pigmento sintético industria. Durante estos años de crisis económica, conoce la miseria y el alcoholismo, sigue curas de desintoxicación e inicia un psicoanálisis jungiano.
• Sus primeras obras, en la década de 1930, demuestran su cultura artística: *Woman* (1930-1933, Nueva York, col. L. Kraasner Pollock), *Going West* (1934-1938, Washington), *The Flame* (1937, Nueva York, M.O.M.A.), *Circle* (1938-1941, *id.*), *Birth* (*id.*, Londres, T.G.). El enriquecimiento que para él supone el contacto con el muralismo mejicano es evidente en *Naked Man With Knife* (*id.*)
• En 1941 conoce, por mediación de la pintora Lee Krasner, a la que conoce desde 1935 y con la que se casará en 1945, a H. Hoffmann y a los futuros jefes de filas del expresionismo abstracto: R. Motherwell, A Gorky y R. Matta. El grupo frecuenta a los artistas europeos huidos de la guerra, sobre todo *Miró, los surrealistas *Ernst y A. Masson, el poeta A. Breton y el neoplasticista *Mondrian. Para defenderlos, Peggy Guggenheim funda en 1942 Art of this Century, a la vez museo y galería comercial. Invita a Pollock a exponer y, posteriormente, le hace un contrato y le encarga una pintura mural, *Mural*, para su residencia de Nueva York (1943, Nueva York, Universidad de Iowa). Esta efervescencia artística inspira a Pollock para *Stenographic Figure* (1942, Nueva York), *The Sep-Wolf* (1943, *id.*), *The Moon Woman Cuts the Circle* (1943, París M.N.A.M.), *Guardians of the secret* (1943, San Francisco), *Gothic* (1944, Nueva York) y *The Blue Unconscious* (1946). La última obra «clásica» del artista antes de su paso al expresionismo abstracto se titula *Eyes in the Heat* (1946, Venecia).
• En 1947, Pollock realiza los primeros *drippings* y participa en la última exposición de Art of this Century. Firma un contrato con la galería B. Parsons. Su pintura, gestual a partir de este momento, será calificada de *action painting* por el crítico norteamericano H. Rosenberg. Pollock produce *Alchemy* (1947, Venecia, col. P. Guggenheim), *Cathedral* (*id.*, Dallas), *Summertime: Number 9 A* (1948, Londres, T.G.), *Arabesque: Number 13 A* (*id.*, New Haven), *Black and White* (1948, París) y *Tiger: Number 3* (1949, Washington). Participa en la Bienal de Venecia de 1948.
• En 1950 se encuentra en la culminación de su arte: *Lavender Mist: Number 1* (Washington), *Autumn Rhythm: Number 30* (Nueva York), *Composition* (Lugano), *One: Number 31* (*id.*), tela que se considera su obra maestra. Algunos de sus cuadros se exponen en el Museo Correr de Venecia. Se asocia al grupo de los «irascibles» expresionistas abstractos: A. Gottlieb, Hoffmann, W. de Kooning, Ad Reinhardt, M. Rothko...
• A partir de 1951, vuelve a una figuración en blanco y negro que lleva la marca de Picasso: *Echo: Number 25* (1951, Nueva York, M.O.M.A.), *Number 7* (1952, Nueva York); *Portrait and a Dream* (1953, Dallas, M.F.A.). *Convergence* resulta menos inmediatamente legible (*id.*, Buffalo, Albright-Knox A.G.). Pollock sigue sin renunciar al dripping con *Blue Poles: Number 2* (1952, Canberra). Los

expone en el local de su último galerista, S. Janis. Pinta su última obra maestra, *The Deep* (1953, París), entre otras obras poco innovadoras, como *White Light* (1954, Nueva York, M.O.M.A.) Alcoholizado, Pollock muere en un accidente automovilístico a los 44 años. Está en el origen de la abundancia artística al otro lado del Atlántico durante la posguerra, que se propaga a la segunda generación de artistas expresionistas abstractos (J. Mitchell, H. Frankenthaler) y abstractos (S. Francis, J.-P. Riopelle). Los artistas europeos abstractos como P. Soulages, O. Debré y A. Saura son sensibles a su obra.

INFLUENCIAS Y CARACTERÍSTICAS PICTÓRICAS

Pollock ofrece una representación de sí mismo basada en el inconsciente. Trabaja al óleo, sobre soportes como el lienzo, la madera y el contrachapado de pequeños, medianos, grandes y a veces enormes formatos.

P. Guggenheim fue su mecenas y quien primero le encargó trabajos, y el M.O.M.A. el primero museo que le compró una tela *(The She-Wolf)* en 1944.

De pequeño se familiariza con el arte indio, las pinturas de arena, y luego en Nueva York se interesa por el muralismo mexicano. Descubre el arte de *Picasso y de *Miró a través de la revista *Cahiers d'art*, antes de conocer a los artistas en persona. El surrealismo le interesa. Participa en el movimiento de los expresionistas abstractos.

• Sus primeras obras, bajo la dirección de T. H. Benton, pintor hostil a la imitación de la vanguardia europea y respetuosos con el renacimiento italiano, demuestran sus conocimientos del arte amerindio, mexicano y europeo, y sobre todo su capacidad de asimilarlos *(Going West)*.

• En los inicios de la década de 1940, su expresión se vuelve personal y descansa sobre una síntesis estética. De Picasso retiene la invención gráfica curvilínea *(Stenographic Figure)*; de Miró aprecia el motivo libre «biomórfico»; de los surrealistas retoma la escritura automática y el papel del inconsciente asociado a su propia vivencia analítica *(The Moon Woman Cuts the Circle, Guardians of the Secret)*. Su interés por la pintura mural y sus reflexiones le incitan a abandonar el cuadro de caballete. Mezcla sus referencias artísticas, las influencias amerindias y el simbolismo mítico y totémico jungiano. Su concepción gráfica y el recurso a un simbolismo figurativo revelan su sensibilidad pictórica, su elocuencia, su fuerza y la densidad de la materia que emplea.

• En 1944, una vez resuelta la cuestión de la relación figura-fondo, busca lo que él denomina la «no-objetividad» con el fin de «velar la imagen», que él deconstruye *(Gothic)*. Se aleja de la utilización surrealista de la imagen y se acerca a Masson, que traduce las pulsiones no puestas en imagen del inconsciente.

• Resueltamente opuesto a lo decorativo, crea en 1945-1946 obras más angulares, todavía semifigurativas *(The Blue Unconscious)*.

UN GRAN MAESTRO

◆ Animado desde muy pronto por P. Guggenheim, Pollock se hace famoso en la década de 1950 gracias a las fotografías y a la película de H. Namuth que le muestra trabajando en su taller, y gracias también a los escritos de los críticos H. Rosenberg y C. Greenberg. Póstumamente se le reconoce en las retrospectivas del M.O.M.A, desde 1956 y 1957, regularmente seguidas por otras desde el fin de la década de 1970 hasta hoy: Nueva York, París, Houston y Londres.

◆ Pollock crea la pintura gestual llamada *action painting*, que anula los vínculos tradicionales entre pintor y pintura.

◆ En su obra, la abstracción está desprovista tanto de tema como de objeto: sus *drippings* suelen llevar el título de *Number*, a veces precedido del nombre de los colores proyectados sobre la tela o de un título calificativo.

◆ Pollock utiliza materiales nuevos: la pintura metalizada, o la empleada para las carrocerías, y los soportes están a veces confeccionados a base de fibras de madera.

◆ Lleva el *dripping*, inventado por Ernst, a su grado de incandescencia. Proyecta sobre una tela extendida en el suelo chorreos de pintura que fluye desde un fondo en el que se han practicado pequeños agujeros, y los enriquece con finos goteos de pintura obtenidos con la ayuda de un bastoncillo mojado en un recipiente.

◆ Inventa el *all-over*, colocando a un mismo nivel todos los puntos de la tela. El resultado plástico forma un encabalgamiento de goteos orientados, rectilíneos y ligeros, así como pequeñas manchas de tallas diversas.

Pollock

● Hacia 1947, tras múltiples vaivenes entre figuración y abstracción, Pollock se lanza a un trabajo que el crítico C. Greenberg califica como «*all over*» (cobertura de la superficie): esta radicalización de la abstracción pone en evidencia la imposibilidad de descomposición de la obra según los criterios de fondo y de forma, la desaparición del motivo, la puesta a un mismo nivel de todos los elementos, la anulación de cada trazo de color por el que le sigue *(Eyes in the heat)*. Pollock se convierte en maestro del expresionismo abstracto y de la *action painting (Cathedral)*. Deja a un lado el cuadro de caballete para acometer telas inmensas, abandona las técnicas tradicionales en beneficio del *dripping*. Rodea su tela puesta sobre el suelo; camina por encima de ella, entra dentro. «Por tanto mira su trabajo desde arriba; la función del artista es la del demiurgo, desencadena la acción dominándola al mismo tiempo» (G. C. Argan, 1950). Se desplaza «lateralmente en la pintura» y afirma que «lo que debía suceder sobre la tela no es una imagen, sino un hecho, una acción». La rapidez de ejecución domina la materia, el tema de la obra resulta del cuerpo, el trazo gestual sustituye al color, «la línea es enteramente transparente [...] no estructura» y crea el «espacio óptico» (M. Fried, 1965). El negro, el blanco y el gris-azul, colores de la laca y de la pintura de aluminio que utiliza Pollock, son los dominantes. El artista lleva a cabo un combate para llegar a un equilibrio entre creación controlada y espontaneidad. La primera la ejerce con motivos entrelazados negros, lo que él denomina «imagen inicial». La segunda, libre y emergente del inconsciente, produce un laberinto complejo de gotas y de colores más o menos coloreados, en diversas etapas, hasta la saturación visual *(Arabesque: Number 13 A)*. Pollock sería como un *jazzman* de la pintura, a la manera de Charlie Parker o de John Coltrane, quienes «vuelven a tocar varias veces seguidas "por encima" de sus propias grabaciones» (J.-L. Chalumeau, 1997).

● En 1950 está en plena posesión de su arte: el espacio de la tela parece inmenso, las gradaciones de color son suaves, la delicadeza del grafismo es extrema. Sustituye las telas a veces totalmente cubiertas de pintura y de capas superpuestas hasta el exceso *(Tiger: Number 3)* por un grafismo aéreo, una materia fluida y ligera que deja aparecer un fondo de tela de tono neutro, con lo que crea, según las palabras de C. Greenberg en 1950 a propósito de *One* y de *Autumn Rhythm*, una sorprendente «profundidad plana [...], una tercera dimensión estrictamente pictórica, estrictamente óptica». Con rabia, ha conseguido esconder la imagen, la figura, en un tejido frágil y nudoso cuyos meandros nos vemos atraídos a seguir con la vista.

● Llegado a este punto, que constituye un límite extremo, un logro, el artista se encuentra cansado, debilitado por el alcohol y el malestar físico. En 1951 vuelve a la figura legible, a las *Black Paintings* (trazos negros sobre fondo blanco) ejecutados con brocha *(Number 7)*, a veces cercanos a Picasso. Las telas no preparadas chupan como papel secante el pigmento, creando una gama sutil, del negro azabache al gris pálido. También pinta en color *(Portrait and Dream)* y vuelve intermitentemente al *dripping (Blue Poles)*.

● En las últimas obras, visualmente abstractas pero sugestivas por sus títulos, Pollock emplea una manga pastelera que proyecta espesos chorros de pintura. Su plástica varía desde lo algodonoso *(The Deep)* a los trazos y manchas superpuestos *(White Light)*.

Composition ▶

1950. Óleo y laca sobre tela, 55,8 × 56,5 cm, Lugano, Suiza, Colección Thyssen-Bornemisza

La dimensión de este *dripping*, uno de los más pequeños realizados por el artista, no le quita ninguna monumentalidad plástica. Pollock resume de este modo su técnica en 1947: «Mi pintura no proviene del caballete. Raramente clavo la tela en un bastidor antes de pintarla, prefiero ponerla directamente sobre la pared o sobre el suelo. Necesito la resistencia de una superficie dura. En el suelo me encuentro más a gusto. Me siento más próximo a la pintura, participo más en ella, puesto que puedo caminar a su alrededor, trabajar en cada uno de sus cuatro lados y estar literalmente dentro de la pintura. Es algo parecido al método de las pinturas sobre arena de los indios del Oeste. Sigo manteniéndome alejado de las herramientas tradicionales, como el caballete, la paleta, los pinceles, etc. Prefiero bastones, llanas, cuchillos y pintura fluida que dejo caer a chorro, o una pasta espesa hecha con arena y cristal y otras materias habitualmente extrañas a la pintura».

OBRAS CARACTERÍSTICAS

Pollock pinta 320 lienzos, 32 de ellos en 1950, en el apogeo de su arte.

Going West, 1934-1938, Washington, Smithsonian Institution
Stenographic Figure, 1942, Nueva York, M.O.M.A.
Guardians of the Secret, 1943, San Francisco, M.O.M.A.
Gothic, 1944, Nueva York, M.O.M.A.
The Blue Unconscious, 1946, col. part.
Eyes in the Heat, 1946, Venecia, col. P. Guggenheim
Cathedral, 1947, Dallas, M.F.A.
Arabesque: Nr. 13 A, 1947, New Haven, Yale University, A.G.
Black and White, 1948, París, M.N.A.M.
Tiger: Nr. 3, 1949, Washington, Smithsonian Institution
Composition, 1950, Lugano [Suiza], col. Thyssen-Bornemisza
Lavender Mist: Nr. 1, 1950, Washington, N.G.
Autumn Rhythm: Nr. 30, 1950, Nueva York, M.O.M.A.
One: Nr. 31, 1950, Nueva York, M.O.M.A.
Number 7, 1952, Nueva York, col. L. Krasner Pollock
Blue Poles: Nr. 2, 1952, Canberra, Australian N.G.
Portrait and a Dream, 1953, Dallas, M.F.A.
The Deep, 1953, París, M.N.A.M.

BIBLIOGRAFÍA

Taramelli, Ennery, *Pollock,* Grupo Axel Springer, Madrid, 1982; Leiris, Michel, *Francis Bacon*, Polígrafa, Barcelona, 1987; Landau, Ellen G., *Jackson Pollock*, Thames and Hudson, Londres, 1989; Naifeh, Steven; White Smith, Gregory, *Jackson Pollock*, Circe Ediciones, Barcelona, 1991; Karmel, Pepe (ed.), *Jackson Pollock: interviews, articles and reviews*, Museum of Modern Art, Nueva York, 1999.

Warhol

Dandy y provocador, Warhol, rey ambicioso del pop-art norteamericano, se vale de la figuras emblemáticas de la sociedad de consumo, poniendo al mismo nivel una lata de conserva y una
estrella cinematográfica. El tratamiento en colores acrílicos planos o en serigrafía y la duplicación a veces en gran número forman parte de la novedad técnica y plástica de su arte.

RECORRIDO BIOGRÁFICO

• Andrew Warhola, llamado Andy Warhol (Pittsburgh 1928-Nueva York
1987), pintor americano, nace en una familia de origen eslovaco. Estudia
concepción gráfica en el Carnegie Institute of Technology de Pittsburg. Di-
plomado, parte hacia Nueva York en 1949, en donde se convierte en un dibujante publicitario famoso. Particularmente promueve el «zapato Zsa Zsa
Gabor» (1956, Nueva York, col. S. Frankfort). Sin embargo, sueña con convertirse en un «gran» artista.
• En 1959, la exposición «Sixteen Americans», que tiene lugar en el
M.O.M.A., reúne a R. Rauschenberg y J. Johns bajo la denominación «pop-
art». Warhol se incorpora pronto al grupo: *Dr. Scholl* (1960, Nueva York,
M.O.M.A), *Large Coca-cola* (*id*, col. part.), *Bottle of Perfume* (*Frasco de perfume*, 1961, Nueva York, R. Miller Gallery), *Superman* (*id.*, París, col. G.
Sachs). Descubre la utilización del cómic por R. Lichtenstein y se la apropia: *Superman* (h. 1961, París).
• 1962 marca un cambio para Warhol con la introducción de la serigrafía:
Campbell's Soup Cans (*Latas de sopa Campell's,* 1961.1962, Washington,
N.G.) y *Big Campbel's Soup Can, 19 cents* (1962, Houston, col. Menil) obtienen un gran éxito inmediatamente. Warhol compone sus primeras series
200 Dollars Bills (*200 billetes de un dólar, 1962*), *200 Campbell's Soup Cans*
(*id.*), *Green Coca-Cola Bottle* (1962, Nueva York, Whitney Museum) y firma
129 Die in Jet (Plane Crash) (*129 pasajeros muertos en un accidente de
avión*, 1963, Colonia). Inmortaliza a las estrellas: *Marilyn Diptych* (*Díptico
de Marilyn*, 1962, Londres), *Liz Taylor* (1963, col. part.) y *Triple Elvis* (1964,
Richmand [Virginia], M.F.A.), y se interesa por la *Gioconda* (*Mona Lisa*,
1963, NuevaYork, Blum Helman gallery). En 1963 rueda una primera película en su Factory, centro de devoción de la cultura neoyorquina en el que
da a conocer al grupo de rock The Velvet Underground.
• Hacia 1964, el artista sistematiza la utilización de la serigrafía sobre tela producida en serie y la aplica a las imágenes de las estrellas: *Marilyn*
(1964, Nueva York, M.O.M.A.), *9 Jackies* (*id.*, Nueva York), Jackie Kennedy
como esposa sonriente y luego como viuda, *Elvis* (1965, Toronto, Art Gallery of Ontario). Se interesa por las *Flores* (*Flowers, id.*, Nueva York, col.
part.), por el *Papel pintado con vacas* (*Cow Wallpaper*, 1966, Nueva York,
col. L. Castelli) y siempre por los productos alimenticios: *Brillo Box* (*Caja de
Brillo*, 1964, Nueva York, The Andy Warhol Fondation for Visual Arts), *Colored Campbell's Soup Cans* (1965, Walthan [Mass.]). Aborda las realidades
más crudas: serie de las *Sillas eléctricas* (*Electric Chair*, 1964-1968).
• Sin renunciar a su actividad plástica, el hombre del *Autorretrato* (*Self-
portrait*, 1967, col. part.) se apasiona por el cine *(Kiss)*: sus audacias de ro-
daje marcan la vanguardia cinematográfica.
• En 1968, el atentado del que es víctima le inspira *Skull* (*Cráneo*, 1976,
Nueva York, Fund. A. Warhol). Se consagra a los encargos de la *jet set*: *La-
dies and Gentleman* (1975, Fund A. Warhol). Introduce en sus retratos al-

gunas pinceladas: *Mao* (1972, Londres, col. Saatchi), *Julia Warhol* —su madre— (1974, Nueve York, Fund. A. Warhol). Practica experimentaciones (*Oxidation Painting [Pintura de oxidación]*, 1982, Zurich; *Joseph Beuys*, 1980, Berlín, col. E. Marx), pinta algunas series como *Dollar Sign* (1982, Nueva York, gal. L. Castelli). En 1984, compone *Rorschach* (*id.*), en 1986 *Campbell's Noodles Soup* (*Sopa Campbell's con pasta,* Salzburgo), *60 Last Suppers* (*60 Últimas Cenas, id.*, Nueva York) y *Camouflage Self-Portrait* (*Autorretrato con camuflaje, id*, Nueva York).

Pintor, ilustrador, cineasta, escritor, Warhol es una estrella mediática. Es el símbolo de los años 1960-1980. Deja numerosos escritos, como *Mi filosofía de A a B y de B a A, Diarios, POPism: the Warhol '60s*.

INFLUENCIAS Y CARACTERÍSTICAS PICTÓRICAS

Warhol se apropia de la imaginería cotidiana: zapatos, cómic... Después describe a la sociedad americana en todos sus aspectos: artículos de consumo (latas de conserva), finanzas (dólar), star-system (Elvis Presley, Marilyn Monroe, Liz Taylor), política (J. F. Kennedy, Mao, Nixon), deporte, sucesos (accidente de avión, accidente automovilístico, disturbios raciales, suicidio, fugitivos), por medio de fotografías de actualidad. El envenenamiento alimenticio o la bomba atómica se oponen a la despreocupación campestre de sus flores y vacas. El artista cultiva la serigrafía y el acrílico sobre tela.

Antes de Warhol, R. Lichtenstein, J. Johns, R. Rauschenberg, J. Rosenquist, T. Wesselmann y C. Oldenburg ya habían extraído sus temas de la publicidad y de los cómics. El papel-moneda pintado ya era utilizado en el siglo XIX por los artistas americanos W. M. Harnett y J. Beberle. Las bandas repetitivas se remiten a Ad Reinhardt, los fondos vibrantes a M. Rothko, sus cráneos a las «vanidades» del siglo XVII. Warhol hace una parodia del expresionismo abstracto. Se inspira en los tests psicológicos del psiquiatra y neurólogo suizo H. Rorschach.

• En la década de 1950, Warhol es sensible al retorno de la figuración, cuando lo que domina es el expresionismo abstracto. En sus creaciones publicitarias utiliza una técnica de calcomanía sobre papel secante. Parodia con humor los artículos de consumo, los recubre de oro y de plata («Zapato Zsa Zsa Gabor»), a veces los trata de manera expresionista *(Frasco de perfume)*.

• Después Warhol hace suyos los valores del pop-art e introduce el cómic *(Superman)*. Pero «para convertirme en un pintor famoso he decidido tomar otras direcciones en las que seré el primero», declara. Así, en 1962, se apropia de los productos de consumo cotidianos, que amplía gracias al episcopio a formatos desacostumbrados y proyecta sobre una tela: dólar, Coca-Cola, lata de sopa Campbell's. Sus serigrafías son mecánicas e impersonales, sin profundidad, sus colores planos vivos e irreales.

• A la unicidad del motivo le suceden composiciones seriadas. La duplicación de un mismo motivo en color o en blanco y negro, visto entero o re-

UN GRAN MAESTRO

◆ Warhol es famoso tanto por sus realizaciones como por su pertenencia a la *jet set*. En 1990 se le consagran retrospectivas en Nueva York y París.
◆ El artista se aparta del expresionismo abstracto y del minimalismo en nombre del pop-art.
◆ Eleva los productos de consumo de masas al rango de obras de arte.
◆ Utiliza técnicas innovadoras: la calcomanía y el doblado *(Rorschach)*, el episcopio, la plantilla de estarcir y, sobre todo, la serigrafía sobre tela. Experimenta los efectos plásticos inéditos provocados por la orina sobre el cobre, mediante un negativo modificado.
◆ Warhol hace que el objeto figurativo caiga en el dominio abstracto.

presentado de manera parcial, y repetido satura la mirada y neutraliza o aumenta, según el caso, la emoción. La reproducción alterna perfección del color plano y azar *(Díptico de Marilyn)*. La percepción oscila entre figuración y abstracción *(100 cajas)*.Con la ayuda de placas diferentes, Warhol introduce diversidad en los motivos repetitivos *(Botellas de Coca-Cola verdes)*.

• Elabora una «estrategia» de la imagen ocupándose de su poder y de su papel promocional. Ya no se interesa en la «realidad objetiva», como lo hacen Pollock o Bacon, sino que se polariza en su «condición dinámica». Sus imágenes son sobre el acontecimiento, es decir, rápidas, múltiples, fuertes, y luego «pasadas».

• Hacia 1964 aplica sistemáticamente a sus series el procedimiento de la serigrafía: estrellas del cine, personajes políticos, sucesos.

• A mediados de la década de 1970, enriquece los retratos con pinceladas de pintura acrílica en rápidos y amplios zigzags, en donde trabaja «al dedo» *(Mao, Julia Warhol)*; el hombre de la serigrafía se transforma en artista «tradicional» *(La Gioconda)*.

• A partir de finales de la década de 1970, el artista vuelve a la «pura» serigrafía sobre tela. Experimenta con el ácido úrico (orina) sobre una placa de cobre *(Pintura de oxidación)* y con la reproducción en papel de un negativo espolvoreado de diamante pulverizado *(Joseph Beuys)*. Vuelve a utilizar el doblado *(Rorschch)*. Finalmente, se interesa por los motivos estampados en la ropa militar *(Autorretrato con camuflaje)*.

OBRAS CARACTERÍSTICAS

Warhol realiza muchas serigrafías sobre tela, de múltiples variantes.

Superman, h. 1961, París, col. G. Sachs
200 Dollars Bills, 1962, col. part.
200 Campbell's Soup Cans, 1962, col. part.
Green Coca-Cola Bottles, 1962, Nueva York, Whitney Museum
129 Die in Jet (Plane Crash), 1963, Colonia, Ludwig Museum
Marilyn Diptych, 1962, Londres, T.G.
9 Jackie, 1964, Nueva York, col. part.
Colored Campbell's Soup Can, 1965, Waltham [Mass.], Rose Art Museum, Brandis University
Self-Portrait, 1967, col. part.
Mao, 1972, Londres, col. Saatchi
Oxidation Painting, 1982, Zurich, T. Ammann F.A.
Campbell's Noodles Soup, 1986, Salzburgo, col. part.
60 Last Suppers, 1986, Nueva York, gal. L. Castelli
Camouflage Self-Portrait, 1986, Nueva York, M.O.M.A.

BIBLIOGRAFÍA

Bourdon, David, *Warhol*, Anagrama, Barcelona, 1989; Bockris, Victor, *Andy Warhol: la biografía*, Arias Montano, Madrid, 1991; Koestenbaum, Wayne, *Andy Warhol*, Grijalbo-Mondadori, Barcelona, 2002; Warhol, Andy, *Mi filosofía de A a B y de B a A*, Tusquets, 2002.

Colored Campbell Soup can (Lata de sopa Campbell's)
1965. Acrílico y serigrafía sobre tela, 1,93 × 1,22 m, Waltham [Mass.],
Rose Art Museum, Brandis University

En 1962 Warhol da explicaciones sobre sus primeras latas Campbell's:
«Simplemente pinto cosas que siempre me han parecido bellas, cosas
que se utilizan todos los días sin pensar». La banalidad del tema
propulsa su arte y su personalidad a la primera fila.

Glosario

Acrílico: Pigmento sintético y orgánico, comercializado a partir de 1950, y que en principio estaba destinado a la industria. Soluble en agua o en un disolvente especial, la pintura acrílica, muy colorante, opacificante y resistente, da a las obras un brillo cromático inigualable, ofrece un acabado neutro y permite trabajar rápido (Warhol, Bacon...). Su gran adhesividad se adecua a la integración de cuerpos heterogéneos: arena, polvo de mármol o fibra de vidrio (Duchamp, Miró, Pollock, Dubuffet).

Affetti: Pasiones del alma, emociones, «libres», sobre todo entre los manieristas, y que dominaban Poussin y los pintores clásicos.

Argamasa o **aglutinante, excipiente:** Elemento constituyente de las pinturas y barnices. Puede ser acuoso, oleaginoso (óleos naturales o artificiales), aglutinante (cola...) o resinoso (barniz natural o sintético), y sirve como vehículo del pigmento. Es el que confiere las propiedades técnicas de la pintura: facilidad de empleo, consistencia, opacidad o transparencia, calidad y tiempo de secado, resistencia.

Arrepentimiento: Huella dejada por la corrección de una forma dibujada o pintada que se hace en el curso de la ejecución de una obra.

Betún: Mezcla de un elemento rico en carbono, aceite de linaza y cera virgen. El color marrón, muy brillante, ofrece a los pintores efectos de transparencia. Se utilizó sobre todo en el siglo XIX, en la pintura al óleo contemporánea o para aplicarlo sobre obras anteriores. A la larga provoca alteraciones irreparables (agrietamientos, rastros negruzcos). El fondo bituminoso es la pesadilla de los restauradores.

Bistre: color marrón obtenido mediante una mezcla de hollín, agua y goma (secreción vegetal pegadiza extraída de una incisión). Se utiliza desde el siglo XVI en Italia para los manuscritos, a pluma para marcar los contornos o a pincel para indicar las sombras. En el siglo XX se prefiere emplear el sepia (las obras terrosas de juventud de Van Gogh).

Bodegón: Término español (siglo XVI) utilizado internacionalmente para designar la representación de un interior de cocina (mobiliario, vajilla) o una muestra de alimentos (caza, pescado, huevos...). En el siglo XVI, cuando este género conoce su apogeo (Cotán, Zurbarán y Velázquez sobre todo) el término es casi sinónimo de «naturaleza muerta».

Cangianti: Matices o paso de un tono a tono sobre una misma superficie y sin ninguna ruptura (manieristas, como Pontormo).

Capa pictórica: Conjunto de capas de pintura superpuestas, repartidas entre la preparación y el barniz final.

Claroscuro: Juego de sombras y de luces utilizado para producir el modelado de un cuerpo, de un objeto o de un volumen, que llega hasta un contraste acentuado (el Caravaggio) que destaca la fuerza de la luz exterior y «real».

Color plano: Zona delimitada coloreada, uniforme y perfecta, sin volumen ni rastro alguno de materia.

Color saturado: Color que ha alcanzado su máxima densidad.

Colores primarios y complementarios: Los colores primarios del espectro solar son el rojo, el verde y el amarillo. Sus complementarios respectivos son el verde, el naranja y el violeta. El verde y el rojo son complementarios, el violeta y el verde son complementarios secundarios. Su utilización consciente en pintura data del siglo XIX (Delacroix, Monet, Seurat).

Conversation piece: Término inglés que hace referencia a la representación pictórica de al menos a dos personas conversando (Hogarth).

Di sotto in sù: «De abajo arriba», designa las figuras vistas en escorzo desde abajo. La perspectiva, que así se acentúa, da la ilusión de ascensión en el espacio (virtuosismo de los pintores barrocos Lanfranco, il Correggio, Pietro de Cortona).

Empaste: Espesor más o menos irregular de la capa pictórica dejada por el pincel, la espátula... Y que produce trazos, surcos, vacíos y crestas de amplitud variable en las que juegan las luces y las sombras (Hals, Rubens, Delacroix, Fragonard, Monet, Van Gogh, Pollock).

Escorzo: Representación en perspectiva del cuerpo humano, que provoca una deformación y efectos impactantes, tímidos en Giotto, magistrales en Mantegna, Uccello y Miguel Ángel, y, posteriormente, en los maestros del barroco.

Factura, oficio o **escritura pictórica:** Manera propia de un pintor a la hora de ejecutar técnicamente una obra (trazo liso, empastado, orientado...).

Figura serpentina: Figura nacida del *contrapposto* (desequilibrio de la posición de los cuerpos, oposición de las actitudes) al que Miguel Ángel añade un movimiento en torsión y en espiral.

Frottage: Traza rugosa y seca realizada en al pintura al óleo (Ernst).

Grisalla: Pintura o esbozo tratado en monocromía, tono sobre tono de gris (degradación entre el negro y el blanco) que imita el relieve esculpido. Es una técnica utilizada en las iluminaciones, el dibujo, el esbozo preparatorio de las esculturas, la pintura al fresco y sobre tela, o en las vidrieras. Se puso de moda desde el siglo XVI en Francia y luego en Italia y en la pintura del norte (UcceLlo, Van Eyck, Mantegna, Giovanni Bellini, Bruegel, el Bosco, il Correggio... y luego Rubens, Ingres, Boucher, Manet). El impresionismo eliminará este procedimiento.

Grutescos: Decoraciones, principalmente murales y de techados, compuestas por elementos arquitectónicos, vegetales, animales y monstruosos (grifos), de moda en el siglo XV (Ghirlandaio, Pinturicchio). Nombre dado a finales del siglo XV a la decoración pintada de la antigüedad romana (casa Dorada de Nerón). Ornamento cultivado por los manieristas en el siglo XVI (Giovanni da Udine en el taller de Rafael, Rosso, Primaticcio...) y en el siglo XVIII (Audran, Boucher...), tras el descubrimiento de las ruinas de Pompeya.

Güelfos y gibelinos: Nombre de dos familias alemanas enfrentadas: los Güelfos (Welf), duques de Baviera, representaban al poder feudal hostil a la familia imperial de los Hohenstaufen, llamados gibelinos (Waibling) por el nombre de su castillo. El conflicto se extendió a Italia del norte en los siglos XIII y XIV: las ciudades-estado, rivales, optaron por los güelfos, fieles a la supremacía del papado y antiimperialistas (Arezzo, Asís, Florencia...), o por los gibelinos, vinculados a las tradiciones del imperio germánico, dirigido entonces por Federico Barbarroja (Pisa, Siena...)

Luminismo: Papel de la luz sobre las formas y los colores que se emplea en la pintura al óleo desde su descubrimiento entre los venecianos y, luego, en toda Italia. A veces utilizada para caracterizar la obra del Caravaggio y de sus émulos europeos, y de los *tenebrosi* («tenebrosos») como Ribera y L. Giordano. Se llama «luministas» a las obras diurnas y, sobre todo, nocturnas de claridad deslumbrante (Beccafumi, el Greco, il Tintoretto).

Maestà: Virgen en majestad.

Monotipo: Procedimiento de impresión de una hoja de papel previamente trabajada con tinta de imprenta o con pintura y concebido para obtener una estampa única (Degas, Gauguin...).

Pala: Cuadro de altar propio de las iglesias.

Perspectiva: Ciencia de la geometría que traspone en tres dimensiones y en el espacio toda forma real o imaginaria a partir de un punto fijo escogido. La realidad visual obtenida sobre una superficie plana es fruto de un procedimiento primero empírico y luego racional.

Perspectiva atmosférica o aérea: Alteración y difuminación progresivas de las formas, de los colores, de los contrastes, bajo el efecto de la distancia y de la luz (Leonardo).

Perspectiva axonométrica: Representación de una figura en tres dimensiones mediante proyección ortogonal u oblicua. Dicho de otro modo, todas las líneas paralelas al plano del cuadro siguen siéndolo, todos lo puntos tienen una fuga vertical o en paralelo hasta el infinito (se utiliza sobre todo en planos de arquitectura).

Perspectiva barroca: Perspectiva ilusionista llevada a su paroxismo, que utiliza todos los procedimientos técnicos: escorzo, *di sotto in sù*, grisalla... (il Correggio, Pietro da Cortona).

Perspectiva bifocal: La construcción utiliza dos puntos de fuga laterales. La línea del horizonte es muy baja en el caso de Piero della Francesca si lo comparamos a la de Uccello.

Perspectiva central, clásica o albertina: Perspectiva geométrica rigurosa, concebida por el arquitecto Alberti (siglo XV), que se construye mediante un punto de fuga central obtenido en la intersección del radio visual principal o central de la pirámide visual con la línea de horizonte. Proyecta sobre el cuadro el plano y la elevación del objeto. Todas las líneas paralelas al plano del cuadro siguen siéndolo y las demás líneas convergen hacia el punto de fuga central (Piero della Francesca fue el primero en emplearla).

Perspectiva lineal: Disminución de las formas con su alejamiento que permite no respetar estrictamente un punto de fuga perspectivo fijo. Por ínfima que sea, aparece una deformación lateral curvilínea. La luz juega un papel importante en este efecto que Leonardo estudió.

Perspectiva primitiva, paralela o intuitiva: Construcción elaborada a partir de un punto de vista único, con empirismo y errores que desaparecerán con las perspectivas de Brunelleschi y de Alberti (Cimabue, Giotto, sobre todo).

Perspectiva racional o brunelleschiana: La perspectiva racional construida por el arquitecto Brunelleschi (siglo xv) tenía el propósito de encontrar un método visual y empírico (a partir de un dispositivo que se ha perdido y que daba preponderancia al punto de fuga central) para establecer distancias y dimensiones que fueran fieles a la realidad (el primero fue Masaccio).

Pigmento: Elemento mineral, orgánico o sintético que al desmenuzarlo se convierte en el elemento colorante de la pintura.

Pintura *a fresco* o fresco: Pintura mural ejecutada con ayuda de pigmentos minerales, diluidos en agua, extendidos con brocha sobre un enlucido fresco, en mortero (arena y cal apagada), liso o granuloso.

Pintura *a tempera*: Fresco a base de pigmentos coloreados y de clara e huevo (aglutinante). El azul, por ejemplo, tiene que extenderse *a secco* («en seco»).

Pintura al cuchillo: Técnica que utiliza, a partir del siglo xix, una hoja de acero, en forma de espátula, de diferentes anchuras, con la que el pintor toma el color de la paleta y lo aplica sobre la tela (Turner, Goya, Courbet, los impresionistas).

Pintura al temple: Pintura con los colores pulverizados en agua y luego disueltos («destemplados», en su sentido antiguo) con cola (goma) en el momento de pintar. Se aplica sobre superficies murales y techos perfectamente planos y bien preparados. Esta técnica exige una gran rapidez de ejecución debido al secado muy rápido de los colores y no permite ninguna rectificación ni superposiciones de capas. En el siglo xv empieza a preferirse la pintura al óleo, de una utilización más sencilla.

Pintura *alla prima*: Capa única de pintura, aparecida con el arte moderno.

Serigrafía: Procedimiento de impresión de la estampa aplicada a la pintura por reporte fotosensible, fotoquímico, sobre una tela o una pantalla emulsionada (Warhol).

Sfumato: Resultado del afinamiento y de la disolución de los contornos. En el espacio perspectivo, el aire es vaporoso y la veladura brumosa azulada (Leonardo).

Tonalismo, color tonal o «color espacial»: Color-luz, fusión armoniosa de los tonos fieles a la intensidad luminosa real. Solamente la pintura al óleo y su «suavidad» lo permiten, por superposiciones sucesivas de capas traslúcidas (G. Bellini es el primero y, luego, de Leonardo a Tiziano, el Veronés...). Los cielos están fundidos en colores próximos, pasando de los grises coloreados (Bellini) al claroscuro moderado (Tiziano).

Tono local: Tono natural dado a los objetos en función de su lugar en el cuadro, de su posición en el campo perspectivo, de la luz real (Giovanni Bellini).

Tonos cálidos: Colores próximos al rojo y al naranja.

Tonos fríos: Colores próximos al azul o al verde.

Tonos rotos: Mezcla de colores en los que está asociado el gris (Van Gogh).

Veladura: Color claro muy diluido en un barniz oleoso extendido en la última capa y que garantiza la unidad cromática y luminosa general del cuadro. La veladura ofrece unidad tonal. Se ha utilizado mucho, sobre todo en el renacimiento.

Índice de los principales pintores citados

Los números en negrita indican que hay un artículo en la obra dedicado a dicho pintor.
En el texto o en los pies de ilustración, cuando el nombre de un artista va precedido de un asterisco significa que dicho artista tiene un artículo en el libro.

Créditos fotográficos